SpringerWienNewYork

T0364858

Lesebuch Projekte

Vorgriffe, Ausbrüche in die Ferne

Herausgegeben von Christian Reder

Edition Transfer
Hg.: Christian Reder

SpringerWienNewYork

Edition Transfer bei Springer Wien New York
Herausgegeben von Christian Reder

Christian Reder (Hg.): Lesebuch Projekte. Vorgriffe, Ausbrüche in die Ferne

Graphische Gestaltung: Werner Korn
Titelbild: Unter Verwendung des Bildes „Gasflamme" (1987) von Brigitte Kowanz,
mit freundlicher Genehmigung der Künstlerin
Projektfinanzierung: Universität für angewandte Kunst Wien und transferprojekte-rd.org

© 2006 Springer-Verlag/Wien
© Autoren und Autorinnen
Printed in Austria
SpringerWienNewYork ist ein Unternehmen von Springer Science + Business Media
springer.at

Druck und Bindearbeiten: Druckerei Theiss GmbH, 9431 St. Stefan, Österreich

Gedruckt auf säurefreiem, chlorfrei gebleichtem Papier – TCF

SPIN: 11546733

Mit zahlreichen Abbildungen. Bildauswahl in Abstimmung mit den Autorinnen und Autoren.

Bibliografische Information Der Deutschen Bibliothek
Die Deutsche Bibliothek verzeichnet diese Publikation in der Deutschen
Nationalbibliografie; detaillierte bibliografische Daten sind im Internet über
[http://dnb.ddb.de] abrufbar.

ISSN   1611-1885
ISBN-10   3-211-28587-3 SpringerWienNewYork
ISBN-13   978-3-211-28587-9 SpringerWienNewYork

Inhalt

Alberto Manguel, Gianni Guadalupi (Hg.):
The Dictionary of Imaginary Places, San Diego 2000
Kartengrafik: James Cook

„… my head began to be full of projects
and undertakings beyond my reach …"

Daniel Defoe*: *Robinson Crusoe*, London 1719

„Projekte sind die Fortbewegungsform
von Selbstbewusstsein bei den Menschen."

Alexander Kluge

* Vgl. den Parallelband zu dieser Ausgabe. Daniel Defoe: *Ein Essay über Projekte*,
London 1697. Herausgegeben und kommentiert von Christian Reder,
Wien-New York 2006

„Projekte sind im Grunde Vorgriffe, Ausbrüche in die Ferne"

Alexander Kluge im Gespräch mit Claus Philipp

Lob der Plumpheit

Im Auftrag seiner Landesherren Johann Friedrich und Herzog Ernst August sollte in den Jahren zwischen 1680 und 1685 der bekannte Intelligenzarbeiter G. W. Leibniz für ein Honorar von 1200 Thalern, Einzelheiten nach seiner Disposition, mit Erfindungen die Rentabilität des Oberharzer Bergbaus steigern.

Tatsächlich zum Arbeitsort angereist, sind komplizierte Pumpen und Förderanlagen zu besichtigen, die durch Pferd und durch Wasserkraft angetrieben werden; sie pumpen das Wasser aus Bergwerkstollen und tragenden Schichten auf eine Anhöhe des Harzes, während zugleich eine Hebevorrichtung das geförderte Erz zutage bringt. Im Sommer und in den strengen Wintern leiden die Bergwerke unter Wassermangel. Die Silberbergwerke liegen still. Die Bergleute sind beschäftigungslos, ihre Familien hungern.

Der Experimentator entstieg der Kutsche, besah die vorgezeigten Einrichtungen, die Stauteiche. Oberbergrat von Hahn misstraute dem Gelehrten; dieser machte den Vorschlag, es mit Windmühlen zu versuchen: Bocksmühlen aus Holland. Die Winde von den Harzbergen herab sind aber nicht stetig wie der Westwind von See. Sie stürzen in die gedachten Windräder, zerstören sie eher, als sie anzutreiben. Der Oberbergrat blieb skeptisch. Er hielt den Gelehrten für einen Projektmacher, einen Herangereisten.

Es kommt darauf an, sagte Leibniz, die Wasser, wenn sie an den Förderanlagen und Rädern ihre Arbeit getan haben, wieder in die oberen Staubereiche zurückzuführen. Er verglich das Gelände, das offensichtlich aus Bergrücken und einem Tal bestand, mit dem Kreislauf eines menschlichen Körpers, der seine Flüssigkeiten nach aufwärts bis unter die Schädeldecke hebt, um sie von dort, wie Kaskaden, springen zu lassen. Für das Gelände benötigte der Bergrat keine Beschreibung, doch der Gelehrte redete von Brust, Schultern, vom Hals des Wasserdurchlaufs. Was haben Sie an Energie? fragte er. Es gibt nichts als Winde und einige Vorrichtungen, um Feuer zu machen, entgegnete der Oberbergrat. Dazu müssten Sie aber einen Kreislauf für den Kohletransport bergauf leiten. Das kostet die Energie, die es einbringt. Holz, es wäre schon oben, würde allein zu rasch verbrennen, erwiderte Leibniz. Bleibt der Wind. Er sah große Windmühlenräder an allen Bergrändern aufgestellt. Er war jetzt hungrig und reiste wieder ab.

Das Misstrauen des Oberbergrats zehrte vom Misstrauen der Bergleute, die er kannte. Sie sabotierten die Versuche des hohen Gelehrten, die er im Schriftweg aus der Landeshauptstadt verordnete. Es ist schwierig, organische Vernunft auf diese Berge aufzusetzen. Es ergeben sich auch keine schnellen Erfolge, da die großen Windräder in eine Art Flatterrhythmus gerieten, in den Stoßwinden des Harzes rasch zerfransten. Später wurden, nach Plänen des Hauptstädters, kleine plumpe Mühlen gebaut: Das Wasser floss tatsächlich, durch Schaufeln gehoben, bergauf in die Staubereiche, wurde dort aber von den Bergleuten gemieden. Man hätte einen Kreislauf für die Umstellungsenergie ihrer Gewohnheiten hinzubauen müssen, und der Gelehrte plante in Hannover tatsächlich ein Modell hierfür, welches Abgesandte aus der Hauptstadt vorsah, Studenten, die einige Herbstmonate mit Überredungsarbeit an den Teichen verbringen sollten. Der Gelehrte überbrückte aber seinerseits nicht die Differenz der Orte. Er hätte wiederum anreisen und die Studenten bergauf in eine Art intellektuellen Stauteich bugsieren müssen, damit diese wiederum in den Köpfen der Bergleute die Gewöhnung in eine Überhöhung brächten, von wo der Strom der Einfälle und Handgriffe dann bergab ein menschliches Räderwerkzeug betrieb. Die Mühlenanlagen im Oberharz blieben deshalb, auch wenn sie Kosten machten, als Fragmente liegen, wurden zu Antiquitäten.

Jetzt hat Prof. K. H. Manegold, Hannover, diese »Vorrichtung für horizontale und vertikale Windkünste im Oberharz« von dem Hamburger Bau-Ing. J. Gottschalk nach der Aufzeichnung des Gelehrten nachzeichnen lassen. Der Modellbauer J. Stromeyer hat originalgetreue Modelle angefertigt. Im Windkanal wurde die Effektivität einer solchen Leibnizschen Windmühle mit senkrechter Achse getestet. Die Versuche zeigen »eine recht plumpe Maschine, die nur eine geringe Ausnutzung der Energie zulässt«. Das wurde der Deutschen Forschungsgemeinschaft nach Bad Godesberg berichtet, die das Projekt finanziert.

Es saß aber in der Bad Godesberger Zentrale der Forschungsgemeinschaft ein Leibniz-Freund, der das Modell auf seine Kosten aus dem Windkanal wieder heraustransportieren ließ und in einem Möbelwagen nach Clausthal-Zellerfeld brachte. In dem Einschnitt zwischen zwei Harzer Bergrücken stellte er die robuste Vorrichtung, wie in einem natürlichen Windkanal, auf. Die Winde stürzten hier, es ist Winter, von der DDR-Seite mit rohem Zugriff in die Mühlräder, die eine deutlich messbare Leistung erwirtschafteten, fähig 46 ebenfalls plumpe Förderradstufen anzutreiben, sobald sechs Plump-Mühlen untereinanderstanden; sie könnten dann eine beachtliche Menge Wasser aus der angenommenen Tiefe der Stollen im Jahre 1680 in die Höhe der ehemaligen Staubereiche tragen, von denen jeweils noch eine Geländekuhle zu sehen war.

Er ist ein Mann, sagte der Leibniz-Verehrer, den das Unternehmen 2.680.– DM gekostet hatte, der mit FERNBLICK AUS DER HAUPTSTADT, in der er es besser aushielt als im rauen Harzgebirge, die nötige Konkretion einbringt. »Das Modell mag im Windkanal künstlich erscheinen, es besteht ja aus Kunst, es gehorcht aber der Naturbedingung am Ort. Ich bewundere die PLUMPHEIT DIESER WINDKUNST. Sehen Sie, auf Blatt 4 der Akte haben Sie feingliedrige, elegante, holländische Windmühlen. Die wollte er kopieren. Hier haben Sie, auf Blatt 16, den Versuch, sie dimensional zu vergrößern. Diese Modelle wurden durch die Bergwinde von 1683 zerstört, und hier, Blatt 21, 22, 23, haben Sie den Weg zur robusten, armseligen Konstruktion, die zu den Physiken des Orts passt. Das hat er entwickelt, ohne ein zweites Mal dagewesen zu sein. Das nenne ich Fernblick.

Alexander Kluge: *Chronik der Gefühle*
Band I, Basisgeschichten, Frankfurt am Main 2000, S. 442ff.

CLAUS PHILIPP: Man kann *Lob der Plumpheit* als eine Geschichte über Distanzen lesen.

ALEXANDER KLUGE: Das liegt in der Natur von Projekten und Projektmachern. Die größte Distanz besteht ja zwischen dem, was der Mensch im Kopf macht und was irgendwo in der Welt an Händen gebraucht wird.

CLAUS PHILIPP: In diesem Falle herrscht Reformbedarf in einem entlegenen Tal ...

ALEXANDER KLUGE: ... im Harz. Dabei ist Leibniz gar nicht gewohnt, sich diesen rauen Verhältnisse auszusetzen. Er ist eher jemand, der in seinem Studierzimmer hockt, Briefe schreibt, höfisch auftreten kann, ein feinsinniger Mann. Der reist jetzt hier in die Wildnis, wo die Bergwerke sind.

CLAUS PHILIPP: Und da stößt er auf Skepsis, Misstrauen. Über einen Oberbergrat heißt es: „Er hielt den Gelehrten für einen Projektmacher, einen Herangereisten." Ist das etwas, das sich deckt – Projektmacher und „Herangereister"?

ALEXANDER KLUGE: Das kann man sagen. Es gehört wohl eine bestimmte Fremdheit und Frechheit dazu, mit Projekten umzugehen. Bäuerliche, agrarische Lebensweise verträgt sich nicht damit, Projekte zu machen. So pflanzt man keine Gärten, so baut man keinen Acker, so verteidigt man keine Stadt. Mit Projekten geht man in die Weite, man untersucht fremde Länder, man bringt Kenntnisse nach Haus, man trägt Kenntnisse aus der Hauptstadt an einen entlegenen Ort, wo sie etwas nützen.

CLAUS PHILIPP: Zugespitzt formuliert: Jemand, der ein Gemeinwesen wie ein Dorf, eine Stadt usw. aufbaut, betreibt nicht Projektarbeit?

ALEXANDER KLUGE: Ein Städtegründer, ein Verfassungsgeber ist eigentlich das Gegenteil eines Projektemachers. Obwohl man eine Verfassung ein Projekt nennen kann, das stimmt. Dennoch: Vieles, was über Nähe, Gewohnheit, Trägheit verfügt, im Grunde sozusagen mitten im Leben steht, kann man nicht gleich ein Projekt nennen. Aber was sich davon entfernt, also schon der junge Mann, der sagt, in meinem Dorf werde ich die Braut nicht finden, da wird mein Handwerk nicht gedeihen, ich gehe auf Wanderschaft, und das haben die Wandergesellen ja massenweise gemacht

– da wirft einer etwas in die Ferne, und sammelt es dann, reicher geworden, wieder auf. Das ist die Idee des Projekts.

CLAUS PHILIPP: Daniel Defoe, der Autor des berühmten *Essay Upon Projects* und des *Robinson Crusoe*, ständig pleite, schreibt über die immer auch prekäre Lage dieser Beweglichkeit und Findigkeit: Entweder man werde zum Selbstmörder, Verbrecher oder ein Projektemacher, wenn man vor den Gläubigern auf die Flucht gehen muss.

ALEXANDER KLUGE: Das finde ich ein sehr schönes Gleichnis. Defoes Robinson selber ist ja insofern Projektemacher, als er auf seiner Insel, unfreiwillig in die Ferne geschleudert, ganz London in seinem Kopf hat, und hier als Einzelner dieselbe Zivilisation aufbaut, die von vielen Menschen in den großen Städten entwickelt worden ist.

CLAUS PHILIPP: Nun wird Robinson als einsamer Insulaner durch Misstrauen aber weniger behindert als Leibniz in Ihrer Geschichte – obwohl ja letztlich auch der erst über eine gewisse Distanz erfindungsreich zu wirken beginnt …

ALEXANDER KLUGE: Leibniz geht an einen entlegenen Ort, wo er als Wissenschaftler gar nichts gilt. Wo sozusagen die Windmühlen-Typen, die er mitbringt, die mittelmeerischen zunächst, die flandrischen, gar nicht geeignet sind. Die werden vom Wind, von den heftigen Harz-Böen zerzaust, vernichtet. Und jetzt baut er robuste Windmühlen. Ich finde es schön, wie ein feingeistig feinsinniger Mensch hier die Robustheit anwendet. Etwas, das seiner Seele eigentlich entfernt ist. Die Seele von Leibniz würde ich als filigran bezeichnen. Seine Monadologie, das ist ja die Lehre von seelischen Kristallen und Edelsteinen und von Vereinzelung und allen möglichen Dingen, hier jedoch geht er in eine Arbeitswelt hinein, wo die Oberbergräte seit Jahrzehnten genaue praktische Erfahrungen haben, von denen sie sich nicht lösen. Sie würden auch nicht auf eine neue Lage mit ihren Erfahrungen antworten, und sie würden deswegen nie Auswege finden. Er als Fremder, der in die Gegend nicht passt, dem die Gegend sozusagen Magenschmerzen bereitet – der kann ja nicht einmal essen, was dort serviert wird, und er kann sich auch nicht lange dort aufhalten – er findet diesen Funken Fremdheit, der einen Ausweg eröffnet.

CLAUS PHILIPP: Dieser Funke Fremdheit kommt aber eigentlich erst verzögert zum Tragen, in dem, was Sie „Fernblick aus der Hauptstadt" nennen. Leibniz vergewissert sich vor Ort, setzt sich wieder in Bewegung, kehrt nach Hause zurück, durchdenkt die Lage und beginnt, seine Ideen zu adaptieren.

ALEXANDER KLUGE: Er findet durch Fernlenkung ans Ziel. Dass er seinen Körper überreden könnte, da noch einmal hin zu fahren, ist wohl undenkbar. Aber dass er in der Lage ist, aus diesen fragilen Windmühlen, die an der Meeresküste stehen, bergfähige, höhenwindtaugliche Klötze zu machen, die wirklich wie Mühlen funktionieren – das macht er Kraft seines Geistes, und das ist Projektieren. Es ist genau so, als würde er Menschen auf den Mars versetzen können, die Jupiter-Monde besiedeln. Das sind alles Projekte.

CLAUS PHILIPP: Und die müssen wiederum den realen Gegebenheiten angepasst werden. Wenn man den Mars noch nicht erreichen kann, fliegt man zuerst einmal auf den Mond.

ALEXANDER KLUGE: Das Interessante an solchen Projekten ist, dass sie anschließend wieder verloren gehen, ihre Kühnheit führt nicht dazu, dass sie Traditionen bilden. Schon jetzt wissen wir nicht mehr, wie man Menschen auf den Mond transportiert, was wir ja einmal gemacht haben. Diese ganzen Kenntnisse sind schon wieder verloren gegangen. Man müsste für Milliarden Dollar und mit vielen Menschen das Ganze neu entwickeln, um auch nur bis zum Mond zu kommen. Projekte sind im Grunde Vorgriffe, Ausbrüche in die Ferne.

CLAUS PHILIPP: Vergleichbar mit Utopien?

ALEXANDER KLUGE: Nicht unbedingt, denn sie sind ja manchmal ganz praktischer Natur.

CLAUS PHILIPP: Das erinnert an Hochgebirgsexpeditionen. Da erreicht man zuerst 6.000 oder 7.000 Meter Höhe, dann merkt man, die Luft wird knapp, gibt auf. Das nächste Mal nimmt ein anderer die Sauerstoffflasche mit, schafft es bis 7.500, was Jahre später vielleicht einen Dritten dazu bewegt, mehr rote Blutkörperchen aufzubauen …

ALEXANDER KLUGE: Und jetzt stellen Sie sich das vor: in einem bürgerlichen Berliner Anzug, also sehr fester Kleidung, marschiert Alexander von Humboldt auf einen Andengipfel. Und Jahrhunderte später läuft Reinhold Messner hinter ihm her. Der läuft heute denselben Weg, den Humboldt einst ging. Das eine ist Dokumentation – was Messner macht –, und was Humboldt macht, ist Projekt. Da merken Sie, und das können Sie beim Projekt immer sehen, eine Diskrepanz. Wie Humboldt gekleidet ist, wie unangepasst der ist für das Bergsteigen – daran sehen Sie die Kühnheit eines Gedankens, der seine eigene Praxis gar nicht kennt. Der ist gefahrenblind. Er sieht gar nicht, wie gefährlich das ist, was er tut.

CLAUS PHILIPP: Wie ein Kind.

ALEXANDER KLUGE: Oder wie Odysseus.

CLAUS PHILIPP: Als Sie die Geschichte schrieben, hatten Sie da eine konkrete, eigene Situation im Kopf, in der sich Ihre Faszination für Leibniz neu entzündete?

ALEXANDER KLUGE: Sagen wir so: Das lief für mich nicht unter der Überschrift „Projekt!" Aber wenn Sie die revoltierenden Studenten von 1968 nehmen, in Frankfurt etwa, die haben teilweise in Arbeitsgruppen etwa 17 bis 24 Entwürfe pro Woche dafür entwickelt, was man alles reformieren sollte – in den Gefängnissen etwa, gegenüber der Bundeswehr, in der Justiz, in der Gesellschaft usw. Die haben Programme entwickelt, zu deren Ausführung man fünf, sechs Generationen gebraucht hätte. Allerdings: Wäre das von den Einzelnen tatsächlich in die Wege geleitet und ausgeführt worden, dann hätten wir heute eine andere Welt.
Diese Studenten sind aber Entwerfer, das sind keine Projektemacher, denn sie haben ja nichts ausgeführt. Was passiert aber, wenn jetzt jemand daran Feuer fängt? Das Eigenartige ist, dass die Geliebten dieser Studenten sich tatsächlich sehr oft aufmachten, und etwas ausgeführt haben. Sie haben sich in Gefängnisse, in Frauenstrafanstalten eingeschmuggelt als Hilfspersonen, preiswert, haben dort Reformarbeit betrieben, Erfahrung gewonnen, die Verhältnisse zu verbessern versucht, bis das sehr gewaltsam gestoppt wurde durch die Justizbehörden. Diese Frauen würde ich als Projektmacherinnen bezeichnen. Sie gehen weiter, sie werfen etwas vor sich hin, und sie folgen diesem Wurf.

Projizieren heißt ja, etwas nach vorne werfen, etwas von sich nach vorne werfen. Das macht jeder Bildwerfer im Kino, der wirft etwas auf die Leinwand, und jetzt entsteht etwas auf der Leinwand, was vorher nur auf einem Zelluloid war. Ich werfe also etwas, ich breche etwas aus mir heraus, an dem mir innerlich sehr viel liegt. Und das tue ich aus Not oder aus Lust.

Der Böttcher beispielsweise, der das Porzellan erfunden hat, der war in Not. Bedroht vom sächsischen Herrscher, dass er getötet würde, wenn er nicht Gold machen könne als Alchemist. Gold konnte er aber nicht machen, dafür hat er dieses weiße Pulver verarbeitet zu Porzellan, und dagegen konnte man ganze preußische Schwadrone eintauschen, das war zeitweise mehr wert als Gold und ist als Meissner Porzellan individueller, als Gold im allgemeinen ist. Dieser Mann wirft aus Not etwas aus seiner Seele heraus, weil die Seele so etwas ist wie ein Vulkan, der Feuer speit. Und dabei wirft so ein Vulkan, wie man weiß, auch Diamanten aus. Diese Schatzbildung durch Wegwerfen, das nennt man Projektmachen.

CLAUS PHILIPP: Ist das dem Erfinden ähnlich?

ALEXANDER KLUGE: Nah verwandt, aber der Erfinder ist taktiler, er findet etwas, das vor ihm in seinem Sichtfeld liegt. Er bringt Dinge zusammen. Das ist beim Projektemacher nicht unbedingt der Fall. Projektemacher: Das ist ja ein Begriff, der kommt erst auf mit der Entwicklung der frühen bürgerlichen Gesellschaft. Das sind Menschen mit sehr viel Selbstbewusstsein. Die wollen nicht nur Eigentum bilden an Gewerbebetrieb oder Vermögen, sondern an ihrem Leben selbst, an ihren Frauen und Kindern, an ihrem Lebenslauf. Denken Sie nur an Kolonien: Da haben wir dann etwa den Imperialismus der Holländer in Java. Projekte machen ist also nicht unbedingt etwas Gutmütiges oder was Freundliches, sondern es ist diese Fähigkeit im Menschen, sich gleichsam infektuös über die Welt zu verbreiten. Und am weit entfernten Ort das, woran einem am meisten liegt, noch einmal ins Reine zu schreiben.

CLAUS PHILIPP: Glücksritter in Kreuzzugszeiten wären noch nicht als Projektemacher zu bezeichnen?

ALEXANDER KLUGE: Analytisch betrachtet: Nein. Nehmen Sie den lateinischen Kreuzzug. Die fahren hinaus in der Erwartung, dass sie eine Flotte, die Venedig vertragsgemäß bereit gestellt hat, auch bezahlen können. Sie haben aber kein Geld mitgenommen. Also müssen sie sich verdingen und als Krieger für Venedig erst mal Kriege führen, den Balkan erobern. Statt nach Jerusalem zu gelangen, wo die heiligen Stätten warten, verwüsten sie Byzanz und teilen den Peloponnes, Makedonien und was sozusagen griechisch-römisch war, in Baronate, Grafschaften, Herzogtümer auf. Ein vollkommen absurdes Unternehmen. So was würde ich nicht ein Projekt nennen. Dies hier ist nur Raubgier in ferne Länder getragen. Selbstüberschätzung: Ich habe zwar kein Geld, mache aber Verträge über Schiffe, und wenn ich nicht bezahlen kann, dann werde ich dienen. Im Märchen kommt das ja oft vor. Das ist eine andere Fassung von *Hans im Glück*. Eine Uralt-Verhaltensweise, in der ich mit meinen Kräften zahle für meine Illusionen, mich in meinem Leben verirre.

CLAUS PHILIPP: Vor diesem Hintergrund könnte man sagen, dass insofern das heutige Projektverständnis ein sehr inflationäres ist.

ALEXANDER KLUGE: Das können Sie nun wirklich annehmen. Aber nehmen wir nochmal den ursprünglichen Begriff der Aventure, des Abenteuers. Da wäre etwa der Vater von Parsifal, der verlässt Herzeloide, die Mutter, geht in den Orient, befreit dort eine schöne schwarze Königin, heiratet sie und zeugt mit ihr diesen Halbbruder, Feirefiz, der wie ein Zebra gestreift ist, halb ist er weiß, halb ist er schwarz. Dann kommt er wieder und hat etwas zu erzählen. Davon ausgehend könnte nun wiederum ich Ihnen jetzt viele Geschichten erzählen, die alle Abenteuer enthalten. Im Verlauf solcher Abenteuer kann man natürlich auch eine Welt gewinnen, ein Reich erobern, Nachkommen haben. Das ist aber etwas anderes als das was die Projektemacher, die frühen bürgerlichen Unternehmer, von Galilei angefangen, betreiben. Wenn Galilei Ausschau hält nach den vier Jupitermonden, also ein Geschmeide des Planetensystems findet, und später für Geld darüber Vorträge hält, dann ist er sozusagen als Sammler, Sucher in der Ferne tätig. Nicht als Eroberer, er kommt ja gar nicht ran an die Monde. Aber das, was er hier tut, das hat einen Sinnkern. Das heißt: In ihm ist eine Neugier vorgebildet, und jetzt entdeckt er im Weltall die Entsprechung. Wenn ein Afrikaforscher des 19. Jahrhunderts aufbricht, die Nilquellen zu suchen, dann sehe ich da eine Ähnlichkeit. Während wenn ein Pizarro ein Inkareich zerstört, Gold einsammelt, die Füße der indianischen Herrscher verbrennen lässt, dann sehe ich darin kein Projekt. Das ist noch nicht einmal ein Abenteuer, das sind Zerstörer, Verbrecher an einem weit entfernten Ort. Die Projektemacher sind etwas anderes. Sie dehnen die Welt aus, indem sie von einem starken inneren Kern, den sie spüren, ausgehen.

CLAUS PHILIPP: Was wären jetzt neben der Herausbildung von Bürgerlichkeit Krisensymptome, die diese Tendenz befördern, Projekte zu machen oder überhaupt wahrzunehmen?

ALEXANDER KLUGE: Man sagt, die Not ist ein starker Antrieb. Wenn zum Beispiel Faust in der Oper *Doktor Faust* von Busoni von Gläubigern und von Häschern, die nach Freigeistern, Alchemisten, Hexenmeistern fahnden, verfolgt wird, dann erst unterschreibt er den Teufelspakt. Weil es ein Projekt ist, seine Kräfte zu verstärken, Übermensch zu werden. Das macht er aus Not. Oder Shakespeare: Da ist jemand, der einer gebildeten Schicht angehört, einer Bildungsschwemme entstammt, die Ende des 16. Jahrhunderts in England ausbricht. Plötzlich sind die alle arbeitslos. Hoch ausgebildet, hoch talentiert, und gleichzeitig: keiner will sie haben. Und dann geht einer wie Shakespeare zum Theater. Weil er überflüssig ist, schreibt er, in Verteidigung gegen die Leere; um ihn herum wachsen ihm Kräfte zu. Da hätten Sie eine Korrelation zwischen Not und Absprungsfähigkeit, und das ist genau das Wesentliche des Projekts. Der Mensch als Projektil, als Geschoss, das ist letztlich dasjenige, was im Wort Projekt steckt. Und das sehe ich in der heutigen Verwendung des Wortes Projekt, wo jedes Vorhaben Projekt genannt wird, nicht unbedingt.

CLAUS PHILIPP: Zurück zum Misstrauen des Gemeinwesens gegenüber dem „Herangereisten": Hat das nicht mit einer Ahnung dieser „zerstörerischen" Nähe von Projekt und Projektil zu tun?

ALEXANDER KLUGE: Gut möglich. Aus den Partisanen werden tatsächlich Projektmacher: Wenn sie etwa Selbstmordattentate planen, dann ist das die äußerste Form des Projektmachens. Ich werfe ein Stück meiner Seele in die Ferne und will daran eine Wirkung sehen.

CLAUS PHILIPP: Terrorismus ist eine Art von Projektemacherei?

ALEXANDER KLUGE: Naja, das gehört wohl zu diesen Dynamiken dazu. Menschen sind, wie gesagt, nicht harmlos. Wir sprechen hier, vom Gegenpol betrachtet, nicht über Gartenbau oder Ackerbau.

CLAUS PHILIPP: Auch nicht über Architektur? Also einen Wolkenkratzer zu bauen …

ALEXANDER KLUGE: Ich würde schon sagen: der Hochbau ist ein nach oben gestürztes Projekt. Die Sibirische Eisenbahn ist ein in die Länge gestürzter Eiffelturm. Solche Sätze können Sie bilden. Das kommt dem Attentat sehr nah.

CLAUS PHILIPP: Bleiben wir bei der Notwendigkeit einer Krise für das Projekt. Die Leute hier in der Geschichte über Leibniz haben ein Problem, weil sich das ohne Windmühlen existenziell nicht ausgeht. Sie vergeben einen Auftrag, so wie man heute etwa sagt, wir brauchen verstärkt Projektunterricht und Unterrichtsversuche in den Schulen, um irgendwann einmal im Gefolge der desaströsen *Pisa*-Studienergebnisse eine sinnvolle Reform zustande zu bringen.

ALEXANDER KLUGE: Insofern können Sie auch vom „Projekt Europa" sprechen. Man müsste eine ungeheure Anstrengung unternehmen, dass alle gegenseitig die Landessprachen lernen, babylonisch vielsprachig werden. Wir können nicht mit einer gemeinsamen Währung bewaffnet Europa gründen, sondern wir können es nur machen, indem wir unsere Gefühle, also inneren Tätigkeiten miteinander vereinigen, und das ist ein Bildungsprozess gigantischen Ausmaßes.

CLAUS PHILIPP: Vor dieser Unübersichtlichkeit übernimmt dann das Projekt als kleiner, nachvollziehbarer Vorstoß wohl auch Stellvertreterfunktionen für notwendige Prozesse, die in dieser Beschleunigung nicht gelingen können. Gibt es Zeiten, die Projekte fördern?

ALEXANDER KLUGE: Alle Notzeiten und alle luxurierenden Zeiten. Wenn Menschen mehr Potenzial haben, als von ihnen gebraucht wird, von ihnen genommen wird, dann gibt es Projekte. Umgekehrt etwa in der Schwarzmarktzeit nach '45 – da gab es auch Projekte. In der Mittellage hingegen, wenn die Tätigkeit von Menschen und das, was von ihnen verlangt wird und was sie können, miteinander übereinstimmen, dann sind Projekte eher selten.

CLAUS PHILIPP: Wäre jetzt so eine stagnierende Zeit?

ALEXANDER KLUGE: Ich kann das nicht beurteilen, weil es ja nicht überall gleich ist. An der Grenze zu China hingegen – ich weiß nicht, ob da nicht Projektzeiten herrschen. Das ist sehr unterschiedlich auf unserem

Planeten. In Südosteuropa, also im Vorfeld Österreichs, gibt es sehr lebendige Spannungszonen, wo Projekte mit Sicherheit in diesen Tagen entstehen. Wollen Sie ausschließen, dass in den Favelas in Sao Paolo sieben Erfinder sitzen? Können wir beide ausschließen, dass in einem Land, das keine Großmacht ist, nicht etwas Unerwartetes entsteht? Vielleicht ergeben sich in Russland oder in Transnistrien gerade Ketten von Zaubereien, wo Leute, weil sie es nötig haben, Projekte machen, etwas völlig Neues in die Welt bringen. Andererseits: In der Mitte der Bundesrepublik, da herrscht im Moment sicher ein ängstlicher Fluss, ein Rückzug aus Leben, da scheitern Projekte im Grunde aus Mutlosigkeit. Oder die Not ist nicht groß genug, um die Projekte auszulösen, und überzählige Gefühle hat zur Zeit kaum einer.

CLAUS PHILIPP: Wie würden Sie das definieren: überzählige Gefühle?

ALEXANDER KLUGE: Nehmen Sie New York 1902: Da haben Sie mehr menschliche Fähigkeiten, die sich realisieren wollen, als Gelegenheiten, da wird zum Beispiel der Film erfunden.

CLAUS PHILIPP: Gleichzeitig hat der Film aber – Stichwort: Projektmacher als Glücksritter – durchwegs etwas vom Zirkus und Jahrmarkt. Er wird, um bei Ihrer Diktion zu bleiben, vom Rande der Gesellschaft mitten hinein geworfen.

ALEXANDER KLUGE: Auch die Elektrizität wird am Rand der Gesellschaft erfunden, als Glitzerglanz. Der ist erst im Zirkus und Varieté populär, und dann beleuchtet er alle Städte. Aber ganz am Beginn, da ist Licht eigentlich nur ein Lockmittel von den Rändern, das von Coney Island her kommt. Das sind überschüssige menschliche luxurierende Fähigkeiten, etwas vom Schönsten, das es gibt. Gleichzeitig entsteht auch immer, wenn etwas stirbt – das hat Wolfgang Schivelbusch sehr schön beschrieben – noch einmal aus Not Luxus. Als die Kerzen untergingen und von Petroleumleuchten oder vom Gaslicht ersetzt wurden, da gab es noch mal die schönsten Luster, die es überhaupt gibt. Und als die Gasleuchten aufhörten, strahlten sie kurz noch einmal auf, bis zum Theaterbrand hin.

CLAUS PHILIPP: Stellen wir obige Frage nach den stagnierenden Zeiten anders. Wo würden Sie derzeit interessante Projektmacher sehen?

ALEXANDER KLUGE: Ich muss es Ihnen vom Gegenpol her erläutern: Die Nachahmung des Projektemachens, die ist häufig. Meist haben wir es hier mit Spielern oder Verwaltern zu tun.

CLAUS PHILIPP: Mit, wie es Peter Sloterdijk formulierte, leitenden Angestellten, die Eroberer spielen?

ALEXANDER KLUGE: Ja, und so etwas gefällt mir überhaupt nicht. Der Spieler, der einfach etwas ankurbelt und es verlässt. Und der Verwalter, der gewissermaßen die Dinge einander zurechnet, ordnet, aber seine Willenskräfte oder Begehrungskräfte gar nicht einbringt. Der sich verhält, als wäre er der Beobachter seines Lebens und nicht der Produzent seines Lebens. Das ist der Gegenpol zum Projektemacher. Ich bin sicher: wenn es Projektemacher in unserer Gegenwart um uns herum gibt, dann sehen wir sie meist nicht. Ein Wissenschaftler zum Beispiel an der Universität von Kalifornien, der sich mit der *Planckschen Länge* befasst – das ist ein Milliardstel eines Milliardstels eines Milliardstels eines Milliardstels Millimeter, und dort ist Gravitation und Quantenphysik miteinander verbindbar, das ist im physikalischen Sinne wirklich: Wenn so ein Mann jetzt bei Genf außerordentlich große Forschungsapparaturen baut, dafür auch das Geld zusammenkriegt, wie ein neuer Leibniz, um dorthin vorzudringen, weil er sagt, dort kann ich die dunkle Materie finden, nämlich, 70 Prozent dessen, was den Kosmos ausmacht im Großen, ist in diesem extrem Kleinen versteckt, dann ist das ein Projektemacher. Und den Mann gibt es, er hat den Nobelpreis bekommen. Fanatisiert für die Frage, dass nicht die Größenordnung, die wir kennen, auch nicht der gestirnte Himmel über uns wirklich sind, sondern diese extrem kleine Maßeinheit, die Planck vor 1900 entdeckt hat. Der ist sozusagen jetzt die Alternative zum Geografen, der die Welt durchwanderte. Projektemacher sind die Schüler des Aristoteles, die den Armeen Alexander des Großen folgen in den Osten, und Fuß für Fuß, Parasange für Parasange, mit einem Messgerät, das sie hinterher schleppen, das die Meilen misst, den fremden Boden betreten mit ihren Füßen und damit die Welt erkunden. Das sind neugierige Menschen, die anschließend das Projekt Weltkarte verfolgen.
Dasselbe wiederholt sich zu Silvester 1800. Wo eine französische Armee Ägypten besetzt hält, und die besteht zur Hälfte aus Militär. Die andere Hälfte sind Gelehrte, hoch gebildete Leute, und die sagen, wir setzen jetzt die Französische Revolution, die ja in Paris gescheitert ist, hier in Afrika fort. Wir eignen uns die 4000 Jahre, die hier auch topografisch vor uns liegen,

an. Wir werden Afrika französisch zivilisieren, immer von Wissenschaftlern begleitet und zugegebener Weise ungebeten von den Einwohnern. Aber so etwas sind Projekte. Eine derartige Fortsetzung der Französischen Revolution mit anderen Mitteln in Afrika fasziniert mich natürlich deutlich mehr als die Napoleonische Eroberung von Moskau. Die muss scheitern. Dieses Projekt hätte nicht scheitern müssen und hätte ein anderes Afrika ergeben, als wir es heute haben.

CLAUS PHILIPP: Aber es liegt ja wiederum sehr oft im Wesen des Projekts, dass es irgendwann seine Limits, sein Scheitern sehr klar als Spur hinterlässt.

ALEXANDER KLUGE: Die Spur gibt's in diesem Fall in Form von Leuten, die heute noch nachweislich auf dieser seltsamen Gewürzinsel von Sansibar sitzen und die abstammen von denen. Die sind inzwischen vermischt mit Generationen von Kaufleute-Familien, die den Indischen Ozean hin und her bereisen, dieses ganz andere Mittelmeer zwischen Indien und Afrika, und das ergibt, von einem anderen Punkt des Planeten betrachtet als von Europa, eine Ermöglichung anderer Zivilisationen. Das ist eigentlich das Wesen der Projekte. In diesem Fall auch glaubwürdig – was ich bei den meisten „Projekten" heute bezweifle.

CLAUS PHILIPP: Glaubwürdig?

ALEXANDER KLUGE: Projektemacher sind oft auch Kriegsmacher. Das sind Alchemisten, Glücksschmiede, Heiratsvermittler, Eroberer, Schatzsucher und Schatzfinder. Die haben eine ganz breites Spektrum. Und Sie brauchen hier ein Gravitationsfeld, mit dem Sie das beurteilen, und das wäre die Frage der Vertrauenswürdigkeit. Es gibt vertrauenswürdige Projektemacher und nicht vertrauenswürdige, das Unterscheidungsvermögen dafür ist elementar notwendig. Und diese Vertrauens- oder Glaubwürdigkeitsfrage, das ist die Kernfrage, die ja auch wiederum vom bäuerlichen Menschen gestellt wird, der sich nicht von seinem Ort wegbewegt und nicht projiziert. Er kann ja nicht seine Äcker in die Ferne schmeißen und nachspringen.
Gleichzeitig dürfen wir den Verwalter nicht unterschätzen, der redlich versucht, sein Leben zu verwalten, obwohl er dabei vielleicht ungewöhnlich langweilig wird. Nehmen wir etwa den Mann von Ibsens Nora, einen Sozialdemokraten der Liebe. Keine Frau will das haben, weil das Abenteuer völlig fehlt. Er gibt nichts von seiner Seele preis, ist aber ordentlich. Auch da

können Sie sagen, die glaubwürdige Form davon, die vertrauenswürdige Form davon, ist etwas, was wir prüfen müssen, so etwas muss es geben.

Und genau dasselbe würden Sie jetzt vom Projektemacher sagen, der ja als Patriot des Eigenwillens den bürgerlichen Instinkt in sich hat. Das hat's vorher nicht gegeben im Feudalismus. Und das gibt es heute natürlich immer seltener, weil die bürgerliche Gesellschaft nicht wirklich präsent ist, sie setzt sich nicht fort. Das, was wir heute sehen, sind alles sozusagen Embryonen von Bürgern, die leben und sterben. Wir kommen gar nicht bis zum Ich, bis zur ICH AG. Dieses Ich ist aber eine ganz zerstörerische Potenz. Wir finden es bei den Neokonservativen in den USA besonders ausgeprägt. Da haben wir in den Stiftungen Projektemacher der Spitzenklasse. Die sagen Ihnen: wenn wir Irak erobert haben, ergibt sich folgendes Domino-System, dass, sagen wir, Arabien reformiert, Syrien beseitigt in der gegenwärtigen Gestalt, im Iran Folgendes auslöst, und weiter wirkt bis Turkmenistan. Sie merken: Jemand kann Verwalter sein, also sehr kühl, sehr hart im Inneren, meine Seele läuft parallel zu meinen Karten, und gleichzeitig vertrauenswürdige Dinge tun. Und jemand kann Projektemacher sein und kann nicht-vertrauenswürdige Dinge tun. Also ohne einen Wertmaßstab können Sie diese verschiedenen Typen des bürgerlichen Verhaltens – bürgerlich meine ich hier positiv, mit bürgerlich meine ich stürmisch, „ich will mich realisieren" – nicht wirklich einschätzen.

Das Projekt *Ich*, der Individualismus als Projekt – das hat einen Charme, weil es natürlich Taten zelebriert. Das entwickelt eine Autodynamik, weil sich diese „Einzelgänger" entgegen der Tatsache, dass sie völlig vernetzt sind, für Individuen halten. Und in dieser Wildheit, in dieser Einhörnigkeit, leisten sie grandiose Dinge. Das Problem unserer Zeit, heute, 2005, ist, dass es auf diese Menschen nicht mehr ankommt. Ein Einzelmensch kann sich heute tatsächlich nicht mehr einbilden, er könne die Welt bewegen.

CLAUS PHILIPP: Bei den zeitgenössischen Projektvorstellungen – mit ihrer zumindest unterschwelligen Vision von kollektiver Arbeit – heißt es dann immer: Netzwerke bilden. Verträgt sich mit dem Charakter des Projektemachers überhaupt ein Wille zu wirklicher Kommunikation?

ALEXANDER KLUGE: Zur Kommunikation ja, aber zum Kollektiv nicht. Und je näher Sie zu dem kommen, was ein Mensch liebt, desto mehr werden Sie sehen, dass er das verallgemeinern kann, sich auf einen Konsens einigen kann. Die Börse zum Beispiel ist nichts weiter als eine Summe von Projektemachern, die sich zusammen geschlossen haben, und das keineswegs über ihre individuellen Befindlichkeiten oder Bedürfnisse. Über die Erziehung ihrer Kinder würden sie vielleicht schwerste Auseinandersetzungen führen, aber über die Frage, was der Wert eines bestimmten Aktie an diesem Tag ist, einigen sie sich mit höchster Kommunikation. Oder, in der Physik: Dort gilt auch, dass man sich einigen kann: Nur das, was andere auch beobachten können, gilt. Wenn da einer schummelt, ist er sozusagen draußen.

Und jetzt können Sie langsam in kleinen Schritten bis zu dem hin gehen, was für Menschen wesentlicher ist als Physik und Börse. Wenn Marlene Dietrich das Lied singt *Ich bin von Kopf bis Fuß auf Liebe eingestellt* oder wenn Sie Manon Lescaut nehmen, die quasi den Kategorischen Imperativ von Kant anwendet auf ihre Liebesfähigkeiten, d.h. Liebe ist eine republikanische Tugend, ich gründe die Verfassung der Gesellschaft auf meine persönlichen Liebesempfindungen, und wenn ich übermorgen dort Regenwetter habe, nicht mehr liebe – auch das sind Projekte, und diese Projekte werden umso riskanter, je mehr Seelenanteile sie haben. In der Liebe ist das Projektieren ganz besonders schwierig, aber typisch. Alle großen Tragödien und Melodramen gehen so: „Ich werfe meine Seele an etwas ganz Fremdes", José etwa auf die Abenteurerin Carmen, und er ist gar nicht auf der Höhe dieser Frau, und daran stirbt er. Wir könnten uns jetzt gegenseitig Liebesgeschichten erzählen, und sehen, was das heißt: Dass etwas Glück bringen kann, aber gleichzeitig immer Anziehung an etwas, das ich nicht kenne, bedeutet.

CLAUS PHILIPP: Zugespitzt gesagt, würden aber heute viele Leute mit dem Thema *Projekt* weniger Liebes- als Ehegeschichten – siehe etwa das gern beschworene „Projekt gemeinsame Familie" – assoziieren.

ALEXANDER KLUGE: Warum nicht? Es wäre sozusagen eine polemische Verkürzung, wenn man sagt, Ehe sei gar kein Projekt und werfe die Seele nicht nach vorn. *Philemon und Baucis* beispielsweise – da haben Sie das Agrarische und das Gastfreundliche und das Projektierende zusammen. Diese beiden nehmen den Gast an – und das war Gott Jupiter – und jetzt dürfen sie sich etwas wünschen, und sie wollen zusammen bleiben, und sie wachsen zusammen nach ihrem Tode als zwei Bäume und überleben sich um tausend Jahre. Das ist nun alles besser als der tausendjährige Ruhm von Napoleon, der wurde nie ein Baum. Die landwirtschaftlich-agrarische Weise, die ja den Fremden abweist – „auf meinen Acker kommt der Fremde nicht, von meinem Brot nähre ich mich selbst" –, da sind die generös, Generosität repräsentieren die zwei. Und alles dies ist in dieser Liebesgeschichte enthalten, und sie ist das kühnste Projekt, das ich kenne.

CLAUS PHILIPP: Das ist im Endeffekt doch auch eine Sache der Vereinzelung.

ALEXANDER KLUGE: Aber diese Einzelgänger nähren sich von etwas, das vorher kollektiv erarbeitet worden ist. In ihnen ist ein Kern entstanden, der wird voraus geworfen, und dieser Kern ist nicht aus ihnen allein entstanden, sondern aus einem Netzwerk von vielen Tausenden Menschen und Vorfahren. Und das ist genau das, was Defoe erzählt hat. Robinson Crusoe vereinigt auf seiner einsamen Atlantikinsel ganz London in sich und ist insofern ein Netzwerk, der bleibt ein Netzwerk. Und wenn man so pseudokritisch sagt, das ist hier jetzt der Mann von Nora, den die verlässt, dann unterschätzt man, dass selbst in diesem Langweiler ein Seelenfunken ruhen kann, der plötzlich aufbricht. Es geht sozusagen um ein Leben im Sprung. So wie man sagt: „Auf einen Sprung vorbei gekommen". Das hat Leibniz gemacht hier in diesen Bergwerken. Er hat es nicht einmal ausgehalten dort. Es war nicht seine Angelegenheit. Wie bei Nora, einer Frau, die nur noch ein normales verwaltetes Leben vor sich sieht, und plötzlich entzündet es sich an einem Fremden, durch einen Fehltritt, und dies bringt ihr Leiden und Glück zugleich.

CLAUS PHILIPP: Das heißt, selbst schon ein Fehltritt *per se* könnte sogar ungewollt zu einem Projekt werden.

ALEXANDER KLUGE: Ich glaube auch nicht, dass Projekte absichtlich entstehen und dass die Projektemacher wissen, was sie tun.

CLAUS PHILIPP: Etwas, das zum Beispiel gerne als Projekt bezeichnet wird, ist ein Unternehmen wie damals die *Encyclopédie*. Wer war hier der Projektemacher, oder inwiefern spricht so ein Projekt durch die Beteiligten durch? Durch einen Verleger, durch Vermarkter, durch einzelne Intellektuelle, die, wie man es über Diderot nachlesen kann, zum Teil extremen Schwerkräften ausgesetzt sind: Zensur, öde Ehe etc.

ALEXANDER KLUGE: Das, was wir da nachträglich Projekt nennen, ist ein ungeheuer komplexes Netz von all dem. Nichts davon können Sie hinwegdenken. Sie brauchen eine ganze Epoche, Sie brauchen eine Rezeptivität der Menschen, die so etwas wollen und hinterher auch kaufen. Sie brauchen diesen verrückten Verleger, der sich nicht scheut, 28 Bände zu veröffentlichen. Sie brauchen d'Alembert. Sie brauchen die Temperamentemischung. Das ist ja eine Horde von neurotisch begabten Menschen, die auch gegeneinander Krieg führen können, die auf einander neidisch sind. Und die kommen zusammen, quasi selbstvergessen, und machen diese Enzyklopädie. Und genau das ist das, was wir heute bräuchten: die Selbstvergessenheit. Absichten schaden einem Projekt. Ein Projekt wird nicht besser durch Absicht, sondern durch Hingabefähigkeit. Projekt heißt Hingabefähigkeit auf der Basis von Gegenseitigkeit. Deswegen hatten wir vorhin ja auch eine größere Menge von Beispielen aus Liebesverhältnissen, weil das ist der Punkt, wo Sie selbst abmessen können, ob ein Projekt Glück hat oder nicht. Die *Encyklopédie* ist eines der gelungensten Projekte, die ich kenne, und der Nachahmung bedürftig.

CLAUS PHILIPP: Wie würden Sie das Verhältnis von Ökonomie und Ermöglichung von Projekten sehen? Wenn man sagt, Absicht wäre tödlich, dann ist doch eines der wesentlichen Probleme des Projektbetreibens die Absichtshaltung und Effizienzforderung von Seiten öffentlicher oder privater Finanziers.

ALEXANDER KLUGE: Kann sein, aber denken Sie auch hier mögliche Gegenpole. Schikaneder zum Beispiel. Der ist als Theaterdirektor zur Effizienz verpflichtet. Er braucht ein Publikum jeden Abend. Und beeinflusst jetzt Mozart, diese *Zauberflöte* zu komponieren. Das ist ja eine Fülle von relativ bewährten Nummern. Man kann das Stück in seiner Zusammensetzung überhaupt nur verstehen, wenn man weiß, was damals alles an Hits populär war. Und das schreibt der zusammen. Und dann entsteht dort etwas Glückliches. Denn wir haben ja nicht mehrere „Zauberflöten". Und das auf der Basis einer Schrotthalde von Handlung, bei der man besser gar nicht versucht, die Königin der Nacht aus dem 1. Akt mit der im letzten Akt zusammen zu denken. Was heißt hier „Erfolg"? Man macht es sich zu einfach, wenn man sagt, das sei sozusagen von Schikaneder so gesteuert, der richte sich eben nach ökonomischen Gründen. Mozart richtet sich nicht nach ökonomischen Gründen, wenn er komponiert. Sie haben weiters eine Wiener Bevölkerung, die Theater besucht, die orientiert sich nach der Ökonomie von abendlicher Heiterkeit, von Spannung. Und wenn Sie das zusammen nehmen, dann erhalten Sie eine Vielsprachigkeit, die ist eigentlich unser Projekt. Und die Vielsprachigkeit steckt auch genau so in der

Encyclopédie, sie ist dort nur nicht offen gelegt. Keiner von denen redet mit der gleichen Zunge wie der andere. Und wenn Sie noch in Dialekten, in verschiedenen Sprachen schreiben würden, würde es immer schöner. Sie könnten die *Encyclopédie* auch so schreiben, dass Sie sagen, es kommt nicht darauf an, ob es wahr ist oder ein Irrtum. Schreiben Sie doch einmal alle Irrtümer zusammen. Das ergäbe auch einen Kristall.

CLAUS PHILIPP: An solchen Kristallen arbeiten ja auch Sie.

ALEXANDER KLUGE: Ich halte es für wesentlich, dass man Irrtümer mit berücksichtigt, denn nur die richtigen Aussagen haben uns bisher kein Glück gebracht. Es kann in den Irrtümern auch noch was versteckt sein. Kein Irrtum entsteht ohne Grund. Wie gesagt, alle diese Dinge bilden unbewusste Projekte, und das ist die Fortbewegungsform von Selbstbewusstsein bei den Menschen. Das funktioniert nicht bewusst, wenn der Mensch sich was traut. Insofern ist die Vertrauensfrage wichtig: Kann ich dem vertrauen? Damit korreliert dann die Frage: Traue ich mich etwas?

CLAUS PHILIPP: Also könnte man es verdichtet so sagen, Projektemacherei hat insofern weniger mit einem didaktischen Gestus zu tun als mit Formen von Erfahrung.

ALEXANDER KLUGE: Es geht um Grundformen kühner Erfahrung. Wenn Erfahrung sich etwas traut, dann nimmt sie die Form des Projekts an.

CLAUS PHILIPP: Würden Sie sich selbst eher der Gattung der Projektmacher zuordnen, nachdem Sie selbst mit einer gewissen Distanz zu den Dingen …

ALEXANDER KLUGE: Als Betrachter finde ich Projektemacher faszinierend, ich selber bin kein Projektemacher.

CLAUS PHILIPP: Warum nicht?

ALEXANDER KLUGE: Weil ich einen festen Kern habe, um den ich mich bewege, ich reise zum Beispiel überhaupt nicht.

CLAUS PHILIPP: Was man für Leibniz, der es ja da auch nicht lange aushält, Magenschmerzen bekommt, durchaus ähnlich behaupten könnte …

ALEXANDER KLUGE: Soweit würde ich gehen wie Leibniz, also in dessen Haut möchte ich gerne kriechen. Aber es ist eine fremde Haut, er ist ein sehr großer Mann, der versteht auch etwas von Mathematik, was ich nicht vermag. Aber Sie verstehen, dass mich dieser Mann fasziniert, das können Sie ja aus dem Text entnehmen, und es reicht ja für Menschen unseres Jahrzehnts, dass sie etwas bewundern oder etwas beschreiben, sie müssen nicht alles selber machen. *

Mitarbeit an der Transkription und Montage: Angie Pieta

Lesbarkeit von Zeichen

Der Graphiker Philemon Berdjew, Lemberg, jetzt in Warteschleife, früher Zentrales Institut für Graphik und Design der Akademie, arbeitet seit 1986 am Entwurf symbolischer Zeichen, die noch in 6000 Jahren einem Intelligenzwesen TÖDLICHE GEFAHR signalisieren. Es wird angenommen, dass der Adressat keine der heute gesprochenen Sprachen beherrscht. Er liest auch keine kyrillische Schrift. Die Zeichen müssen, auch bei Beschädigung oder Verwitterung, ein eindeutiges Signal wiedergeben. Zu berücksichtigen ist die kulturelle Umformung, in Zukunft beschleunigt, aus hässlich wird schön, aus Schrecken Attraktion, aus gut böse. Unter diesen Voraussetzungen ist Eindeutigkeit gefordert.

Rückschlüsse aus römischen Denkmälern, altbabylonischen Zeichen sind trügerisch, sagte Berdjew. Die Entwicklung der kommenden 6000 Jahre ist beides, langsamer und beschleunigter. Die tödliche Gefahr, vor der gewarnt werden soll, ist abstrakter, selbst unsichtbar.

Berdjew ist mit seinen Computern inzwischen ans Internet angeschlossen. Er hat Betteltouren unternommen, um Geld zusammenzubringen. Ein ehemaliges Mietshaus aus der Zeit der k. u. k. Monarchie ist von ihm gefüllt mit Entwürfen und Dateien, die auf umständliche Art, die für die Partner in den USA unhandlich sind, ein System zeitübergreifender Zeichen umfassen.

Es ist, sagt Philemon Berdjew, unsinnig, HEISSE SPOTS in den Pripjetsümpfen, die sich über Tausende von Quadratmeilen erstrecken, dadurch kennzeichnen zu wollen, dass man eine Art Verkehrsschild auf Waldpfaden anbringt. Man kann auch nicht wissen, ob künftige Intelligenzen nicht Riesen- oder Zwergengröße haben. Einige seiner Zeichen knüpfen an Arbeiten des Mathematikers Carl Friedrich

Gauß an, die dieser für die Zarin Katharina entwickelt hat. Es handelt sich um eine Darstellung von Sätzen des Pythagoras, eingeritzt in das Erdenrund.

Gauß hatte von der Zarin Mittel erhalten, in den sibirischen Flachwald Schneisen einzuhauen, eine Meile breit, endlose Meilen lang. Die so dargestellten Hypotenusen über den Dreiecken sollten fremde Intelligenzen, die z. B. vom Mars oder anderen Gestirnen zu uns hersähen, davon überzeugen, dass inmitten des analphabetischen Russland Kenntnisse der Mathematik verbreitet seien, das Interesse einer gastlichen Intelligenz die Fremden erwarte, falls sie sich dem Planeten annähern sollten. Welchen Anhaltspunkt, fragte Berdjew, gibt dieses Beispiel aber für die Aufstellung von Warnleuchten, die auf einen atomaren Unfall hinweisen sollen? Wer wird in Leuchten oder Zeichen, die eine Havarie dokumentieren, ein Zeichen gastlicher Intelligenz vermuten?

Alexander Kluge: *Die Lücke, die der Teufel lässt.*
Im Umfeld des neuen Jahrhunderts,
Frankfurt am Main 2003, S. 174

Bühnenbild (Detail) von Gronk zu Osvaldo Golijov: *Ainadamar*
Santa Fe Opera 2005 / Regie: Peter Sellars

„*The arts are about primary experience.*"

„*Findet etwas, das euch etwas angeht,
das getan werden sollte – und macht es.*"

„*Wir müssen ‚outside the box' denken
und ‚areas of possibilities' ausweiten.*"

„*Es immer mehr Menschen zu ermöglichen, ihr Leben,
selbst wenn es in ‚lineare', kontinuierliche Aufgaben
eingebunden ist, als sich anreichernde Kontinuität
interessanter Projekte zu realisieren,
wäre eine plausible Richtungsangabe…*"

Peter Sellars

Peter Sellars

„Raum für noch Unbestimmtes schaffen"

Ein Gesprächstext, aufgezeichnet und übersetzt von Christian Reder

WISSENSTRANSFER Zusätzlich zu meinen künstlerischen Projekten bin ich Professor an der UCLA, der University of California Los Angeles, jedoch nicht in einem Department für Kunst, für Theater, für Musik, wie sich vermuten ließe, sondern im Department *World Arts and Cultures*. Für dieses Gebiet kann niemand eine so umfassende Qualifikation haben, wie das sonst akademisch gefordert wird. Überhaupt damit anzufangen, macht also nur Sinn, wenn ich mir sage, das, was ich darüber nicht weiß, ist ungeheuer viel mehr, als das, was ich davon zu wissen glaube, irgendwann wissen könnte. Das macht die Dinge völlig klar, *really refreshing*. Praktisch jeden deiner Sätze dazu musst du dir so denken, dass er von anderen fortzusetzen wäre. Selbst kannst du immer nur so und so weit kommen. Dann beginnt unbekanntes Terrain. Nur mit *guides* geht es weiter. Erzählungen werden wichtig, Mythen, Bilder, Objekte, Klänge, Essen, Kleidung, Gerüche, Gerüchte – alles, was Leben ausmacht. Da Essenzielles unsichtbar bleibt, zeigt einem Sichtbares immer nur Aspekte. In Los Angeles ist dazu wegen der, wie es so schön heißt, bunten Herkunft der Menschen und der 120 in der Stadt gesprochenen Sprachen enorm viel zu erfahren. Das führt radikal weg von individuell angesammeltem Wissen hin zu kollektivem Wissen, das sich in Vielheit anreichert, entwickelt, verwandelt und aus solchen Prozessen heraus verstehbar wird. Einzelne können Derartiges einfach nicht leisten, für sich beanspruchen. In solche Richtungen müssen wir denken, das wäre essenziell für erstrebenswerte Formen von Bildung, von Ausbildung – und für Arbeitsprozesse mit Künstlern, mit Künstlerinnen. Was wir damit dann jeden Tag von neuem kreieren, würde viele, einander überlagernde *shared spaces*, also Beteiligungsräume, Projekträume schaffen und zu Netzen verbinden, in denen sich energetische Eigendynamiken entwickeln können.

ACROSS THE GENDERS Die Umrisse und die Bilder, die wir von der Welt und ihren Kulturen gespeichert haben, ändern sich gerade dramatisch. Im 21. Jahrhundert bekommt diese Welt ein völlig neues Gesicht, muss dezidiert als *eine* Gesellschaft verstanden werden. So viel Bewegung wie jetzt hat es schon lange nicht gegeben. Kulturen verschieben und vermischen sich, greifen ineinander. *Silent people* machen sich bemerkbar. Darüber wird viel zu wenig berichtet, viel zu wenig diskutiert. Die mediale Automatik spielt immer bloß Negatives, Bedrohliches in den Vordergrund. Deshalb werden zu entdeckende Reichtümer Schwerpunkt meiner künftigen Projekte sein. Gerade übergreifende Projekte und Publikationen, wie du sie in diesem Buch thematisierst und ich sie von dir, als Ausdruck von Transferdenken kenne, zu Afghanistan, Pakistan, Damaskus, Libyen – dieses Interesse an der Welt, an Ost-West, Nord-Süd, mit starker Präsenz von Frauen – halte ich für *really shaping*; das vermittelt Konturen anders als gewohnt, macht auf Inhalte neugierig, bezieht einen ein, kann als Initiative für ein Weitergehen verstanden werden. Zu solchen Vorhaben die Hintergründe zu besprechen, wie wir es hier tun, macht das vielleicht greifbarer. Es kommen ganz neue Arten von Energie auf uns zu. Die stärksten Dynamiken laufen heute *across the genders*, weil eines der großen Spannungsfelder im Hintergrund, im Untergrund von Kulturen die kraftvollen Frauen sind. Bei uns kennen wir, im Unterschied zu früher, wenigstens schon deren Namen, sofern sie öffentlich agieren, sofern sie Kunst machen. Die USA und die meisten europäischen Länder jedoch haben noch nie eine Präsidentin, eine Regierungschefin gehabt, Indien, Pakistan, Indonesien hingegen schon längst. In der arabischen, chinesischen, südostasiatischen Welt, in der Türkei, im Iran, in Lateinamerika, in Afrika wird die zunehmende Präsenz und Dominanz von Frauen jedenfalls einiges auslösen. Dem nicht entgegenzugehen und es willkommen zu heißen, wäre völlig kontraproduktiv, hieße sich mit *imaginary changes* begnügen.

INSTITUTIONEN UND PROJEKTE Die Konzentration auf Projekte, die in den Köpfen und auch sonst etwas weiterbringen können, wie du das betreibst und propagierst, steht meinem eigenen Denken sehr nahe, weil ich – auch wenn sich oft ein ganz anderer Eindruck ergibt – versuche, in engem Kontakt mit der Realität zu bleiben. Der geht in Institutionen allzu leicht verloren. Künstler zu Berufsprofessoren zu machen, halte ich deswegen für einen grundlegenden Fehler im Universitätssystem. Sie werden in aller Regel unglückliche Menschen, ihre eigene Produktivität geht zurück und das wirkt sich als negativer Einfluss auf Studierende aus. Künstler sollten nur für die Dauer eines Projektes, einer Projektreihe, also für höchstens drei bis fünf Jahre eingeladen werden. Damit involvieren sie bestimmte Studentenjahrgänge, Energien können sich konzentrieren. Weil so für die Kommunikation eigens ein *space*, ein Feld geschaffen werden kann, bleibt alles beweglich, wird nicht von den rigiden Strukturen, die alles von einander abgrenzen, kanalisiert. Solche Arbeitsweisen auszuweiten, würde enorm gegen jede einteilende Institutionalisierung helfen. Dazu gehört das Schaffen von Möglichkeiten, zugleich außerhalb und innerhalb der Institution zu arbeiten. Leute kommen von außen, gehen aber wieder. Man müsste sich auf solche konzentrieren, die kein Interesse daran haben, sich selbst dauerhaft zu installieren. Damit würde wieder alles erstarren. Wir haben es doch erlebt.

Vor dreißig Jahren bewegte sich alles offensiv in Richtung Institutionalisierung. Hoffnungen richteten sich auf reformierte Organisationen. Von mit neuen Personen besiedelten Strukturen aus sollte möglich werden, was man sich so vage gewünscht hat. Übrig geblieben sind die Strukturen. Den Preis dafür zahlen wir heute. In den USA jedenfalls können nur noch Institutionen und Institutionalisiertes mit Geld rechnen; einzelne Künstler und Künstlerinnen werden – als ob sie Fremdkörper wären – gerade in den Anfangsjahren mit ihren Projekten allein gelassen. Das ergibt durchaus Parallelen zu Sozialdiensten, die wie Kunst in schwerfälligen Institutionen beheimatet wurden. Überall ist zu merken, wie sie den Armen, plötzlich in Not geratenen Familien immer weniger helfen können und sogar noch zusätzliches Leid erzeugen, weil so viele sich im Stich gelassen fühlen, endlos auf Bescheide warten müssen. Institutionen kreieren eine Art von Rigidität, durch die Formalismen und Kleinkariertheit allzu leicht überhand nehmen. Fast zwangsläufig werden sie inhuman. Sie engen ein. Leben bedeutet das Gegenteil davon: etwas tun, etwas riskieren, Unmögliches versuchen, ohne Ziel losgehen. Damit wird man verwundbar. Institutionen selbst jedoch wollen alles sein, nur nicht verwundbar. Projekte, wie wir sie hier besprechen, schaffen dem gegenüber – weil sie temporär, provisorisch, für noch unabsehbare Ergebnisse offen sind – sozusagen Konzentrationspunkte, Aussichtsplattformen, Hintertüren, Signalstationen.

AREAS OF POSSIBILITES Zugleich geht es darum, die für Demokratie essenziellen Institutionen zu verteidigen; nur schwinden die Chancen sichtlich. In den USA werden diese derzeit systematisch transformiert und von bestimmten Gruppen in Besitz genommen. Zu den Leuten der Bush-Ära, die das vorantreiben, lässt sich inzwischen klar sagen: *They truly do not mean well.*

Ihre Handlungen machen das evident. Dass sie irregeleitet wären, eigentlich gute Absichten hätten, kann keiner mehr behaupten. Zu ihrem Lieblingsslogan *zero tolerance* gegenüber jeder unerwünschten Abweichung gibt es nur eine Antwort: *Show them zero tolerance.* Für die höchsten Richterposten, sie sind – auf Lebenszeit! – die letzte Berufungsinstanz und zuständig für die Verfassungsmäßigkeit von Gesetzen, wurden nicht bloß irgendwelche Konservative sondern durchwegs aggressive Missionare ausgesucht. Ein vertrauenswürdiges Gerichtswesen, bei dem die Menschen ihre individuellen Rechte in guten Händen wüssten, soll damit praktisch stillgelegt werden. Unter dem Druck der fundamentalistischen Rechten wird sich dessen Rigidität drastisch verschärfen. Wir sind also bereits so weit, dass es notwendig wird, neben diesen Strukturen offensivere Prozesse zu entwickeln, um sich abzeichnende Verluste an Rechtssicherheit, an einklagbarer sozialer Gerechtigkeit wenigsten ansatzweise auszugleichen.

Überall: Budgetkürzungen, kein Geld für Gehälter, für *overheads*, für *benefits*, gigantischer Personalabbau im öffentlichen Dienst. Was möglich sein könnte wird zugenagelt. Eine längerfristige Beschäftigung wird für alle immer unwahrscheinlicher. Das sind genauso gravierende Faktoren dieser *powerful time* wie die globalen kulturellen Verschiebungen, von denen wir hier sprechen. Wir bewegen uns längst in höchst provisorischen Räumen. Projekte, auch wenn sie als freies Aktionsfeld stark unter Druck stehen, sind wenigstens noch Chancen, Geld, Ressourcen, Energie in gewünschte Richtungen umzuleiten und Arbeitsmodelle zu entwickeln. Wichtig bleibt zu sagen: Das und das ist möglich. Wir müssen also *outside the box* denken und *areas of possibilities*, Möglichkeitsräume, ausweiten.

Intelligent konzipierte Projekt haben eben die Flexibilität, ihre Richtung zu ändern, auf Impulse zu reagieren, sich inhaltlich völlig zu verschieben. Es braucht nur Formen, die das zulassen, möglichst sogar herausfordern, also auf überraschende Öffnungen hin angelegt sind. Sich neuen Umständen zu stellen, und zwar sofort, unmittelbar, eröffnet unvorhersehbare Wege, um die Welt durch die Augen verschiedener Menschen zu sehen. Kommen neue hinzu, weil spontane Partizipation möglich bleibt, werden sich die Gewichte verändern. Für mich ist das in einer Zeit, in der die grundlegenden Institutionen der Demokratie sichtlich in Schwierigkeiten sind, an Glaubwürdigkeit drastisch verlieren, eine überfällige Rückgewinnung von Handlungsspielräumen. Das, was weiterhin Demokratie genannt wird, verdient doch bei genauer Betrachtung diesen Namen kaum. Sie steckt in einer tiefen Krise, sie funktioniert nicht, ist durch Geld, durch die Medien auf vielen Ebenen korrumpiert und gleichzeitig durch ein Kaputtsparen in einem höchst fragilen Zustand. Immer mehr Menschen boykottieren Wahlen oder bilden ein manipulierbares Protestpotential, offensichtlich, weil die gebotenen Alternativen zu dürftig sind. Gerade deswegen müssten wir begreifen, dass Demokratie eine sehr junge Erscheinung ist, nie etwas Fertiges war, sondern nur als weitergehendes Projekt Kraft behalten könnte. Wir erleben Rückschritte, dabei müsste es in positivem Sinn wegweisende Entwicklungen geben; in jeder ihrer Institutionen. Auch diese müssten sich als Projekte begreifen. In den USA jedenfalls haben wir einen Punkt erreicht, an dem es notwendig ist, zu den *grassroots of democracy* zurückzukehren und einen Neubeginn zu starten, sozusagen von *underground levels* aus. Die Alternative haben wir bei den Bush-Wahlen gesehen: *It's the money talking*, überall hat das Geld das Sagen.

UNTERBRECHUNGEN Für Festivals arbeite ich gern, eben weil sie keine Institutionen sind, für gewöhnlich kein eigenes Theater haben, keine starren Bindungen eingehen. Es kann frei konzipiert und organisiert werden. Was geschieht, kann überall geschehen, auf Bühnen, in Kunstgalerien, irgendwo in einem Stadtviertel, auf einer Straße, in einem imaginären Raum zwischen mehreren Ländern. Ein für Zeitgenössisches offenes Festival existiert exakt in der schon angesprochenen temporären, provisorischen Weise; durch Aufträge wird künstlerische Produktivität bestärkt. Daher häuft es neue Energien an, bricht Routine auf. Es setzt auf Unterbrechungen, auf die Ferienzeit, auf Feiertage, an denen niemand zur Arbeit geht. Eben das öffnet Räume, real und gedanklich. Die Leitung von Theatern interessiert mich nicht mehr, die von Festivals akzeptiere ich, weil Raum und Inhalt permanent neu ersonnen werden können. Das provoziert Diskussionen, macht das Geschehen transparenter; was kostet es, was irritiert, was ist aus jetziger Sicht relevant, was fehlt, was läuft falsch, wer ist dabei, wie und wo wird auf was geantwortet …

FEHLER UND ZUFÄLLE An der Arbeit in Institutionen ist doch der Punkt, dass die meisten gemachten Fehler Personen, die über einem stehen, anzulasten sind. In Projekten hingegen sind die Fehler wirklich deine eigenen, genau so wie zum Tragen kommende Wertvorstellungen deine eigenen sein können. Es kann verantwortlicher zugehen; gerade auch was Pannen, was ein Scheitern betrifft. Solche Erfahrungen bringen einen vielleicht entscheidend weiter. Erst das Recht auf ein Desaster, das Recht nicht zu verstehen, zu stolpern, einen falschen Weg einzuschlagen macht Neues greifbar. Institutionen aber erlauben so etwas nicht – daher die Angst vor jedem

Schritt; er könnte ja ein Fehltritt sein. Einen Schritt zurück, den einzigen, der bedenkenlos erlaubt ist, wirft einem niemand vor. Aber erst wenn sich Projekte zu *danger zones* für die eigene Balance, für das eigene Fortkommen entwickeln, also täglich zu merken ist, das läuft, da sperrt sich etwas, das hat nicht funktioniert, lernen wir vom Gelingenden und nicht Gelingenden. So gesehen kann beides produktiv sein und die Beziehungen zu Personen, zu Themen intensivieren.

Ein Beispiel: 1990 haben wir für das Los Angeles Festival zu *Pacific Culture* über tausend Künstler aus vielen Sparten, aus vielen Ländern eingeladen. Wie das so ist, haben sich Komitees gebildet, um die Auswahl und das Programm zu bewerkstelligen. Es entstanden Listen, manche konnten nicht kommen, es gab neue Listen. Aus El Salvador war David Escobar Galindo nominiert, ein prominenter Autor und Dichter, ein sehr distinguierter, recht akademisch wirkender Herr. Kaum hatten wir den Namen bekannt gemacht, ist das Festivalbüro von fünfzig zornigen Leuten aus El Salvador besetzt worden, die einen solchen Mann „mit Blut an den Händen", wie sie geschrien haben, nicht als kulturellen Botschafter ihres Landes sehen wollten. Niemand von uns hatte gewusst, dass er ein enger Freund von Präsident Cristiani, des Hauptsponsors der Todesschwadrone war. In Los Angeles leben Hunderttausende vor diesem Terror Geflohene, die alle wissen, dass die USA unter Präsident Reagan dieses Regime stets gefördert haben. Das ergab eine ziemlich offensive Kontroverse und endlose Mediengeschichten. Was aber war letztlich wirklich das Ergebnis bei diesem Teilprojekt? Wegen unserer Gesprächsbereitschaft folgten Meetings auf Meetings, Künstler boten ihre Mitarbeit an; schließlich haben wir statt Escobar Galindo, der von sich aus absagte, einen im Exil in Kanada lebenden Dichter eingeladen. Nie sonst hätte ich eine solche Chance bekommen, so viele politisch und künstlerisch engagierte Menschen aus El Salvador kennen zu lernen, denn sie leben in der Stadt in der Subkultur einer Subkultur, an die keineswegs leicht heranzukommen ist. Eine ganze Reihe künstlerischer Projekte entstanden, die ersten überhaupt, mit denen Künstler aus El Salvador öffentlich dazu Stellung nahmen, warum sie nach den USA gekommen sind. Im Refugee-Center gab es Präsentationen. Das Pico-Union Area wurde zum autonomen Artikulationsfeld, zum Treffpunkt, hauptsächlich für Menschen aus Mittelamerika, mit großen Murals, Reliefs, Skulpturen, Objekten, einem ständigen Wechsel an spontanen Ausstellungen – also zu einem Ort der Oral History für noch ungeschriebene Kapitel der Geschichte. Die dort Zusammenkommenden erfahren etwas über Verwandte, über Vermisste, neu Eintreffende schließen erste Kontakte –

und das alles, weil ein kompromittierter Dichter ausgesucht worden war und sich viele dagegen aufgelehnt hatten.

VON PROJEKTEN LEBEN? Werde ich das gefragt, kann ich nur Beispiele liefern. Da gibt es viele Lektionen, gerade was meine Arbeitsgebiete betrifft. Die längste Zeit über hat es überhaupt keine professionellen Theater gegeben; eine solche Frage hätte also niemand verstanden. Shakespeare begann als Taglöhner, Sophokles war unter anderem General. Dass Shakespeares Theater *The Globe* hieß, demonstriert, wie entgrenzt die Sache damals schon gesehen worden ist. Jene, die Theatergeschichte schrieben, sind jedenfalls sehr oft und vielfältig anderwärtig beschäftigt gewesen. Die Tradition von Bali wiederum beeindruckt mich über die Auffassung, die der große alte Mann des Tanzes, der ganze Generationen geprägt hat – ich kenne seinen Sohn, einen exponierten, alt und neu verbindenden Musiker – an seine Schüler weitergibt. Zum Unterschied zwischen großen und guten Tänzern sagt er: Ein guter Tänzer beherrscht mit seinem Körper alle vorgesehenen Bewegungen, kennt die Musik bis ins Detail, ist also wirklich kompetent. Ein besserer Tänzer beherrscht mit seinem Körper alle vorgesehenen Bewegungen, kennt die Musik bis ins Detail, und versteht auch deren innere Bedeutung. Ein großer Tänzer beherrscht mit seinem Körper alle vorgesehenen Bewegungen, kennt die Musik bis ins Detail, versteht auch deren innere Bedeutung und – lebt als Bauer.

Was damit angesprochen wird – Kunst als Beruf, Projekte als Beruf, Finanzierung eines solchen Lebens –, charakterisiert also eher eine Krise der westlichen Kultur als Universelles. Deren Künstler haben sich so weit weg von allem bewegt. Sie existieren in dieser Blase, die Kunst genannt wird. Wenn du hingegen als Teil der Welt, als Teil der Gesellschaft einer anderen Arbeit nachgehst, dann siehst du das Leben in all seinen Aspekten und dieser Reichtum kann dann reflektiert werden. In der Kunst unserer Zeit – das sehen wir doch ständig – ist der einzige Bezugsrahmen die Referenz zu weiteren Werken der Kunst. Wer kann sich schon mit gutem Grund auf darüber hinausgehende Relationen berufen? Es ist die „interne" Kommunikation, die zählt. Die jetzige Generation sollte sich von solchen Vorgaben lösen. Nicht provoziert durch irgendeine Krise, sondern weil es einfach notwendig ist, wäre es wichtig, dass auf solchen Gebieten Arbeitende andere Jobs, einen Background in Business, Politik, durch Reisen, durch Vertrautheit mit vielen Kulturen haben, also vielfältigen Interessen folgen, damit sie die Welt auf verschiedenen Wegen erfahren können – nicht bloß durch Kunst. Gleich vorzuhaben, damit sein Leben zu verdienen, engt solche Perspektiven ein. Deswegen appelliere ich an meine Studenten, sich auf viele verschiedene Arten nützlich zu machen; dann erst sollten sie daran denken, Kunst zu machen, dann erst kann etwas herauskommen. In der oft sehr engen Ausbildung liegt das Problem. Das erzeugt blinde Flecken. Natürlich wünsche ich mir, dass es Künstlern und Künstlerinnen gelingt, genug Geld für ihr Leben zu verdienen, gut zu verdienen, keine Frage. Wir sollten aber auch zur Kenntnis nehmen, dass es in vielen Traditionen die fest gefügte Vorstellung gibt, Künstler sollten multiple Funktionen ausüben und auf vielfältige Weise gesellschaftlich partizipieren, weil erst das für ihre Praxis ein tragfähiges Fundament ergibt.

VOR DER SPRACHE | NÄCHTLICHE INTENSITÄT Bei den Planungen für das von Markus Hinterhäuser und Tomas Zierhofer-Kin koordinierte *Zeitfluss-Festival* in Salzburg sind wir auf unsere gemeinsame Liebe zur indischen Drupad-Musik draufgekommen, diese prä-vedischen Hindu-Gesänge, ohne Wörter, nur mit gesungenen heiligen Buchstaben und Silben. Bereits Wörter werden für unpräzise gehalten. Diese puren Töne, die für eine Stunde oder länger gehalten werden, sind Ausdruck einer extremen vokalen Intensität vor dem Entstehen von Sprache. Die größten Drupad-Sänger unserer Zeit stammen aus der Dagar-Dynastie. Der 1997 aus dieser Begeisterung entstandene Abend mit Ustad Zia Farriuddin Dagar und seiner Gruppe ist – in Kombination mit John Cages *Silence* – wirklich eine sehr wilde, ergreifende Sache geworden. Durch ein solches Projekt habe ich Menschen getroffen, die zu treffen ich mir nie vorher hätte vorstellen können, obwohl ich die CDs der Dagar Brothers fast jeden Morgen höre. Sie sind gekommen, wir waren eine Woche zusammen, hatten großartige Unterhaltungen. Ihre *very, very slow artform*, wie ich meinte, würde doch für *this very fast society* eine ständige Provokation sein; die Entgegnung kam ohne langes Überlegen: „Life is always slow, it's just your brain that's fast." Irgendwann dazwischen habe ich gefragt: „Where do you come from right now?" Was war die Antwort: Los Angeles, meine Stadt. Dort waren sie die letzten zwei Monate und niemand hatte eine Ahnung davon. So läuft das heute. Sie betreiben eine Gesangsschule in Bophal, wo der schreckliche Chemieunfall passiert ist. Ihrem Programm zufolge beginnen die Schüler mit den sehr laut gesungenen Stimmübungen um drei Uhr früh. Das geht bis zur Morgendämmerung, dann gibt es Frühstück. Erst danach – und das ist entscheidend – beginnt in der Dagar-Schule die eigentliche Arbeit: Sie lernen Kochen. Damit sollen die Schüler später ihren Lebensunterhalt bestreiten. Wird die 500 Jahre alte Familientradition der Dagars streng befolgt, darf für Musikaufführungen niemals Geld akzeptiert werden; für die Zubereitung von Essen schon. Kunst soll – was als Forderung ja auch in unseren Denkwelten geläufig ist – nicht käuflich werden, sich von solchen profanen Interessen nicht irritieren lassen. Professionell zu kochen könnte also genauso hierzulande eine attraktive berufliche Basis sein, von der aus sich viele Impulse und Einblicke ergeben.

Dass der Gesangsunterricht so extrem früh stattfindet, ist äußerst wichtig, wir kennen das von Sufis, von vielen religiösen Traditionen für Gebete. Einer meiner Freunde ist Leiter der *Muslim Society of Southern California*, Gründer des *Muslim Affairs Public Council*, sehr engagiert in Auseinandersetzungen mit der Bush-Administration nach dem 11. September. Von Beruf ist er Herzchirurg; unter Tags arbeitet er im Krankenhaus. Seine Klassen für Muslime, mit Themen wie „Der Koran und die Ökologiebewegung", beginnen ebenfalls um drei Uhr früh. Damit will er von vornherein vermitteln, dass Wissenserwerb nichts Bequemes sein kann, die Bereitschaft schwierigen Pfaden zu folgen voraussetzt und gewisse Opfer als Gegengaben verlangt. Solche Vorstellungen von Lehre könnten, wie ich meine, mithelfen, Krisenhaftes im Westen besser zu begreifen und einen dazu anhalten, darauf zu insistieren, dass weitere Wege geöffnet werden, also unsere institutionalisierten Ideen darüber, wie Kultur produziert, Wissen vermittelt wird, zu überdenken. Denn eine Kernfrage ist: Wie kannst du dich selbst und andere Menschen in eine Situation steigerbarer Aufmerksamkeit versetzen aus der Nachhaltiges zurückbleibt?

MOZART UND NELSON MANDELA Wenn wir daran denken, wie lange uns Begriffe wie Underground, Avantgarde, wie „im System" oder „gegen das System" arbeiten, wie *in* und *out*, eine Positionierung in Strukturen und lebbare Abgrenzungen vorgespiegelt haben, so führt mich das, als radikaler Schnitt, zu Nelson Mandela. Denn er personifiziert in höchst dramatischer Weise, wie es trotz feindlichster Gegnerschaft und brutaler Verfolgung schließlich zu Kooperation kommen kann. Um das geht es künftig. Wie anders ließen sich Spiralen von Gewalt und Gegengewalt, von Massakern und Gegenmassakern unterbrechen? Seine Geschichte ist eigentlich unglaublich. Er verbringt 26 Jahre im Gefängnis, kommt heraus, wird der nächste Präsident und lädt jene Leute, die ihn und seinesgleichen umbringen wollten, ein, mit ihm eine Regierung zu bilden. Dazu gehört schon einiges. Derartiges ist in der Geschichte nicht gerade oft vorgekommen.

Mozarts Antwort auf Terrorismus sehe ich als kühne frühe Vorwegnahme dieser Position. Deshalb ist sie für das 21. Jahrhundert höchst signifikant.

Akt 1 von *La Clemenza di Tito*, seine letzte Oper, uraufgeführt 1791, also in keineswegs friedlichen Zeiten: Auf den „Präsidenten" wird ein Anschlag verübt, das Capitol wird in Brand gesteckt. Akt 2: Er überlebt und befiehlt: Findet mir die Leute, die das getan haben. Schließlich werden die Terroristen herangeschafft. Nach längeren Disputen nimmt er ihre Anliegen zur Kenntnis, vergibt ihnen und beteiligt sie an seiner Regierung. Was sagt uns das, über die Zeitgrenzen hinweg? Solange sich so viele nicht repräsentiert und mitverantwortlich fühlen können, wird es keine Sicherheit, keine Machtbalance geben. Genau darum geht es latent. Wie sich engagieren? Wie mit Gegnern zu einem Ausgleich kommen? Wie im Rahmen rechtsstaatlicher Verfahren mit ihnen umgehen? Was sonst wäre Demokratie?

BEISPIELE STATT LEERFORMELN Das *New Crowned Hope*-Festival zu Mozarts 250. Geburtstag im Jahr 2006 [benannt nach der Freimaurerloge *Zur neu gekrönten Hoffnung*, die Mozart in den letzten Wochen seines Lebens mitbegründet und dafür seine letzte fertig gestellte Musik geschrieben hat], für das ich der Programmverantwortliche bin, soll mit vielen Projekten und vielen geladenen Gästen solchen Reflexionen dienen. Aus Kambodscha etwa erwarten wir Zeugen dazu, wie jemand reagiert, der in einem Bus auf einen Schergen der Todeslager trifft, in denen seine Schwester umgekommen ist. Er weiß, es wird dazu keine Verfahren, keine Verurteilungen geben. Wie lebst du dann damit weiter? Zeugen aus Sri Lanka, aus Argentinien, aus verschiedenen Weltgegenden, wo es in der letzten Generation Massaker gegeben hat, werden über solche Situationen berichten. Die Fragen bei Mozart – Vergeltung, Erbarmen, Versöhnung – abstrakt abzuhandeln, würde ihnen jeden heutigen Realitätsbezug nehmen. Davor zu flüchten, hieße, Derartiges nicht wahrhaben zu wollen. Nichts ist mehr ungeschehen zu machen; die Nachwirkungen von Genoziden aber, von mehr oder minder rassistischen Kriegen, in denen eine Gruppe die Erlaubnis hat, Mitglieder der anderen einfach zu töten, müssen uns beschäftigen. An solchen Extremsituationen wird besonders deutlich, wie vieles sich in höchst fragilen, neu zu verhandelnden Konstellationen befindet. Was anderes als ausufernde Projekte zu solchen Desastern, solchen Unmenschlichkeiten, solchen Erfahrungen könnte zum Bewusstmachen beitragen? Angesichts der Zustände weiter mit *blanket statements*, mit Probleme zudeckenden, unverbindlich verallgemeinernden Leerformeln zu operieren, würde bloß mit dem Zynismus paktieren, der ohnedies grassiert.
Enlightenment. Theory and Practice nenne ich solche Bestrebungen. Dazu gehört es, sich der Welt in ihrer vollen Brutalität zu stellen.

IMAGE ALS SCHUTZRAUM? Mein Weg hat für mich ein durchaus nützliches, inspirierendes Image ergeben, als Rückhalt, um immer wieder punkten zu können. Wie jeder und jede muss sich jemand in meiner Position dennoch immer wieder fragen: Was fehlt? Wie lässt sich anders mit auftauchenden äußeren und inneren Begrenzungen umgehen? Indem ich sehr viele Menschen aus verschiedensten Sphären einbeziehe, versuche ich dezidiert, Themen zu platzieren, nach außen wirksam zu bleiben, nicht in konforme Routine zu verfallen. Direkt politisch zu agieren kann nicht die einzige Möglichkeit sein. Gerade die 60er, 70er Jahre haben doch die Grenzen solcher Gruppenintentionen klar gemacht. Was können – bei allem Respekt – Leute, die mit besten Absichten durch die Institutionen marschieren, schon mehr machen als in Machbarkeitsregeln eingebundene Projekte? Ihr Scheitern zeigt doch ständig die Limitierungen auf, von denen ich spreche, die Limitierungen, die wir umgehen, unterlaufen, negieren müssen. Ein Projektaktivismus bringt nur etwas, wenn er auf langfristig erzielbare Veränderungen ausgerichtet ist. Schnell Mögliches kann genauso schnell wieder zurückgedreht werden. Erhoffte Veränderungen werden wir höchstwahrscheinlich nicht zu sehen kriegen, weitergeben aber kann jeder etwas. Es ginge also darum, für sich ein Gebilde aus Arbeitsmöglichkeiten zu schaffen, das ein lebenslanges Engagement zulässt, als Beteiligung an ernsthafter Problembearbeitung. Effektive „Lösungen" können nur entstehen, wenn sie sorgfältig und langsam aus realen sozialen Prozessen heraus entwickelt werden. Künstlerische Positionen werden vor allem durch *primary research* wirksam.

Unter dem Druck angeblich notwendiger Medienpräsenz glauben gerade viele junge Künstler, sie müssten so schnell wie möglich berühmt werden, müssten überfallsartig ihren *impact* lancieren, Karriere machen. Was soll das schon ergeben? *There are no careers.* Fragen nach dem Lebenswerk müssen anders gestellt werden. Es geht darum, etwas weiterzugeben. Vielleicht wirkt es erst viel später, wie ein lange vergessenes Buch in einer Bibliothek. Gerade Bescheidenheit hat sich oft als äußerst fruchtbare Basis erwiesen, bei Matthias Grünewald, bei Johann Sebastian Bach, die ihr Leben fast unsichtbar verbrachten.

ERSTER AKT: SKLAVEN Die Arbeit an Mozarts *Zaide* nehme ich als Ansatz, die Anti-Sklaverei-Bewegung, für die sich zu seiner Zeit viele Aktivisten zu engagieren begannen, neu ins Bewusstsein zu bringen. Wie wir wissen, hat es im 18. und 19. Jahrhundert zumindest drei Generationen gebraucht, um die Sklaverei – in Europa und Amerika lange die größte Geldmachmaschine – aufzuheben. Dazu waren enorme, stetige Anstrengungen notwendig, damit immer weitere Teile der Gesellschaft das für notwendig hielten und letzten Endes die entsprechenden Verbotsgesetze erlassen und durchgesetzt wurden. Dass Formen von Sklaverei, oft schlimmere als früher, fortbestehen, ist genau so offensichtlich. Damals haben Künstler, Angestellte, Journalisten, Intellektuelle in vielen Ländern eine zusehends stärker werdende Bewegung gebildet, sind oft sogar formelle Koalitionen eingegangen, um gegen eine unmenschliche Profit-Maschine anzutreten. Die meisten von ihnen haben den legislativen Erfolg nicht mehr erlebt. Heute gibt es weit mehr Sklaven auf der Welt als zur Zeit Abraham Lincolns. Mit dem forcierten Schub an Globalisierung gehen neue Formen einher; die Modalitäten, das Vokabular, die Profite sind andere. Der Kern – Zwang, Aussichtslosigkeit, elende Entlohnung, Kinderarbeit, sexuelle Versklavung, Unterbindung von Mobilität – ist aber der gleiche. Weshalb sollte also ein neues *Anti-Slavery-Movement* nicht eine breite Unterstützung finden? Mit meinen Studenten habe ich das zum Thema gemacht; mit der Idee, aus vielen Professionen Menschen zusammenzubringen, die neuerlich eine solche Initiative tragen.

Mozart hat eine Reihe von Stücken geschrieben, die in islamischen Ländern spielen. Sein ganzes Leben hat er sich mit diesem „Anderen" beschäftigt, mit den Beziehungen zwischen Ost und West, von Mohammed und Gott. Immer wieder geht es um Sklaverei, um Herren und Diener. Frauen haben entscheidende Funktionen. Für Mozart sind Sklaven, diese Nicht-Menschen, wichtige Figuren. Der erste Akt von *Zaide* beginnt – und das 1779, Mozart war 23 Jahre alt – mit dem höchst intensiven, musikalisch melodramatisch-reichen Gesangsauftritt von Gomatz und Zaide. Beide sind Sklaven. Das muss man sich vorstellen. Zwei Nicht-Menschen werden als hoch emotionell agierende Persönlichkeiten dargestellt. Das Stück endet in der – wegen des Drucks weniger Seriöses zu machen – offiziell unabgeschlossen gebliebenen Fassung mit dem berühmten Quartett von Muslimen und Nicht-Muslimen, das sich um die Frage dreht, ob es Gnade, ob es Barmherzigkeit geben werde. Im Stück gibt es sie, und das in der osmanischen Türkei des 16. Jahrhunderts, die damals übrigens auch tausende aus Spanien vertriebene Juden aufgenommen hat. Soll da noch jemand sagen, das habe mit unserer Zeit nichts zu tun.

EGALITÉ | FRATERNITÉ Eine mich sehr bewegende, mir von Amin Maalouf mitgeteilte Geschichte macht begreiflich, wie exponiert solche Auffassungen gewesen sind und wie damals Farbige, wenn sie nicht als exotisches

Exponat dienen konnten, in Paris behandelt wurden. Die Menschen in Haiti, so seine Recherche, haben sich von der Französischen Revolution ausgeschlossen gefühlt und daher eine Delegation nach Paris gesandt, die in die Nationalversammlung marschiert ist und erwartungsvoll gerufen hat: „Da sind wir!"; wir, also farbige Sklaven, freigekommene Nachfahren von Sklaven. Die neuen Funktionäre dort hätten geantwortet: „Sitze für euch? Dann müssten wir auch für Hühner und Kühe Sitze bereithalten." Selbst die Leute, die *Liberté, Egalité, Fraternité* als humanitäre Grundforderung propagiert haben, konnten also Menschen mit dunkler Hautfarbe immer noch nicht als menschliche Wesen akzeptieren. Wenn diese radikalen Modernisierer derart blind gewesen sind, müssen wir uns, so Amin Maalouf, fragen, wo unsere eigenen Blindheiten liegen. Bei jedem Capuccino, den wir trinken, ließe sich darüber reflektieren, dass diesen kleinen Genuss Generationen von Sklaven ermöglicht haben. Als unsere Vorfahren leben sie in jedem Menschen weiter. Sich zu fragen, was sie von uns, den Nutznießern ihrer Arbeit, erwarten würden, halte ich für einen höchst plausiblen Zugang zu Geschichte, zur Verwandlung von Kontinuitäten in Perspektiven.

Mozart jedenfalls ist in meinen Augen einer der radikalsten Künstler seiner Epoche, ohne Toleranz für die Gegenseite. Mit meinen Interpretationen will ich das dumme, von mir gehasste Bild von ihm zurechtrücken, das ihn als unengagiert, unintellektuell, verspielt darstellt. In Wahrheit war er in höchstem Maße politisch engagiert. Um das herauszuarbeiten, werden wir jetzt gültige Szenerien entwickeln, mit *sweatshops* und ihren elenden Arbeitsbedingungen, wie es sie überall auf der Welt, auch in Europa gibt. Aus dem Sklavenhandel der Schlepperbanden stammendes illegales Geld strömt doch ständig auch nach und durch Wien.

SIMONE WEIL | AMIN MAALOUF Zu Mozarts Ehren machen wir weiters einen Abend – als Passion mit 15 Stationen – zum Leben von Simone Weil [1909–1943], für den Amin Maalouf einen wunderbaren Text geschrieben hat und Kaija Saariaho die Musik komponiert. Am Beispiel ihrer Person geht es um die Frage einer engagierten Philosophie – und das in Wien. Während der Rest der philosophischen Welt mitten im anlaufenden Genozid die am weitesten abstrakte Philosophie der Geschichte entwickelte, hat diese Frau als Lehrerin gearbeitet, in einer Renault-Fabrik gearbeitet, sich im Spanischen Bürgerkrieg und in der Rèsistance engagiert. Sie entkam nur knapp der Verfolgung, war zeitlebens kränklich und ist jung gestorben. Ein Zentralthema des 20. Jahrhunderts, die zerteilte, ans Fließband gebundene, entschieden inhumane Arbeit hat sie zeitlebens beschäftigt: der Verlust des Wertes von Arbeit, die nicht mehr als Lebenserfüllung, nur noch als Destruktion erfahren werden kann und die Menschen zerstört. Geprägt von ihrer jüdischen Herkunft und einer Faszination für Katholisches ging es ihr vorrangig um Fragen der Solidarität. Selbst eine Persönlichkeit wie Bertrand Russell hat sich im Vergleich dazu immer in distanzierte Positionen gerettet, also in eine Art imperialistische, von oben gedachte Philosophie. Als Frau tatsächlich in die vordersten Linien zu gehen, in die Fabrik, in den Krieg, zu den Verfolgten, ist – selbst wenn ihre ins Mystische abschweifenden, eine neuerliche Verwurzelung anstrebenden Schlüsse nicht geteilt werden – eine entscheidende Geste dafür, dass Philosophie auch physische Involviertheit braucht. Mich jedenfalls bewegt diese Suche nach Nähe, nach Unmittelbarkeit sehr. Deswegen würdigen wir ihr Leben und stellen Fragen nach jetzigen Bezügen von Philosophie und Praxis. Amin Maalouf, selbst im „komplizierten" Libanon aufgewachsen, preist sie in seinem Text nicht als katholische Heilige. Er beschreibt ihre bewundernswerten und nicht bewundernswerten Seiten und macht deutlich, dass es nicht darum gehen kann, ihrem Weg zu folgen. Wir müssen in andere Richtungen unterwegs sein. Letztlich nur in der sich unter dem Druck von Vorgaben asketisch limitierenden, sich selbst verstümmelnden Frau eine gute Frau zu sehen, wie es die katholische Kirche in alle Ewigkeit perpetuiert, kann und darf einfach kein Modell mehr dafür sein.

THE ARTS ARE ABOUT PRIMARY EXPERIENCE Für Vorstellungen von ehrenhaftem Verhalten, von nützlichem Leben, von Kostbarem müssten neue Images gefunden werden. Überfluss erfahren wir doch vor allem über nutzloses Zeug, nutzlose Aktivitäten. Daran herrscht kein Mangel. Was jedoch wirklich gebraucht würde, das wird in exzessiver Weise ignoriert: *Everything that needs to be done is ignored.* Daher meine Message: Findet etwas, das euch etwas angeht, das getan werden sollte – und macht es. Das wird in aller Regel nicht Bedürfnisse betreffen, die Politiker mit ihren kurzfristigen, bloß statistischen Definitionen meinen, sondern menschliche Dimensionen, jenseits von gesichertem Bett, gesichertem „Fressen" – um mit Brecht zu sprechen.

Deswegen sind wir Künstler. In der Kunst geht es um grundlegende Erfahrungen, um *primary experience*, um *primary research*, und darum, was eine Gesellschaft über soziale Dienste, über Materielles hinaus offeriert. Was wir teilen, was wir weitergeben können ist die Frage, der wir uns zu stellen haben. Mit künstlerischen Mitteln lässt sich täglich demonstrieren:

We don't like to live like that. Ich selbst kann mich nicht zu sehr auf funktionelle Ideen zur Verbesserung von Zuständen einlassen, so wichtig Interventionen und andere Rahmenbedingungen wären. Meine Möglichkeiten betreffen Bewusstseinsebenen, zum Bespiel, wie schlecht wir in den USA mit Obdachlosen, mit geistig Behinderten, mit Menschen eben, die nicht „funktionieren", umgehen. Sollen wir sie abschieben, letztlich aus der Gesellschaft eliminieren oder sollten wir nicht viel eher anerkennen, dass sie selbst für vieles den Schlüssel dazu in der Hand haben *what life is about* – zum Leben also? In Indien werden obdachlos Umherwandernde als Heilige angesehen, im alten Russland war das auch so. Vom *Los Angeles Poverty Department* wiederum, das keine Behörde sondern eine Theatergruppe von und für Obdachlose ist, bekommen sie die Möglichkeit, öffentlich aus ihrem Leben zu erzählen, mit anderen ins Gespräch zu kommen; viele erscheinen zwar, schweigen jedoch, andere verfallen in endlose Monologe. Für mich waren das die ergreifendsten Bühnenerlebnisse der letzten Zeit. Jeder Abend ist anders, nichts lässt sich vorherbestimmen, die beteiligte *community* weitet sich aus, artikuliert ihre Interessen, ohne Eingreifen irgendeiner Obrigkeit. Die im Fernsehen geführten scheinheiligen *homeless debates* wurden somit selbst übernommen. Für die Öffentlichkeit war das schockierend, in den Medien wurde es überhaupt nicht gemocht. Mich erinnert das an die Energien, die im New Deal zur Überwindung der Depression aktivierbar waren. Damals sind weit über eine halbe Million Arbeitslose im Rahmen der *Works Progress Administration* (*WPA*) zur Errichtung von Strassen, Spitälern, Schulen, Bibliotheken, Postgebäuden eingesetzt worden und haben in nachwirkender Qualität – das *Federal Art Project* vergab auch 5.000 Aufträge an Künstler – essenzielle Teile der Infrastruktur des Landes errichtet.

Wenn ich nun in Wien für das Jugendstiltheater der Heil- und Pflegeanstalt Am Steinhof [inzwischen entlastender Weise in Otto Wagner-Spital umbenannt] Projekte konzipiere, so ist das für mich sehr bewegend, weil dieser Ort von Künstlern geschaffen wurde, um für die dort als geistig krank Stationierten Aufführungen zu machen – als Vision auch mit ihnen. Wird nicht insistierender beachtet, dass wir in dieser Beziehung permanent an einer Wegkreuzung stehen, weil unsere *nightmare economy* letztlich nur auf funktionell brauchbare Menschen mit ordentlichen Personalpapieren setzt, bleibt das Existenzrecht jeglichen menschlichen Wesens in der Praxis nur vage abgesichert. Wir haben eine Gesellschaft zugelassen – es ließe sich auch sagen: konstruiert – die fast das Gegenteil solch humaner Intentionen im Programm hat. Die Situation Am Steinhof ist für mich daher eine außerordentlich kraftvolle Grundkonstellation, sowohl als Chance, um für Menschen in Schwierigkeiten Räume zu schaffen, als auch um Künstler zu fragen, was sie zu einem Equilibrium, zu einem Environment beitragen können, das solche getrennte Lebenssphären einander näher bringt. Wegen der dort [in der NS-Euthanasieabteilung Am Spiegelgrund] untergebrachten Kinder, die letzten Endes einfach „zur Disposition" standen, so wie die eingewiesenen „asozialen" Frauen, die Behinderten, die Unheilbaren, ist das ein so signifikanter Ort, dass eine subtile Sorgfalt unerlässlich ist, um von ihm aus zu sprechen. Die Frage ist wiederum, wie Spiralen der Gewalt aufgebrochen werden könnten. Dazu bietet gerade Wien bis in die unmittelbare Gegenwart herein eine sehr dichte, – Rassismus, mörderische Sackgassen, genauso aber tief Durchdachtes und Wegweisendes (Stichwörter dazu: Sozialwesen, Psychoanalyse, Ökologie) einschließende – komplex verwobene Geschichte.

EUROPÄISCHE KULTUR? Wenn ich jetzt um die Welt reise und mein Projekt *New Crowned Hope* zu Mozart beschreibe, betone ich oft, dass ich gerade aus einer Stadt komme, in der Menschen über viele Monate hinweg jede Woche auf die Strasse gegangen sind, um gegen die Regierungsbeteiligung und die Klimavergiftungen von Haider & Co zu demonstrieren. Zu Kalifornien, wo ich lebe, kann ich nichts Derartiges sagen. Dort nehmen sich die rechten Kräfte zur Zeit alles. In Italien, Frankreich, in den Niederlanden sind sie stark. Ob Türken Europäer sind oder sein dürfen, artet plötzlich zur großen Kontroverse aus. Überall wird ein Ausschließen von dem und jenem wichtiger. Die Europäische Union beruft sich eben viel zu wenig auf ihre diffizile kulturelle Basis, hat sich blind auf Ökonomisches konzentriert. Das rächt sich jetzt. Die Maskerade als europäische Kultur – immer nach dem Muster „Wir sind besser als alle anderen" – beruft sich sinnlos auf den immer gleichen Kanon. Gegen den Stolz auf große Namen ist nichts einzuwenden, nur sollten gleichzeitig die ausufernden Wurzeln und die Dimensionen an Europäischem gesehen werden. Was uns das alles jetzt bedeutet ist wichtig. Goethe hat arabische und indische Dichtung entdeckt, seine Existenz als Künstler dadurch geformt. Die arabische Welt im Spanien des 13. Jahrhunderts mit ihrem direkten Einfluss auf den Süden Frankreichs, ist essenziell für europäische Kultur; die Geschichte ihrer Poesie, ihrer Literatur, ihrer Philosophie wäre ohne diese Kontakte anders verlaufen. Und wie steht es um einen solchen Austausch heute, angesichts von Millionen Immigranten aus solchen Ländern? Komplexe Identitäten prägen sich in Dialogen aus, nicht im „Selbstgespräch" Gleichgesinnter.

Das gehört aktiviert. Europa? Das heißt für mich: Überwinden entsetzlichen Destruktionspotenzials, kulturelle Kontroversen, dramatische Geschichtserfahrungen, soziale Sicherheiten, Bildung, unzufriedene Veränderungsbereitschaft, dutzende Sprachen, weitläufige Kontakte … also vergleichsweise sehr aktivierende Bedingungen für Menschen, die in ihrem Leben tatsächlich etwas weiterbringen wollen.

KOMPLEXE INTERAKTIONEN Wie schon betont, wären auszuweitende Netzwerke intelligenter Projekte, die höchstens lose mit Institutionen kooperieren, eine inspirierende Ebene für vieles. Dabei muss uns klar sein, dass auf progressiv-demokratischer Seite weiterhin nur sehr vage beschrieben werden kann, was gewollt ist, wie Anzustrebendes auszugestalten wäre. Das lässt sich erst durch ein seriöses Engagement mit anderen Menschen entdecken, in dem Möglichkeiten verfolgt und ausprobiert werden. Auf der Gegenseite wird durchwegs viel deutlicher dargestellt, wohin man gelangen will. Hier Provisorisches, Offenes, dort die deutliche Tendenz zu vermeintlich Stabilem, zu Restriktivem. Demokratie kann aber nur als endlos weiterlaufende Diskussion ihrer Grundfunktion nachkommen, schließlich nicht einer mächtigen Person oder Gruppe das letzte Wort zu überlassen. Je mehr Input an aktiver Partizipation möglich ist, desto reicher wird das Feld der Möglichkeiten; gibt es weniger Partizipation, dann verdorrt es. Darauf läuft es zur Zeit – als überall erkennbare Praxis – in den USA hinaus; mit jedem Schritt, der Mitwirkung zurückdrängt, ausschließt, bekommen wir eine gedanklich ärmere Regierung, ein ärmeres Land, ein ärmeres soziales Leben. An der Unterminierung der Universitäten, des Schulwesens, der Sozialsysteme zeigt sich das bereits sehr deutlich. Die materielle und geistige Verarmung der Menschen wird vorangetrieben; gewisse Leute werden in enormem Ausmaß reicher, die Gesellschaft selbst wird ärmer.
Sich darüber auf Feldern von Kunst keine Gedanken zu machen, lässt einen blind dafür werden, wie tiefgreifend Übertragungen längst funktionieren. Imperialistische Strukturen, nicht nur als Dominanz von „Westkunst" und westlichem Kunstbetrieb sondern auch als Verhaltensmuster – Tenor: Ich bin Künstler und das ist Kunst, weil ich es sage – dominieren die Mechanismen von Hochschätzung und Geringschätzung. Das bestärkt Gegenvorstellungen zu offen demokratischen Situationen. Die Kommunikation darüber entspricht noch längst nicht dem, was einem globalen Austausch förderlich wäre. Demokratievorstellungen werden als Geiseln genommen, unterminiert, von Korruption durchsetzt. *A nightmare*, was wir uns mit dem Anspruch, angeblich Demokraten zu sein, alles leisten. Wie

sehr wir in den USA selbst *a culture of violence* und auf Feindbilder angewiesen sind, wird verdrängt. Mit bedenkenlos operierenden Diktatoren,
die fast alle irgendwie auf der CIA-Payroll stehen, wird nach wie vor unverhohlen kooperiert, in heimlichem Einverständnis mit deren Methoden also.
Das ist kein Geheimnis; wo aber sind die Kräfte, denen eine radikale Ent-
flechtung dessen zuzutrauen wäre? Den zur Rechtfertigung verwendeten
Bildern und Wörtern nicht mehr zu trauen, wäre die Voraussetzung, um
mit einem anderen, lebensnahen Typus von Realität neu umgehen zu können – in Prozessen komplexer Interaktionen unterschiedlicher Menschen,
unterschiedlicher Ideen, unterschiedlicher Wahrheiten, verschiedener Lebensgeschichten, verschiedenen kulturellen Verstehens. Wir müssten Räume etablieren, in denen das stattfinden, in denen das geteilt werden kann. Letztlich geht es immer auch darum, Raum für noch Unbestimmtes zu schaffen.

SHARED SPACE Räume für noch Unbestimmtes versuchen wir zum Beispiel insofern auszuweiten, als ich im Rahmen des gedanklichen Leitthemas *Art as Social Action* – alternierend zu *Art as Moral Action* – meinen
Studenten schlicht vorgeschlagen habe: *Meet a slave*, teile für eine Zeit deinen Lebensraum mit einer Person, die de facto Sklavenstatus hat, weil ihr
wegen Armut, Herkunft, Hautfarbe ein Fortkommen und Bildungschancen
verwehrt werden. Um den Schock in Grenzen zu halten und zu tatsächlichen Aktivitäten überzuleiten, sind wir in die Geschichte eingestiegen. Den
meisten war nicht bewusst, wie wichtig die ersten Berichte und die erste
Literatur von und zu Farbigen für die Abschaffung der Sklaverei gewesen
sind und wie sie zustande kamen. Kategorisch als Analphabeten gehalten,
waren „Schwarze" auf „weiße" Sympathisanten mit ausreichender Ausbildung angewiesen. Deren von diesen aufgeschriebene und publizierte Lebensgeschichten haben langsam die öffentliche Meinung verschoben. Davor
waren diese „Anderen", wie wir wissen, als Tiere, als nur für simple Arbeiten brauchbar, als langsam, als völlig rückständig angesehen worden, als
Wesen die nichts verstehen würden.
Weil wir nun an der University of California – schon früh eine der größten,
grundsätzlich allgemein zugänglichen Universitäten der Welt – drastisch
die schockierende Politik von Gouverneur Schwarzenegger zu spüren bekommen, müssen wegen der Kürzungen zahllose Studierende abgewiesen
werden. George W. Bush's untaugliches *No Child Left Behind*-Programm
verschärft das nur in völlig einseitiger Weise. Diverse ethnische Gruppen
haben kaum noch Chancen eine Universität zu sehen. Zu meinen
Studenten habe ich daher gesagt: *Here you are*, ihr habt einen Studienplatz,

EXPANSIVE PROJEKTSTRATEGIEN

jene aber, die es am notwendigsten hätten nicht. Ihr sitzt also auf deren
Sessel. Daher fordere ich euch auf, sie zu finden und euren Platz mit
einer Person zu teilen, die nicht herein durfte. Es wird auch euch etwas
bringen, denn wenn Privilegierte ihren in der Gesellschaft okkupierten
Platz mit Benachteiligten teilen, werden beide Leben nicht mehr dieselben
sein. Die *challenge* ist also: *Find a slave and create a shared space*. Schon die
auftauchenden Fragen haben tief greifende Prozesse in Gang gesetzt.
Wenn du nach Lebensgeschichten fragst, was kannst du dafür zurückge-
ben, als *human exchange*? Wie lässt sich mit jemandem Verständigung
erreichen, der vielleicht in einer so drückenden Lebenssituation existieren
muss, dass man selbst keinerlei Vorstellung hat, wie das durchzustehen ist?
Wie lässt sich *quality* entwickeln unter „konstruierten" und vorüberge-
henden *equality*-Bedingungen, aber weiter bestehender *inequality*? Für die
halbe Klasse war diese Herausforderung ein Desaster; die andere Hälfte
versucht wirkliche Durchbrüche. Wir werden sehen.

ANDERS ARBEITEN Es geht also vielfach um Räume, die vorher so nicht
existiert haben. Sie offensiver zu entwickeln könnte viel bewegen. Jene, die
mit dem Aufschreiben und Publizieren der Autobiographien von Sklaven
begonnen hatten, konnten die Auswirkungen keineswegs absehen. Sie sind
aber eingetreten. Das zur Wirksamkeit kultureller Aktivitäten. Inzwischen
leben wir in einem Wohlstand, den sich noch vor wenigen Jahrzehnten
niemand vorstellen konnte, gleichzeitig verschärft sich überall die Armut
in einer Weise, die sich nun bei uns wiederum kaum wer vorstellen kann,
sofern es einen nicht selbst trifft. Deswegen geht es sehr stark um Menschen, die imstande sind, diese Linien zu überschreiten und anderes zustande
bringen als Autobomben. Um zu tun, was getan werden müsste, das sage
ich Studenten immer wieder, gäbe es genug Menschen auf der Welt, nur
müssen sie dazu in die Lage versetzt werden, sich entsprechend repräsentiert fühlen und angstfrei agieren können. Sich ausbreitende Einzelinitia-
tiven sind, wie wir gesehen haben, durchaus imstande etwas auszulösen.
Aus meiner Sicht ist das alles Arbeit. Dass nur noch der historisch gewordene Begriff „Arbeiterklasse", *working class*, an solche freisetzbaren Kräfte
erinnert, sagt einiges. Was machen eigentlich all jene, die sich nicht als
Arbeiter, als Arbeitende verstehen?
Gegenpositionen zu negieren, behindert einen selbst. Der indische Philosoph Ananda K. Coomaraswamy etwa hält die westliche Kultur für den
Tiefpunkt der Weltgeschichte, vor allem, weil sie sich an einem völlig eingeengten Begriff von Erwerbsarbeit orientiert, einer Art Arbeit, die für die

meisten Menschen bloß inhaltsleeres Überlebensmittel ist, sie in krassen Fällen sogar ruiniert. Stattdessen müssten Arbeitsmöglichkeiten angestrebt werden, die den Menschen andere Lebensweisen, neue Energie, viele Chancen eröffnen. Die Degradierung von Arbeit ist eines der teuflischsten Dinge, die der Hochkapitalismus kreiert hat und weiterhin prolongiert. Das muss einfach umgedreht werden: *Human productivity is a cultural question before it's an economic one.* Kultur heißt Kultivierung; *cultural life will be our laboratory.* Eine Grundmotivation des Menschen kann auf Dauer nicht negiert werden, nämlich der existenzielle Wunsch, nicht nur Dinge zu tun, die Profit machen, sondern in vieler Hinsicht Werte schaffen – *profit and value are not the same.* Es immer mehr Menschen zu ermöglichen, ihr Leben, selbst wenn es in „lineare", kontinuierliche Aufgaben eingebunden ist, als sich anreichernde Kontinuität interessanter Projekte zu realisieren, wäre eine plausible Richtungsangabe. Das sage ich nicht als abgehobener Künstler, das sage ich nicht als weltfremder Theoretiker, sondern weil ich selbst versuche, so zu handeln, so zu leben.

1 Der Begriff bleibt hier unübersetzt, da das Fremdwort *Research* auch im Deutschen üblich ist und sich in der Bedeutung nicht mit Forschung, Suche, Spurensuche oder Recherche deckt. Research kann, muss aber nicht auf eine wissenschaftliche Recherche oder Studie verweisen. Mit Research wird auch in nicht textgebundenen Projekten ein Arbeitsvorgang beschrieben, in dem situative, konstruktive, ästhetische oder auch funktionale Kontexte genauso wie deren Entstehungsprozese erfasst werden, die wiederum in einen Entwurf mit einfließen. Das Resultat von Research ist auch nicht mehr unbedingt ein Text, und auch nicht mehr Voraussetzung für ein *Projekt.* Research wird vielmehr simultan zu einem Entwurfsprozess betrieben bzw. ein Research-Resultat wird selbst zum Prozess. Angesichts der medialen Zugänglichkeit ungeheurer Informationsmengen bedeutet Research auch, Strategien des Suchens, der Orientierung, der Selektion zu entwickeln, diese zu begründen bzw. den Selektionsprozess wiederum kreativ oder analytisch zu reflektieren. Mit Research, und Zaha Hadid spricht es im Interview an, sind auch Testverfahren gemeint, die jede Phase einer Entwurfsarbeit nach unterschiedlichen Parametern abtesten, wobei in erster Linie das Medium, in dem der Entwurf erstellt wird, selbst zum Untersuchungsgegenstand wird. Zaha Hadid problematisiert im Interview daher auch aktuelle Entwurfsprozesse in der Architektur, die nicht mehr über Zeichnungen sondern standardisierte Computerprogramme entwickelt werden. Es geht aber nicht um die Frage, ob überhaupt Computerprogramme eingesetzt werden sollten, sind sie doch längst unerlässliche Werkzeuge geworden. Kompetente Research-Prozesse sollten vielmehr die Grenzen solcher Programme produktiv erschließen und für das Entwerfen operationalisieren.

Research & Invention

Zaha Hadid im Gespräch mit Brigitte Felderer

BRIGITTE FELDERER: Das Buch, in dem dieses Interview erscheint, versammelt Positionen zum Thema Projektarbeit, zu Arbeitsprozessen also, die keinen Routinen folgen; vieles wird damit angesprochen, Menschen, Disziplinen, Felder, Praxisformen, Arbeitsweisen, die zu Prozessen, und Projekte, die zu Ergebnissen und Resultaten führen. Unterschiedliche Fragen ergeben sich aus dieser produktiven Mehrdeutigkeit: Was ist ein Projekt? Wie wird heutzutage Wissen produziert und übermittelt, im Kunstbereich, in der Konsumwelt, in der Wirtschaft, in wissenschaftlichen Feldern oder NGOs? Strukturen haben sich verändert, Wissen wird nicht mehr in den dafür definierten und vorgesehenen Institutionen wie Universitäten produziert.

ZAHA HADID: Ein wichtiges Schlagwort ist *Research*[1]. Vieles, was damit beschrieben wird, ist keineswegs Research, manches dagegen schon. Das Interesse für Research ist groß, Research ist ein hochaktuelles Thema – in jeder Beziehung.

BRIGITTE FELDERER: Auch eine Werbeagentur macht ständig Research, aber um welche Art von Forschung es sich da eigentlich?

ZAHA HADID: Alles läuft unter dem Titel Research: Kunst, Wissenschaft natürlich, Medien, alles ist Research.

BRIGITTE FELDERER: Aber es sich dabei nicht eher um eine Art Wertzuschreibung als um die Beschreibung einer Arbeitsstrategie? Soll mit einem Begriff wie *Research* etwas transportiert werden? Zuverlässigkeit? Genauigkeit? Seriosität?

Bagdad, um 1958

„Damals drehte sich alles um Optimismus und
um eine neue Welt, eine neue Gesellschaft.
Es war eine säkulare, modernistisch orientierte
Gesellschaft, mit ganz unterschiedlichen Menschen."

„… Und das führt wieder zur Idee des modernen Hauses,
das ja eher auf einem östlichen Plan beruht, mit Höfen
– japanische oder orientalische Patio-Häuser,
wie sie auch Mies geplant hatte. Es handelt sich also eher
um östliche als um westliche Ideen …"

„… In unserer Arbeit wird zugleich erfunden und erforscht,
um etwas verstehen zu können und aus
diesem Prozess eine Idee zu entwickeln."

Zaha Hadid

ZAHA HADID: Nein, das denke ich nicht. Es bedeutet einfach, dass Research betrieben oder eben nicht betrieben wird und das auf ganz unterschiedlichem Niveau. In den Naturwissenschaften wird selbstverständlich geforscht, aber in allen anderen Bereichen ist Research ein Thema, was letztendlich dazu führt, dass über dieses Interesse Prozesse ausgelöst werden, die all diese unterschiedlichen Bereiche miteinander verbinden.

BRIGITTE FELDERER: Research ist doch in eurem Büro zentral, wenn ihr an einem Projekt arbeitet oder ein Projekt vorbereitet?

ZAHA HADID: Früher basierte unsere Arbeit stärker auf Research. Das tut sie zwar immer noch, es ist nur alles viel aufwändiger geworden. Meine Sorge ist, dass Research zu einem eigenen Projekt geworden ist, und ich denke, dass das zwar als Projekt interessant ist, so lange auch ein schöpferischer Aspekt beibehalten wird, was aber immer noch nicht genügt. So wichtig es einerseits ist, Research zu betreiben, so wichtig ist es andererseits auch, nach Neuem zu suchen, zu erfinden [„to invent"]. Aber hier spreche ich über Architektur und über nichts anderes.

BRIGITTE FELDERER: In den Ausführungen über deine Arbeit verwendest du oft den Begriff *invention* und sprichst damit den Zusammenhang zwischen Erfinden und Forschen an. Wie entwickelst du Ideen, wie würdest du diesen Prozess beschreiben?

ZAHA HADID: Wie du weißt, und du kennst mich jetzt schon lange, nimmt die Bedeutung von Research ständig zu, und wird zu einem immer wesentlicheren Schwerpunkt. Und das ist erst der Beginn. In unserer Arbeit wird zugleich erfunden und erforscht, um etwas verstehen zu können und aus diesem Prozess eine Idee zu entwickeln. Wenn ich mich beispielsweise mit einem bestimmten Gegenstand auseinandersetze, um über den Entwurf zu einer Lösung zu kommen, werde ich hunderte Skizzen zu diesem Thema anfertigen. Am Anfang sind sie vielleicht ganz nett, auch interessant, aber je mehr ich mich damit beschäftige, je tiefer ich mich in die Materie begebe, den Gegenstand gewissermaßen abfahre und bereise, desto mehr lässt sich auch herausholen. Nur so kann es sein, dass nach tausend Skizzen auch etwas ganz Neues, Erfrischendes herauskommt. Das ist ebenfalls Research und zugleich Entwurf, nicht nur die Forschung über vorhandene Dinge, es ist Research darüber, wie sich das eigene Repertoire erweitern lässt. Das ist von Anfang an entscheidend: man hat sich zum Ziel gesetzt, sein Repertoire zu erweitern, und das Thema dabei ständig überarbeitet. Wir sprechen hier aber nur über Architektur, über nichts anderes: Zuerst gibt es einen grafischen, einen zeichnerischen Entwurf, dann den Schritt in die Dreidimensionalität, die mit Modellen und Zeichnungen als weiteren Methoden und Verfahren erarbeitet wird, hinzu kommen Programme und Konzepte, all das muss im Arbeitsprozess eine Gesamtheit ergeben ohne an analytischer Schärfe zu verlieren.

BRIGITTE FELDERER: In unterschiedlichen Architekturbüros werden ja immer wieder Fachleute miteinbezogen, die keine ausgebildeten Architekten sind, sondern aus anderen Feldern kommen, so zum Beispiel Kuratoren, Natur- oder Geisteswissenschafter. Und dies nicht nur für eine Veranstaltung, einen speziellen Wettbewerb, sondern als Teil des Studios und eines kontinuierlichen Forschungs- und Entwurfsprozesses.

ZAHA HADID: Ich denke, das könnte man durchaus tun, es ist sicher interessant. Nur letztendlich bleibt einfach nicht genug Zeit, um eben alles zu machen. Man muss seine Energie auf einzelne relevante Bereiche im Studio konzentrieren. Aber selbstverständlich finde ich es sehr wichtig, andere Menschen und Ideen in den Prozess mit einzubeziehen.

2 Die *Mind Zone* war eine von 12 Ausstellungszonen, in die der *Millenium Dome* aufgeteilt war. Der Dome war am 31. Dezember 1999 in London eröffnet worden, war ein ganzes Jahr lang zu besichtigen und sollte ein „Symbol für die Modernisierung Großbritanniens" darstellen. Das Beste an britischem Design, Kunst, Wissenschaft, Forschung und Entertainment sollte zur Schau gestellt werden und einen Ausblick auf die Veränderungen der Lebenswelt zur Jahrtausendwende geben. Das Büro Hadid entwickelte eine riesige Installation, in der Wände, Plafonds und Böden nahtlos ineinander übergingen und in einem geschlossenen Raum eine Art urbaner Oberfläche erzeugten. Das Büro entwickelte mit dem Raum auch ein inhaltliches Konzept, das Repräsentationen für den vieldeutigen Begriff *Mind* darstellen sollte, der gleichermaßen für Geist, Wahrnehmung, Verstand, Sinn, Gedächtnis oder auch Denkweise steht. Ein Hirnmodell beispielsweise hätte die Komplexität des Themas nie darstellen können. Künstler und Kuratoren waren vom Büro Hadid eingeladen worden, unterschiedliche Installationen zu konzipieren, so beispielsweise der japanische Künstler Ryochi Ikeda, der die Raumwahrnehmung der Besucher mit akustischen Signalen verändert und irritiert hatte.

3 Zaha Hadid hat u. a. die Bühne für die Welttournee der *Pet Shop Boys* 1999–2000 entworfen, Möbel für die Firmen *Vitra* und *Sawaya-Moroni*, oder auch Ausstellungen gestaltet, wie zum Beispiel *The Great Utopia* im Salomon R. Guggenheim Museum in New York 1992.

4 Das Londoner Büro von Zaha Hadid befindet sich in einem ehemaligen viktorianischen Schulgebäude. Vor ca. 10 Jahren wurde noch auf einer Ebene, in einem großen Raum gearbeitet. Mittlerweile nimmt *Zaha Hadid Architects* (Partner: Patrik Schumacher) in dem Gebäude mehrere Geschosse ein, ergänzt durch Arbeitsräume und Modellwerkstätten in der unmittelbaren Umgebung.

Ein exemplarisches Projekt für diese Arbeitsweise war die Arbeit an der Installation *Mind Zone*[2] für den *Millenium Dome* in London. Architekten, Künstler, Fachleute unterschiedlicher Bereiche waren an dem Entwurf beteiligt.

BRIGITTE FELDERER: Aber zur Zeit arbeiten nur Architekten im Studio, oder gibt es auch Mitarbeiter aus dem Grafikdesign oder verwandten Bereichen?

ZAHA HADID: Vor sechs oder sieben Jahren fand ich, dass unterschiedliche Disziplinen und Designer im Büro vertreten sein sollten. Früher arbeiteten wir beispielsweise auch mit Textildesignern zusammen.

BRIGITTE FELDERER: Ihr arbeitet an ganz unterschiedlichen Projekten, betreibt also nicht Architektur in einem sehr engen Sinn?[3]

ZAHA HADID: Nein, sicher nicht. Interessanterweise sind die einzelnen Disziplinen heute meiner Meinung nach viel stärker miteinander verbunden, wegen der Computertechnologie. Weil so viele Leute sie von unterschiedlichen Standpunkten aus betrachten und einsetzen, kommt es zu Verbindungen zwischen Biochemikern, Biologen, Mathematikern oder auch ganz augenscheinlich zwischen Musik und Grafik. Aber auch das Umfeld des Büroraums spielt keine unwesentliche Rolle, in einem kleinen Büro kann man multidisziplinär sein. Wenn das Büro zu groß ist, wird es zu einem ganz anderen Betrieb, weil die Spezialgebiete viel stärker definiert sind. Früher habe ich Leute angestellt, die viele Dinge gleichzeitig tun konnten und mussten. Jetzt lässt sich entweder nur das eine oder das andere machen.[4]

BRIGITTE FELDERER: Also gibt es jetzt Abteilungen?

ZAHA HADID: Die Folge ist, dass es mehr zu einem traditionellem Büro wird, sehr segmentiert, und ich mag das nicht sehr.

BRIGITTE FELDERER: Weil es nicht mehr beweglich ist?

ZAHA HADID: Weil dieselben Leute keine unterschiedlichen Dinge mehr tun können, sondern nur noch eine Sache. Ich übertreibe, aber ich will damit nur sagen, dass es sich immer stärker spezialisiert. Das hat erstens mit der Computertechnologie zu tun, und zweitens läuft es in einem größeren Büro eben so. Die Teamleiter wollen unbedingt die Zuständigkeit für das eigene Team haben, also lässt man ihre Leute in Ruhe, und so kleben sie an einer Sache und können nicht für andere Dinge eingesetzt werden. Es gibt wohl einige, die sich zwischen mehreren Projekten bewegen, aber das sind die wenigsten.

BRIGITTE FELDERER: Also gibt es jetzt im Büro richtige Strukturen?

ZAHA HADID: Nun, es ist zwar noch immer ein bisschen chaotisch, aber wenn man reale Projekte hat, ist es so besser.

BRIGITTE FELDERER: Also ist es sehr schwierig, das produktive Chaos aufrecht zu erhalten?

ZAHA HADID: Oh, es ist immer noch chaotisch und zugleich deshalb gerade nicht chaotisch. Ich denke, auf der einen Seite hat man die geradezu hermetisch abgeschlossenen Einheiten der Teammitglieder, weil man schließlich rechtzeitig liefern muss und sich nicht wirklich verspäten darf. Anders ist es, wenn man an einem Wettbewerb arbeitet, da kann man sich auch ein paar Stunden verspäten, na ja, nicht richtig verspäten, aber man kann nächtelang durcharbeiten. Wenn es mehrere Deadlines gibt, geht das einfach nicht.

BRIGITTE FELDERER: Es war die Rede von der Computertechnologie, und den Auswirkungen, die sie auf die Arbeit und die Dimensionen der Projekte hat. Natürlich ändert sich auch sehr viel, je nachdem ob man mit zehn oder mit hundert Leuten arbeitet.

ZAHA HADID: Die Computertechnologie hat viele positive Seiten, vor allem heutzutage, wegen der Herstellungsmöglichkeiten, die sie veranschaulicht, und der Leichtigkeit, Informationen zu übermitteln. Das hat vieles stark verändert. Was aber das Wissen betrifft, im Sinne dessen, dass Menschen in unterschiedlichen Disziplinen Bescheid wissen, so wurde hier etwas regelrecht abgeschnitten. Heute beherrscht jeder nur noch eine Sache. Und es fehlt einfach die Sexiness des Zeichnens, die Sinnlichkeit des Materials. Es gibt scheinbar keine Möglichkeit, Fehler zu machen. Wir haben lange Zeichnungen und Modelle gemacht, die so perfekt waren, dass sie aussahen, als wären sie von einem Computer erzeugt worden. Aber ich weiß, dass sie mit der Hand gemacht waren, und niemand kann sie ein zweites Mal machen.

Für all das müsste man eigentlich schon verhältnismäßig alte Menschen engagieren, weil heutzutage einfach niemand mehr dazu ausgebildet ist, einen solchen Grad an Präzision zu erreichen. Die Fähigkeit, zeichnen zu können hat einen sehr starken Einfluss darauf, wie ein Raum verstanden wird. Wenn ich jetzt eine Skizze mache, und sie jemandem zeige, der das nur am Computer machen kann, versteht er oder sie nicht, was ich gezeichnet habe.

BRIGITTE FELDERER: Liegt das an einem veränderten Vorstellungsvermögen?

ZAHA HADID: Sie verstehen Abstraktion nicht. Und das finde ich eigentlich schockierend. Es ist wirklich seltsam, ich dachte, dass sie nicht mehr skizzieren können, weil sie dafür eben nicht ausgebildet sind, aber in Wirklichkeit können sie die Skizzen nicht verstehen, sie können sie nicht lesen. Mir ist erst vor kurzem aufgefallen, dass sie Zeichnungen einfach nicht verstehen. Es ist, als würde man jemandem, der kein Architekt ist, eine Skizze zeigen.

BRIGITTE FELDERER: Aber ist das nicht auch ein Mythos? Der Architekt, der im Restaurant oder in der Hotellobby sitzt und die Entwürfe auf dem Tischtuch skizziert?

ZAHA HADID: Es kann sein, dass ich übertreibe, man müsste es beweisen, aber ich denke schon, dass dieser ganze Prozess auch eine Generationenfrage ist. Sie können einfach nicht sehen, was ich da mache. Eigentlich haben sie jede Fähigkeit verloren, Abstraktion zu verstehen. Ich finde das richtig schockierend.

BRIGITTE FELDERER: Aber eine dreidimensionale Computerzeichnung ist doch auch abstrakt?

ZAHA HADID: Das verstehe ich schon, aber was sich schließlich in Luft auflöst ist das Diagramm. Das Diagramm wird nicht mehr verstanden. Sie sind einfach nicht in der Lage, einen Plan zu zeichnen, weil sie nicht verstehen, was ein Plan ist. Oder ein Schnitt, sie verstehen Schnitte nicht.

BRIGITTE FELDERER: Haben sie kein „inneres" Modell?

ZAHA HADID: Nein, und ich glaube, das ist das Problem. Ich kann ein dreidimensionales Modell machen, es durchschneiden, einen Schnitt erzeugen und diesen wieder aufbauen. Mit dem Computer sind solche Schnitte viel präziser. Wenn ich sie mit der Hand gemacht habe, passen sie auch oft nicht zusammen und so ist mit jeder Zeichnung, mit jedem Schnitt auch immer etwas ganz Neues entstanden. Mit der Hand hat es immer sehr lange gedauert, bis etwas entstanden ist.

BRIGITTE FELDERER: Es sich um eine andere Arbeitsstrategie und damit um einen anderen Denkprozess.

ZAHA HADID: Und mit dem Computer funktioniert es nicht immer, sie denken, es funktioniert, aber das tut es nicht immer.

BRIGITTE FELDERER: Also ist die Handzeichnung, obwohl sie so aussieht, als wäre sie freier, eigentlich …

ZAHA HADID: … präziser. In dieser Hinsicht bin ich wohl altmodisch – ich glaube wirklich an das Zeichnen. Meine ganze Energie und der Aspekt des Entwurfs in der Arbeit leiten sich wirklich von Zeichentechniken her, das bleibt für mich sehr wertvoll. Natürlich bedeutet das nicht, dass die neuen Techniken weniger wert wären. Ich denke nur, dass es für mich ein ganz entscheidender Teil meiner Arbeit war.

BRIGITTE FELDERER: Wenn du deine Ausbildung als Architektin mit der heutigen Ausbildung in den Vereinigten Staaten, in Großbritannien oder in Österreich vergleichst – drei Curricula, die du sehr gut kennst[5], weil du in allen drei Ländern unterrichtet hast – gibt es da viele Ähnlichkeiten?

ZAHA HADID: Nein, es ist ziemlich unterschiedlich. Na ja, heute ist es wieder viel ähnlicher geworden, wiederum wegen der Computer. Als ich studierte, konnte keiner von uns zeichnen, weil von den späten Sechzigern bis

5 Zaha Hadid lehrte u. a. an der Graduate School of Design der Harvard University (Kenzo Tange Chair) und an der School of Architecture der University of Illinois. Sie war Gastprofessorin an der Hochschule für bildende Künste in Hamburg, der Knolton School of Architecture in Ohio, dem Masters Studio der Columbia University New York. Im Sommersemester 2004 war Zaha Hadid Eero Saarinen Visiting Professor of Architectural Design an der Yale University, New Haven, Connecticut. Seit dem Jahr 2000 leitet sie das „studio-hadid-vienna" am Institut für Architektur an der Universität für angewandte Kunst Wien.

Mitte der Siebziger alles Anti-Design war, es gab also auch kein Research im Design.

Das Zeichnen war gewissermaßen wieder neu zu erfinden – natürlich gab es eine traditionelle Zeichenkunst, es kam also nicht einfach aus dem Nichts – und die Fülle an Entwurfszeichnungen von den späten Siebzigern bis in die Mitte der Achtziger waren sehr wesentliche Experimente, ohne die wir nicht da wären, wo wir heute sind.

Die Schulen waren auch ganz anders, sie waren zunächst irgendwie schlampig und wurden dann immer genauer, mit technischen Zeichnungen. Es gab den starken Wunsch, dass diese imaginativen Welten errichtet und umgesetzt werden sollten. In den USA zog man nach, und mit den Computern wurde die dreidimensionale Arbeit einfach zugänglicher. Vorher musste ja noch alles gezeichnet werden.

Computer sollen es ja möglich machen, Komplexität zu erforschen, so sagt man jedenfalls, und ein nahtloses Projekt zu entwickeln. Doch bin ich der Ansicht, dass ein Projekt, so wie auch ein Research-Prozess zwanzig Jahre zuvor über das Zeichnen, nun eben mit den Methoden des Computers entsteht. In gewisser Weise ist es ein ähnlicher Weg.

Der Entwurf kam vom Zeichnen, und ich weiß nicht, wohin er sich jetzt entwickelt. Ich denke, dass die Studierenden, oder auch die Leute, die für einen arbeiten, wie paralysiert sind, wenn sie all ihre Computerprogramme nicht wirklich extrem gut beherrschen. Das führt dann auch dazu, dass sie immer nur die jeweils eine Sache im Griff haben. Es ist, als könnten sie nur eine Sprache sprechen, sie sind nicht mehrsprachig, das ist der Unterschied. Die Studenten hier in Wien sind sehr gut.

Als ich mit der Architektur begonnen hatte, waren Studenten noch sehr vielseitig, und das auf allen Gebieten: Computer, Zeichnungen, Modelle, aber das hat sich geändert.

BRIGITTE FELDERER: Wann hast du hier in Wien begonnen?

ZAHA HADID: Vor fünf Jahren.

BRIGITTE FELDERER: Welche Veränderung konntest du seither beobachten?

ZAHA HADID: Als wir hierher kamen, konnte keiner eine Zeichnung am Computer machen. Wir haben sie dazu gebracht, es zu tun, weil wir dachten, es sei ganz entscheidend, dass sie über dieses Wissen verfügen, aber jetzt tun sie nur noch das.

BRIGITTE FELDERER: Als ich einmal an einer *Review* in deiner Klasse teilgenommen habe, ist mir aufgefallen, wie wichtig es in der Ausbildungsstrategie ist, dass die Studierenden ihre Arbeiten auch sprachlich gut präsentieren.

ZAHA HADID: Ja, das ist sehr wichtig. Sie präsentieren sehr gut auf Englisch, sie machen Power-Point-Präsentationen, Videos, Musik, alles mögliche. Ich glaube, was auch immer man in dieser Hinsicht beiträgt, hebt das Niveau entscheidend an. Auch Greg [Lynn] ist wirklich großartig mit seinen Computern, oder die Arbeit von Wolf [Prix][6], es gibt an dieser Schule sehr viel Energie, keine Frage. Als ich an der AA[7] unterrichtete, hatten wir dort genau dasselbe Problem.

BRIGITTE FELDERER: Mir ist auch aufgefallen, wie wichtig Sprache für einen Architekten ist, eine hohe sprachliche Kompetenz, um ein Projekt in drei Minuten gut rüberzubringen.
Lässt sich von einer Beziehung sprechen zwischen Sprache als System, Rhetorik, der Art wie man spricht, und Raum?

ZAHA HADID: Ich bin mir nicht sicher. Aber ich glaube, dass es eine Verbindung gibt zwischen dem räumlichen Entwurf und der Artikulation, aber nicht im Sinn von Sprache, sondern etwas als Disziplin auszudrücken.

BRIGITTE FELDERER: Ich habe oft einen ähnlichen Eindruck, wenn ich mit Architekten spreche oder interessanten Regisseuren zuhöre.

ZAHA HADID: Ich würde sagen, dass ich mich dem Film sehr verbunden fühle. Das Erstellen eines Szenarios, der Rahmen und die Ansichten eines Projekts, die einzelnen Schichten, das alles ist sehr filmisch: Licht, Schatten und Geschwindigkeit.

BRIGITTE FELDERER: Im Zusammenhang mit deinen Interessen und deinem Auftreten kommt immer wieder das Thema Mode ins Spiel. Interessiert dich Mode oder eine Modewelt, im Sinne einer Konsumwelt?

---

6 Greg Lynn und der in diesem Band mit einem Gesprächstext vertretene Wolf D. Prix / *Coop Himmelb(l)au*, sind die anderen beiden Professoren am Institut für Architektur der *Universität für angewandte Kunst Wien*.
7 AA – *Architectural Association* (London)

ZAHA HADID: Ich interessiere mich nur für Mode, weil ich glaube, dass sie einem eine Sichtweise darüber ermöglicht, wie sich Menschen verhalten, über ihre Verhaltensmuster in einem Raum. Wie sehen sie aus, was ziehen sie an? Was sind ihre aktuellen Gewohnheiten, ihr Habitus, bedecken oder entblößen sie sich, tragen sie enge Hosen, oder blaue Röcke, welches Make-up, wie die Frisur und so weiter? Nicht weil ich finde, dass Menschen gut aussehen sollen, was natürlich fein ist, aber es geht mir nicht um Mode, sondern darum, wie Menschen in einem Raum reagieren. Ich denke, das hat einen großen Einfluss auf den, nennen wir ihn „Ereignis-Raum".

Ich habe mich immer für Mode interessiert, seit ich ein kleines Kind war, und halte sie für etwas Selbstverständliches. Außerdem fasziniert mich die Konstruktion der Stücke, wie sie fallen, wie sie funktionieren, aber ich finde es auch sehr interessant zu beobachten, was Menschen anziehen. Es geht nicht um Mode, sondern um Kostüme. Darum, wie Menschen sich verkleiden.

BRIGITTE FELDERER: Also nicht der Anteil eines Designers, sondern es geht dir darum, wie Menschen Mode benutzen …

ZAHA HADID: … und ich finde es faszinierend, wie einzelne Dinge kombiniert werden, und damit neu entstehen.

BRIGITTE FELDERER: Alle Biografien erwähnen es: Geboren in Bagdad. Aber es wird selten näher darauf eingegangen, der Geburtsort wird vielmehr implizit zu einem exotistischen Begriff, der anspielt auf die Rolle von Frauen in einer islamisch orientierten Gesellschaft, eine Vorstellung, die freilich sehr von der aktuellen politischen Situation und Berichterstattung geprägt ist. Dass nun eine Frau Architektin wird, scheint den Klischees aber auch der realen Situation im Irak heute zu widersprechen?

ZAHA HADID: Die Sache mit dem Irak ist jetzt eine ganz andere als zu der Zeit, in der ich geboren wurde und im Irak gelebt habe. Ich denke doch, das Land wird jetzt ganz anders wahrgenommen. Ich habe in den 50ern und 60ern im Irak gelebt, und bin noch in den 70er- und 80er-Jahren immer wieder hingefahren. Damals drehte sich alles um Optimismus und um eine neue Welt, eine neue Gesellschaft. Es war eine säkulare, modernistisch orientierte Gesellschaft, mit ganz unterschiedlichen Menschen. Industrialisierung und Modernisierung gingen damals im Irak Hand in Hand, nachdem sich das Land aus der langen Phase unter einer bestimmten Herrschaft befreit hatte. Der Glaube an Neues war daher entscheidend, und es gab unglaublich viel Optimismus und Offenheit gegenüber Ideen. Kampagnen gegen Analphabetismus, Frauenministerien, die Emanzipation der Frauen, Frauen am Arbeitsplatz, in der Armee, und so weiter wurden propagiert.[8]

BRIGITTE FELDERER: Also war es auch nicht ungewöhnlich, dass eine Frau Architektin wurde?

ZAHA HADID: Eigentlich nicht. Viele Frauen meiner Generation haben Architektur studiert, aber auch Naturwissenschaften, Medizin, Pharmazie, alles mögliche. In der Berufswahl gab es keine Grenzen zwischen Männern und Frauen. Ich weiß nicht, wie es jetzt ist, aber damals waren Frauen sehr frei. Im Fernsehen erkenne ich heute davon nichts mehr wieder, alle sind verschleiert. Die Gesellschaft hat sich extrem verändert. Aber ich denke doch, dass Frauen dort immer noch arbeiten.

BRIGITTE FELDERER: Es wird nur nicht öffentlich sichtbar.

ZAHA HADID: Und es war ziemlich sicher. Niemand hat Frauen damals belästigt. Natürlich hat man dich angesehen, und Dinge über dich gesagt. Frauen wurden aber respektiert und niemand hat versucht, sie zu berühren, zu belästigen oder ihnen gar Gewalt anzutun. Aber ich weiß nicht, wie es jetzt ist. Denn Menschen, die dorthin zurückgehen, bewegen sich immer in einer abgesicherten Situation. Und die Menschen dort können nicht raus. Sie können es sich nicht leisten, wegzugehen.
Bis in die frühen 80er Jahre kamen noch viele Iraker nach England, auch Menschen aus durchaus bescheidenen Verhältnissen, sie sparten Geld, um nach Europa zu kommen, ob es nun Deutschland, Osteuropa oder London war – sie haben London geliebt, und ich spreche hier nicht von Menschen mit hohen Einkommen. Lehrer, Krankenschwestern, sie kamen für zwei Wochen, oder einen Monat, um sich umzuschauen, einzukaufen,

---

8 Um über die Höhe der Erdölförderung und die Einnahmen bestimmen zu können, war im Juni 1972 die britische IPC (*Iraq Petroleum Company*) verstaatlicht worden. 1973 bis 1978 verzehnfachten sich so die Öleinnahmen des Staates, industrielle und öffentliche Projekte konnten großzügig finanziert werden. So begann beispielsweise im Mai 1978 eine groß angelegte Kampagne gegen das Analphabetentum. Im Juli 1979 musste Ahmad Hasan Al-Bakr schließlich aus gesundheitlichen Gründen zurücktreten und Saddam Hussein übernahm die Führung des gesamten Staates. Er vereinigte in sich die Ämter des Staatspräsidenten, des Oberkommandierenden der Streitkräfte, des Generalsekretärs der Partei und des Vorsitzenden des Revolutionsrates.

einfach um alles einmal zu sehen. Und das war sehr einfach. Aber seit 25 Jahren waren diese Leute nicht mehr in der Welt. Es ist eine völlig isolierte Situation.

BRIGITTE FELDERER: In den vielen Publikationen über dich und deine Arbeit werden wohl immer wieder Zusammenhänge zur radikalen russischen Moderne angesprochen, kaum jedoch eine Verbindung zur traditionellen arabischen Architektur hergestellt, die ja in deinen Entwürfen keine Rolle zu spielen scheint? Ich erinnere mich, dass du einmal nach Tunesien gereist bist, und von den Häusern mit gebauter Ventilation erzählt hast.

ZAHA HADID: Ich bin nicht in einem traditionellen Haus aufgewachsen. Ich wurde auch nicht wirklich traditionell erzogen. Und ich bin nie in einem traditionellen Haus in Bagdad gewesen, einmal vielleicht. Ich bin nicht in eine Moschee gegangen, all das kannte ich nicht. Ob das richtig war? Jedenfalls kenne ich, im Unterschied zur frühen sowjetischen Architektur, all diese Dinge nicht wirklich gut.
Tunis war sehr interessant, denn die Häuser sind als Kreuz angelegt, eine Struktur, die vier Räume ergibt, einen in jeder Ecke des Kreuzes: Wohnraum, Schlafzimmer, das große Schlafzimmer für die Eltern und für die Kinder, einen Wandschirm, hinter dem man sich umzieht, und das Bad, das Hamam, war woanders. Es ist also ein sehr offener Grundriss, eigentlich sehr modern, fast wie bei Mies [van der Rohe]. Das Kreuz trennt immer einen anderen Raum ab, und deshalb hat man auch immer einen Hof. Dieser Hof sorgt für die Ventilation, man kann das Haus später auch erweitern, es kann also wachsen. Wenn man diese Diagramme also abstrahiert, sind sie sehr modern. Und das führt wieder zur Idee des modernen Hauses, das ja eher auf einem östlichen Plan beruht, mit Höfen – japanische oder orientalische Patio-Häuser, wie sie auch Mies geplant hatte. Es handelt sich also eher um östliche als um westliche Ideen, auch schon wegen der Art des Wetters oder des Lichts.

BRIGITTE FELDERER: Ich erinnere mich an Erzählungen über die Landschaften auf den Hausdächern in Bagdad, die als Schlafzimmer benutzt wurden.

ZAHA HADID: Ja, im Sommer. Ich weiß nicht, ob das immer noch gemacht wird, aber es war wirklich fantastisch, alle Dächer wurden zu Sommerschlafzimmern.

BRIGITTE FELDERER: Und das ist doch auch eine sehr moderne Idee, das Leben im Freien, und das Haus als Versorgungseinheit?

ZAHA HADID: Es ist eine großartige Idee, überall in Bagdad sah man Betten mit Zelten und Netzen. Oh ja, es war wirklich großartig. Alle auf unterschiedlichen Höhen, sodass man einander sehen konnte. Darum wohnten die Menschen in Bagdad auch nicht gerne in Wohnblöcken, in der ganzen Stadt gab es nur eher niedrige Häuser, die ganze Stadt war wie ein Vorort mit kleinen Gärten. Es war sehr besonders, ich weiß nicht, ob sie das immer noch tun, bestimmt wird das noch gemacht, aber jetzt gibt es ja Klimaanlagen und Ventilatoren. Und niemand fühlt sich wohl auch noch sicher genug auf den Dächern.

BRIGITTE FELDERER: Du bist also nicht in einem traditionellen Haus aufgewachsen, sondern in einem modernen Haus.

ZAHA HADID: In einem Haus aus den dreißiger Jahren, eine Art Art-Deco-Haus.

BRIGITTE FELDERER: Es gab in Bagdad Stadtteile, die in den dreißiger Jahren gebaut wurden?

ZAHA HADID: Ja, aber ich glaube, sie existieren nicht mehr. Unser Haus steht noch. Wir hatten sehr schöne Zimmer, ziemlich europäisch, mit einem großen zentralen Raum. Es war wirklich schön. Die Häuser meiner Großeltern im Norden des Landes waren nicht luxuriös, aber umwerfend schön, was den Raum betrifft. Meine Großeltern väterlicherseits hatten einen richtigen Bauernhof mitten in Mosul. Buchstäblich, mit Bächen und Gärten, es war eigentlich ihr Sommerhaus, aber sie lebten dort das ganze Jahr über, weil es mitten in der Stadt war. Und die Eltern meiner Mutter hatten ein fantastisches Haus am Fluss, ebenfalls ein Sommerhaus.

BRIGITTE FELDERER: Auch im Norden?

ZAHA HADID: Ja, aber ihr Haus war ganz in der Nähe ihres Sommerhauses, es war nur anders organisiert. An das Haus am Fluss kann ich mich nicht mehr so gut erinnern, ich war noch sehr jung, als sie aufhörten, es zu benutzen, aber das Haupthaus, das es immer noch gibt, war fantastisch. Die Möbel waren sehr schön, sie hatten eine große Sammlung alter Fotografien.

Ich weiß nicht, wer jetzt in dem Haus wohnt, wer sich jetzt darum kümmert.

BRIGITTE FELDERER: Dein Interesse an Architektur ist aber nicht auf traditionelle Bauformen zurückzuführen?

ZAHA HADID: Na ja, natürlich färben diese Dinge auf einen ab, und es hat meine Arbeit bestimmt beeinflusst, ob das nun die fließenden Linien sein mögen oder auch die Lebenslinien, aber freilich auf eine ganz andere, weniger organisierte, weniger dogmatische Art.
Dass mein Vater Politiker war, dieses Interesse für Freiheit und Fortschritt, das hat meine Arbeit bestimmt stark beeinflusst. Die Traditionen haben ja eher das tägliche Leben, den Alltag ausgemacht. Aber die Begeisterung für Wohlbefinden und Neuheit und Gleichberechtigung hat sich in meiner Arbeit ohne Frage niedergeschlagen.

BRIGITTE FELDERER: Hast du nicht eigentlich als Mathematikerin begonnen?

ZAHA HADID: Ich habe in Beirut Mathematik studiert, aber das war's auch schon. Ich konnte mir nie eine berufliche Laufbahn als Mathematikerin vorstellen. Es hat mir als Thema gut gefallen, weil ich es gerne gemacht habe. In Bagdad waren die Eltern sehr ehrgeizig für ihre Kinder, und man musste bei allen Prüfungen sehr gut abschneiden. Also musste ich gut sein in Mathematik. Mathematik, Algebra, Geometrie spielen in der arabischen Welt eine wichtige Rolle. Und im Irak ganz besonders, weil die Menschen besessen sind von geometrischen Mustern und Ähnlichem. Ich glaube, es wurde auch aus diesem traditionellen Verständnis heraus unterrichtet: vergleichbar der Kunst des Geschichtenerzählens.
Das ist eine sehr irakische Angelegenheit. In der arabischen Welt trafen sich die Menschen auf den Plätzen, um Geschichten zu erzählen, und Gedichte vorzulesen, das war ein öffentliches Forum, ob nun in Mekka, Medina oder anderen Orten. Und in Bagdad – *Sheherazade* und *Die Geschichten aus 1001 Nacht*. Das ist also die eine Tradition, und dann gibt es die Tradition der Geometrie und der Mathematik. Also war es einfach ein Anspruch, darin gut zu sein, ähnlich wohl dem Stellenwert, den hier Latein oder Musik haben. Darum war der Mathematikunterricht auch sehr gut, als Teil der arabischen Tradition.

Mitarbeit an der Transkription und Übersetzung: Lena Strouhal

Anselm Kiefer: *Die sieben Himmelspaläste*, 2004

„Jeder Wunsch ist ein Projekt.
Der dann nie zu dem führt, was man erhofft hat."

„Ein Projekt im bürgerlichen Sinn
ist ein Unternehmen, das etwas abwirft.
Ich vernichte hier aber Kapital.
Es gibt da keinen Mehrwert.
Es ist antikapitalistisch."

Anselm Kiefer

„Ich überlebe nur – und unterhalte mich dabei"

Anselm Kiefer im Gespräch mit Boris Manner

BORIS MANNER: Du wurdest unmittelbar in eine durch den 2. Weltkrieg zerstörte Welt hineingeboren und das scheint dich sehr geprägt zu haben …

ANSELM KIEFER: … ich sehe die Trümmer auch heute. Aber nicht als Erinnerung an das, was ich als Kind gesehen habe. Sondern weil ich wie Jesaja ein anderes Verhältnis zu Zeit habe. Ich sehe über den Städten von heute schon wieder das Gras wachsen. Trümmer sind für mich aber nichts Endgültiges, sie stehen für einen Vorgang, einen Kreislauf. Ich kann nicht linear denken. Ich kann nur kreisförmig denken. Ich wurde zwar christlich erzogen, mit der Eschatologie, diesem Traum vom großen Ziel. Das hat sich aber für mich als große Illusion herausgestellt – sowohl die kommunistische als auch die christliche Eschatologie.

BORIS MANNER: So kategorisch lässt sich das sagen, jetzt?

ANSELM KIEFER: Weil es eben nicht zu einem Ziel führt, zum Endpunkt von Geschichte, zum Paradies. Es führt zu Trümmern. Was vom Sowjetischen Reich geblieben ist, das sind doch alles Trümmer, reine Trümmerlandschaften.

BORIS MANNER: Trümmer als Zeichen für uneingelöste Versprechen?

ANSELM KIEFER: Das klingt mir jetzt zu moralisch. Es geht um anderes. Das waren einfach Illusionen. Wir Menschen können nur in Illusionen leben, anders könnten wir gar nicht überleben. Weil es in der Welt keinen Sinn gibt. Es gibt absolut keinen Sinn. Man lebt nur in der Illusion und aus den Illusionen. Eine davon war natürlich der Marxismus. Man kann aber nicht sagen, das war ein Irrtum, ein falscher Weg. Er war auch nur

Teil eines Kreislaufes. Der Kreislauf ist in allem enthalten. Es entsteht doch nichts, ohne dass etwas zu Grunde geht. Denk' an den biologischen Kreislauf, den geologischen, den kosmologischen. Sterne werden geboren und implodieren dann. Es handelt sich um eine grundsätzliche Verfassung von Welt.

Menschen suchen meistens einen Fixpunkt, den Endpunkt auf einer Linie. Das Ende der Geschichte eben oder das Paradies. Oder denk' an die Sternenfigurationen. Der Bär, die Venus, der Orion, das sind ja auch alles künstliche, illusionistische Gebilde. Du kannst mir doch nicht erzählen, dass du in der Nacht eine Jungfrau dort oben siehst. Das sind einfach Linien, die der Mensch gezogen hat, um Anhaltspunkte zu haben, um irgendetwas Festes zu haben.

Der Künstler erkennt dies als Illusion – mehr als andere Menschen. Weil er unbegrenzter ist und weniger an diesen Fluchtpunkten hängt. Er macht seine eigenen Konstellationen, baut sein eigenes Gerippe. Der Künstler hat ein anderes Verhältnis zu Zeit – so wie der Prophet Jesaja. Er sagt „Über Euren Städten wird Gras wachsen" – ein wunderbarer Spruch. Er meint es ja nicht im Sinne einer Prophezeiung die buchstäblich eintritt. Er sagt es, weil er Zeit anders sieht. Er sieht die Stadt gleichzeitig in einem Jetzt und wie sie später ist.

BORIS MANNER: Der Künstler gibt dem Denken somit eine andere Form?

ANSELM KIEFER: Wenn das zum Paar „Form und Inhalt" führt, ist mir das zu akademisch. Künstler stellen neue Zusammenhänge her.

BORIS MANNER: Die durchaus auch in Widerspruch zu wissenschaftlich generierter Wahrheit stehen können?

ANSELM KIEFER: Wahrheit ist ein schwieriger Begriff. Es gibt keine endgültige Wahrheit, auch nicht in der Wissenschaft. Seit der Relativitätstheorie wissen wir, dass einige Gesetze, die auf der Erde unter normalen Bedingungen gültig sind, unter extremen Bedingungen nicht mehr gelten. Kunst ist aber kein Widerspruch zu Wissenschaft. Sie stiftet den Zusammenhang der verschiedenen Wissenschaften. Kunst, auch Mythologie, schafft Verbindungen zwischen den einzelnen Wissenschaften.

Ein Beispiel: Robert Fludd hat schon zu Beginn des 17. Jahrhunderts auf eine dichterisch konzentrierte Art versucht, die Einheit zwischen Mikro- und Makrokosmos herzustellen. Es gibt einen schönen Spruch von ihm:

„Jeder Pflanze auf Erden entspricht ein Stern am Firmament". Etwas Ähnliches wollte Einstein bis zu seinem Lebensende finden: eine Formel, die Quantentheorie und Relativitätstheorie verbindet. Ich bin sehr angeregt von den Wissenschaften, der Astronomie, den Erkenntnissen der Quantenphysik vor allem. So ein Teilchenbeschleuniger – das ist für mich sehr interessant. Aber ich führe die Teile solcher Erkenntnisprozesse zu einem nicht nur intellektuell erfassbaren Ganzen zusammen. In Form eines Bildes zum Beispiel. Zum Menschen macht uns ja nicht nur der Intellekt. Dazu gehören noch das Gefühl und der Wille. Wenn diese drei Aspekte ausgewogen vorhanden sind, erst dann hast du einen kompletten Menschen.

BORIS MANNER: Wie ich weiß, hattest du den starken Willen schon als Kind – wolltest sehr früh unabhängig sein, dich von deiner Umgebung loslösen.

ANSELM KIEFER: Ich habe mich damals nicht wohl gefühlt, wo ich war – eigentlich habe ich mich fast nie wohl gefühlt, wo ich war. Ich bin kleinbürgerlich aufgewachsen und habe es gehasst. Ich hatte aber schon früh die Ahnung, dass ein Künstler außerhalb der Welt steht, außerhalb eines bestimmten Milieus. Dort wollte ich hin.

BORIS MANNER: Von einem solchen Rollenbild des Künstlers musst du also doch etwas mitbekommen haben?

ANSELM KIEFER: Den Begriff des Genies gibt es spätestens seit dem 19. Jahrhundert. In einem kleinbürgerlichen Haushalt ist er als Idee immer vorhanden. Der Kleinbürger zeichnet sich doch dadurch aus, dass er – anders als der Proletarier – kein Bewusstsein seiner Klasse hat. Er will wo anders hin, wünscht sich eine andere Zugehörigkeit. Früher wurden kleinbürgerliche Wohnungen so tapeziert, wie man sich das Innere von Schlössern vorgestellt hat.

BORIS MANNER: Verrät dein Vorname – Anselm – den Wunsch deiner Eltern, du mögest Maler werden?

ANSELM KIEFER: Ja, das ist sicher eine Anspielung auf Anselm Feuerbach – auf den akademischen Maler Anselm Feuerbach. Aber meine Eltern hatten keine Ahnung von der Familie Feuerbach. Die ist hochinteressant. Denn es gab zugleich den Philosophen Ludwig Feuerbach, den Archäologen und den berühmtem Juristen Feuerbach. Zum Philosophen und zum Juristen Feuerbach fühlte ich mich schon früh hingezogen.

BORIS MANNER: Ein Grund, warum du dann Jus studiert hast?

ANSELM KIEFER: Jus habe ich studiert, weil mich diese Sprache sehr faszinierte – eine Sprache, die ganz künstlich ist und mit dem Leben gar nichts zu tun hat. Ich hatte gehofft, mit dieser künstlichen Strenge Ordnung in meine Widersprüche, mein Chaos bringen zu können. Was dann natürlich nicht geklappt hat.

Ein anderer Auslöser für dieses Interesse war die so genannte *Spiegel*-Affäre, noch während meiner Schulzeit. Erstmals gab es so etwas wie einen Putschversuch; durch Franz Josef Strauss, damals Verteidigungsminister. *Der Spiegel* berichtete über die angebliche atomare Aufrüstung der Bundeswehr. Strauß hat einen *Spiegel*-Redakteur, den Conrad Ahlers, in Spanien, mit Amtshilfe der Spanier, verhaften lassen, weil ihm der *Spiegel* zu frech war er und geheime Pläne verraten habe. *Der Spiegel* wurde durchsucht und geschlossen und wäre beinahe eingegangen. Das war ein gravierender Vorgang in der Bundesrepublik damals. Es gab den Rechtsgelehrten Maihofer, der darüber geschrieben hat und das beeindruckte mich.

Also habe ich dann Jus studiert, die Zwischenprüfungen in Staatsrecht, bürgerlichem Recht und Völkerrecht gemacht, wollte aber nie Jurist werden. Ich wollte immer Künstler sein. Autoren wie Radbruch, Hobbes und Montesquieu haben mich sehr beschäftigt, später auch Carl Schmitt. Die Sprache von Hobbes hat mich fasziniert, deren mythologischer Grund, ich denke da an den *Leviathan*. Und bei Schmitt auch. Autoren die „mit Blut" schreiben – nicht nur mit dem Kopf.

BORIS MANNER: Den *Leviathan* übernimmt Schmitt ja vom berühmten Buch von Thomas Hobbes…

ANSELM KIEFER: … der *Leviathan* ist der Seemensch im Unterschied zum Landmenschen. Carl Schmitt entwickelt eine ganze Theorie über die Unterschiede der Land- und Seemenschen. Schmitt hat sehr viel von Hobbes übernommen. Die Angst vor dem Aufruhr. Die Beurteilung des Menschen als eines fehlgesteuerten Wesens mit einem fundamentalen Defekt. Was ja auch stimmt.

BORIS MANNER: Der Mensch hat einen fundamentalen Defekt?

ANSELM KIEFER: Er ist völlig falsch konstruiert. Was passiert, wenn die Ordnungs- und Kontrollmechanismen außer Kraft treten? Bei einem Bürgerkrieg zum Beispiel? Oder wie es im Dritten Reich geschehen ist? Dann zeigt sich der Mensch von seiner Wolfsseite. Es hält ihn nichts mehr zurück.

BORIS MANNER: Die Kontrollmechanismen muss er sich wohl selbst basteln.

ANSELM KIEFER: Sicher – es gibt ja niemand anderen. Über Strecken gelingt dies ja. Aber es gibt immer wieder einen Blackout. Dann wird es schlimm.

BORIS MANNER: War deine offensive Beschäftigung mit dem Nationalsozialismus seit den späten 60er Jahren somit nicht anachronistisch?

ANSELM KIEFER: Überhaupt nicht – ich würde sogar sagen höchst zeitgemäß. Halt – nein – zeitgemäß war es nicht, sondern die Beschäftigung mit etwas, das unter den Teppich gekehrt war. Anachronistisch wäre es, wenn der Nationalsozialismus vorbei gewesen wäre. Aber er war nicht vorbei, er wirkte doch weiter. Er ist ja heute noch latent. In Deutschland wurde kein einziger Richter angeklagt. Es gab keine Aufarbeitung – in Frankreich übrigens auch nicht.

BORIS MANNER: Gerade in Österreich gibt es Stimmen die ständig eine Kultur des Vergessens einfordern …

ANSELM KIEFER (lachend): … also das braucht man nicht einzufordern. Das Vergessen ist schnell da. So etwas darf man nicht vergessen. Den Nationalsozialismus kann man auch nicht vergessen. So etwas abgrundtief Gemeines und Böses, das solche Ausmaße angenommen hat, das kann man nicht vergessen. Wenn ich nachts allein im Büro bin und es klingelt plötzlich – dann denke ich immer an die Gestapo. Es ist eine ungeheuerliche Vorstellung, dass in der Nacht jederzeit jemand in dein Zimmer kommen kann und dich mitnimmt. Ich hab' es ja nicht miterlebt als Zeitgenosse, ich hab' es nur „sozusagen" miterlebt. Das kann man dennoch nicht vergessen. Es kommt mir völlig absurd vor, da vom Vergessen zu reden.

BORIS MANNER: War deine Auseinandersetzung damit also eine biografische Notwendigkeit?

ANSELM KIEFER: Es war eine existenzielle Notwendigkeit. Ich wollte wissen wer ich bin. Ich wusste es damals nicht. Was mich ausmachte, war eben diese noch wirkende Geschichte, obwohl sie nicht sichtbar präsent gewesen ist. Ich habe etwas Verdecktes gespürt. Mit meinen Sinnen, nicht mit meinem Kopf. Ich hatte einige Schallplatten, die von den Amerikanern vertrieben wurden, um die Deutschen umzuerziehen. Es gab Kommentare und die Stimmen von Hitler und Goebbels, Reden von Göring. Diese Reden, obwohl nur auf Schallplatte, haben mich auf eine direkte, körperliche Art berührt. Der Schall geht ja durch die Haut. Nicht nur durch die Ohren und den Kopf. Ich war sehr schockiert, ohne es zunächst zu bewerten. Ich war einfach schockiert. Und so fing das an. Dann habe ich als Student diese Aktion gemacht und die europäischen Länder noch einmal besetzt, als mit dem Hitlergruß auftretende Person.

BORIS MANNER: Diese Darstellung wurde damals auch heftig missverstanden, fehlgedeutet …

ANSELM KIEFER: … es war keine Darstellung. Eine Darstellung setzt etwas Gesamtes voraus, das man in den Blick bekommen kann. Es war eine Evokation. Ein Heraufbeschwören. Von etwas, das scheinbar nicht mehr da war.

BORIS MANNER: Hattest du das Gefühl, damit etwas Gefährliches zu tun?

ANSELM KIEFER: Natürlich war das gefährlich. Das weiß man ja aus der Psychologie. Wer etwas Verdrängtes nach oben bringt, kann nicht genau wissen, wie das ausgeht. Aber im Nachhinein hatte ich es ja einfach. Die Folgen des Nationalsozialismus waren sichtbar. Ich kann aber nicht für mich in Anspruch nehmen, dass ich Antifaschist war. Ich wurde oft gefragt: „Sind sie Faschist oder Antifaschist?" Dann habe ich gesagt, ich kann mich nicht als Antifaschist bezeichnen. Erstens aus Respekt vor denen, die es gewesen sind und ihr Leben eingesetzt haben und zweitens, weil es mir zu billig ist. Ich habe ja bereits gewusst wohin es führt. Aber ich kann nicht behaupten, dass ich, im Dritten Reich lebend, wirklich gewusst hätte, wohin es führt.

BORIS MANNER: Diese Auseinandersetzung war somit eine Notwendigkeit – kein Kalkül, um einen Skandal zu provozieren?

ANSELM KIEFER: Kalkül? Nein, ich war doch völlig unbekannt, konnte, damals noch Student, keineswegs mit Aufmerksamkeit rechnen.

BORIS MANNER: In der intensiven Befassung mit den Mythen des Nationalsozialismus hat es aber eine markante Fortsetzung gefunden.

ANSELM KIEFER: Der Nationalsozialismus hatte keine eigene Weltanschauung. Er hat sich der Mythen bemächtigt. Er hat die ganze nordische Mythologie durchforstet und genommen, was ihm gepasst hat. Es gibt keine nationalsozialistischen Mythen. Es gibt auch keine nationalsozialistische Ideologie im Unterschied zum Kommunismus. Die Nationalsozialisten haben nur das benützt, was sie an der Macht hielt, da war keine Idee dahinter. Es gab einen Vorrat an mythologischem Wissen, der verhunzt war, der durch den Missbrauch nicht wiederentdeckt werden konnte. Also bin ich auf den Nullpunkt zurückgegangen, habe diese Mythen gereinigt. Ich bin dagegen, dass zwölf Jahre ausreichen sollen, eine Jahrtausende alte Kultur einfach auf den Abfall zu werfen.

BORIS MANNER: Ist das eine Suche nach Ursprüngen?

ANSELM KIEFER: Alle Mythen haben ihre Bilder oder Geschichten vom Ursprung. Einschneidend war für mich, als ich draufgekommen bin, dass es in der jüdischen Mystik weit vielschichtigere Anfangsmythen gibt als in der Bibel. Die christliche Lehre wurde im Laufe ihres Siegeszuges auf Stromlinienform gebracht. Das Urchristentum transformierte sich zur kämpfenden Kirche, um sich gegen andere, konkurrierende Strömungen wie dem Neuplatonismus und der Gnosis abzusetzen. Die Lehre musste eine einfache und einheitliche Form haben.

BORIS MANNER: Die jüdische Mystik ist da weitaus subtiler?

ANSELM KIEFER: Das *Zimzum*, die Lehre von der Erschaffung der Welt, zum Beispiel, bei Isaak Luria, ist eine Lösung des Problems des Nichts. Wie kann Gott aus Nichts etwas schaffen? Kann überhaupt etwas entstehen, wenn schon alles da ist – in Form eines Gottes? In diesem Denken war ja Alles auch zugleich Nichts. Das *En-Sof* bedeutet endloses Licht und endloses Nichts. Die Theorie ist, dass Gott sich zurückgezogen hat – etwas von sich, das heißt vom All, aufgegeben hat um einen freien Raum zu lassen für etwas das sich dann bilden konnte. Das heißt, es gibt gar keine

Schöpfung, keine *creatio ex nihilo*. Weil Gott in der Schöpfung gar nicht enthalten ist. Später erst, nach der Entstehung – nicht Schöpfung – der Welt, hat er in diese seine Gnade ausgesandt, die allerdings zu stark war, sodass ein Teil der die Gnade aufnehmen sollenden Gefäße – genannt *Sefiroth* – zerbrach. Von dieser Idee lebt bis heute noch ein Rudiment in dem Brauch fort, bei einer Hochzeit Geschirr zu zertrümmern.

Die Einzelheiten dieser wunderbaren, verzweigten Vorstellung weiter aus-zuführen würde jetzt zu weit führen. Das ist natürlich eine viel subtilere und elegantere Vorstellung vom Schöpfungsprozess. Auch das Problem, das sich durch die ganze christliche Philosophie zieht, die *Theodizee*, hat die Lehre von Isaak Luria elegant umgangen, die Rechtfertigungslehre also – wie ich es nennen möchte –, dass Gott etwas geschaffen hat, das scheinbar böse, verwerflich und vollkommen bescheuert ist.

BORIS MANNER: Da steht dann am Anfang von allem eine große Leere?

ANSELM KIEFER: Mich hat immer schon der Begriff der Leere fasziniert. Ich empfinde meine Kindheit als wunderbar großen, leeren Raum. Begüns-tigt durch die Tatsache, dass es kaum Ablenkungen – kein Radio, kein Fernsehen, wenig Ortsveränderungen gab. Dieser leere Raum der Kindheit ist ein unendliches Potenzial für meine späteren Erlebnisse und Erkennt-nisse. Alles was im Lauf meines Lebens der Fall war, war schon in diesem Raum enthalten.

BORSI MANNER: Du siehst in diesen kabbalistischen Ideen eine Ähn-lichkeit zu deinem Leben?

ANSELM KIEFER: Das schöne an diesen alten, jüdischen Vorstellungen ist ja, dass diese kosmischen Bewegungen sich nicht nur im Grossen sondern auch im Kleinen ereignen können.

BORSI MANNER: Was meinst du damit?

ANSELM KIEFER: Ich gebe dir ein Beispiel: In der *Merkaba Mystik*, im *Sefer Hechaloth*, wird eine Reise durch die sieben Himmelspaläste beschrie-ben. Diese Reise ist aber auch das Spiegelbild des Hinabsteigens in das eigene Innere.

BORIS MANNER: Wenn in deinen Werken die *Kabbala* thematisiert wird, beziehst du dich dann dezidiert auf solche Fragestellungen?

ANSELM KIEFER: Die *Kabbala* ist ein intellektuelles Gebäude. Sie hat ja keine sinnlichen Reize. Es gibt keine Vorstellungen, keine Bilder. Das hat mich gereizt, weil es paradox ist. Ein Philosoph wie Luria, der keine Bilder benützt, hat mich sehr angeregt. Da ich nun aber mit materiellen Dingen umgehe, wie Farben, Ton oder Blei, drückt sich etwas aus. Aber ich stelle nichts her. Ich stelle mein Erlebnis mit dieser Philosophie dar. Ich mache nichts Mimetisches.

BORIS MANNER: Was du darstellst, soll demnach nicht als gegenständlich aufgefasst werden?

ANSELM KIEFER: Man kann diese Ideen der *Kabbala* nicht abbilden. Was du siehst, sind Spuren meiner Begeisterung – mehr ist es nicht.

BORIS MANNER: Dürer sagt einmal, die Aufgabe des Künstlers ist es, eine Welt aus sich zu schaffen, eine Welt, die noch nicht existiert.

ANSELM KIEFER: Das ist ja logisch. Ich mache ja keine Kopien. Aber aus sich heraus etwas zu schaffen, das ist schwierig. Ich habe das Gefühl, dass ich der Brennpunkt von Strömungen und Ereignissen bin. Wie ein Durchlauferhitzer. Zugleich habe ich einen Vorrat an Erinnerungen, die auch eine Welt sind.

BORIS MANNER: Verstehst du dich als Maler?

ANSELM KIEFER: Nein, ich bin kein Maler. Ich habe die Malerei ja nicht weitergebracht. Ich hab nichts erfunden in der Malerei – das ist auch nicht mein Ehrgeiz. Wenn ich male, will ich auch keine Bilder machen – das interessiert mich nicht. Wenn ich Gegenstände und Substanzen wie Stroh und Blei benutze, dann destilliere ich aus diesen Geist. Ich bin kein Platoniker, der glaubt, dass die Welt der Abglanz einer Idee ist. Ich glaube, dass in den Dingen selbst der Geist enthalten ist. Wenn ich mit diesen Materialien arbeite, befreie ich den Geist, der in ihnen steckt. Halt – das ist mir zu gnostisch. Ich entdecke den Geist, der in diesen Substanzen ist. Das hebe ich empor und stelle es dar.

BORIS MANNER: Und wenn du Texte in die Werke schreibst?

ANSELM KIEFER: Wörter sind ja keine Substanzen oder Dinge. Texte sind Ideen. Die Verwendung von Text dient dazu, das Bild aufzuheben oder ihm zu widersprechen, dient dazu, Erwartungen aufzuheben oder diese zu affirmieren. Der Text ist da, um mit dem Bild Schindluder zu treiben, das Bild in Frage zu stellen – ja, um das Bild auch zu befragen. Ich nehme das Bild oft nicht ernst – so wie es daherkommt. Zum Beispiel den Titel meines Bildes *Wege der Weltweisheit*, habe ich von einem Jesuiten übernommen, der versucht hat, Heidegger – das geht ja noch – aber auch Husserl und andere Philosophen unter einem christlichen Aspekt zu lesen. Da behauptet ein Satz etwas, das es gar nicht gibt – nämlich Weltweisheit. Ich habe dann diesen absurden Titel verwendet. Da hat der Text mit dem Bild Schindluder getrieben.

BORIS MANNER: Um Werke falsch zu interpretieren, bietest du also genügend Anlässe?

ANSELM KIEFER: Es gibt kein Missdeuten von Bildern. Es gibt nur Teilnahmslosigkeit. Aber sobald jemand eine Deutung vornimmt, ist es ein positives Ereignis – dann ist ja etwas da. Oft werde ich nach einer Interpretation gefragt. Ich hätte das doch gemacht und wüsste es daher am besten. Das ist völliger Unfug. Viele wissen besser als der Künstler, was dieser gemacht hat. Es gibt auch keine Interpretation *ex cathedra*. Jeder begreift das Bild auf seine Art. Es gibt nichts allgemein Verbindliches.

BORIS MANNER: Deine Bilder werden oft als „schwer" empfunden …

ANSELM KIEFER: … als traurig – das habe ich manchmal gehört. Ich aber unterhalte mich gut mit meinen Bildern. Da find' ich gar nichts Trauriges. Manche empfinden Einsamkeit als traurig. Für mich ist sie etwas Positives.

BORIS MANNER: Und Pathos?

ANSELM KIEFER: Pathos – ist etwas Wunderbares, wenn man es aufbläst, durchlöchert und wieder die Luft herauslässt. Systole und Diastole. Einatmen und ausatmen.

BORIS MANNER: Begonnen hast du aber doch mit Malerei?

ANSELM KIEFER: Ja als Kind – wie man als Kind eben etwas machen will. Ich habe immer schon gewusst, dass ich Künstler bin. Als ich anfing zu begreifen, in welchem gesellschaftlichen Zusammenhang ich mich befinde, da war mir klar – das ist der einzige Ausweg: aus dem Milieu, aus der Beschränkung – aus der Welt vor allem – aus der ganzen Welt. Nur weg davon. Ich wollte abseits stehen.

BORIS MANNER: Wie sollte das heutzutage möglich sein?

ANSELM KIEFER: Für den Künstler ist es möglich. Er unterliegt nicht dem normalen, bürgerlichen Komment.

BORIS MANNER: Ökonomisches – Einkaufen und Verkaufen – schafft aber zwangsläufig Verbindungen zur Welt?

ANSELM KIEFER: Am Anfang habe ich nichts verkauft. Zehn Jahre lang habe ich nichts verkauft. Das ist nicht mein Problem.

BORIS MANNER: Inzwischen verkaufst du aber, und diese Verbindung zur profanen Welt durch den Tausch stört dich nicht?

ANSELM KIEFER: Manchmal bin ich natürlich degoutiert. Wenn ich in einer Sammlung ein Bild von mir über dem Sofa sehe – zusammen mit andern Objekten. Da ekelt es mich dann. Das stört aber meine Begeisterung für gewisse Erlebnisse nicht.

BORIS MANNER: Deine Kunst ist also keine „Atelierkunst".

ANSELM KIEFER: Nein, kein Spitzweg. Was von meinen Arbeiten in Galerien und Museen zu sehen ist, das ist nur eine Spur von dem, was hier auf meinem Areal in Barjac geschieht. Ein Relikt. Im Englischen gibt es das Wort *remnant* – etwas Zurückgebliebenes.

BORIS MANNER: In Barjac baust du ein Gebäude nach dem anderen, als Vision …?

ANSELM KIEFER: Bauen interessiert mich in diesem heideggerschen Sinn von Wohnen. Es gibt ja eine etymologische Wurzel für bauen und wohnen – „buan". Ich wohne im Bauen – ich baue immerzu. Aber eigentlich ziehe ich auch immer aus. Permanenter Auszug – aus Ägypten. Du siehst es ja. Da bau' ich dieses Haus, ziehe ein und bau' sofort das nächste. Ich habe schon über 40 Häuser gebaut.

BORIS MANNER: Bei Lévinas ist das Haus Ausgangspunkt für das Konzept vom Subjekt.

ANSELM KIEFER: Es gibt ja auch Nomaden. An sich möchte ich ein Haus bewohnen, halte es dort aber nicht aus. Ich wechsle immer von Haus zu Haus. Manchmal nehme ich eines auch in ein anderes Land mit. Da gibt es dieses wunderbare Bild von Tiepolo, wo Engel ein Haus von einem Ort zum anderen tragen: *San Loreto*. Ein Haus mit Flügeln. Stell dir vor, Engel tragen ein Haus. Dieses Bild hat mich immer sehr fasziniert. Am liebsten entwerfe ich Häuser. Ich zeichne mir auf, wie das sein soll. Das ist der Augenblick, an dem ich am ehesten mit mir eins bin. Danach wird es ja langweilig. Man baut dann die Mauern, setzt das Dach drauf. Das ist langweilig. Bei einem Bild ist es genauso. Am besten ist der Moment, wo ich die Idee habe. Die Ausführung ist uninteressant.

BORIS MANNER: Kann man Barjac als Projekt bezeichnen, als Ansammlung vieler Projekte?

ANSELM KIEFER: Es gibt im Französischen das Wort *projet*. Das gilt für alles Mögliche – ein Politiker hat ein *projet*, ein Künstler hat ein *projet*, die Lebensmittelindustrie verfolgt ein *projet*. Hier ist das ein weit verbreitetes Wort. Für mich bedeutet das Wort *Projekt* die Entfernung zwischen Idee und Ergebnis. Und dazwischen bleibt die Konzeption immer auf der Strecke. Es gibt immer wieder eine neue Konzeption. Weil man die alte über den Haufen wirft. Die Diskrepanz zwischen Wunsch und seiner Erfüllung spielt mit. Wenn der lang ersehnte Wunsch sich endlich zu erfüllen scheint, ist es nie so, wie man es sich gedacht hat. Projekt hat eigentlich mit Desillusionierung zu tun. Man erkennt, dass es keine erfüllten Wünsche gibt. Das gilt nicht nur für den Künstler. Jeder Wunsch ist ein Projekt. Der dann nie zu dem führt, was man erhofft hat. Balzac ist dafür ein wunderbares Beispiel. Der wollte ja immer reich werden. Er hat spekuliert, Kaffeeplantagen angelegt, dann aber immer Pleite gemacht. Aber das ist ja fast schon eine Persiflage.

BORIS MANNER: Geht es dir ähnlich?

ANSELM KIEFER: Natürlich, sonst könnte ich ja nicht davon reden. Aber wenn man es erkannt hat, geht es einem viel besser. Anzufangen fällt einem dann leichter.

BORIS MANNER: Du arbeitest permanent …

ANSELM KIEFER: … meine Art von Arbeit ist ein Überleben. Egal ob ich hier bin oder verreise – es ist immer Arbeit. Ich versteh die Frage gar nicht richtig, wenn man mich fragt, ob ich immer arbeite. Im engeren Sinn arbeite ich gar nicht.

BORIS MANNER: Weil du deine Arbeitskraft nicht als Tauschwert einsetzt?

ANSELM KIEFER: Im eigentlichen Sinn ist Arbeit – so die Bibel – eine Strafe. Meine Arbeit ist Unterhaltung. Ich mache etwas und schaue was heraus kommt. Ich lasse mich immer überraschen. Die Arbeit unterhält mich.

BORIS MANNER: Allein lässt sich das alles nicht bewerkstelligen; dazu braucht es Mitwirkende.

ANSELM KIEFER: Da ich nicht genügend talentiert bin, arbeite ich mit Helfern. Das sind die Zeit, der Regen und der Wind. Ich setze die Bilder der Witterung aus und hoffe auf Änderungen. Ein Bild bekommt sein eigenes Leben schon über Nacht. Wenn ich am Morgen ins Atelier komme und die am Vorabend begonnenen Bilder anschaue, haben sie sich meistens schon verändert. Sie verändern sich über Nacht. Die Produktion eines Bildes ist ein alchemistischer Prozess. Was normalerweise geologische Zeit-läufe braucht, geschieht bei mir in wenigen Tagen. Es ist ein Beschleuni-gungsprozess. Das war ja auch eines der wichtigsten Probleme der Alchemie. Man wollte Naturprozesse beschleunigen. Bis in einem Berg ein Diamant entsteht dauert das ja. Die Alchemisten wollten dasselbe in sehr kurzer Zeit erreichen. Aber in der Beschleunigung liegt eine Gefahr. Denk' an die *Concorde*, die hat sich zu Tode beschleunigt.

BORIS MANNER: Und du beschleunigst deine Kunst.

ANSELM KIEFER: Ich kann ja nicht ein oder zwei Millionen Jahre warten, bis sich die Naturprozesse niederschlagen.

BORIS MANNER: Etwas Neues kannst du nicht so einfach stehen lassen?

ANSELM KIEFER: Für mich sind neue Dinge leer. Ich habe in Deutschland in einer leeren Ziegelei gearbeitet. Und was mich da fasziniert hat, war die klaustrophobische Fülle von Arbeitskraft. Die Spuren der Menschen, die da einmal gearbeitet haben. Das war zu spüren. Man knüpft an etwas an, das schon da ist. Bei mir gibt es keine *creatio ex nihilo*, ich knüpfe in meiner Arbeit an schon Bestehendes an. Ich schaffe nicht aus dem Nichts.

BORIS MANNER: Machen deine Bilder somit Zeit sichtbar?

ANSELM KIEFER: Ja sicher, da sieht man Zeit daran. Manche meinen, die Werke seien schon längst verfallen. Das ist immer das Problem der Restauratoren in den Museen. Sie wollen nicht, dass meine Bilder reisen, dabei sind sie ohnedies schon Ruinen.

BORIS MANNER: Früh gealtert?

ANSELM KIEFER: Zeit weist ja in die Vergangenheit und in die Zukunft. Beim Malen reiche ich sowohl in die Vergangenheit als auch in die Zukunft. Man kann das wie eine Ausdehnung oder fortdauernde Verdünnung sehen. Man löst sich auf ohne zu verschwinden. Wenn du einen Tropfen einer Substanz ins Meer gießt, dann löst dieser sich auf, ist aber nicht weg. Durch den Tod werden wir zu hochpotenzierten Substanzen.

BORIS MANNER: Ist die Anlage in Barjac ein Architekturprojekt?

ANSELM KIEFER: Nein, das ist es nicht. Ein Architekt hat eine bestimmte Menge an Raum und plant dafür. Ich mache es anderes. Hier war ja, als ich angekommen bin, ein Dschungel. Also habe ich einen Bulldozer genommen und eine Strasse gemacht. Und dann links und rechts ein Haus gebaut. Was ich hier also mache, ist wie die Gründung eines Dorfes, wie die Gründung einer Missionsstation. Im Weiteren läuft das dann ganz organisch ab – ich hab da kein vorgefasstes Konzept.
Ein Projekt im bürgerlichen Sinn ist ein Unternehmen das etwas abwirft. Ich vernichte hier aber Kapital. Es gibt da keinen Mehrwert. Es ist antikapitalistisch. Hier wird einfach das gesamte Geld zur Unterhaltung ausgegeben. Das hier ist eine Werk-Stadt. Eine persönliche Unterhaltungsindustrie.

BORIS MANNER: Ist diese Stadt auch für Bewohner gedacht oder bloß zur Besichtigung?

ANSELM KIEFER: Sobald Besucher das alles anschauen, bewohnen sie es auch. Sie wohnen bei. Sie vermählen sich für einen Moment mit dem Ort.

BORIS MANNER: Im Moment aber ist er nicht öffentlich zugänglich.

ANSELM KIEFER: Der Punkt ist noch nicht erreicht, an dem es signifikant wäre. Man muss dem Projekt hier seine Zeit lassen. Ich beschleunige zwar die Weltzeit, aber eine gewisse Reifung braucht es doch. Es gibt hier ohnedies schon sehr viele Betrachter. Ich male und baue ja nicht für mich alleine. Im Atelier bin ich ständig von Betrachtern umgeben. Ich spüre, Menschen sind bei mir versammelt, Menschen, die das Bild betrachten und beurteilen. Die meisten kenn' ich nicht beim Namen. Einige schon. Eine der härtesten Kritikerinnen ist die Ingeborg Bachmann.

BORIS MANNER: Die kritisiert dich?

ANSELM KIEFER: Ja, sie schaut mir über die Schulter. Ich bin oft sehr betrübt, wenn sie nicht gut findet was ich gerade mache. Es gibt auch noch andere. Jeder Mensch, den ich getroffen habe, spielt da mit.

BORIS MANNER: Allein bist du beim Malen also nie?

ANSELM KIEFER: Nein – nur in meinen Entscheidungen bin ich alleine. Und nicht einmal das stimmt. Die Bilder verändern sich mit den Betrachtern. Jeder hat ein anderes Bild von einem Werk. Es ist eigentlich wie eine Produktionsgemeinschaft. Die Betrachter treffen Entscheidungen, verlangen Änderungen, üben Kritik.

BORIS MANNER: Ist das nicht bedrohlich?

ANSELM KIEFER: Das ist ja das Schöne – ein Bild ist immer angreifbar. Augen, die sehen, sind doch Instrumente der Aggression.

BORIS MANNER: Aggression?

ANSELM KIEFER: Im Unterschied zum Ohr, das empfängt. Ein Auge ist ein tellurisches Instrument. Es fixiert einen Gegenstand wie ein Gewehr. Insofern ist jedes Kunstwerk in der Geschichte durch den Betrachter angreifbar. Er entscheidet andauernd. Die Historie kann ein Bild vernichten. Es gab hunderttausende Maler – keiner kennt sie mehr heute.

BORIS MANNER: Betrachter vernichten also Kunstwerke?

ANSELM KIEFER: Ja, aber nicht sie allein. Auch ein Kunstwerk schlägt das andere tot. Wenn Neues entsteht, fegt es die Vorgänger in den Graben. Das nennt man dann neue Sicht. Es muss auch so sein, sonst wäre Kunst nicht absolut. Das stammt übrigens von Adorno.

BORIS MANNER: Kunst ist absolut – und kann dennoch immer wieder vernichtet werden?

ANSELM KIEFER: Kunst ist in ihrem Anspruch absolut. Nur hat sie keine politischen Machtmittel und ist daher zum Scheitern verurteilt. Kunst ist ständiges Scheitern. Sie hat sich immer aus sich selbst heraus getötet. Der Futurismus wollte die Kunst umbringen, nach dem Impressionismus kam der Kubismus, nach der Ecole de Paris kam Minimal Art. Ein Kunstwerk schlägt das andere tot.
Heute, so empfinde ich, ist ein Punkt erreicht, wo das, was früher virtuell war, real geworden ist. Auch ich bin in den 60er Jahren durch die Ateliers gegangen und habe gefordert, hört auf zu malen, habe Malverbote erteilt. Das war auch der Tod der Kunst – aber virtuell. Die Kunst geht ja immer knapp nicht unter. Heute aber scheint dieser Punkt erreicht zu sein. Die Kunst ist ja nun tot. Es gibt eine Saturiertheit und ein Überangebot – einen totalen Mimetismus.

BORIS MANNER: Mimetismus?

ANSELM KIEFER: Das, was in den 60er Jahren noch subversiv war, die Formel *Leben = Kunst*, das ist heute zu einem Mimetismus ausgeartet, zu einer Nachahmung. Das tägliche Leben wird einfach dargestellt. Das ist Kunst. Punkt. Wie in dem Märchen, wo der Brei aus dem Topf quillt und das ganze Haus anfüllt und dann weiter auf die Strasse fließt und alles überschwemmt. Deswegen sehen wir auch nichts mehr. Alles ist eins. Aber die Kunst ist wahrscheinlich doch noch da. Versteckt. Unsichtbar. Deswegen zähle ich mich zum Untergrund. In 2000 Jahren wird sich die Spreu vom Weizen trennen.

BORIS MANNER: Aber du wirst doch als Künstler höchst intensiv wahrgenommen?

ANSELM KIEFER: Was ich mache, ist genauso ein Konsumartikel wie alles andere.

BORIS MANNER: Das klingt sehr zynisch.

ANSELM KIEFER: Jeder, der die Welt sieht, aber wirklich sieht, ist Zyniker. Denn es gibt keine Erklärung für etwas, das so schlecht konstruiert ist. Ich weiß, dass ich keinen Sinn finde – dass es keinen Sinn gibt. Ich erhoffe auch keinen Sinn. Mit meiner Kunst habe ich die Möglichkeit gefunden, etwas Unterhaltsames zu unternehmen. Ich überlebe nur und unterhalte mich dabei. Ich lebe weiter, weil es mich unterhält.

Das Gespräch fand im Sommer 2005 an der Wohn- und Arbeitsstätte von Anselm Kiefer in Barjac/Gard in Frankreich statt.

COOP HIMMELB(L)AU: *Open House / Offenes Haus,*
Malibu, California, USA (1983)

Das Gefühl des Innen spannt die Haut des Außen. Entstanden aus einem
explosiv gezeichneten Entwurf. Gezeichnet mit geschlossenen Augen.
Unabgelenkte Konzentration, die Hand als Seismograph der Gefühle, die der
gebaute Raum wecken wird. Nicht Formen oder Details waren wichtig in
diesem Augenblick, sondern die Ausstrahlung von Licht und Schatten, hell und
dunkel, von hoch und breit, von weiß und Wölbung, Ausblick und Luft. Das
Haus – gekippter Körper und gewölbte Haut – ist 100 m² groß. Zugänglich
nur über eine Treppe. Der Kraftfluss der Zeichnung ist auch in Statik und
Konstruktion übersetzt. Der Baukörper – gelagert auf zwei Punkten und abge-
spannt – schwebt fast. Die Konstruktion der Abspannung gibt die Möglichkeit
für eine doppelglasige Haut. Sonnengeschützt durch die verstellbaren Lamellen,
die auch die Lichtführung verändern. Durch die Kippung des Raumes entsteht
eine doppelschalige Konstruktion. Geeignet für das passive Energiekonzept
und für die jederzeitige spätere Veränderung der Installation. Denn es gibt
keine vorbestimmte Raumeinteilung der Wohnfläche. Sie erfolgt vielleicht
nach Fertigstellung des Hauses oder nie: Auch das ist offene Architektur.

Wolf D. Prix

„Aktionsfähige Generalisten sind Querbezugshersteller"

Wolf D. Prix / Coop Himmelb(l)au im Gespräch mit Christian Reder

CHRISTIAN REDER: Wir kommen gerade von der Präsentation eurer neuen Veranstaltungsreihe *Strategien der Durchsetzung*, in der erfahrene Praktiker wie Wolfdieter Dreibholz, jahrelang auf staatlicher Seite Protektor der Grazer Architekturoffensive, Holger Hagge, der als Architekt für das Immobilienmanagement von MAB Deutschland tätig ist oder der Energy-Design-Spezialist Brian Cody Studierenden die tatsächliche Realität großer Bauvorhaben, inklusive Umfeld, näher bringen. Architekturprojekte werden also längst nicht mehr nur als gestalterischer Entwurfsvorgang verstanden?

WOLF D. PRIX: In der traditionellen Architekturausbildung ist von Durchsetzen fast nie die Rede; der Begriff kommt kaum vor. An unserem Institut für Architektur an der Universität für angewandte Kunst Wien geht es daher verstärkt um Prozesse, in denen schon das Entwerfen als Teil von Realisierungsstrategien gesehen wird, mit Vorlesungen, die vom Immobilienbusiness bis zum höchst wichtigen Thema *Architektur und Politik* reichen. Projekte nur am Papier zu entwickeln genügt nicht. Zugleich sollte gelernt werden, wie sie durchgesetzt werden können, ohne sich von essenziellen Ideen verabschieden zu müssen.

CHRISTIAN REDER: Mit einem solchen weiten Projektbegriff, der nicht zu früh mit einem Scheitern spekuliert, ließe sich eine – hier zu besprechende – „Projektkultur" bestärken. Gerade Dienstleistungsgesellschaften sind doch auf eine weitere Differenzierung von Berufsmustern angewiesen, inklusive besserer Chancen und stärkerer Impulse für „freies", freischaffendes, unabhängiges Arbeiten – oder erübrigt sich das unter dem allgemeinen Professionalisierungsdruck?

WOLF D. PRIX: Um auf unserem Feld in innovative, Neues durchsetzende Richtungen zu wirken, ist die übliche Aufteilung in Architekturtheorie und Architekturrealisierung unbrauchbar. Alles sollte der Realisierung dienen, auf sie zuzusteuern, da sonst Vorstellungen eben vielfach „bloße Theorie" bleiben. Für Zeichnungen, für Schriften, für Gedanken mag das reichen. Für Architektur gilt das nicht. Sie muss dreidimensional sein und gebaut werden. Also tatsächlich aktivierende Projektkulturen mitzugestalten und ernst zu nehmende Projekte zu realisieren, wie du das ansprichst, ist daher ein ganz entscheidender Faktor. Die Vielfalt beruflicher Orientierungen wird und muss zunehmen; zugleich wird Integratives immer wichtiger.

CHRISTIAN REDER: Statt Projektemacher, denen leicht das Odium realitätsferner Träumer oder windiger Spekulanten angehängt wird, sollte Architekturausbildung also kompetente, ideenreiche Projektleiter und Projektleiterinnen hervorbringen, wie du immer wieder betonst?

WOLF D. PRIX: Unsere Absolventen und Absolventinnen müssten sofort für Projektdesign und Projektmanagement, gerade auch in Großbüros, einsetzbar sein, weil sie konzeptionell und strategisch denken gelernt haben.

CHRISTIAN REDER: Also keine Ermunterung, selbständig vom eigenen Miniatelier aus zu operieren?

WOLF D. PRIX: Dem muss man sich gewachsen zeigen. Als Einzelkämpfer sein Heil zu suchen, mit dem Ich-Bezug extrem individualistischen Denkens, hat oft mit Fehleinschätzungen eigener Fähigkeiten und lokalen Prägungen, lokalen Konkurrenzspielen zu tun. Es ist doch offensichtlich: Nur ganz wenige können sich auf diese Weise durchsetzen.

CHRISTIAN REDER: Der berühmte Spruch von Frank Lloyd Wright *Architecture is an old man's profession* kursiert weiterhin, beschreibt auch durchaus Realitäten – deprimierende Aussichten für Junge, bis sechzig warten zu müssen.

WOLF D. PRIX: Das hängt mit dem schwankenden Klima für exponierte Architektur zusammen. Wo ist ein Bemühen um Qualität schon selbstverständlich? Es wird eben nicht gefördert, angespornt, sondern verhindert. Positive Ansätze bleiben immer wieder stecken. Inzwischen kommen jüngere Architekten jedoch viel eher zum Zug als zu Zeiten, in denen wir darauf gewartet haben, allerdings oft um den Preis einer gewissen Mittelmäßigkeit. In Wien sind die Potenziale vergleichsweise durchaus beachtlich. International tatsächlich einflussreiche Architekten gibt es aber ganz, ganz wenige. Hiesige Tendenzen, lokale Größen zu überschätzen, sind bloß Zeichen von Provinzialität.

CHRISTIAN REDER: Für diesen Diskussionsband komprimiere ich Projektarbeit, Projektkultur auf die schlichte Forderung: „etwas zusammenbringen" – inklusive Doppelsinn und Fragezeichen. Architekt ist der exemplarische Beruf, von dem das verlangt wird, gerade angesichts des Fragmentarischen ringsum, in der Politik, in den Medien, im Weltverständnis.

WOLF D. PRIX (lachend): Der Architekt muss auch tatsächlich Dinge zusammenbringen. Ein Fragment wäre sein letztes Bauwerk. Deswegen haben wir in unseren Anfangszeiten vehement gefordert, endlich den Turm von Babel fertig zu bauen. „Etwas zusammenbringen" trifft also durchaus den Punkt. Zu allererst musst du ein Konzept zusammenbringen. Es besteht aus vielen zu kombinierenden Ebenen. Zugleich musst du an einer Strategie arbeiten, wie es zu realisieren ist. Dafür wieder ist es notwendig, verschiedene Personen, verschiedene Unternehmen zusammen zu bringen, damit die erforderliche Qualität garantiert ist. Beim Auftraggeber musst du erreichen, dass er deinen Gedanken, deinem Konzept folgt. Es gilt also, nicht nur die Ideen zu entwickeln, sondern auch zusammenzubringen, dass dieser sie versteht und unterstützt. Alles das ist Zusammenbringen im wahrsten Sinn des Wortes. Ein Architekt kann ja nicht selbst bauen, braucht andere dazu.

CHRISTIAN REDER: Jean Nouvel, den ich als unsichtbaren Dritten hereinbringen möchte, mit Aussagen aus Gesprächen mit Jean Baudrillard, spricht davon, dass „alle großen Werke der Architektur in einer Komplizenschaft zwischen dem Baumeister und dem Bauherrn entstanden" [Jean Baudrillard, Jean Nouvel: *Einzigartige Objekte. Architektur und Philosophie*, Wien 2004].

WOLF D. PRIX: Wir haben das schon früh anders gesagt, in dem wir immer dagegen waren, Bauherrn und Architekten auseinanderzudividieren. In Gegnerschaft lässt sich kaum etwas erreichen. Komplizenschaft gefällt mir für dieses auf einander eingehende Zusammenwirken aber durchaus …

CHRISTIAN REDER: … als Bündnis gegen Normales, Routinemäßiges, gegen Unverständnis?

WOLF D. PRIX: Ohne den Bauherrn als Komplizen und ein engagiertes Mitwirken aller Ausführenden lassen sich interessante Bauwerke nicht herstellen. Jedes Versagen dabei schlägt sich im Resultat nieder. Man muss also auch gute Teams zusammenbringen. Anders sind Überraschungen, Konflikte, Probleme bei der Umsetzung, gerade wenn es um Unerprobtes geht, nicht zu bewältigen. Der Druck ist permanent, dafür braucht es Nerven.

CHRISTIAN REDER: Nur werden die Weichen doch oft schon sehr früh falsch gestellt oder gar nicht gestellt. In die anfänglichen Überlegungsphasen für das pompöse, nun hauptsächlich als Fußgängerzone attraktive Wiener Museumsquartier war ich als Mitglied der Museumsreformkommission kurz involviert. Die längste Zeit war nicht einmal klar, was alles hineinkommen sollte; ein Museum der Kulturen, „Der Mensch im Kosmos" usw. Letztlich ging es um Hüllen, nicht zu hoch, nicht zu abwegig. Niemand in den unübersichtlichen Entscheidungsinstanzen wollte über signifikant andere Museumsstrukturen nachdenken oder nachdenken lassen. Von den Architekten des Wettbewerbs wurde erwartet, so viel als möglich voraus zu denken, inklusive der Inhalte – Entscheidendes also möglichst allein zu lösen. Solche Ansprüche sind doch irreal, überfordernd, wälzen Verantwortungen ab. Bald nach der Eröffnung tauchten erste Umbauwünsche auf.

WOLF D. PRIX: Es wird eben nicht recherchiert. Planungsgrundlagen sind oft sehr dürftig. Das Zusammenspiel funktioniert gerade im öffentlichen Bereich sehr verschlungen. Die Ergebnisse sind entsprechend, ein Abbild solcher Zustände. Architekten wiederum tun oft so, als ob sie allein operieren würden und für ein Neuerfinden der Welt verantwortlich wären. Gewisse Dinge sind in meiner Umgebung schon hunderttausendmal neu erfunden worden. Statt Vernünftiges zu übernehmen und weiter zu entwickeln, wird unendlich viel Zeit und Substanz vergeudet, ohne dass deswegen Besseres entstünde.

CHRISTIAN REDER: Der Vorsatz völligen Neubeginnens, etwa bei einem Text, kann doch aber Kräfte freisetzen?

WOLF D. PRIX: Jedes Projekt ist ein neues Projekt. Wenn du recherchierst und vergleichst, Querbezüge herstellst, und das ist ja konzeptionelles Denken, ersparst du dir wahnsinnig viel. Querbezüge herstellen heißt: etwas zusammenbringen. Nimm etwas, dreh' es einmal herum und schon kann der nächste Schritt in dieser Entwicklung greifbar werden.

CHRISTIAN REDER: Zurück zur inhaltlichen Überforderung. Mit der Auffassung „Architektur als Skulptur" lässt sich das negieren. Was zählt ist die Form. Inhalte können sich ändern. Krass gesprochen brauchen diese dann den Architekten nicht zu kümmern. Ein Garagenkonzept transformiert sich zum Museum, wie – so die Legende – beim Guggenheim in New York.

WOLF D. PRIX: Ein ganz schwieriges Thema. Dabei anzutreffende dezidiert moralisierende Auffassungen können der Tod von Architektur sein. Ohne Funktionsweisen mitzudenken, schränkt sich das Arbeitsfeld radikal ein. Gebäude sollen gebraucht werden, sonst bleiben sie Monument. Nur wird mit „Nutzen" dauernd viel zu kleinkariert und kurzsichtig spekuliert. Überzeugende Formen lassen sich nicht aus dem Off entwickeln, einfach so. Deswegen stand „Architektur als Plastik" bei uns nie im Vordergrund; Form und Funktion interessieren uns wegen aktivierbarer Synergien.
Inhaltlich gibt es nur ganz wenige Dinge, die ich prinzipiell nicht machen würde: ein Atomkraftwerk oder Kasernen. Für Banken zu bauen oder für Autos, wie jetzt die BMW-Welt in München – die neben dem BWM-Hochhaus unseres Lehrers Karl Schwanzer entsteht – habe ich keine Hemmungen. Beides sind Motoren unserer Zivilisation. Um so etwas nicht eindimensional anzugehen, muss man allerdings vieles zusammenbringen. Deswegen gefällt mir dieses Wort so gut. Auch weil es mit den hybriden Formen zu tun hat, mit denen wir uns beschäftigen. Hybride Formen provozieren hybride Inhalte und umgekehrt. Es geht darum, Material zusammenzubringen und eine Form zusammenzubringen. Das ergibt Inhalt. Inhalt und Form werden zu Material.

CHRISTIAN REDER: In meiner offensiveren Consulting-Zeit während der reformfreundlichen 70er Jahre bin ich länger im Gesundheitswesen tätig gewesen und hatte auch mit Spitalsbauten zu tun. Damaligen Vorstellungen, dafür exzeptionelle Architekten mit radikalen Reformern zusammenzubringen, um tatsächlich modellhafte Konzeptionen zu verwirklichen, um wenigstens insular einiges von Grund auf neu durchzudenken, wirken angesichts der ausgebrochenen Effizienzspiele inzwischen wie Phantastereien. Wo sind schon wirklich modellhafte Krankenhäuser entstanden? An die Notwendigkeit solcher Arbeitsgemeinschaften, die nicht üblichen Branchenordnungen entsprechen, glaube ich trotzdem noch. Wie würdest du einen Krankenhausbau, eine modellhafte Schule angehen?

WOLF D. PRIX: Genau so, ohne Fügsamkeit. *Pushing the envelop* – die Haut des Problems dehnen – nennen das die Amerikaner oder *over the edge*, über die Kante, über die Grenze gehen. Es ginge also darum, mit signifikanten, durchaus auch ungewöhnlichen Professionals zu kooperieren. Nur so kann konventionell Mögliches überwunden, erweitert, transformiert werden. Deswegen halte ich die Betonung auf Zusammenbringen für wichtig – im Gegensatz zum simplen Zusammenholen. Gerade dem Beruf des Architekten gäbe ein solches erweitertes Zusammenbringen erst den eigentlichen Sinn.

CHRISTIAN REDER: Beim neuesten Großauftrag von Coop Himmelb(l)au, der Europäischen Zentralbank in Frankfurt, frage ich mich angesichts früherer Beratertätigkeiten im Bankwesen allerdings, welchen Innovationsspielraum es bei so traditionellen Firmenstrukturen, den Hierarchien, Codes, Interessen, tatsächlich geben könnte, abgesehen von Modernitätszeichen. Oder ließe sich selbst eine Bank ganz anderes denken?

WOLF D. PRIX: Das wird durchaus versucht. Es wurden bestimmte *values* ausgeschrieben, Transparenz, Kommunikation, Effizienz und nicht nur, wie früher, Solidität, Stabilität. Allein mit Transparenz und Kommunikation als Zugang lässt sich in der Architektur sehr viel machen und das wird sich auch auswirken, zum Beispiel über Querverbindungen zwischen den beiden Türmen, die intern eine urban-offene Situation entstehen lassen. Schon im Zuge der Vorplanungen – es gab in diesem Wettbewerb zuerst 380, dann 10, dann 3 Teilnehmer – wurde vieles immer präziser. Für unsere Grundintention, die Typologie von Hochhäusern zu brechen, diese also von verschiedenen Blickpunkten aus anders aussehen zu lassen, sie gleichsam in Bewegung zu halten, sind diese zwei aus einer verdrehten geometrischen Verformung entwickelten 180 Meter hohen Türme ein wichtiger Schritt. Sowohl die gebotenen Aussichten wie die weithin sichtbaren Ansichten bereichern den öffentlichen Raum, den Stadtraum durch Variabilität und Vielfalt, so wie die Auskragungen, die wir manchmal einsetzen. Bei der BMW-Welt wiederum geht es um unsere Begeisterung für das fliegende Dach. Ich hasse Stützen, will so wenige wie möglich, um Leichtigkeit, Schwerelosigkeit zu erreichen. Indem wir Druck durch Zug ersetzen, kommen wir dem in der Tragwerksplanung oft schon sehr nahe. In München brauchen wir trotz der riesigen Dimensionen nur noch elf solcher Verbindungen zum Boden, wie bei einem Luftschiff, das gerade verankert ist.

CHRISTIAN REDER: Bei weltweit üblichen „Investorenkisten" funktioniert alles viel simpler. Privat ist privat, heißt die Regel; man braucht sich nichts dreinreden zu lassen. Nur fügen sich öffentliche Stellen bis hin zur EU genauso dieser automatischen Art von Baugeschehen, trotz allem Gerede von Innovation und Qualität. Weil anderes zu kompliziert ist?

WOLF D. PRIX: Bei der Kritik daran wird aber auch viel verwechselt. Geld ist der Motor jeder Stadtentwicklung. Developer nehmen es in die Hand, wollen etwas machen damit. Sie für herausragende Projekte zu gewinnen ist die *challenge*. Strikt dagegen bin ich, dass der Investor etwas von der Stadt nimmt und nichts zurückgibt. Er partizipiert an ihren Vorteilen. Er benutzt deren gesamte Infrastruktur, selbst ihr Image. Weil sich solche Projekte rechnen müssen, braucht der Architekt keineswegs bloßer Erfüllungsgehilfe für verwertbare Raumprogramme zu werden. Gerade er muss selbst initiativ sein, um zwischen Public- und Private-Interessen Synergien zu entwickeln, um beides zu kombinieren. Darin sehe ich die wichtigsten Ansätze für eine Projektkultur, die diesen Namen verdient.

CHRISTIAN REDER: Angesichts globaler Realitäten fällt der Glaube daran schwer. Wenn die derzeit kolportierten, merkwürdig genauen Schätzungen stimmen, lebt ab 2007 erstmals mehr als die Hälfte aller Menschen in Städten, genauer gesagt also in gerade noch vage stadtähnlichen, urbanen Zonen. Ab 2050 werden es zwei Drittel sein. Zugleich gibt es die düsteren Prognosen, nach denen zwanzig, dreißig Prozent aller Erdbewohner, jeder Zweite davon unter zwanzig Jahre alt, im aussichtslosen Konkurrenzkampf der ganz Armen verstrickt bleiben [Siehe etwa Mike Davis: *Planet of Slums*, London 2006]. Mit ihren bald 20 bis 30 Millionen Einwohnern haben Megacities wie Tokyo oder Mumbai/Bombay soviel Einwohner wie Australien oder Kanada. Urbanes Planen erscheint angesichts solcher wuchernder Konglomerate längst völlig illusorisch – sie planen sich offensichtlich selbst.

WOLF D. PRIX: Genau das aber muss zum Thema langfristiger Strategieüberlegungen werden. Der Bedarf ist da, reagiert wird aber völlig behelfsmäßig. Allein wegen des Zustroms werden Städte doch nicht unplanbar. Das behaupten nur jene, die die Slums auf dem Gewissen haben, also vor allem Politiker, die sich nicht um die Voraussetzungen tragfähiger Urbanisierung kümmern. Selbstverständlich müssen wir uns intensiv damit beschäftigen, wie das sehr wohl steuerbar würde, sonst drohen ungeahnte soziale Konflikte und Desaster. Wie drastisch in vielen Weltgegenden die Bewohnbarkeit von Städten abnimmt, wegen Armut, Kriminalität, Banden, Überfällen, merkt doch längst jeder Reisende. In Bogota oder Guatemala City herrschen Zustände wie im Krieg, mit permanenter Gefährdung.

CHRISTIAN REDER: Der Glaube an neu geplante Städte wie Brasilia, wie Islamabad, wie als Ansatz Chandigarh ist aber drastisch geschwunden. Selbst Erneuerungen, die eine zeichenhafte Dramatik beabsichtigen, wie der Neubau des World Trade Centers in New York, mutieren nach ehrgeizigem Wettbewerb und anschließenden „Anpassungen" zu kommerziellen Rechenmaschinen. Als „Zeichen der Zeit" sind damit verbundene Qualitätsverluste immerhin eine Aussage für sich.

WOLF D. PRIX: Große Neugründungen sind tatsächlich schwer vorstellbar, nicht aber einschneidende Umgründungen, die für Entwicklungen Strukturen bereitstellen. Dass einzelne Planer komplette Städte für sieben Millionen Menschen bauen, wird nicht funktionieren. Es lassen sich aber neue Stadtzentren anlegen, Verbindungen mit anderen herstellen, damit Spannungsfelder entstehen und eine Entwicklungsdynamik. Dafür braucht es Projektgruppen mit Experten und Denkern, komplexe Netzwerke, die Strategien für lebbare Städte, für Stadtviertel, für Stadtstrukturen entwickeln und begleiten. Da und dort gibt es sehr wohl Erfolge, durch Verkehrskonzepte, Betriebsansiedelungen, aufgewertete Innenstädte.

CHRISTIAN REDER: Weite urbane Gebiete beeindrucken aber doch gerade wegen der Abwesenheit bewusster Gestaltung: die Radikalität von Industriezonen, die gleichförmige Geschichtslosigkeit amerikanischer Städte, faszinierend-öde Stadtrandsteppen, endlose „orientalisch" gebaute Häusermeere, *Architecture Without Architects* [Bernard Rudofsky] also. So wird es, abgesehen von Herzeigbarem, eben immer mehr aussehen. Retro-Vorstellungen von Idylle erschöpfen sich im Denkmalschutz und streng bewachten Wohnresorts für Privilegierte. Mit der „Verhässlichung der Welt", um einen prägnanten, sich auf die pessimistische Romantik beziehenden Ausdruck von Karl Heinz Bohrer zu verwenden [*Die Ästhetik des Schreckens*, München 1978], verschieben sich zwangsläufig auch die ästhetischen Kriterien. Offensichtlich bleibt nichts anderes übrig, als sich daran zu gewöhnen.

WOLF D. PRIX: Solche Standardsituationen im Vorbeifahren wie im Film wahrzunehmen kann täuschen; wirklich erschließen sich strukturelle Zusammenhänge – um die es beim Durchdenken solcher Entwicklungen ginge – erst beim Zufußgehen. Dann baut sich eine Stadt über Müllzonen, devastierte Objekte, in immer dichter werdende ärmliche und in partiell bessere Wohngebiete auf, bis hin zu reicheren kommerziellen Zentren. In welchen Zonen es für Urbanität noch Geld gegeben hat und wo Urbanität bloß dazu benutzt wird, um Geld zu machen, lässt sich mit einer solchen Betrachtung analytischer begreifen, auch der Grad der Verwahrlosung auf allen Ebenen …

CHRISTIAN REDER: … als Krise des öffentlichen Raums schlechthin, inklusive der Medien.

WOLF D. PRIX: Diese kommerziell-destruktive Automatik mit urbanen Projekten aufzufangen erscheint oft aussichtslos; notwendig ist es trotzdem. Um „Lösungen" kann es nicht gehen, sehr wohl aber um die Bestärkung von Chancen, um sich überlagernde Mehrfachqualitäten. Mit geeigneten Eingriffen ergibt sich dann vieles von selbst.

CHRISTIAN REDER: Wegen meiner afghanischen Projekte war ich kürzlich in Kabul. Vor allen Fragen von Wiederaufbau und Architektur beschäftigt den Bürgermeister die Infrastruktur: Kanalsystem, Abfallbeseitigung, Elektrizität. Wer wäre dafür aber ansprechbar? Architekten? Es wird irgendwie passieren.

WOLF D. PRIX: Selbstverständlich würden auch derartige Neuplanungen zu den notwendigen Strategien gehören; ohne grundlegende Versorgungs- und Entsorgungssysteme, Flächenwidmungen, Verkehrsplanungen blieben neue Gebäude überall absurde Inseln. Das linierenden Technokraten zu überlassen vermauert Möglichkeiten. Zugleich bin ich überzeugt, dass Städte Symbole brauchen, markante öffentliche Gebäude, Parlamente, vielleicht sogar neuartige Vergnügungsdome, jedenfalls identifizierbare Themen. Am Schachspiel lässt sich zeigen, wie urbane Strategien wieder in Griff zu bekommen wären. Städte waren vielfach gerastert wie dessen Felder. Inzwischen hat dieses Schachbrett an Bedeutung verloren, ist durch Pixel einer Medienlandschaft ersetzt. Städte in ihrer Zeichenvielfalt, ihren Rhythmen, Bildern, Sequenzen medial zu begreifen ist also essenziell. Schachfiguren können wir aber immer noch bauen, einen Läufer, eine Königin. Sind sie gute Architektur, lässt sich die Kraft der Züge ablesen, das Potenzial der jeweiligen Konstellation. Die anonymen Dinge sind die Bauern, auch diese sind wichtig, können Spiele entscheiden; insgesamt brauchst du aber mehr Figuren. Mögliche Züge bilden Spannungsfelder – und Spannungsfelder sind Motoren für Entwicklung und Veränderung.

CHRISTIAN REDER: Dazu nochmals Jean Nouvel: „Wenn die Architektur nicht auf die Politik Einfluss ausüben kann, um die Welt zu verändern, dann hat die Politik selbst die Pflicht, sich der Architektur zu bedienen, um erfolgreich die Durchführung der sozialen, humanitären und ökonomischen Ziele zu erreichen." Nouvel baut viel und sehr dezidiert, was man ihn halt lässt – und träumt dennoch von Programmen, die „so schnell wie möglich die Lebensbedingungen der Benachteiligten" verbessern …

WOLF D. PRIX: Es völlig aufzugeben, von einer Veränderung der Welt zu träumen, würde wesentliche Dimensionen unseres Selbstverständnisses ausblenden. Nur ist klar, dass Architektur das nicht leisten kann. Architektur kann sogar vieles blockieren. Es ist die Verantwortung des Architekten, das zu erkennen und Möglichkeiten offensiv mitzudenken. Ein unbegabter Maler wird auch in einem wunderbaren Atelier keine besseren Bilder malen. Ein exzellentes Schulgebäude würde ohne gute Lehrer nie zum ausstrahlenden Ort. Veränderung passiert über Menschen, nicht über Gebäude.
Selbst unmerkliche Entscheidungen, wie das Asphaltieren von Pariser Strassen nach dem Mai '68, sind Facetten urbaner Eingriffe. In aller Stille wurde dafür gesorgt, dass für Revolten keine Pflastersteine mehr greifbar sein würden. Ganz besonders wichtig ist mir aber die seit dieser Zeit augenscheinlich gewordene Einsicht, dass sich die Möglichkeiten der Architektur durch die Raumfahrt, durch das miterlebte Aufheben der Schwerkraft, durch die ersten Fotos der Erde aus dem Weltraum radikal verändert haben. Die zentrale Perspektive der Renaissance wurde obsolet. Zentralperspektivisch zu denken bringt nichts mehr. Es geht seither ganz real um komplexere Modelle von Weltsicht. Die visuelle und mediale Evolution dreht sich nun viel schneller. Weil die Architektur die Maschine, den Rechner, in Besitz genommen hat, haben sich die Möglichkeiten dermaßen ausgeweitet, dass jeder, der das nicht nutzt, zum Blockierer von Entwicklung wird.

CHRISTIAN REDER: Für mich ist Stadt ein Netz brauchbarer Punkte, anziehender Punkte, zwischen denen ich mich bewege …

WOLF D. PRIX: … identifizierbare Dinge eben …

CHRISTIAN REDER: … private Vorlieben, Gewohnheiten, der Schutz von Anonymität vermischen sich mit Öffentlichem. Um sich irgendwie und irgendwo zugehörig zu fühlen, sind Städte und ihr Umfeld längst wichtiger als Nationalität. Sie sollen vieles bieten, ohne einem dauernd Angebote aufzudrängen. Verluste, ein angenehmes Gasthaus, das zusperrt, eine aufgegebene Buchhandlung, sind oft anhaltend spürbarer als die Attraktion von Neuem. Apropos Verluste: Noch von guter Allgemeinbildung zu reden, auch als Ziel von Ausbildung, wird sichtlich illusorisch. Jeder folgt eigenen Linien. Was lässt sich da noch bündeln? Welchen Wissenstransfer hältst du im Architekturstudium für notwendig?

WOLF D. PRIX: Wir können letztlich nicht wirkliches Wissen vermitteln, sondern nur Information weitergeben, Denkprozesse offen legen. Information wird durch eigene Erfahrung zu Wissen. Wir können also Information liefern und Gelegenheiten anbieten, um Erfahrungen zu sammeln. Das ist der Wissenstransfer, den eine Universität wie die unsere leisten kann.

CHRISTIAN REDER: Damit sind wir bei von mir forcierten Vorstellungen von „Projektuniversität". Architekturausbildung findet ohnedies vor allem in einem Netz von Projekten statt, nur sollten Projektangebote insgesamt ausgebaut werden, mit administrativer, budgetärer, inhaltlich begleitender Unterstützung. Das würde Energien konzentrieren, Disziplinen verknüpfen, Erreichtes sichtbarer machen, Themen zur Diskussion stellen, Öffentlichkeit erzeugen. Die Apparate selbst haben Lineares, Dahinfließendes, Unsichtbares lieber …

WOLF D. PRIX: Indem wir, wie gesagt, verstärkt darauf aus sind, die Lehre auf konkrete Entwurfsprojekte und Umsetzungsstrategien hin zu orientieren, soll sich Basisinformation schon früh in Erfahrung transformieren. Wenn ich daran denke, was wir alles vom technischen Wissen, das wir uns als Studenten aneignen mussten, nie wieder brauchen konnten, von Fensterprofilen bis zu bald völlig überholter Materialkunde, muss es vor allem um Flexibilität gehen, um Zugriffswissen, um Problemlösungskompetenz.

CHRISTIAN REDER: Seit unserer Kooperation in Damaskus, wo sich einerseits fachlich gemischte Gruppen von Studierenden mit der fremden

Situation und einem interkulturellen Austausch beschäftigt haben, anderseits Architekturstudierende mit der dortigen Urbanität, erweist sich doch ständig, dass das Angebot solcher Erfahrungsräume viel bringen kann, auch großen Zuspruch findet, allerdings im Rahmen universitärer Normalitäten nur schwer übergreifend zu organisieren ist. Vorübergehend aus einem Fachstudium für solche Projekte auszusteigen würde doch dezidiert persönlichkeitsbildend wirken können, wie es so schön heißt.

WOLF D. PRIX: Dass man davon auch tatsächlich etwas hat, erfordert jedoch eine entsprechende Einstellung. Wir müssen Studierende dazu bringen, ein nicht an gewohnte Erfahrungen gebundenes Verstehen für wichtig zu halten, also ein Arbeiten in unübersichtlichen Konstellationen. Allein aus Reisen ergibt sich das nicht. Ich jedenfalls hasse den *speed* von *Jetlag*-Architekten, obwohl ich gerade aus Mexiko komme; die fliegen irgendwo hin, schauen sich um, reisen ab, schicken einen Entwurf. Wer im fremderen Ausland baut, sollte dort ein Büro eröffnen, fallweise auch dort leben. Er braucht lokale Partner, um sich in die Mentalität einzufühlen und alles durchzusprechen. So etwas geht nicht von heute auf morgen. Es ist auch nicht so leicht. In China zum Beispiel haben wir jede Menge schlechte Erfahrungen gemacht. Dort vermischt sich in auch finanziell höchst unberechenbarer Weise der Turbo-Kapitalismus mit Machtattitüden des autoritären Staatsapparates. Neu geplante Städte erkennen sogar deren Architekten oft kaum wieder, wie Meinhard von Gerkan unlängst eingestanden hat. Mit dem Bau des Gemeinschaftszentrum in Oaxaca *The Mexican Roof* hingegen hatten sieben unserer Studierenden gerade Gelegenheit, sehr exponiert selbst Erfahrungen unter schwierigen Umständen zu sammeln [Wolf D. Prix (Hg.): *Prinz Eisenbeton 5: techo en mexico / the mexican roof. 96° 13′ W, 16° 33′ N*, Wien-New York 2005]. Peter Sellars wiederum ist unter Einbeziehung unserer Studierenden gerade dabei, mit seinen Projektvorstellungen zum *Mozartjahr 2006* ganz andere Denkvorgänge zu provozieren, als sie unser eigentliches Thema Architektur & Urbanität nahe legen würde.

CHRISTIAN REDER: Es ginge also um Positionen von Weltsicht, um es dramatisch auszudrücken. Der Spezialisierungsdruck engt Blickwinkel ein. Deswegen propagiere ich ja fachlich ungebundene Projekte, zuletzt in der libyschen Wüste, sozusagen als Gegenerfahrung zu Urbanität, als Auseinandersetzung mit Leere, mit Weite, mit anderen Lebensweisen. Überall wird Flexibilität gefordert, aber kaum jenseits üblicher Berufsausbildungen geübt.

WOLF D. PRIX: Um es drastisch zu entgrenzen: Ziel der Ausbildung an unserem Institut für Architektur ist es, den Absolventen zu ermöglichen, in jeden konzeptiven Beruf einzusteigen.

CHRISTIAN REDER: Das ist durchaus in meinem Sinn, denn die vordergründige Absicht, vor allem möglichst exzellente Künstler, exzellente Architekten hervorzubringen, deklassiert – als Minoritätenprogramm – alle anderen zu Versagern. Für die Ausbildung ist mir das zu elitär und engt die ansonsten betonte Vielfalt künstlich ein. Mit einer fundierten künstlerischen, gestalterischen, planerischen Ausbildung ließe sich in einer weiter anzureichernden „Kulturgesellschaft" auch in ganz anderen, noch gar nicht absehbaren Feldern sehr viel anfangen, inklusive der Chance, sich über Umwege künstlerische Positionen zu erarbeiten.

WOLF D. PRIX: Vorbildlich in dieser Hinsicht ist das Southern California Institute of Architecture (SCI-Arc) in Los Angeles, an dem ich unterrichtet habe. Architekturabsolventen habe ich in den Filmstudios am Computer wieder getroffen, einer wurde höchst erfolgreicher Holzimporteur, spezialisiert auf fantastische, unbekannte Hölzer, ein anderer Berater für Imagefragen in einer Werbeagentur. Solche Lebenswege auszublenden, wie das bei uns noch die Regel ist, hat mit den autoritären Strukturen zu tun, also auf Linie bleiben, etwas anfangen, fertig machen und dann ja nicht mehr verändern.

CHRISTIAN REDER: Deine professionsgebundenere Projektwelt als Architekt – im Selbstverständnis von Coop Himmelb(l)au auf Urbanismus, Architektur, Design und Kunst konzentriert – und meine, biografisch etwas schwirrendere Projektwelt zwischen Kulturpolitik, Sozialarbeit, Verlagswesen, Schreiben, bringen Weltsicht, Arbeitsbedingungen und Perspektiven zwar nicht gerade in eine überschaubare Ordnung, unterstützen aber vermutlich eine nicht an konventionelle Berufseinteilungen gebundene Offenheit. Sich allerdings von Projekt zu Projekt zu retten ist auch eine Zumutung und schwer durchzuhalten.

WOLF D. PRIX: Dennoch: Die Arbeit in und an Projekten ist sicher zentral für ein wirklich aufmerksames Berufsverständnis. Es braucht Spezialisten und Professionals; Professionals können auf vielen Gebieten sinnvoll arbeiten. Eine ihrer wesentlichen Funktionen um Neues anzufangen ist die des Projektmanagers, der nicht nur organisiert, sondern mitdenkt, mehrdimensionale Ziele verfolgt und sich nicht so leicht unterkriegen lässt.

CHRISTIAN REDER: Da sind wir aber wieder bei angeblichen Generalisten, bei Alleskönnern. Für Politiker wird das unterstellt, für Manager, für Journalisten, spezifischer auch für Philosophen, Künstler, Regisseure, Architekten. Ständig in irgendwelche Projekte involviert sind sie alle, genauso aber Unternehmer, Anwälte oder Spitalsärzte, wenn sie überhaupt etwas – so oder so – außerhalb von Routine weiterbringen wollen. In der Inflation von Projekten aller Art, von denen nur ganz wenige, wie Alexander Kluge es in diesem Band formuliert, tatsächlich mit „Grundformen kühner Erfahrung" zu tun haben und sich als „vertrauenswürdig", so seine Forderung, von anderen abheben, verlieren sich denkbare Energiekonzentrationen aber längst im Nebulosen. Das sagt jemand, der selbst als literarischer Autor, Filmemacher, Fernsehproduzent, politischer Aktivist, Hochschullehrer, Manager, Rechtsanwalt in höchst vielfältige Felder eingebunden ist. „Projekte" im eigentlichen Sinn sind für ihn immer „im Grunde Vorgriffe, Ausbrüche in die Ferne".

WOLF D. PRIX: Genau das müsste für die Arbeit von Architekten und Architektinnen bestimmend sein. Unser Selbstverständnis als Coop Himmelb(l)au jedenfalls ist – als ständige Forderung, nicht nachzulassen – davon geprägt. Gebraucht werden nicht weitere indifferente Generalisten, sondern in sich gefestigte, neugierige Netzwerker, die voll auf Innovation, auf Überwindung des Überwindbaren setzen. Nur wer perspektivisch fragen und präzise Querbezüge herstellen kann, wird dazu in der Lage sein. Die heute wirklich aktionsfähigen Generalisten sind Querbezugshersteller – also ständig auf der Suche nach signifikanten Verknüpfungen und unangepassten Umsetzungschancen.

„Es geht um Fragen der Optimierung"

Brigitte Kowanz im Gespräch mit Christian Reder

CHRISTIAN REDER: Zu unserem unterschwellig verbindenden Thema hier: Projekte realisieren, etwas zusammenbringen. In welche Art von Kooperationen, in welche gegenseitigen Transfers bist du bei Kunstprojekten im öffentlichen Raum eingebunden? Was passiert da konkret rund um eine ansonsten allein arbeitende Künstlerin?

BRIGITTE KOWANZ: Im Sommer 2005 realisiert wurde zum Beispiel meine Rauminstallation *Licht bleibt nie bei sich* für den Tunnel, der in Köln das Bürohaus der Deutschen Krankenversicherung (DKV) mit ihrem nebenan errichteten Neubau verbindet. In einem Abschnitt operiere ich mit reflektierenden Oberflächen, im anderen mit Spiegeln – als Wechselspiel von Materialität und deren scheinbarer Auflösung durch Licht. Damit bekommt dieser total artifizielle Transferraum eine Präsenz, die ihn, weit artikulierter als jede bloße Unterführung, zu einer wichtigen Verbindung macht; das war auch die Absicht.

Für eine Landschaftssituation am Dorfeingang von Flims bei Chur wiederum habe ich gerade den Wettbewerb gewonnen. Seit einem vor langer Zeit erfolgten gigantischen Felssturz hat die Situation dort etwas Mysteriöses, fast Außerirdisches an sich. Mein dafür entworfenes großes, weithin sichtbares Lichtobjekt, die *Porta da Flem*, ist eine leuchtende Haut über dem markanten Felsabbruch oberhalb der Einfahrt zu einem neuen Straßentunnel. Der Berg wird zur Skulptur, mit der Betonung seiner Verletzung reagiere ich mit heutigen Mitteln auf Naturgewalten, transformiere die Aufmerksamkeit dafür ins Neutrale, in Überraschendes. Wie ein in den Abhang eingepasstes riesiges Katzenauge – tagsüber die Sonne und nachts Autoscheinwerfer reflektierend und von innen her leuchtend – wird dieses mysteriöse Zeichen bereits „Bergfeuer" genannt.

LICHT BLEIBT NIE BEI SICH KENNT KEINEN ORT
STÄNDIG IN VERÄNDERUNG MIT SEINER UMGEBUNG, 2003/2005
Permanente Installation Deutsche Krankenversicherung AG Köln
Architektur: KSP, Engel und Zimmermann Architekten;
Jan Stoermer Partner

„Meine Arbeiten, jede für sich gesehen,
verstehe ich nicht als Fragmente.
Im Fertigwerden werden sie zur Basis für das Folgende."

Brigitte Kowanz

CHRISTIAN REDER: Bei solchen künstlerischen Projekten wird es kein Problem sein, deine künstlerische Autonomie zu behaupten; bei großen Bauvorhaben aber?

BRIGITTE KOWANZ: Da kommt es sehr auf die Kooperationsbereitschaft an. Vorbildlich funktioniert hat es etwa mit Architekt Hans Zwimpfer, bei dem von Anfang an spürbar war, dass ihm die Zusammenarbeit mit Künstlern, mit Künstlerinnen ein wirkliches Anliegen ist, er sich schon im Vorfeld mit deren Arbeit auseinandersetzt und sie zu einem sehr frühen Zeitpunkt in seine Vorhaben einbindet. Es kann also wirklich integrativ in die Architektur – oder kontra die Architektur – eingegriffen werden. Er will künstlerische Standpunkte präsent haben. Grundsätzlich ist alles möglich. Für das prominent im Stadtzentrum von Basel gelegene Jacob Burckhardt Haus [2001–2004, benannt nach dem für die Integration von Kunst und Architektur eintretenden Kunsthistoriker] habe ich gemeinsam mit seinem Büro die Fassadenlösung mit einer Außenhaut aus flachen, horizontal geschichteten Sinuswellen in natureloxiertem Aluminium konzipiert und eigene Interventionen entwickelt, die *Ort Weg* Lichtskulpturen in der Passage. Begonnen hat diese bis in viele Details gehende intensive Zusammenarbeit mit dem ebenfalls von ihm entworfenen Bürokomplex des Peter Merian Hauses nebenan [1995–2000, benannt nach einem Verteidiger der Autonomie der Universität Basel]. Damals hat es einen geladenen Wettbewerb gegeben, von dem ich einen Teilbereich für die Innenfassaden – im Rahmen einer von Donald Judd bestimmten Grundkonzeption – gewonnen und als großflächig leuchtende Schriftlösung *Light is what we see* realisiert habe. Beiträge weiterer Künstler und Künstlerinnen, etwa von Pipilotti Rist, machen evident, wie dezidiert gegenwartsbezogen Architektur und Kunst verbunden werden [vgl. Hans Zwimpfer: *Peter Merian Haus Basel*, 2002]. In den fünf Jahren zwischen Juryentscheidung und Eröffnung des Hauses gab es Phasen unterschiedlicher Arbeitsintensität, aber doch regelmäßige Reisen zwecks Abstimmung. Wie aufmerksam und feingliedrig die Arbeit in einem großen Architekturbüro ineinander greifen muss, ist für mich dabei sehr deutlich geworden. Der ganze Prozess verlief völlig anders, als wenn bloß Kunst zugekauft worden wäre.

CHRISTIAN REDER: Ein solches intensives Zusammenwirken von Architektur und künstlerischen Interventionen erscheint in der Abwicklung eher kompliziert, konfliktanfällig. Ganz praktisch gefragt: Hat da sehr viel auf Vertrauensbasis funktioniert oder gab es penible Verträge?

BRIGITTE KOWANZ: Natürlich wurde ein Vertrag zum Grundlegenden gemacht, er enthielt aber nichts Spitzfindiges, Kleingedrucktes, weil Hans Zwimpfer solche Kooperationen sehr persönlich auffasst und Vereinbarungen freimütig ausgelegt werden.

CHRISTIAN REDER: Brauchst du dann für solche großen Aufgaben noch eigene Helfer, Techniker, Zulieferfirmen oder übernimmt das meiste das Architekturbüro?

BRIGITTE KOWANZ: Das hat die koordinierende und die psychologisch coachende Funktion. Dort arbeitende Architekten decken die technischen, materialbezogenen, kalkulatorischen Teilbereiche ab. Sie managen die Kontakte mit Lieferanten.

CHRISTIAN REDER: Eine Einzelperson wäre damit sichtlich überfordert.

BRIGITTE KOWANZ: Für Künstler, die sich auf solche Aufgaben einlassen, ist das sicher oft eine kaum leistbare, immer wieder unterschätzte Belastung. In diesen Fällen hat die Arbeitsteilung problemlos funktioniert.

CHRISTIAN REDER: Lässt sich da bis zuletzt aus künstlerischen Gesichtspunkten etwas ändern oder ist der *point of no return* schon eher früh erreicht?

BRIGITTE KOWANZ: Gerade bei Projekten dieser Größenordnung, die so stark in die Architektur eingreifen, wäre es ein Zeichen von Undurchdachtheit, wenn immer wieder Änderungsintentionen auftauchen. Es war durchaus genug Zeit um alles in Ruhe zu entwickeln; da wäre es unsinnig, nach vier Jahren essenziell anderes zu wollen. Bei kleineren Projekten hingegen kann es durchaus sein, dass ich noch etwas Verbesserungswürdiges entdecke, selbst im letzten Moment.

CHRISTIAN REDER: Öffentlich wahrgenommen werden Eröffnungsphasen. Von denen gibt es die Bilder, die Medienberichte. Wir kennen aber doch alle Beispiele dafür, wie rasch selbst hervorragend konzipierte Bauten verkommen, wie ihnen zugesellte Kunstwerke vergammeln, weil sich um die Pflege niemand kümmert, weil konzeptlos umgebaut wird, weil neue Mieter einziehen, weil ein Gebäude verkauft wird. Gibt es bei dir ein Interesse – und die faktische Möglichkeit – für eine nachfassende Kontrolle?

Sind Verträge dazu denkbar? Es täte doch jedem Architekten gut, seine Bauten alle paar Jahre aufzusuchen, inklusive Kontakt mit Benutzern und Bauherrn.

BRIGITTE KOWANZ: Da ist etwas dran, nur muss nicht alles für die Ewigkeit gedacht sein. Kunst kann auch wieder einmal entfernt werden. Es kommt auf den Anspruch der jeweiligen Arbeit an – ob sie gewartet werden muss, ob sie sich so zeigen soll, wie sie konzipiert wurde oder auch altern darf.

CHRISTIAN REDER: Sind die budgetären Bedingungen halbwegs übersichtlich, mit einem Künstlerhonorar für den Entwurf und gesonderten Arbeits- und Materialkosten?

BRIGITTE KOWANZ: Das läuft sehr unterschiedlich. In Basel und bei anderen Großprojekten hatte ich mit den Herstellungskosten nichts zu tun. Oft gibt es aber von vornherein limitierte Budgets mit denen ich zurechtkommen muss.

CHRISTIAN REDER: Lassen sich die Hauptfehler, die Unerfreulichkeiten bei solchen Kunstprojekten im öffentlichen Raum resümieren? Was sollte vermieden werden? Was könnte besser funktionieren?

BRIGITTE KOWANZ: Eine frühzeitige Einbeziehung ist sehr wichtig. Die Frage nach künstlerischer Mitwirkung taucht oft viel zu spät auf. Viele Architekten wollen das auch nicht; offensichtlich, damit ihre Autonomie, ihr Werk, nicht mit jemandem geteilt werden muss. Die Auffassungen gehen da weit auseinander. Manche Architekten akzeptieren überhaupt keine Integration künstlerischer Arbeiten anderer, manche höchstens, wenn sie autonom ein Gegenüber oder ein Zubehör bilden. Die Fehler? Die Auffassungen müssen kompatibel sein. Gewisse Aufgabenstellungen oder Themen sind für bestimmte Künstler, Künstlerinnen ideal, für andere überhaupt nicht. Das herauszufinden ist Aufgabe des Bauherrn, des beauftragten Architekten, von Gutachtergremien oder einer Jury. Wer da einbezogen ist, welche Kenntnisse eingebracht werden, welches Zusammenspiel zu erwarten ist, zeigt oft schon, ob es sich lohnt, überhaupt teilzunehmen. Allzu Persönliches fördert Inzucht, kann aber auch vertrauensbildend sein. Mit dem Dazugehören ist das eben so eine Sache…

CHRISTIAN REDER: Die Autonomiekontroverse zwischen Architektur und – sagen wir – Objektkunst, Konzeptkunst führt ja nicht gerade oft zu wirklich überzeugender Zusammenarbeit. Vieles reduziert sich auf bloße Ausstattung: die Skulptur vor dem Eingang, im Innenhof, ein Fassadendekor, repräsentative Bilder. Der Potsdamer Platz in Berlin etwa wirkt auf mich bloß wie eine Kulisse anscheinend nobler Geschäftsmäßigkeit, trotz – oder vielleicht gerade wegen – der überall platzierten Kunstobjekte oder der beweglichen Jean Tinguely-Skulptur im Daimler-Chrysler-Haus, die „aus Sicherheitsgründen" schon seit längerem nicht mehr zugänglich ist.

BRIGITTE KOWANZ: Einiges ist schon weitergegangen. Wegen unterschiedlicher Auffassungen wurde alles sehr individuell. Wie gesagt, Architekten, die sich als Künstler sehen, wollen in der Regel keine weitere Kunst mehr einbinden. Andere finden es wieder spannend mit einem Gegenüber in Dialog zu treten. Aus meiner Sicht kann beides richtig sein. Manchmal wird es möglich, mit einer eigenen künstlerischen Arbeit sehr tief in die Architektur einzudringen, es kann aber auch eine abgesonderte skulpturale Lösung überzeugen. Ich glaube da nicht an Modelle sondern an verschiedene Wege.

CHRISTIAN REDER: Gesprächsweise war ich immer wieder in die *Kunst am Bau*-Thematik involviert. Gerade im öffentlichen Bereich sollte mit fixen Prozentsätzen der Bausummen eine Einbindung künstlerischer Arbeiten erzwungen werden. So etwas zu organisieren, bis hin zu Gestaltungsbeiräten, macht zwar Defizite bewusster, kann da und dort Qualität verbessern, bleibt aber behelfsmäßig. Oder würdest du dir feststehende Budgetanteile für dezidiert künstlerische Beiträge wünschen?

BRIGITTE KOWANZ: Das starr für jeden öffentlichen Bau festzusetzen wäre falsch. Ein Pool für außerordentliche Projekte, in den auch Beträge aus Baubudgets fließen, wo „verordnete" Kunstintegration keinen Sinn macht, könnte aber Dynamik auslösen. Regional verschiedene Ansätze wirken durchaus anspornend. Von Graz, von Wien sind bekanntlich sehr eigenwillige Architekturinitiativen ausgegangen. In Niederösterreich läuft das über Katharina Blaas sehr gut [vgl. Katharina Blaas-Pratscher (Hg.): *Veröffentlichte Kunst, Kunst im öffentlichen Raum Niederösterreich*, Wien-New York 1999–2004]. Im Ruhrgebiet wird der Transformationsprozess der Industrielandschaft von ehrgeizigen Projekten intensiviert, viele davon unter Einsatz von Licht. Insgesamt passiert auf diesem Gebiet in Deutschland sicher mehr als in Österreich. Das Verständnis, gerade auch von Unternehmensseite, ist dort bereits ein viel breiteres. Irgendwelche Zeichen von „Modernität" bringen nichts. Es ginge um ein Sichtbarmachen von Denkprozessen, um intensiviertes Wahrnehmen von Situationen, um Angebote an aufmerksame Sichtweisen.

CHRISTIAN REDER: Dass in jedem TV-gerechten Politiker- und Managerbüro längst wenigstens irgendetwas „Modernes" hängt, Freundschaften mit Künstlern herausgestellt werden, Creative Industries zum Schlagwort wurden, will offensichtlich vorspiegeln, wie fortgeschritten die Formierung von „Kulturgesellschaften" längst sei, obwohl überall „Retro"-Tendenzen um sich greifen. Gerade im öffentlichen Raum ließe sich da einiges tun, durch herausragende oder auch verborgen-subtile künstlerische Interventionen. Singuläre Projekte, wie dein Lichtturm in Bürs in Vorarlberg, ein zur Skulptur transformierter Industrieschornstein, oder die neue Bergisel Schanze von Zaha Hadid in Innsbruck verdrehen immerhin Vorstellungen vom ansonsten unveränderlich erscheinendem Alpinem. Über das Umfeld, also das Spiel von Nachfrage, Angebot, Finanzierbarkeit, Einflussnahmen und merkwürdigsten Unwägbarkeiten ließe sich allerdings ewig reden; gelungene Projekte erhellen es manchmal.

BRIGITTE KOWANZ: Dabei kommt es immer auf Interessen und Informationsstand der Beteiligten an. Plötzlich ergibt sich irgendwo eine wagemutigere Gruppensituation und schon kann einiges passieren.

CHRISTIAN REDER: Ob es nun um Aufträge oder freies Arbeiten geht: Wie laufen Transfers in deinem Inneren ab, im Denken, Empfinden; wie konkretisieren sich Impulse? Lässt sich davon etwas mitteilen, damit die Methodik bewusster wird? Für Ausbildungsprozesse sind das doch entscheidende Vorgänge – als Weg zwischen der Forderung nach hinreichender Allgemeinbildung, fundierten kunsttheoretischen Kenntnissen, notwendigem Spezialwissen, tausenden fragmentarischen Einsichten.

BRIGITTE KOWANZ: Ich lese derzeit hauptsächlich Fachliteratur, schon aus Zeitgründen. In die mich umgebenden Bildwelten bin ich ohnehin eingebunden. Ein Grundstock an Wissen, an Kenntnissen sammelt sich an, vermittelbar ist das eher im Gespräch, in der Diskussion über Konkretes. Woher die Impulse etwas so oder so zu machen letztlich kommen, kann einem nicht völlig bewusst werden. Arbeitsschritte und Ergebnisse aber lassen sich sehr wohl analysieren. Jedes Projekt erzeugt seine eigenen Input-Konstellationen. Naturwissenschaften sind für mich dabei sehr wichtig, Physik, Mathematik, Optik. Auch an der Universität verstehen wir uns als übergreifend arbeitende Abteilung, die sich mit verschiedenen Bereichen auseinandersetzt und aus konkreter Beschäftigung die Impulse bezieht, von technischen Möglichkeiten bis zu philosophischen Argumentationen. Ein solches Vermischen von Denkmöglichkeiten transformiert sich im Idealfall zu formal umsetzbaren Positionen. So gesehen ist alles Folge von Transfers, von Vermittlung – ob das nun internalisiert abläuft, ein Austausch mit anderen ist oder ein arbeitsteiliger Prozess bei der Umsetzung.

CHRISTIAN REDER: Um überhaupt etwas anzufangen, muss ich mich doch gewissermaßen frei machen. Wissen kann lähmen. Es lassen sich nicht gleich alle verfügbaren Modelle mitdenken. Naivität wiederum kann genauso in die Irre führen. Geschichten vom Scheitern, vom latenten Druck zu Pragmatik sind existenzielle Erfahrungen, sobald es darum geht, von – manchmal noch vagen – Vorstellungen zum Handeln, von Theorie zur Praxis überzugehen. „Um eine Praxis festzulegen," so eine mir immer wieder präsent werdende Bemerkung Wittgensteins, „genügen nicht Regeln, sondern man braucht auch Beispiele. Unsere Regeln lassen Hintertüren offen, und die Praxis muss für sich selbst sprechen." [*Über Gewissheit*, Frankfurt am Main 1970, S. 44f.]. In meiner Denkweise sind solche Beispiele konzipierte bzw. realisierte Projekte.

BRIGITTE KOWANZ: Auch ich bin entschieden dafür, die Gegenseitigkeit von Theorie und Praxis nicht zu eng zu sehen. In den letzten dreißig Jahren war doch offensichtlich, wie sich das immer wieder ändert, wie sich die Gewichte verschieben. Die 70er Jahre: sehr intellektuell, Konzeptkunst, sehr theoretisch angelegt. Dann kam der Schwenk zur Malerei, wieder ganz subjektiv. Dann ging es nicht ohne Kontext; wieder sehr, sehr theorielastig, bis hin zu Dienstleistungen, zu sozialen Initiativen, also einem völlig anderen Werkbegriff. Jetzt findet wieder eine gewisse Entfernung von Theorie statt. Die Information soll erneut hauptsächlich im Werk selbst liegen, ohne getrennt davon aufgestellte Theorien zu brauchen. Solche Wellen sind eben Ausdruck permanenter Veränderung; es steht einem frei, wie intensiv dem gefolgt wird.

CHRISTIAN REDER: Auch meine eigene Involvierung in künstlerische Denkweisen hat über Beispiele, über sichtbar Werdendes funktioniert und über die vielen Gespräche dazu. Was man – den stringenten Regeln entsprechend – lesen musste, führte einen oft erst über weite Umwege wieder zu Erkenntnispunkten hin. Für die intellektuelle Sozialisation war also die „Kommunikation von Nichtwissen" [Niklas Luhmann: *Beobachtungen der Moderne*, Opladen 1992, S. 178] letztlich so wichtig wie bei jedem komplexeren Projekt. In der angeblich ausbrechenden Wissensgesellschaft wird das Gegenteil behauptet.

BRIGITTE KOWANZ: Unsere Studierenden gehen verständlicher Weise oft völlig unbekümmert um Theorien an etwas heran, um aus ihren Denk- und Empfindungswelten heraus zu Realisierungen zu gelangen. Interne Diskussionen und Vorlesungen verwirren sie dann oft total, bis hin zum Schaffensstopp. Eine Zeitlang geht dann gar nichts mehr. Erst nachdem wieder Distanz gewonnen wurde, werden neuerlich gangbare Wege gesehen.

CHRISTIAN REDER: Was ließe sich angesichts der Flut auf einen eindringender Impulse, Bilder, Kürzel, Codes auch schon verstehen, selbst wenn versucht wird, das zu strukturieren? Ein Verstehen „des Kapitalismus" oder der Kunstgeschichte allein kann es nicht sein. Erfahrungen mit Marginalem, Beiläufigem, Querlaufendem bildhaft zu transformieren liefert genauso Ansatzpunkte. Okwui Enwezor, Leiter der Documenta XI, will daher als neuer Dekan des San Francisco Art Institute „fünf Zentren für Querverbindungen zwischen Kunst, Wissenschaft, öffentlicher Praxis, Medienkultur und Sprache" etablieren [*Kunstzeitung*, Regensburg, Nr. 103/März 2005]. Künstlerische Ausbildung ist ohne solche Bezüge ohnedies nicht denkbar, ob sie nun unter dem Oberbegriff Transmediale Kunst, wie bei dir, oder als Kunst- und Wissenstransfer, wie in meinem, pointiert fachübergreifendem, nicht explizit auf Kunst hin orientierten Feld stattfindet. Wir wissen aber, wie schwer solche Anreicherungen zu organisieren, zu intensivieren sind. Endlose Leselisten würden erstickend wirken. Meine Antwort auf dieses Dilemma ist ein Denken in Projekten – also Projektangebote, die Räume für experimentelle Praxis schaffen, als Testfelder für die Präzisierung von Wahrnehmungsfähigkeit, für den Einsatz von Text, Bild, Ton. Von der Konzeption bis zu Katalogbuch und Ausstellungen können alle Beteiligten mitwirken. In den Büchern zu diesen kollektiven Vorhaben geht es mir um ein gleichrangiges Zusammenwirken von Text und Bild. Fragende Positionen sind dabei wichtig und dass Vermischungen nicht zu Beliebigem ausufern.

BRIGITTE KOWANZ: Initiativen wie die von Enwezor formalisieren vielleicht stärker, was ständig mehr oder minder unorganisiert stattfindet. In der Ausbildung lässt sich nichts davon sozusagen abschließend leisten. Es geht um Öffnungsprozesse, um ein Freilegen gedanklicher Möglichkeiten. Für ein Weltverständnis, und sei es noch so fragmentarisch, ist das Verbinden spezialisierter Wissensgebiete essenziell. Das gehört zweifellos bestärkt.

CHRISTIAN REDER: Zugleich ist ein Auseinanderdriften von Text- und Bildwelten unübersehbar, so als ob sich zwei bloß noch lose verbundene Kulturen herausbilden würden. Fernsehdominanz, Globalisierung, Analphabetenraten beschleunigen einen Übergang zur Bildkommunikation. Bildhafte Wirkungen wurden viel wichtiger als jede inhaltliche Aussage. Analytische Kritik, die diesen Namen verdient, wird Sache von Reservaten, auch was die Kunstberichterstattung betrifft.

BRIGITTE KOWANZ: Für die gängigen Medien stimmt das sicher. Alles spezialisiert sich. Vieles verflacht. Im Feld der Kunsttheorie, der Kunstbücher lässt sich aber nicht von einer rückläufigen Tendenz sprechen. Was du generell ansprichst, ist schon für Vilém Flusser ein zentrales Thema gewesen, als historisch weitläufiger Weg von bildhaftem Denken über die Entwicklung von Schrift hin zu neuerlicher, nun medial bestimmter Bildhaftigkeit. An der jungen Generation wird das sehr deutlich; Musik, Computerspiele, Bildschirme, Codes …

CHRISTIAN REDER: In sich neu formierenden Bildwissenschaften wird darauf eingegangen. Ist Bildkunst in einer solchen Betrachtung bloß noch ein Spezialbereich, definiert durch den Anspruch, durch Qualität, durch Präsentationsformen?

BRIGITTE KOWANZ: Mit solchen Abgrenzungen habe ich keine Probleme. Sie ergeben sich gewissermaßen von selbst. Ein Buch kann durchaus ein Kunstwerk sein. Grafik-Design fällt in aller Regel nicht unter diesen Begriff. Entscheidend ist, ob sich jemand als Künstler versteht. Wenn Künstler Bücher oder Filme machen läuft die Auseinandersetzung anders.

CHRISTIAN REDER: Zugleich nimmt der Professionalisierungsdruck zu, also der Zwang, sich im Kunstbetrieb bewegen zu können, Kontakte zu managen, das Geschehen zu verfolgen, Budgets zu erstellen, Ausstellungen und Kataloge zu konzipieren, Projekte bis in jedes Detail auszuarbeiten.

Zwischen halbwegs effizienter Selbstorganisation und glattem Businessverhalten scheint vieles verloren zu gehen, Anarchisches, Wildes, Eigensinniges – so die immer wieder hochkommende Befürchtung.

BRIGITTE KOWANZ: Dass Studierende professionell agieren lernen, ist mir schon ein Anliegen. Sie sollen wissen wie es funktioniert. Andernfalls hätten sie eindeutig Nachteile. Das heißt noch nicht Anpassung. Abweichen kann ich leichter, wenn mir klar ist wovon. Andererseits irritiert inzwischen, wie perfekt Konzepte, Bewerbungen, Einreichungen gestaltet sind, bis hin zur Eintönigkeit. Wieder mit Handskizzen zu kommen, kann also durchaus Sinn machen. Wir fordern jedenfalls ständig Präsentationen der Arbeiten, damit die Artikulation sicherer wird.

CHRISTIAN REDER: In Projektbesprechungen von Kunststudierenden mit Außenstehenden wird oft deutlich, dass mit übergreifenden, scheinbar undisziplinierten – also nicht einer Disziplin verpflichteten – Argumenten gerade gegenüber Fachexperten verblüffende Denkprozesse in Gang gesetzt werden. Einen solchen, immer wieder geforderten Austausch auszubauen, könnte Berufsfelder ausweiten. Künstler als Spezialisten für Ästhetisches aufzufassen befriedigt mich nicht. Dennoch weist in der Ausbildungsautomatik vieles in diese Richtung, schon wegen der Fachsparten, die gewählt werden müssen. Auf der „Gegenseite" wiederum gibt es weiterhin nirgends Politikgremien oder Aufsichtsräte, in denen Künstler etwas zu reden hätten. Spezialisten und Generalisten der bestimmten Art bleiben unter sich. Punktuell wenigstens hat es auch schon anders funktioniert: Architekten wie Peter Behrens für die *AEG*, ein Herbert Bayer [*Container Corporation of Amerika*, *Atlantic Richfield*, Los Angeles] oder Otl Aicher [*Braun*, *Bulthaup*, *Lufthansa*] haben wirklich mitbestimmende Funktionen gehabt.

BRIGITTE KOWANZ: Eine solche permanente Integration künstlerischer Standpunkte steht eigentlich nirgends mehr zur Debatte; vielleicht würde sie einen auch zu sehr einbinden. Projektbeziehungen dürften wirkungsvoller sein.

CHRISTIAN REDER: Ein anderes Thema: Du bist in intensivierte künstlerische Kontakte mit den arabischen Emiraten eingebunden. Meine regionalen Transferschwerpunkte der letzten Jahre waren angeblich „schwierige" Länder wie Syrien und Libyen. Catherine David wiederum, die Leiterin der Documenta X, verfolgt trotz ihres Wechsels vom Witte de Witt Museum in Rotterdam an die Humboldt-Universität Berlin ihr Langzeitprojekt *Contemporary Arab Representations* weiter. Auf vielen Ebenen entwickeln sich da ausgeweitete öffentliche Räume, konträr zur Kulturkampfpropaganda. Von uns in Damaskus geknüpfte Kontakte setzen sich fort, ohne dass ich noch involviert sein müsste. Aus der konkreten Projektarbeit dort, über mehrere Wochen hinweg, ist also immerhin ein Hin-und-her-Fließen entstanden. Dabei wird einem auch bewusster, wie postkolonial westlich der Kunstbetrieb mit seiner Art von Professionalität, von Eingebundenheit funktioniert. Nur was in ihm als universell bedeutsam Akzeptanz findet, hat Chancen auf eine gewisse Geltung. Der Rest: regionale, unbedeutende Kunst … oder eben Beiträge zur uferlosen Produktion kultureller Artefakte …?

BRIGITTE KOWANZ: Dafür sind die Emirate sicher nicht typisch, weil sie sehr westlich orientiert sind. Aber auch dort sichtbar werdende Differenzen sind spannend. Nicht in religiöse Zusammenhänge eingebundene Kunst geht eindeutig in Richtung „Westkunst"; traditionelle Formen, vor allem etwa Kalligraphie, behaupten jedoch durchaus eine Eigenständigkeit und daraus kann sich wiederum eine vielschichtige Universalisierung – als Zusammenspiel von Codes – ergeben.

CHRISTIAN REDER: Sobald Nationales, kulturell Zuordenbares anklingt, chinesische Symbole als Hochhausbekrönung in Peking, Magyarisches in Ungarn, Palmen, Kamele auf „Orientbildern", wirkt das doch meist simpel spekulativ, als Wiedererkennungseffekte, die sich auf touristische Stereotypen und Verschwindendes berufen. Bei Anspielungen auf offiziell Österreichisches, eklatant Deutsches, Schweizerisches ist das genauso. Sich entsprechenden Transformationsaufgaben zwischen Tradition und Moderne zu stellen, ist ohne Negation oder Radikalisierung kaum denkbar. Im Museum moderner Kunst in Damaskus etwa, wird einem das erste moderne Bild Syriens aus den 1920er Jahren gezeigt und ansonsten ein dichter Überblick über die künstlerische Entwicklung im Land. Nichts sonst. Die Dominanz Frankreichs, als ehemalige „Schutzmacht", ist unübersehbar. Dass diese Moderne-Sammlung kaum auffindbar am Stadtrand liegt, fast nirgends Erwähnung findet, weil sie offensichtlich politisch nicht besonders erwünscht ist, führt vor, wie stark diesbezügliche Unsicherheiten weiterhin sind.

BRIGITTE KOWANZ: In Sharjah bei Dubai ist das unter Shaikh Sultan Bin Mohammed Al-Qassimi viel offensiver. Er hat ein modernes Museum einfach für notwendig gehalten. Von der lokalen künstlerischen Tradition sind Beispiele zu sehen, ansonsten ist die begonnene Sammlung völlig westlich. Es ist klar erkennbar, wo sie hin wollen. An bestimmten modernen Gebäuden werden durchaus Positionen deutlich; Materialen, Glasfenster halten Regionales in Erinnerung, aber in radikal vergegenwärtigter Atmosphäre.

CHRISTIAN REDER: Um zur Ausgangsfrage „etwas zusammenbringen?" zurückzukehren: Mit ironischem, Unsicherheit einbeziehendem Unterton wird damit auch ein Abschließen, ein Fertigstellen angesprochen, einschließlich dafür nötiger Arbeitsteilung und Kooperation mit anderen. Wie beendest du deine Arbeiten? Für mich sind sie Ausdruck von Offenheit, sie verschließen nichts. Verstehst du sie deshalb als Fragmente in einem weiterlaufenden Prozess? Bei mir ist ein Text fertig, wenn mir keine Verbesserungen mehr einfallen, dann kommt das Nächste. Wie funktioniert das bei dir?

BRIGITTE KOWANZ: Zusammenbringen und nicht zusammenbringen kann durchaus ein Thema als solches sein. Im Kern geht es mir immer um Fragen der Optimierung. Ich glaube nicht, dass alles in einer Geschichte gesagt wird, gesagt werden kann. Schon deswegen ergeben sich immer gedankliche Brücken zum Nächsten. Meine Arbeiten, jede für sich gesehen, verstehe ich also nicht als Fragmente …

CHRISTIAN REDER: … sondern als selbständige Zwischenstücke zum nächsten Projekt?

BRIGITTE KOWANZ: Ja. Im Fertigwerden werden sie zur Basis für das Folgende.

Foto: Walter Martin / www.voller-ernst.de

„Reformerisch, im Sinn positiver Veränderungen
weiter zu arbeiten, ist für mich nicht eine Frage der
Selbstbefriedigung, sondern des Selbstverständnisses."

Fons Hickmann

„Stagnation zu ertragen fällt mir schwer"

Fons Hickmann im Gespräch mit Christian Reder

CHRISTIAN REDER: Am Weg zu unserem Treffen ist mir ein schwarzes *ups*-Auto des größten privaten Paketzustellers United Parcel Service aufgefallen mit der kühnen Aufschrift: „Weltweite Dienstleistungen. Wir synchronisieren die Welt des Handels." Ergibt diese Botschaft einen Einstieg in unser Thema Kommunikationsdesign – wo es ja auch um Verbindungen, also Transfers, um global verständliche Visualisierung geht?

FONS HICKMANN: Solche gewichtigen Worte möchte ich gleich einmal zerlegen und genauer differenzieren. Nicht „die Welt des Handels" sondern „die Welt des Handelns" hat für mich Priorität. Es geht um Kommunikation die Handeln ermöglicht. Synchronisieren wiederum hieße Differenzen verständlich machen. Wer etwa in Asien unterwegs ist, dem wird ständig bewusst, wie stark visuelle Zeichen präsent sind, als die zahllosen gesprochenen Sprachen überlagernde Verständigungsebenen. Visuelle Codes ermöglichen unmittelbares Verstehen. Alles Nonverbale, bis hin zur Körpersprache, gehört in diesen Bereich. Dass durch Synchronisieren viel verloren gehen kann – Eigenständiges, Eigensinniges, Doppelsinniges, Ungewöhnliches bestimmter Ausdrucksformen – ist das Bedrohliche dabei. Dem mit visueller Sorgfalt entgegen zu arbeiten verringert im Idealfall solche Nivellierungstendenzen. Die Bereicherung, die aus der Überlagerung unterschiedlicher Kulturen, unterschiedlicher Zeichensysteme entstehen kann, muss als potenzielle Qualität im Blick bleiben.

CHRISTIAN REDER: Als Fremder, als Außenseiter, als Berater ist manches davon vielleicht präziser zu sehen. Einheimische wissen in ihrer Stadt reflexartig, wo es lang geht; deswegen sind Leitsysteme und Wegweiser für andere oft so uneinsichtig; sie sollten von Fremden oder mit den Augen von Fremden konzipiert werden.

FONS HICKMANN: Da ist schon etwas dran, nur halte ich mehr von Experten, die sich systematisch damit auseinandersetzen und es schaffen, rein subjektive Blickwinkel zu verlassen. Das muss man auch können, damit eine bewusste Deplatzierung und Distanzierung stattfinden kann und somit die Problemstellung strukturierter wahrgenommen wird. Ergebnisse mit Außenstehenden zu überprüfen fiele dann in die abschließende Testphase.

CHRISTIAN REDER: Wenn ein Sich-Auskennen, ein Geleitet-Werden von Symbolsystemen gesteuert und ein durch Schrift vermitteltes Verstehen von Bildwelten abgelöst wird, zeichnet sich für Kommunikationsdesign zwar eine Schlüsselfunktion ab, zugleich engt eine solche Programmierung aber doch Freiheiten ein. Wer will schon ständig gesteuert, geleitet werden?

FONS HICKMANN: In Orientierung und Vermittlung sehe ich nichts Problematisches. Jeder will sein Flugzeug rechtzeitig erreichen oder eine bestimmte Adresse finden. Eine zu Totalitärem ausartende Dramatik entstünde erst durch Zwangsmassnahmen. Wahlmöglichkeiten und Freiwilligkeit sind also das Entscheidende. Informationsdesign soll komplexe Sachverhalte verständlich machen, einschließlich emotioneller Komponenten. Ziel ist, dass die Adressaten verstehen, was gemeint ist, also Bilder, Typografie, Komprimierungen entsprechend ineinander greifen. Ein Bündel von Codes wird in ein anderes Bündel von Codes transformiert, damit diese visuelle Sprache verstanden wird.

CHRISTIAN REDER: Zu Transferleistungen von Ornamentalem, von Zeichen also, argumentiert Burghart Schmidt ausführlich an anderer Stelle in diesem Band; Walter Holzer kommentiert Rechtsfragen im Zusammenhang mit Originalen, Duplikaten, Logos und Marken. Unübersehbar ist, dass Otto Neurath mit seiner Revolutionierung statistischer Symbole komplizierte Datenlagen viel schneller begreifbar gemacht hat …

FONS HICKMANN: … zweifellos, das ist weltweit enorm wirksam geworden; Piktogramme aber gibt es seit Jahrtausenden, als Reduktion von Komplexität. Auch Neuraths Bildsprache hat diesen universellen, selbst Analphabeten zugänglichen Charakter, ist also ein wichtiger Beitrag zu Gleichheit und zu gleichen Chancen.

CHRISTIAN REDER: Buchstaben, ob nun als Bild- oder als Lautzeichen entstanden, sind ebenfalls Einzelteile. Es wird zerlegt und neu zusammengesetzt. Für ein Verständnis der Welt, so Hans Blumenberg in seinen Reflexionen dazu, war die Auflösung in Einzelteile eine essenzielle Grundbedingung, seien es Buchstaben, Elemente, Atome oder genetische Codes [*Die Lesbarkeit der Welt*, Frankfurt am Main 1986]. Die tausenden Bildzeichen im Alltag nimmt jedoch nur noch der suchende Blick wahr; im Moment Unnützes fließt einfach vorbei.

FONS HICKMANN: Deswegen ist es mir ein Anliegen, Kommunikationsdesign aus diesen begleitend-unbewussten Sphären näher an ein tatsächliches Wahrnehmen heranzuführen und damit Handlungsabläufe sinnvoll zu unterstützen. Ohne schnell verständliche Signale ließe sich am Morgen die Zahnpasta nicht finden und alle würden im ungeleiteten Verkehr stecken bleiben.

CHRISTIAN REDER: Es gab aber immer wieder das Argument, akustische Signale für Blinde bei Ampelanlagen oder spezielle Routen für Behinderte würden Hilfsbereitschaft weiter unterminieren und alles überorganisieren.

FONS HICKMANN: Das kann ich in keiner Weise so sehen; jede solche Verbesserung erleichtert deren Leben. Hilfsbereitschaft erreicht man nicht durch Schaffung von Notständen. Hilfsbewusstsein ist die soziale Verantwortung einer Gesellschaft. Es ist ein Missverständnis, wenn Hilfe oder Spenden als „Geschenk" aufgefasst werden. Hilfe zu empfangen und Hilfe zu geben sind essenzielle Kategorien des gegenseitigen Selbstverständnisses.

CHRISTIAN REDER: Wie steht es um die Routine von Experten im Gegensatz zur Intention, immer wieder von Neuem zu beginnen? Mit deinem Vorgänger als Professor für Grafik-Design an der Universität für angewandte Kunst Wien, Tino Erben, habe ich in den 70er Jahren für das Beratungsunternehmen Knight-Wegenstein in Zürich jedes Mal völlig neu gestaltete Geschäftsberichte konzipiert, um damit Veränderungsbereitschaft zu demonstrieren und Corporate-Design-Zwänge aufzubrechen. Einmal haben wir zum Beispiel ausschließlich die beschäftigten Frauen abgebildet, ein andermal den gesamten Inhalt in Briefmarkengröße schon am Cover gezeigt. Das Leitsystem der Wiener U-Bahn hat er entwickelt, ohne vorher je mit einer solchen Aufgabe befasst gewesen zu sein [vgl. *So oder auch anders. Tino Erben Grafik-Design*, Wien 2001]. Inzwischen werden bei Ausschreibungen sicher fünf gleichartige Referenzprojekte verlangt. Mir steht das von Grund auf neu Überlegen näher, schon um dem Kopieren zu entkommen. Auch für die *Edition Transfer* arbeite ich immer wieder mit anderen Grafikern zusammen, weil mir spezielle Lösungen wichtiger sind als Einheitlichkeit.

FONS HICKMANN: Da sprichst du mir aus der Seele, weil wir uns mit meinem Berliner Atelier vorrangig auf Aufgaben stürzen, die neue Herausforderungen sind. So haben wir gerade das Informationsdesign des Mercedes Benz Museums von Ben van Berkel in Stuttgart in Arbeit, in dessen architektonischer Doppelhelix-Struktur sich ein Besucher ohne Navigation bald verirren würde. Das Leitsystem muss einem immer sagen, wo man sich gerade befindet und wo sich anbietende Wege hinführen. Den Auftrag haben wir bekommen, weil wir darstellten, wie wir mit Aufgaben umgehen, von interaktiven Systemen bis zum Printbereich. Für ein Museum haben wir vorher nie gearbeitet. Die konzeptionelle Herangehensweise muss überzeugen. Unser generalistischer Ansatz inkludiert kategorische Fragen und verfeinert sich Schritt für Schritt.

CHRISTIAN REDER: In meiner Consulting-Zeit war ich an einer grundlegenden Organisationsreform der Creditanstalt in Wien beteiligt, ein handwerklich interessantes Projekt, weil dutzende sich verteidigende Abteilungen in kompakte neue Geschäftsbereiche eingegliedert wurden. Um das von außen erkennbar zu machen, sind allein für das Abtesten eines neuen Logos stattliche Summen ausgegeben worden, möglicherweise mehr als für die Entwürfe; offensichtlich weil man sich über deren Akzeptanz unsicher war.

FONS HICKMANN: Von solchen Marktforschungen halte ich wenig. Sie fördern Tendenzen zu Mittelmaß und Kompromissen. Es braucht den Mut zu eigenständigen Vorgaben und ein Vertrauen in beauftragte Designer. Durchdachte Testverfahren können dann schon etwas bringen, man sollte sich aber nicht beirren lassen, da das Neue naturgemäß zu Beginn fremd und ungewohnt erscheint. Erst in der Reflexion und mit der Zeit erweist es sich als richtig. Zaghaftigkeit, fehlender Mut und Unsicherheit sind der Tod jeder Innovation.

CHRISTIAN REDER: Trotzdem ist die Logo-Kultur gleichsam ein Fundament der herrschenden Wirtschaftsordnung – und Angriffspunkt von Globalisierungskritikern [etwa Naomi Klein: *No Logo!*, München 2005]. Selbst in intellektuellen, gestalterischen, künstlerischen Sphären verlieren sich persönliche Leistungen im Anonymen, wenn sie nicht durch Bekanntheit stabilisiert, also gewissermaßen zur Marke werden. Zugleich werden mit Personen verbundene Markennamen, ob nun Jil Sander oder Helmut Lang, wieder unbekümmert „kollektiviert", wenn es in die geschäftlichen Strategien von Aufkäufern passt. Es genügt der Anschein von Persönlichem, entworfen wird vielfach von Teams.

FONS HICKMANN: Nach meiner Auffassung, das betone ich immer wieder, sind Logos etwas für Nostalgiker. Denn in der heutigen Zeit funktionieren starre Zeichen nicht mehr wie gewohnt, weil so die viel komplexeren Problematiken nicht vermittelbar sind. Ein zeitgemäßes Corporate Design erfordert flexible Zeichensysteme. Selbst die katholische Kirche mit ihrem Kreuz operiert seit jeher mit tausenden Abweichungen vom Grundmuster. Erkennbarkeit lässt sich über permanente Präsenz durchaus schaffen. Die Menschen selbst aber sind in derart ausufernde Flexibilisierungserfahrungen eingebunden, dass sich das auch in Orientierungssignets und im Markendenken widerspiegeln sollte. Wir übernehmen daher keine Aufträge zur bloßen Gestaltung von Logos. Erst wenn sie als einer von vielen Bausteinen begriffen werden, kann sinnvoll konzipiert werden, wie ein Unternehmen, wie eine Institution insgesamt auftritt. Corporate Design ist Vorstufe zur Corporate Identity, also zur permanenten Arbeit an einer Unternehmenskultur, dem Corporate Behavior, der Qualität der Architektur, dem Umgang mit Medien. Immer geht es dabei um das Zusammenspiel kommunikativer Systeme.

CHRISTIAN REDER: Wird es – als Analogie zum Kreuz – den Mercedes-Stern ewig geben?

FONS HICKMANN: Das Kreuz bleibt, der Stern geht unter. Der Mercedes-Stern ist schon jetzt nicht mehr Zeichen für ein Unternehmen, sondern nur noch das einer Marke. Das Unternehmen heißt inzwischen Daimler-Chrysler, wie wir wissen. Marken sind Produkte, keine Philosophien und keine Religionen. Die Halbwertszeit von Marken ist noch viel geringer als jene von Religionen.

CHRISTIAN REDER: Inwieweit über visuelle Eindrücke tatsächlich die viel zitierten Unternehmenskulturen positiv mitgeprägt werden können oder nur schönere Fassaden entstehen, bleibt als Antagonismus so latent, wie bei von innen her konzipierten Organisationsreformen, an denen ich immer wieder mitgearbeitet habe. Über die temporäre Projektarbeit externer Berater ist so etwas nur bis zu einem gewissen Grad beeinflussbar. Kontinuität würde ein permanentes Zusammenwirken erfordern. Wo aber haben von außen eingreifende gestalterisch Denkende wirklich mitbestimmende Funktionen?

FONS HICKMANN: Im Verhältnis von „innen" und „außen" ließe sich noch viel entwickeln – in Richtung einer auch qualitativ expandierenden Dienstleistungsgesellschaft. Ständig wird an Zulieferer ausgelagert, um flexibler zu werden. Managementberater haben durchaus Boom-Phasen. Rechtsanwälte sind unverzichtbar. Aber allein schon bei Funktionen wie einem Designmanagement, der Architektur oder zur Evaluierung des Betriebsklimas, der Personalsysteme, des Medienauftritts könnte ein kontinuierliches Zusammenwirken in ungewöhnlich konstituierten Gruppen einiges bewirken. Probleme ließen sich so deutlicher lokalisieren und artikulieren.

CHRISTIAN REDER: Dort, wo ich in große Unternehmen Einblick habe, dominieren auf den oberen Etagen überall Finanzprobleme, Finanzstrategien, Sparprogramme; was wir hier besprechen, Produktentwicklung, Design, Grafik, Ästhetik ist stärker als früher in subalterne Abläufe eingesperrt. Höchstens Architektur wird gelegentlich zur Chefsache gemacht, sofern eine Medienresonanz zu erwarten ist.

FONS HICKMANN: Solche offensichtlichen Fehlentwicklungen werden Spätfolgen haben. Ich setze auf die Gegentrends, auf Optimierung, auf ernsthafte Gestaltungsintentionen. Mit langfristigem Denken wird das ein wirtschaftlicher Faktor werden. Die Designforschung, vor allem jene in der Schweiz, kann das längst gründlich belegen. Es ist fatal, kulturelle Werte nur nach wirtschaftlichen Faktoren zu beurteilen, das ist Kurzfristigkeitsdenken und führt zu Sparwahn, Geiz und letztlich zu Kulturverlust.

CHRISTIAN REDER: Das Potenzial ist zwar offensichtlich; aber: wie viele der 400.000 Bücher auf der Frankfurter Buchmesse fallen einem wirklich als durchdacht gestaltet auf?

FONS HICKMANN: Gerade aber Suhrkamp hat seine Popularität nicht nur den verlegten Autoren und Autorinnen zu verdanken, sondern genauso dem sehr intelligenten, stringenten Buchdesign. Suhrkamp-Bände erkennt jeder sofort. Die Buchgestaltungen von Willy Fleckhaus sind Marksteine in der visuellen Kultur der Bundesrepublik. Wer für die Kraft solcher Botschaften kein Gespür hat, ist in der falschen Branche.

CHRISTIAN REDER: In Österreich hat ein Künstler wie Walter Pichler das Erscheinungsbild des Residenz Verlages markant geprägt, Ecke Bonk eine Zeitlang den Springer Verlag beraten, der Architekt Gregor Eichinger dem Passagen Verlag Kontur verliehen.

FONS HICKMANN: Wenn Künstler auf solchen Gebieten tätig werden, beeindruckt mich das im Moment – als künstlerischer, offenbar anderer Anspruch – nicht. Interdisziplinäre Einsteiger im Kommunikationsdesign, derzeit etwa auch aus der Soziologie, machen oft Großartiges; es bleibt aber bei Einzelfällen. Geprägt wird der Sektor von ausgebildeten Designern. Ungewöhnliche Lebensläufe sind aber sehr befruchtend. Wichtig ist unkonventionelles aber klares Denken. Fachidioten die nur ihre eingeschränkte Disziplin beherrschen und nicht in der Lage sind, generalistisch zu arbeiten, kommen selten zu neuen Sichtweisen.

CHRISTIAN REDER: Dabei werden Budgets für freie Grafiker überall reduziert. Was ist da eigentlich los in so reichen Gesellschaften wie den unseren? Autoren für die Art Texte, wie ich sie vertrete, verdienen damit in aller Regel noch weit weniger als einbezogene Grafiker oder Übersetzer. Die Relationen, geistige Leistungen betreffend, sind vielfach absurd. So zu arbeiten muss man sich leisten können.

FONS HICKMANN: Das macht Zustände sichtbar, ein Sparen am falschen Platz. Vielleicht wird über den Nutzen auch zu wenig argumentiert, über anreichernde Wirkungen.

CHRISTIAN REDER: Damit sind wir bei einem Grundthema dieser Publikation: freischaffendes Arbeiten. Ich habe das – vom Selbstverständnis her – dreißig Jahre lang durchgelebt, mit freiwilligen Kursänderungen zwischen hoch bezahltem Consulting, ärmlichen Kultursektoren, unbezahlten Sozialprojekten. Da wird einem klarer, wie hochinteressante Konstellationen budgetär völlig asymmetrisch ausgestattet sind. Zu tun gibt es sichtlich genug, überall auf der Welt, Chancen für ein „freies" Mitarbeiten reduzieren sich aber ständig. Intensität, Qualität werden nur in sehr speziellen Sektoren angemessen honoriert. Jeder Wanderbursche vor hundert Jahren konnte sich leichter durchbringen als heute. Daher glaube ich zunehmend, dass von Geld unabhängiges Arbeiten der verbleibende Freiraum ist, also eine Teilung in kommerzielle und nicht-kommerzielle Welten bewusster akzeptiert werden müsste. Auch Dichter und Dichterinnen können in aller Regel nicht von ihrer Arbeit leben. Das aber Studierenden – von denen viele auf dem Weg sind, freie Projektarbeiter zu werden – als Perspektive darzustellen, würde wieder zum Schema Brotberuf / Liebhaberei zurückführen. Für die Steuerbehörden ist Arbeit ohne Einkommen ohnehin Liebhaberei, also wertlos, wie an anderer Stelle in diesem Band nachzulesen ist.

FONS HICKMANN: Aus einer Gesamtperspektive gesehen ist es natürlich grotesk, dass unsereiner immer wieder den wirtschaftlichen Wert seiner Arbeit beweisen muss. Wie viel unbezahlte Entwicklungsarbeit, Denkarbeit, Analysearbeit schließlich doch gesellschaftlich wirksam wird, ist im üblichen Bilanzdenken eben kein Faktor. Ich glaube auch, dass eine individuelle Balance zwischen bezahlter und unbezahlter Arbeit notwendig ist, dass das bereichernd wirkt. Voll in kommerziellen Strukturen zu versinken, nabelt einen von wichtigen Aktivitätsfeldern ab.

CHRISTIAN REDER: Gerade für freischaffende Grafiker, kleine Architekturbüros, unabhängige Designer ist die Situation trotz allem Gestaltungsgerede eher angespannter geworden. Wie bei Schnäppchenjagden geht es ständig um Billigst-, kaum noch um Bestbieter. Selbst ein Weltstar wie Jean Nouvel musste schon Konkurs anmelden. Hoch gepriesene Bauten haben für Architekten mit Verlusten geendet. Davon aber offen zu reden, würde einen von Gewinnersphären ausschließen. Wer steht schon gerne als Verlierer da?

FONS HICKMANN: In diesem zunehmenden Druck drücken sich Ideologien aus; zur Zeit überschatten Sparideologien eben jegliches Kulturbewusstsein. Kulturellen Reichtum aber als Überfluss, als überflüssig anzusehen, blockiert Optimierungen. Eine gewisse Brutalisierung ist unübersehbar, beim Umgang mit Künstlern, beim Kürzen von Texten, in der Zahlungsmoral. Meine Gegenstrategie ist die Konzentration auf Social Design; wir haben eine Zeitschrift für *Amnesty International* gemacht, auch das *Diakonie Magazin*. Wir arbeiten viel für Hilfsorganisationen. Das wird meist durchaus bezahlt, aber im Rahmen sehr enger Budgets. Indem sich dabei die Partner – auch angesichts der Themen – wirklich ernst nehmen, spornt das zu besonders konzentrierter, einen hohen Grad künstlerischer Freiheit erlaubender Arbeit an. Dabei die richtige Ausdrucksweise zu finden ist oft viel schwieriger als bei einem geläufigen Auftrag.

CHRISTIAN REDER: Dass sehr oft nicht-kommerzielle Werbung qualitativ heraussticht, etwa bei der *Cannes-Rolle*, reflektiert ja, wie stereotyp es ansonsten meistens zugehen muss.

FONS HICKMANN: Da macht sich eben die komplexere Herausforderung bemerkbar, der Ehrgeiz gerade dann Besonderes zu leisten. Auch diese andere Art von Sparsamkeit kann etwas bewirken. In rein kommerziellen Bereichen hingegen sind immer die Hierarchien, die Entscheidungsstrukturen mitbestimmende Kräfte. Qualität hat sehr viel mit den zugestandenen Freiheitsgraden zu tun.

CHRISTIAN REDER: Eine Zeitschrift wie das *I. D. Magazin* aus London, mit der ich zu tun hatte, ist mir als Low-Budget-Unternehmen geschildert worden; aber Multi-Akteure wie Scott King, Modedesigner wie Helmut Lang oder Top-Fotografen wie Juergen Teller, wie Elfie Semotan machen dort höchst kostengünstig mit, weil sie das für ein interessantes mediales Experimentierfeld halten. Da hätten wir wieder so eine meta-ökonomische Insel, auf der sich wenigstens symbolisches Kapital bilden lässt.

FONS HICKMANN: Das funktioniert eben nur als Teil des ganzen Medienfeldes, als Vorstufe, als Zugang, als Profilierungsplattform. Von der Werbung kommendes Geld ist in solchen Fällen an experimentellem künstlerischen Arbeiten interessiert. Nicht bezahlte Projekte öffnen Türen zu hoch dotierten Projekten. Stilbildendes und innovatives Design entsteht meist in Low-Budget-Projekten und in Subkulturen. In den seltensten Fällen garantieren große Etats herausragende Arbeiten. Ich möchte sogar behaupten, dass Geld und Kultur in keinem befruchtenden Verhältnis zu einander stehen.

CHRISTIAN REDER: Wie solche Mischkalkulationen könnten auch neue Berufsformen funktionieren, als Agieren mit mehreren Identitäten. Das passiert ohnedies häufig; Geld wird in der Werbung verdient, damit anderes gemacht werden kann. Eine ins Extreme geführter Professionalisierung kann einen ja auch verblöden.

FONS HICKMANN: Für Studierende müsste das heißen, sich eigene Wege zu suchen, sich von diversen Subsystemen nicht fressen zu lassen. Enge Spezialisten jedenfalls treffe ich unter den Topleuten meiner Branche kaum. Eine Handvoll von ihnen prägt das Feld international. Wenn ich jetzt in China, als einer von sechs geladenen Designern zu Vorträgen an Universitäten unterwegs bin, treffen wir in ganz anderer Umgebung aufeinander. Die Aufmerksamkeit dort für unser Gebiet ist erstaunlich. So hat ein chinesischer Verlag, China Youth Press, ganz von sich heraus ein Buch über meine Arbeit herausgebracht [*Fons Hickmann & Students.* Beijing 2005]. Im Beruf und als Lehrer erfolgreich zu sein, was ja zwei unterschiedliche Ausrichtungen sind, interessiert besonders. Was alles über die Sprache hinaus funktioniert, wird einem bei solchen Kontakten permanent deutlich.

CHRISTIAN REDER: Versuchen wir jetzt noch, innere Prozesse anzusprechen, die für das Thema Projektarbeit, also „etwas zusammenzubringen", mit oder ohne Fragezeichen, relevant sind.

FONS HICKMANN: Ein wichtiger Antrieb für mich ist, dass ich Stagnation schwer ertrage. Meine Impulse beziehe ich zum größten Teil von außerhalb des eigentlichen Arbeitsfeldes, schon um nicht Gefangener meiner Profession zu werden. Neues reizt mich; deswegen interessieren uns vor allem Fragestellungen, die wir noch nicht bearbeitet haben. Es gelingt auch durchaus, solche Aufträge zu initiieren. Dramatisch gesagt, geht es mir sehr stark um eigenen Erkenntnisgewinn, um persönliche Anreicherung. Zum Beruf ist eben das geworden, womit ich mich am besten auszudrücken gelernt habe.

CHRISTIAN REDER: Ist das dann ein Komprimieren von Denken, von Emotionen, weg von der Sprache hin zu Bildern?

FONS HICKMANN: Es geht um ein vielschichtiges Zusammenspiel in einer sehr generalistisch angelegten Disziplin. Kommunikation heißt ja nicht nur Verstehen, sondern genauso Empfinden, Fühlen, das Transformieren von Vorstellungen. Eine mich sehr reizende Erweiterung davon wäre der Film mit all seinen multisensualen Möglichkeiten. Klassisches Grafik-Design, das ja landläufig mit Arbeiten auf Papier gleichgesetzt wird, habe ich ohnedies längst hinter mir gelassen. Bewegte Bilder, Akustisches, Sound-Design spielen in meiner Arbeit eine wichtige Rolle. Mich interessiert, wenn viele Codierungsformen zusammentreffen.

CHRISTIAN REDER: Angesichts der ausufernden Satellitenangebote einen neuen – idealer Weise qualitativ überzeugenden – Fernsehsender gestalterisch zu prägen, wäre das ein attraktiver, ein machbarer Corporate-Identity-Auftrag? Alexander Kluge ist auf diesem Gebiet ja einiges gelungen. Würde aber ein solches Konzept wirklich halten können, ohne die schleichenden Verwässerungen seitens der „Praxis"? In Österreich hat Erich Sokol, später Neville Brody einiges vorgegeben, eine wirklich profilierte „Kultur" des ORF konnte, abgesehen von verblassenden Spuren und dem herausstechenden Ö1-Radio, daraus nicht entstehen. Das Fernsehen wurde sogar mehr und mehr zum politisch erwünschten Chauvinismus-Sumpf.

FONS HICKMANN: Als erstes müsste ich wissen, was sie erreichen wollen. Wäre ich mit der Linie, gerade auch der politischen, nicht einverstanden, würde ich ablehnen. Dass es angebracht sein kann, sich mit seinen Feinden zu beschäftigen, will ich damit nicht ausschließen, sie aber mit den eigenen Fähigkeiten zu unterstützen wäre nicht meine Sache. Das Projekt müsste mich überzeugen. Ohne längerfristige Betreuung und Mitsprache ginge es nicht. Es gibt zwar oft schnell abwickelbare Aufgaben, etwa Plakate, ansonsten ist aber Kontinuität sehr wichtig.

CHRISTIAN REDER: Das *Fons Hickmann Atelier* in Berlin, was lässt sich zu dessen Arbeitsweise sagen?

FONS HICKMANN: Die Basis bilden vier Leute; insgesamt sind wir jetzt acht Personen, Höchststand waren bisher achtzehn Mitarbeiter. Das war uns zu viel, jetzt kennen wir unsere optimale Größe. Manchmal ist es notwendig, zusätzliche Spezialisten, zuletzt einen Architekten, einen Historiker einzubeziehen. Alles läuft über Computer, eine direkte Zusammenarbeit ist daher auch auf Reisen kein Problem. Meine Funktion ist die des „Federführenden".

CHRISTIAN REDER: Wie gehst du als Lehrender mit dem Dilemma um, dass eine Kunstuniversität keine Berufsschule sein kann und will, andererseits gerade in deinem Sektor heute ein exzellentes technisches Wissen Voraussetzung für vieles ist? Die Gestaltung meines letztes Buches zur Sahara hat mit Stefan Fuhrer, einem deiner Lehrenden und der Absolventin Tina van Duyne jedenfalls hervorragend funktioniert. Wie bringst du deine Studierenden so weit?

FONS HICKMANN: Zentralpunkt ist die Arbeit in Projekten und deren Betreuung bis zur Realisation. Dabei kann das Handwerklich-Technische erworben und mit Vorstellungen und konzeptuellem Denken experimentell umgegangen werden. Keinen dieser beiden Bereiche dürfen wir vernachlässigen, gerade weil wir uns nicht bloß als gehobene Fachhochschule verstehen. Es sollen Designerpersönlichkeiten herangebildet werden, die denken gelernt haben. Zu diesem Denken gehört das Wissen, dass man gewisse Fähigkeiten eben erlernen muss. Wir machen explizit keine produktbezogene Werbung, das ist nicht mein Thema. Zur Selbstreflexion gehört es meiner Auffassung nach, den eigenen Bereich Kommunikationsdesign, wie auch Werbung als solche, kritisch zu betrachten. Leuten etwas schmackhaft zu machen, was sie nicht brauchen, damit habe ich Probleme. Trotzdem bewege ich mich viel in solchen Szenerien; meine distanzierte Haltung ist durchaus gefragt, also Teil normaler beruflicher Abläufe. Werbekampagnen im eigentlichen Sinn habe ich nur zwei gemacht; einmal mit meinen Studenten in Dortmund für *Ärzte ohne Grenzen*, um den Zugang zu essenziellen Medikamenten zu ermöglichen, vor allem gegen Aids. Das hat durchaus anhaltende Wirkung gezeigt. Das andere Beispiel war eine Kampagne für das Magazin der *Süddeutschen Zeitung*, das damals vor der Einstellung stand. Auch das hat geholfen, die Anzeigen werden heute noch geschaltet. Dabei waren wir übrigens im Wettbewerb gegen Werbeagenturen zum Zug gekommen. Jedenfalls: Sich in dieser Branche ohne Fragen nach gesellschaftlicher und politischer Relevanz zu bewegen, halte ich für falsch und das thematisiere ich auch mit Studierenden. Wenn einem das bewusster wird, gehen wir vielleicht auch bewusster mit den Möglichkeiten um die wir haben.

CHRISTIAN REDER: Das Bestärken solcher Haltungen lässt sich leicht als bloße Randerscheinung unveränderbar kapitalistischer Gegebenheiten diskriminieren, als tendenziöse Selbstbefriedigung, sind doch Reformen, Reformansätze, um die es in deinem Berufsfeld genauso geht wie phasenweise bei mir, sichtlich dabei, ihre ehemals humanitären Aspekte völlig zu verlieren, seit damit ständig nur noch Effizienz gemeint ist.

FONS HICKMANN: Reformerisch, im Sinn positiver Veränderungen weiter zu arbeiten, ist für mich nicht eine Frage der Selbstbefriedigung, sondern des Selbstverständnisses. Visuelles ist schon wegen seiner Alltagsbezogenheit ein ergiebiges Feld dafür. Der schöne Song-Titel einer deutschen Punk-Band sagt das ganz lapidar: „Du kannst nichts dafür, dass die Welt so ist, wie sie ist – bist aber Schuld, wenn sie so bleibt."

„Ich bin für die Vielfalt zuständig"

Christoph Schlingensief im Gespräch mit Michael Kerbler
und Claus Philipp

MICHAEL KERBLER: Unser Gespräch möchte ich mit einem Zitat beginnen, von dem ich zunächst dachte, es stammt von Ihnen. Ich lese es mal vor: „Die Menschen sind nicht frei, da ihr Dasein ständig von Gefühlen wie Beklemmung, Angst, Hass und Hilflosigkeit bestimmt wird. Wir brauchen ein Theater, das uns wachrüttelt und unsere Herzen und Nerven anspricht. Das ideale Schauspiel ist mit allen Sinnesorganen wahrnehmbar, das heißt allumfassend. Theater muss wieder feierlich werden, und auf die Zuschauer wie eine Seelentherapie wirken und unvergesslich bleiben. Ich fordere eine von Schauspielern und Zuschauern gemeinsam vollzogene reale Handlung im Theater, und damit eine Überwindung des Unterschieds zwischen Spiel und Wirklichkeit. Ein möglicher Weg führt über das Theater der Grausamkeit, wo der Zuschauer eine existentielle Grenzerfahrung durchlebt. Auf diese Weise wird die Kunst überschritten, und das Theater kein Schauspiel mehr sein, sondern ein Moment des Lebens." Ist das etwas, was Sie unterschreiben würden?

CHRISTOPH SCHLINGENSIEF: Das kann doch jeder unterschreiben! Das könnte auch die Politik sagen, ein Geschäftsmann, eine Angestellte – jeder Mensch auf der Welt, wenn es sein Ziel ist, endlich in den eigenen Film einzutreten. Schon jedes Baby macht sich bei der Geburt schreiend bemerkbar, um wahrgenommen zu werden.

MICHAEL KERBLER: Diese Sätze stammen von Antonin Artaud …

CHRISTOPH SCHLINGENSIEF: … bei dessen Obsessionen man nie so genau weiß, woran man ist. Er war großartig, ein wirklicher Praktiker. Ich denke wie er, dass Angst eine elementare Produktivkraft im Menschen ist. Sie

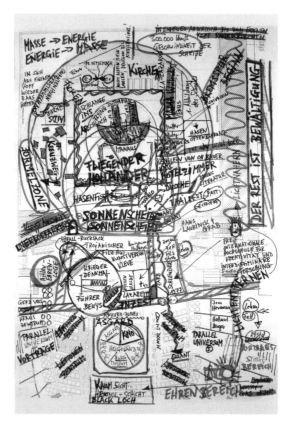

Christoph Schlingensief; Area 7 / Projektnetzplan

*„Es geht um die Hoffnung, dass sich Türen öffnen,
die Dimensionen zeigen, die wir verlernt haben,
die wir verlernen mussten, weil das System darauf besteht,
dass ich mich permanent in einem begrenzten
Vernunftraum bewege, mit fest gefügten
Vorstellungen von oben und unten."*

*„Es müssen Bilder erzeugt werden.
Das war immer die Idee meiner ganzen Arbeit."*

„Plötzlich passiert etwas, und das reicht auch erstmal."

Christoph Schlingensief

schlummert in einem, man wird gezwungen, sie sich abzugewöhnen. Einer geht dann zum Psychologen, ein anderer lässt es halt raus. Artaud hat zum Beispiel mit Glockentönen gearbeitet, von denen die Zuschauer zum Vibrieren gebracht wurden. Manche waren nachher taub. An solchen Abenden muss man eben mit Versicherungsschäden oder Regressforderungen rechnen.

MICHAEL KERBLER: Im Gegensatz zu Ihnen hat Artaud eine statische Bühne entwickelt, um die sich die Sesselreihen im Kreis drehen konnten. Sie machen den *Animatograph*, diese Mehfachprojektions-Drehbühne, zum essentiellen Stück der Inszenierungen. Reichen ihnen die normal gebotenen technischen Möglichkeiten nicht?

CHRISTOPH SCHLINGENSIEF: Beim Zeitungslesen am Frühstückstisch habe ich irgendwann festgestellt, dass sich die Bedeutung von Artikeln ändert, wenn ich mich dabei um meine Achse drehe. Genau erklären kann ich das nicht, aber es ist so. Es hat ja auch eine Zeitlang gedauert, bis den Menschen klar wurde, dass die Erde keine Scheibe ist und man um sie herumfahren kann, sich das Ganze dreht und es keinen Rand gibt, wo man hinunterfällt. Für Joseph Beuys hat die Mondlandung nach dem Lift-Prinzip funktioniert: Man fährt hoch, ist großartig erregt, stapft im Dunkeln herum, und dann geht es mit dem Aufzug wieder runter. Wahrscheinlich hat das alles Stanley Kubrick gedreht; man weiß es nicht genau. Alle diese Sachen sind natürlich Monopole der Betrachtung, Monopole der Zentralperspektive mit unten und oben.
Was aber passierte nun mit Ernst Messerschmidt, dem deutschen Astronauten, den ich kennen gelernt habe? Als er am Morgen im All die Augen aufmachte, hat er alles verkehrt herum gesehen. Er konnte kein Instrument mehr bedienen. Alle waren geschockt, bis plötzlich ein Wissenschaftler die Sache ins Positive drehte und die Anordnung durchgab: „Unbedingt weiter machen. Vergessen Sie den ganzen Plan, den wir mit Ihnen vorhatten. Sie sind, so wie 5 Prozent der Bevölkerung, die dieses Problem haben, ein Riesenfehler im System, aber das ist die größte Produktivkraft, die wir uns vorstellen können. Machen Sie alles, was Sie können, hören Sie Musik, putzen Sie sich die Zähne, laufen Sie an der Wand rum oder denken Sie was Verrücktes, oder befriedigen Sie sich selbst, und dann schildern Sie, was passiert." Solche 5 Prozent sind es, auf die ich letztendlich vertraue, damit Dinge in Bewegung kommen und Indifferenzen passieren. Es geht also um die Hoffnung, dass sich Türen öffnen, die Dimensionen zeigen, die wir verlernt haben, die wir verlernen mussten, weil das System darauf besteht, dass ich

mich permanent in einem begrenzten Vernunftraum bewege, mit fest gefügten Vorstellungen von oben und unten.

CLAUS PHILIPP: Um die Zersetzung von Zentralperspektive ist es auch beim Containerprojekt vor der Staatsoper in Wien gegangen. Man konnte herumgehen, sich Bilder ansehen, selbst Fotos machen, wurde in Gespräche verwickelt.

CHRISTOPH SCHLINGENSIEF: Ein sonst von vielen hingenommener Satz wie „Ausländer raus!" war plötzlich so öffentlich da oben, dass er sich gegen die Leute gedreht hat. Es war ihnen unangenehm, dass jeder japanische Tourist das fotografieren konnte. Das hat gewisse Gleichgewichtsstörungen verursacht. In beiläufig Akzeptiertes kam Bewegung hinein, plötzlich waren auch die Passanten unmittelbar beteiligt.
Zur Idee der *Animatographen* möchte ich noch sagen, dass sie zum ersten mal in Bayreuth konkret geworden ist, als ich mich mit der dortigen Bühnensituation beschäftigte. In diesem Raum entsteht nicht, wie sonst in einer Oper, nur so ein Hall, der jeden Ton „schlp" nach innen saugt, sondern da ist überall noch so ein schöner angenehmer Schmier um die Musik herum und das erfüllt mich. Als ich mir überlegte, einer könnte hinten und der andere möglichst weit vorne stehen, weil dann der Hall besser ist und so fort, habe ich rasch bemerkt: Das ist der Tod des Unternehmens Musik und auch der Tod der Oper letztendlich. Denn Musik ist für mich als Maschine, als Element, als Elixier begreifbar. Sie schält mir Bilder heraus, gibt mir verschollene Bilder zurück. In einer betonierten Szenerie kann das nicht funktionieren. Also habe ich die Familie Wagner angerufen, die gerade in Tokio war, dass sie leider zurückkommen müsse, weil es ein Problem gäbe. Dieses Bayreuth ist zu statisch.

MICHAEL KERBLER: Und sie sind gekommen?

CHRISTOPH SCHLINGENSIEF: Ja, sie haben ihre Reise abgebrochen, ohne eine vorgesehene Verdienstmedaille anzunehmen. Ich bin mit meinem Auto voller kleiner Modellteile hingefahren und wir haben eine Drehbühne aufgebaut – dabei hat Bayreuth gar keine. Mit Taschenlampen und einem Diaprojektor wurde demonstriert, wie es funktionieren könnte. Wolfgang Wagner, ein toller, allerdings von seiner Umgebung terrorisierter Mann, war der ruhende Pol; ansonsten gab es überall versteinerte Gesichter. Eine völlig abweisende Situation. Irgendwann sagt Gudrun Wagner: „Das ist interessant. Das habe ich hier noch nicht gesehen. Wie geht das?" Es wurde dann beredet und berechnet und plötzlich kamen erste zustimmende Meldungen und die Stimmung ist gekippt. So kamen wir auf den Weg, die Statik aufzubrechen. Sehen Sie sich im Vergleich die ausgestellten Standfotos der Staatsoper in Wien an. Vielleicht waren diese Inszenierungen erfolgreich, man arbeitet aber mit der Verdummung des Betrachters. Oper kann viel mehr als bloß verblödete Leute anzuziehen. Sie schafft Organismen zur Musik, die genauso autonom sind wie die Musik. Die Musik ist etwas Autonomes, der Organismus Bild kann etwas Autonomes sein. Schlaf meinetwegen ein oder schließ die Augen. Mach sie auf und sieh ein Bild. Was ist in der Zwischenzeit passiert? Das ist der Rausch, und damit bin ich wieder bei Artaud und wir haben einen wirklich produktiven Abend.

MICHAEL KERBLER: Angela Merkel war ja in der *Parsifal*-Premiere und hat Ihre Inszenierung wunderbar gefunden; nur die Videos hätten sie gestört …

CHRISTOPH SCHLINGENSIEF: … darauf habe ich ihr gesagt, wenn sie nächstes Jahr nochmals kommt, wird sich das geben. Apropos zuviel Video: Ich sehe gerade Merkel pausenlos auf allen Kanälen und kann das kaum noch ertragen, habe mich aber daran gewöhnen müssen. Inzwischen gehört Frau Merkel zu mir wie so eine Pflanze im Blumentopf. Irgendwie war sie süß. Sie hat mir auch noch Blicke zugeworfen, als der Edmund Stoiber mich umarmte und sich seine Frau bei mir so eingehängt hat, als ob ich eine der Töchter heiraten sollte.

CLAUS PHILIPP: Sie treten wie ein verrückter Bastler auf; trotzdem kommen Sie mit renommierten Institutionen zurecht.

CHRISTOPH SCHLINGENSIEF: Ehrlich gesagt, weil ich ein tolles Elternhaus hatte. Sei kein Fähnchen im Wind, hat mir meine Mutter gesagt, und zugleich vorgegeben, was ich sagen soll. Das ist die Schizophrenie des Kleinbürgertums. Versuche, so zu tun, als wärst du anders als die anderen, aber gib dir Mühe, auf dem Weg zu bleiben. Daraus hat sich einerseits ein chaotischer, andererseits ein ganz gerader Lebensweg ergeben. Institutionen sind immer klasse. Das Burgtheater ist ein Hammer. Dem Klaus Bachler rechne ich hoch an, dass er einem tatsächlich manchmal nachreist, nicht als Fan, sondern als einer, der sich fragt: „Was macht der Kerl da eigentlich?" Plötzlich kam dann ein Anruf von ihm; dem hab' ich im Moment genauso wenig geglaubt, wie dem Anruf aus Bayreuth. An die Burg zu kommen bedeutet für mich eine Aufladung. Ich sitze, ohne dass ich dafür gekämpft hätte, in der Garderobe, die auch Herr Voss und Herr Brandauer haben. Deren Badeschlappen kann ich mir angucken, bevor ich zu *Bambiland* rausmarschiere. Die Garderobe an der Volksbühne in Berlin macht mich überhaupt nicht an. An Wien mag ich, dass sich die Leute noch pseudoerregen lassen, „es ist ja irgendwie wunderbar" denken und einem hinten das Messer rein hauen. In Berlin ist alles so „Uääh" und „Wir sind alle so depressiv in Deutschland …" und haben sowieso keine Lust mehr auf Kultur. Es gibt, glaube ich, 380 Kunstgalerien in der Stadt, die von 50.000 Euro Jahresumsatz leben. Eigentlich müssten die sich längst andere Sachen überlegen.

CLAUS PHILIPP: Auf der einen Seite macht es einen stolz, Bastionen wie Bayreuth betreten zu dürfen, auf der anderen Seite gibt es doch eine gewisse Wut darüber, dass die dann Dinge wollen, die man gar nicht bringen kann?

CHRISTOPH SCHLINGENSIEF: Zum Thema Provokation berufe ich mich gern auf Beuys, der schlicht gemeint hat: „Was soll das denn, auch Provokation ist nur ein Produktionsmittel." Zugleich sage ich ganz klar, dass jeder Revolutionsansatz von anderen Leuten, die aus Bereichen kommen, die nicht wahrgenommen werden, tausendmal wichtiger sein kann. Ein Kleinbürger wird immer wahrgenommen. Der weiß, welche Tageszeitung er im Bahnabteil oben liegen haben muss, damit man denkt, er wäre intelligent. Dieses Prinzip kenne ich. Und dann kommst du in solche Ahnengalerien rein und fragst dich: Was hast du hier zu suchen? Wie kommst du da hin? Was ist passiert? Solche Begegnungen habe ich aber auch, wenn ich bei Aldi einkaufe. Auch dort frage ich mich: Was hab ich hier zu suchen? Was find ich denn da unten im Regal? Das hört sich jetzt wie Blödsinn an, aber es ist ein Prinzip des Lebens, einen Raum zu betreten, und zu kapieren: Der Raum überprüft mich, und nicht ich den Raum.

CLAUS PHILIPP: Gut, und jetzt gehen Sie mit den Drehscheiben aus dem *Parsifal* in verkleinertem Maßstab hinaus in die Welt, nach Island, nach Neuhardenberg, nach Namibia, ins Wiener Burgtheater. Und was passiert dann?

CHRISTOPH SCHLINGENSIEF: In der Steinzeit, aus der wir herkommen, sitzt man am Lagerfeuer, unterhält sich und nagt an einem Knochen.

Plötzlich bemerkst du Schatten an der Wand. Sie bewegen sich, kommen näher. Man erschreckt, wenn einer plötzlich weg ist. Du hebst die Hand und siehst sie an der Wand. Du bewegst die Finger so, dass ein Hase erscheint. Zum ersten Mal hast du das Gefühl, man ist reproduzierbar. Ich bin nicht einmalig. Es könnte ein Abbild von mir geben. Das ist vom Grundgedanken her der *Animatograph*.

Ein altes Militärlager in Neuhardenberg wird zur Bühne. Die Schlacht um Berlin hat da stattgefunden, die V1 wurde entwickelt, Gerhard Schröder hat das großartig kaputte Hartz IV unterschrieben. Das alles passiert dort. Als aktionistische Plattform, als Kirmeskarussell, sammelt der *Animatograph* auch in Namibia Bakterien, Elemente, Energieströme, Gegenstände ein. Er wird aus am Ort greifbaren Dingen gebaut. Es werden aktionistische Filme gedreht, von Szenen, die zur Musik passieren oder von ganz allein zustande kommen. Die Ereignisse sind nicht mehr kontrollierbar. Die Kamera ist bloß der Versuch, auf Distanz zu bleiben. Das alles nimmt der *Animatograph* in sich auf und im Theater kann man ihn betreten. Hier trifft sich der Mensch, hier lebt er, hier hinterlässt er seine Spur. In gewissem Sinn funktioniert das wie ein Wäscheständer, der ein Begriff von Demokratie für mich ist, weil Partikel des Menschen im Betttuch hängen bleiben und getrocknet vom Wind der Zeit nach unten fallen, wo sie Humus für neue Demokratie-Lügen bilden. Um solche Arbeitsflächen geht es bei den *Animatographen*.

CLAUS PHILIPP: Von einer V1 zum Humus? Das ergibt Ratlosigkeit, wenn nicht jeder, ob in einem Slum in Lüderitz oder in hiesigen Theatern, einen individuellen Weg findet und sich aus dem Angebot einen eigenen Film bastelt. Man sieht jedes Mal einen anderen, immer wieder neu geschnittenen Film, und man sieht vor allem immer seinen eigenen?

CHRISTOPH SCHLINGENSIEF: So ist es, als kleine Anfangsstufe. Gerade weil es derzeit nicht vorgesehen ist, in kleinen Schritten zu gehen, wird das wichtig, im Sinn von „Lasst mir Zeit, ich brauche Zeit".

Ich bin ein großer Fan von Dieter Roth, der ja lang in Island gelebt hat, wo mit Hilfe von Francesca von Habsburg der erste *Animatograph* entstanden ist, was ich gerne sage, weil sie eben auch den Dingen nachreist und sich informiert. Was sie sonst noch an Jet-Set-Gedanken im Kopf hat, ist ihr Problem. Dieter Roth jedenfalls hat am Arsch der Welt gelebt und vor sich hin gewerkt und irgendwann seinen Küchenboden ausgesägt und an die Wand gehängt. Da waren ein Spiegelei drauf, ausgedrückte Zigarettenkippen, Fettflecken. Das als Dokument von zehn Jahren, eine Zeiteinheit, die wir völlig verloren haben. Ob im Theater oder im Kino: Es fängt links an, hört rechts auf; da ist Anfang, da ist Ende. Ein grundsätzlicher Fehler. Von unserem Film aus Afrika kenne ich die Handlung nicht. Keiner der Schauspieler kann bis jetzt sagen, was er gespielt hat. Die Namen wurden permanent verwechselt: Freya, Fricka, Odin, Loki, Edda …

CLAUS PHILIPP: In Namibia, wo ich ein Mitreisender gewesen bin, wurden bei den Wellblechsiedlungen oberhalb von Lüderitz eine Drehscheibe und ein Container aufgestellt. Dieser Raum ist dann mit der Aufforderung eingeweiht worden: „Bringen Sie Dinge in diese Arche, wir werden hier ein Fest feiern."

CHRISTOPH SCHLINGENSIEF: Der Plan war aber nicht ein Ethno-Projekt, zu dem es in Berlin sofort die einschlägigen Reflexe gäbe – Farben mitbringen, sich Locken abschneiden – sondern Vorstellungen vom Reisen. Die griechische Sagenwelt entsteht aus dem Chaos. Da ist etwas gewesen, es wurde zerstört und wieder aufgebaut. Sagen des Nordens, wo der erste *Animatograph* entstand, gehen von einer Welt aus, die aus dem Nichts entsteht. Das Nichts von Etwas, das Etwas von Nichts – Adorno? Jedenfalls: Die Suche nach den verlorenen Bildern …
Ich fahre also nach Afrika, habe ein Drehbuch, habe einen Produzenten, ein Herz von einem Menschen: Frieder Schlaich, der auch die alten Filme von mir sammelt, herausbringt und restaurieren lässt. Er hat das mit der Filmförderung durchgebracht, kriegt aber für das Projekt keine Raten ausbezahlt, weil es nicht einmal eine Rohfassung gibt. Darauf sage ich, wir vergraben das Material, wie Bobby Beausoleil das Material von Kenneth Anger vergraben hat. Lasst den Film verschwinden, das Meer soll ihn wegschwemmen, und reden wir nur noch über die Bilder, die wir produziert haben. Es gibt ein paar Fotos, auch einige Zeichnungen. Das wäre tausendmal besser als wieder Vorspann und Nachspann, wie es die Produzenten wollen, um zu sagen: Dazwischen kannst du machen, was du willst. Ich will aber keinen Vorspann und keinen Nachspann. Wie kriege ich das in Schritten langsam hin? Wo kriege ich die Leute, wie kriege ich das Verbundsystem dazu? Das ist ein Gedanke, der langsam wächst. „Wie wird der Raum zur Zeit?" – Das ist die Zentralfrage, die ich mir stelle. Um dem näher zu kommen, kann ich mittlerweile viele Leute, pansexuell veranlagt, wie ich nun mal bin, umarmen, selbst die übelsten Kritiker und alle Ignoranten dieser Welt. Wie also kann der Raum zu Zeit werden, wie kriege ich

diese Zeiteinheit hin? Und nicht nur ich, sondern wir. Das ist das Neue – das immer schon da war.

MICHAEL KERBLER: Drehbühnen gäbe es ja da und dort; Sie transferieren aber diese Drehscheiben ins Theater?

CHRISTOPH SCHLINGENSIEF: Es ist halt kein Bühnenbild mehr. Es sind die Begehungen einer Kamera. Den *Animatograph* akzeptiere ich nur, weil er sich verselbständigt. Das Ding dreht sich, aus allen Ecken und Enden werden Filme projiziert. Wo anders als im Theater sollte das bei uns derzeit möglich sein? Die Zuschauer stehen drauf, gehen herum, finden es langweilig oder finden es toll. Das Ding dreht sich immer in einem bestimmten Rhythmus. Zwei Naturwissenschaftler haben uns dafür die Erdumdrehung errechnet. Weil eine Projektionsgeschwindigkeit von 25 Bildern pro Sekunde notwendig wäre, unsere Kamera aber nur 16 oder 19 Bilder pro Sekunde aufnimmt, gehen 9 bis 6 Bilder verloren. Die sind aber die interessanten, die der *Animatograph* durch immer wieder neue Kombinationen sichtbar machen kann. Übrigens sind die obersten Plätze, die Stehplätze, also die billigsten, bei uns die besten. Bei dem Gedanken geht es mir immer gleich besser. Die unten kommen sowieso und haben die Kohle.
Das ist Stufe eins. Stufe zwei ist das Element des Theaters. Wir wollen auch für die Theaterzuschauer etwas bringen. Sie sollen den Text von Elfriede Jelinek noch mal nachschmecken können, die aus dem gleichen Grund schreibt, weshalb ich Bilder produziere. Diese Schleusen müssen offen gehalten werden. Bei uns sehen sie, dass diese ganzen Trennungsmechanismen nur aufgeflanschte Formelverfälschungen sind von Gesellschaften, die immer auf ihre Monopole pochen. Während sie herumgehen in einem fast dunklen Raum, werden sie Teil der Handlung, werden aus der Zentralperspektive herausgerissen, merken dass sich alles dreht, sehen es aber nicht.

CLAUS PHILIPP: *Area 7* ist der für Ihre Aufführung Namen gebende Slum, in dem der *Animatograph* aufgebaut wurde. Im Unterschied zum viel verkommeneren Sand-Hotel Slum ist er eine neue Anlage auf dem ehemaligen Golfplatz der Kolonialbewohner von Lüderitz, mit riesigen Flutlichtmasten zwischen den Hütten …

CHRISTOPH SCHLINGENSIEF: … Er ist so angelegt, dass Touristen kurz vorbeischauen können, um eine etwas buntere Verwahrlosung zu sehen. Die Bewohner wurden dorthin evakuiert, weil sie angeblich eine Wasserleitung bekämen, was aber nicht wirklich der Plan ist. Wo sie den 11. September nachgespielt haben, mit den ihnen gegebenen Informationen, war unser Originalschauplatz, mit dem *Animatograph*, dem großen Schiff mit zwei Masten, an denen die Twin Towers hängen, und dem Container. Der indirekte Aspekt liegt für mich darin, dass die 3.000 bedauernswerten Toten in New York zu einer Paralysierung und zu einem Super-Flash geworden sind, der sämtliche andere Bilder verschüttet. 30.000 Tote in Afrika jeden Tag – die existieren nicht.

Es weiß auch niemand, was ich an der Grenze von Simbabwe zu Südafrika festgestellt habe, dass in einer Ausgrabungsstätte 2.300 Jahre altes chinesisches Porzellan gefunden wurde, es also damals schon Handel mit China gegeben hat. Was findet man aus dieser Zeit bei uns in Gräbern? Selbst sich über solche Relationen zu wundern ist abhanden gekommen. Und wenn ich mich jetzt auf Wagner einlasse, merke ich immer, was diese Monopolisten, die Wagnerianer, wie sie sich nennen, größtenteils für Vollidioten sind, die Wagner auf ein ganz enges Konzept reduzieren. So geht es einfach nicht. Die Kundri trägt einen Schlangenrock, der bis zum Boden geht, sagt die Beschreibung; sie kommt also aus Afrika. Europäische Schlangen reichen nur bis zum Knie. So muss man das mal lesen.

Deshalb unser Angebot von Wundertrommeln. Damit bin ich wieder beim Film, beim *Praxinoskop*, bei Werner Nekes, wo ich meine Sozialisation hatte und die Filmgeschichte auf eine ganz eigene Art und Weise kennen gelernt habe. Im Moment, in dem man dann nach außen tritt, und seine Augen und Ohren noch halbwegs offen hat und das Gehirn noch angeschaltet ist, denkt man dann vielleicht: Das, was die da vorne als Theater präsentieren, ist ja dem und dem ähnlich. Da gibt es analoge Beziehungen, Reflektoren. Das ist der Moment – ich stehe vor der Kamera; ich bin in der Kamera. Ich stehe vor meiner Welt – ich bin in der Welt. Ich trete in meinen eigenen Film.

MICHAEL KERBLER: Wann ist denn dieser Effekt eingetreten, als Sie feststellten, dass sich mit dem Medium Film mehr machen lässt, als nur fiktive Ausschnitte von Realität abzubilden?

CHRISTOPH SCHLINGENSIEF: Auslöser war wieder einmal ein Fehler. Mein Vater hat alles gefilmt, die Geburtstagsfeiern, Kind in der Badewanne, Familie im Schnee und so weiter. Er hatte eine Doppel 8-Kamera; der Film musste unter der Bettdecke oder in einem dunklen Raum umgedreht und wieder eingelegt werden und wurde dann in die andere Richtung belichtet.

Ich durfte auch filmen und habe einmal aus Versehen den Film zweimal in der Kamera umgedreht. Wegen der Doppelbelichtung ist dann plötzlich einer über den Bauch von jemand anderem gelaufen. Das fand ich toll.

Das habe ich auch den Leuten vom Energiekonzern E.ON gesagt, die mich eingeladen haben: Wenn Ihre Firma funktionieren soll, müsste es möglich sein, das übereinander zu legen, und sich dennoch als Mensch wiederzuerkennen. Wenn Sie den Menschen noch entdecken, haben Sie Glück gehabt, dann ist das noch akzeptabel. Damit können Sie jeden Betrieb und jedes kapitalistische System überprüfen! Legen Sie alle Firmen übereinander. An der Stelle muss man ansetzen.

CLAUS PHILIPP: Wenn ich mir das jetzt vorstelle: E.ON macht ein Management-Assessment-Center und Sie erzählen den Leuten dort aus Ihrer Erfahrungswelt. Wird da wirklich jeder bis zum Vorstandsvorsitzenden dasitzen, verständnisvoll nicken und sagen: „Hochinteressant. Eine ganz tapfere, kreative Perspektive. Das setzen wir jetzt um." – Solche Beratungen werden aber doch wahrscheinlich nicht ernst genommen?

CHRISTOPH SCHLINGENSIEF: Dort darf man natürlich nicht hingehen, wenn man ein guter Linker ist. Ich mache aber solche kleinen Schritte, um Zeit zurück zu gewinnen. Ich habe den Leuten gesagt, dass ich mit ihrer Vermarktung von Atomkraft nicht umgehen kann und die Trennung zwischen Naturenergie und Atomkraft wirklich als faires Spiel sehen will. Was in meine Wohnung fließt, können sie ja nicht separieren. Weil ich deren Namen so oft genannt habe, bestellt wohl keiner mehr Strom bei ihnen. Trotzdem ist das für mich interessant gewesen, denn ich habe kapiert, wie so ein Unternehmen funktioniert. Es geht darum: Wir haben keine Zeit. Du musst deinen Job verteidigen bis aufs Messer. Der fortschrittlichste Gedanke wäre, wenn einer, dem die Kündigung droht, selbst kündigt, als Chance zu sagen: „Ich treffe die Entscheidungen. Ich warte nicht ..." Klar, dann ist der Versicherungsschutz weg ... Aus meiner Sicht stoßen wir damit auf die alte Frage: Kunst im Gehege oder Kunst draußen. Jeder Mensch ist ein Künstler ... jeder Künstler ist ein Mensch ... Würde ich da nicht hinfahren, nicht Dirk Baeckers *Postheroisches Management* lesen, nicht mit Carl Hegemann zu tun haben und solchen Leuten, wäre ich nie auf Sätze gestoßen, wie jenen von Tom Peters: „Wenn Sie alles unter Kontrolle haben, fahren Sie noch nicht schnell genug!"

CLAUS PHILIPP: Genauso wie es den Satz von Peters gibt: „Macht mehr Fehler, und macht sie schnell!"

CHRISTOPH SCHLINGENSIEF: Genau: „Macht den Chef zum Pförtner, und den Pförtner zum Chef! Es passieren 100 Fehler, aber zwei davon sind so produktiv, dass das Unternehmen davon profitieren wird."

CLAUS PHILIPP: So wie bei Ernst Messerschmidt, der phasenweise alles auf dem Kopf stehend sieht.

MICHAEL KERBLER: Wie groß war denn bei E.ON die Versuchung, die Leute zu verarschen, was Sie ja nie tun?

CHRISTOPH SCHLINGENSIEF: Wenn ich das könnte, wäre ich nicht glücklicher, als wenn ich es nicht mache. Es sitzen eben Leute seit zwanzig Jahren auf dem Sofa, und vorne am Bildschirm läuft einer rum. Darüber entrüsten sie sich maßlos und sitzen weiter auf dem Sofa. Das ist das Prinzip dieser Gesellschaft. Da kann ich nicht mitmachen. Tut mir leid. Das brauchen wir nicht. Im schlimmsten Fall funktioniert das später so. Man legt niemanden herein. Man denkt darüber nach, warum sich Sachen nicht über Kreuz denken lassen, warum es Dinge gibt, die man denken darf, die ansonsten aber nicht mehr erlaubt sind. Das ist so wie mit Theaterkritikern, die nur kommen, um mir zu sagen: „Na ja, Theater war schon mal weiter." Meine Antwort: Theater ist verdammt noch mal noch nie von der Stelle gekommen, es ist eine stillstehende Anlage – die zur hochgradig interessanten Versuchsanlage werden kann.

CLAUS PHILIPP: Sie erleben doch den permanenten Switch. Einerseits ist da der Beurteilungsraum für Filme. Theaterkritiker erfinden aber Bewertungskriterien, wie man Schlingensief als Bühnenregisseur zu sehen hat.

CHRISTOPH SCHLINGENSIEF: Wer macht das schon? Nur die wenigsten tun das. Die meisten Theaterkritiker gehen auch nicht ins Museum, gehen nicht in die Oper, gehen nicht einmal auf die Straße. Sie schreiben bloß Aufsätze darüber, dass es geregnet hat, und sie armes Schwein sich schon wieder so etwas anschauen mussten. So kommen sie auch noch in Theaterjurys.

CLAUS PHILIPP: Und wie ist das mit Kritikern bildender Kunst?

CHRISTOPH SCHLINGENSIEF: Die sind genauso; sie fliegen nach Miami, trinken Champagner und finden sich toll. Wenn ich in der Schilderung nicht die Begeisterungsfähigkeit der Person spüre, kann es nichts bringen. Es sind diese Fließbandtechniker, die den Blick der Zuschauer verbauen. Kritiker ist ein auslaufendes Modell. Ein Forum im Internet dagegen ist das Leben …

MICHAEL KERBLER: Inwieweit bedenken Sie mit, welchen Eindruck Zuschauer von Ihrer Arbeit mitnehmen könnten? Über Ihre Absichten wird ja immer wieder gerätselt.

CHRISTOPH SCHLINGENSIEF: Nehmen wir dazu folgende Situation als Vergleich: Sie wollen mit jemandem Sex haben und nun diskutieren Sie erstmal, wer am Anfang oben liegt. Wollen wir zuerst mit den Fingern dieses und jenes …? Was stellst du dir vor? Da kommt es zu gar nichts mehr! Das wird ein unmöglicher Abend. Es gibt eben Dinge, die ertastet man einfach, die schmeckt man, riecht man, fühlt man. Plötzlich passiert etwas, und das reicht auch erstmal.
Warum müsste ich also sagen: Passen Sie auf, es wird Folgendes geschehen … Und am Ende sind Sie ein geheilter Mensch, der fliegen kann, Sie haben Eselsohren, und hinten kommt Gold raus. Das ist für mich nicht der ideale Betrachter. Dann doch lieber Artaud und einer der taub geworden ist, oder jemand, der einfach sagt: „Nö, ist für mich nichts. Ich geh lieber in die Oper in Wien zum Holender. Das ist meine Welt." Das ist alles akzeptabel. Ich bin für die Vielfalt zuständig. Was ich von Beuys und Roth gelernt und übernommen habe, ist, zu sagen: Ich baue etwas und übergebe es irgendwann. Man kann zusteigen, man kann sich auch einbringen, ohne deswegen beklopft zu sein.
Eine alte Frau in Kassel freut sich heute vielleicht über Beuys, weil sie von den 7.000 Eichen etwas hat. Das sind alles kleine Sachen, aber wichtig in dieser Zeit. Darum geht es. Und nicht darum: Um 22.00 Uhr ist Schluss, und dann will ich schnell eine Kritik, will wissen, ob Daumen rauf oder Daumen runter. In vielen meiner Vorstellungen hat am Ende keiner mehr applaudiert, nicht mal ein müdes Buh gab es. Wir sind einfach rausmarschiert, haben kurz die Hand gegen das Licht gehoben, um zu sehen, ob überhaupt wer da war. Es gab auch solche, wo am Ende alle getobt haben. In Bayreuth sind mir teilweise die Haare nach hinten geweht vor lauter Buhrufen. Das sind alles bewahrte Erlebnisse, Belohnungen, schöne Momente, schreckliche Momente, peinliche Momente. Aber was der Einzelne

für sich mitnimmt, ist sein Geheimnis. Es wäre schon genug, wenn das ein Lufthauch ist, der Gehirnströme berührt. Das hört sich banal an, aber warten Sie mal ab.

CLAUS PHILIPP: In Namibia wurde ein um 4.000 Rand gekauftes Schiff von 20 Arbeitern und von Wotan, Jesus und Patti Smith den Berg hinaufgezogen, so wie es Fitzgeraldo nicht geschafft hat. Das alles ohne Zuschauer, so als ob Sie das nur für sich selbst machen würden, des Ereignisses wegen. Nitsch hätte 500 Euro Eintritt verlangt, wenn es ihm gelänge, Derartiges in Prinzendorf durchzuziehen.

CHRISTOPH SCHLINGENSIEF: Hermann Nitsch ist interessant. Das ist jemand, den ich mag. Das hört er vielleicht nicht so gerne, weil ich im Gegensatz zu ihm ja angeblich so unglaublich politisch bin. Was er macht, ist ein Erlebnis von Polis, von Gemeinschaft. Man irrt vielleicht fünf Stunden herum und fragt sich am Ende: „Was ist denn da passiert?" Es ist toll, dass das auch im Burgtheater stattgefunden hat, da kann ich dem Bachler wieder einmal nur gratulieren. Die Volksbühne in Berlin hätte das nur durchgewinkt und gesagt: „Was soll denn der Nitsch jetzt hier? Das brauchen wir derzeit nicht."

MICHAEL KERBLER: Wie ein Vereinsmeier gründen Sie ununterbrochen Vereine, die *Bahnhofsmission*, die *Arbeitsloseninitiative*, die sie ja auch baden geschickt haben, oder die *Church of Fear*. Kann man, so wie es Claus Philipp in einem Artikel zusammengefasst hat, sagen, das alles ist die *Church of Christoph Schlingensief*?

CHRISTOPH SCHLINGENSIEF: Die Sandler-Station war nicht Christoph Schlingensief als Sozialunternehmen, sondern einfach der Versuch, damals in Hamburg, eine Polizeistation beim Bahnhof umzufunktionieren. Dort waren zwei Leute umgekommen und ziemliche schlimme Sachen zwischen Heroinabhängigen, Obdachlosen und der Polizei passiert. Die Station wurde aufgegeben und so konnten wir in ihr eine Bahnhofsmission eröffnen. Kommunikation und Kontakt kann durch Suppe, Tee und ein Mikrophon entstehen. Man braucht nur diese drei Sachen. Jeder darf da sagen, was er will. Unser Benefizabend dauerte sechs Stunden. Irm Hermann und unser Tagesthemenmoderator schliefen irgendwann auf der Bühne ein, das Publikum saß rum. Gleich zu Anfang hieß es, das sei völlig uneffektiv, bringe doch kein Geld für die armen Leute. Ich habe auch kein Geld gefordert, ich habe Autonomie für die Leute gefordert. Alles wurde schließlich übergeben und existiert als autonome Einrichtung immer noch.

Und *Chance 2000* war eine Partei zu einem Zeitpunkt, zu dem wir zehn Jahre diesen dicken Mann da hatten, der am Ende immer unerträglicher wurde. Es war der Punkt erreicht, wo man gedacht hat: „Bitte jetzt nicht mehr. Der muss weg. Wir haben sechs Millionen Arbeitslose, die aber nicht vorhanden sind. Sie tauchen nicht mehr auf in der Gesellschaft." Also gingen wir daran, im Theater, also innerhalb eines Schutzbereichs, eine Plattform zu bauen – eine Partei für die Minderheit, die aber die Mehrheit hat. Sie wurde als „Spaßpartei" angegriffen, was angesichts von Spaßvögeln wie Westerwelle oder dem Showstar Schröder grotesk ist. Gerhard Schröder: Die größte Enttäuschung der 68er. Unsere Zentralforderung war, dass ein Sozialhilfeempfänger das Recht bekommt, im Bundestag zu sprechen – also wiederum bewusst ein kleiner Schritt.

Auch unsereiner hätte genug zu sagen. Wann aber sind Boris Groys, Peter Sloterdijk, Bazon Brock, Carl Hegemann oder ich schon gemeinsam im Fernsehen zugelassen? Wir könnten Abende füllen, wild herumdiskutieren. Daraus ergäbe sich etwas. Es müssen Bilder erzeugt werden. Das war immer die Idee meiner ganzen Arbeit. Ich habe immer aus Bildern gelebt, und nicht aus dem Gedanken heraus, dass ich irgendwann mal den Eltern eine Briefmarke mit meinem Porträt zu Weihnachten schenken kann.

Dass ich jetzt die Chance habe, in andere Länder zu reisen, wo mich keiner kennt, wo niemand weiß, was ich gemacht habe, halte ich für ein großes Glück. Da entsteht etwas mit den Leuten, und ich gerate an Punkte, wo ich Insekten, Schmetterlinge, Dreck sammle, tiefste Enttäuschung einsammle, die ich dann mitbringen kann in ein Land, das letztendlich nur aus Fatalismus besteht: „Wird sowieso nichts, ist nichts, war nichts" – das ist einfach nur negativ. Das Negative irgendwie wieder ins Positive zu wandeln, kann nur bedeuten, zu zeigen, was verpasst wird, wenn man auf diesem Punkt von Negativismus stehen bleibt. Das ist wieder Artaud. Das ist eine Triebfeder, obsessiv. Die kann man nicht abbrechen.

CLAUS PHILIPP: Wie lange kann es Ihrer Meinung nach noch damit weiter gehen, im Dienste von Produzenten, im Dienste der großen Institutionen zu arbeiten? Müsste man – wie Richard Wagner – nicht sein eigenes Bayreuth gründen, und wie würde das aussehen? Wäre das heute ein Reisebüro, mit dem man alle möglichen Destinationen dieser Welt ansteuern kann oder eine Art Projektagentur?

CHRISTOPH SCHLINGENSIEF: Das ist schwer zu beantworten, weil ich an dem Punkt noch lange nicht bin. Vorerst geht es darum, sich in diesem Dahinfließen zu bewegen und etwas zu sammeln. Ich habe in Island bei Holmur, in der Nähe, wo Dieter Roth gelebt hat, einen einsamen Ort, der nennt sich „Das Horrorhaus", „Horrorhaus der Obsessionen". Dort möchte ich irgendwann die *Animatographen* aufstellen, an der Erdspalte, wo sich Europa jedes Jahr acht Zentimeter von Amerika wegbewegt. Das fänd' ich sehr schön, wenn sie diese Lücke ausfüllen würden. Da ich inzwischen Leute gefunden habe, die mir ermöglichen, solche Sachen zu machen und wir mit Tobi, Aino, Henning und Jörg, Maika und Kathrin einfach als gutes Team unterwegs sind, können wir sammeln und bauen und präsentieren, wo immer wir dafür eine Offenheit finden. Das ist großartig, ein Weg der kleinen Schritte. Und dann kehre ich vielleicht irgendwann zurück und sage: Lasst uns das nochmals alles zusammenholen, bevor ich abtrete. Fahr' mich mit dem Rollstuhl durch. Dann schaue ich mir das noch einmal an. Oder aber ich bin bereits blind, wie mein Vater und dessen Vater. Dann drehe ich die Scheiben, höre die Töne aus verschiedenen Himmelsrichtungen, kann mir vielleicht ungefähr vorstellen, wo die Monitore stehen. Möglicherweise hat dann aber eine Fremder schon heimlich was umgebaut hinter meinem Rücken, und ich glaube immer noch, ich sehe mein eigenes Bild, aber es ist eigentlich schon das Bild von anderen. Und dann ist ein Traum erfüllt.

Komprimierte, von Christian Reder redigierte Fassung eines am 11. Dezember 2005 im *RadioKulturhaus Wien* aufgenommenen und am 15. Dezember 2005 in *Ö1* gesendeten Beitrags zur Reihe *Zeitgenossen im Gespräch*.
Transkription: Sarah Wulbrandt

Manfred Faßler

Communities of Projects

Nach-gesellschaftliche Projektwelten, Wissenstransfer, Universitäten

> *„Projekt ist ein Vorhaben, das im Wesentlichen durch eine*
> *Einmaligkeit der Bedingungen in ihrer Gesamtheit gekennzeichnet ist."*
>
> DIN 69901. *Deutsches Institut für Normung e.V.* 1989, S. 11

> *„Der Wissenswert ist wie eine Sternschnuppe, die nur für den*
> *Moment hell leuchtet, in dem sie ein besonderes ‚Feld' oder eine*
> *Atmosphäre sozialer Umstände und Subjektivitäten passiert,*
> *die ihr Feuer überhaupt erst verursacht haben."*
>
> Taichi Sakaiya, 1991
> *The Knowledge-Value Revolution. Or a History of the Future*, Tokio, S. 252

Warum „Projekte"?

Würde man der zitierten DIN-Bestimmung zu „Projekt" folgen, ließen sich die Gedanken begrenzen auf technisch-maschinelle Vorhaben, auf politisch-organisatorische Programme und Varianten politischer Legitimation. Dies reichte dann vom „Projekt Moderne" zu Lenins Elektrifizierungs-Projekt, über den Assuan-Staudamm, die Sanierung des bundesdeutschen Rentensystems bis zum Space-Shuttle. Weltphantasmen. Reform, Strategie, Schadensbegrenzung oder Zukunftssicherung gehören zu Projektreden von manchen wissenschaftlichen Denktraditionen, von Parteien oder Regierungen. Ich greife hingegen einen anderen Bereich von Projekt auf, den ich vorab mit dem Gedanken informations- und ideenökonomischer Entwicklungen neuer Aktionsformate verbinde. In ihrem Zentrum steht die situativ-pragmatische Wertschöpfung durch Entwicklung und Nutzung von Wissen. Diese ist aber nicht „frei". Sie bewegt sich in einem kulturell-kommunikativen Netzwerk aus Wahrnehmung, Information, Speicherung, Codierungen von Routinen, Sensibilitäten, Unterscheidungsregeln und deren Veränderungen, Sprech- und Handlungsweisen, Weitergabe von „formalem Wissen".

KNOWBOTIC RESEARCH: 10_DENCIES TOKYO, 1997
Kunstforum, Band 151, Köln 2000

„Knowledge follows Project" / „Form follows Project"

Projekt: „ein mehrfach codiertes Denk-, Wahrnehmungs-,
Kooperations- und Entwurfsmodul".

„Wir sind es, die in diesen 4M-Welten
aus Markt – Marke – Macht – Medien
unsere Komplexitäten bestimmen müssen. Und diese sind an die
episodische Neuzusammensetzung von Wahrnehmung,
Unterscheidungslogik, Wissen und Kooperation gebunden."

Manfred Faßler

Wir erzeugen und erleben eine grundlegende *Verwandlung der Welt des Handelns.* Dieses Handeln wird kurzfristiger, informationsintensiver und -sensitiver. Es wird in den Bereichen seiner Entstehung, Begründung, Überprüfung zunehmend ungegenständlicher, abstrakter, medialer. Dies gibt die Grundcodes für jegliche Form von Interaktionen ab, weltweit. „Etwas zu wissen" wird zunehmend in projektgebundenem Lernen begründet. Die Orthodoxie des Wissens weicht den informationellen Formenregimes. Diese sind über skalierte oder nicht-skalierte, über offene oder geschlossene Netzwerke (A. L. Barabási 2002; M. Faßler 2001) zu einer eigenen Welt der Projektgemeinschaften verbunden.

Die Muster der Aktionsfelder werden immer umfassender bestimmt über multisensorische Human-Computer-Interfaces und Selbstorganisationsformen, die seit geraumer Zeit als *fraktal* beschrieben werden (H. J. Warnecke, 1995). Doch damit stellen sich auch neue Schwierigkeiten ein. Bernhard von Mutius merkt kritisch an: „Selbstorganisationskonzepte geben uns Anschauungsunterricht über die bisherige Komplexitätsentwicklung in der natürlichen Evolution, nicht aber für die künftig mögliche in der kulturellen Evolution." (2000, 125)

Es ist aus meiner Sicht erforderlich, Selbstorganisation mit dem revolutionären Wandel der kulturellen Formensprache zusammen zu denken. Und die programmatische Sprache der digitalen Kulturen ist die der Projekte. Ökonomische, wissenschaftliche, soziale oder künstlerische Muster informationellen Handelns führen derzeit fast selbstverständlich zu einer Neufassung von lernendem Handeln in Projekten.

Ich werde einige der damit aufgenommenen Fragen hier in zwei Abschnitten bearbeiten. In Abschnitt A stelle ich einige Argumente für die These einer entstehenden nach-gesellschaftlichen Projekt-Welt als Dimension der globalen digitalen Kulturen vor; in Abschnitt B gehe ich auf einige Konsequenzen für universitäre Ausbildung ein.

A. Nach-geschellschaftliche Projekt-Welten

1. Projekt-Biografie

Grundlage des Wandels von (Inter-)Aktionsstrukturen ist die Abkehr von direktiver Form- und Gesetzes-Objektivität und der Eintritt in die Magie der Informationen, in die Kulturen der mehrseitigen, projektgebundenen Formen. Ob dies im Pathos der „Menschwerdung", wie Vilém Flusser dies beschrieb, gut aufgehoben ist, lässt sich evolutionär und anthropologisch anfragen. Seit dem genetisch-zerebralen Auftritt des *Homo sapiens sapiens* vor ca. 200.000 Jahren sind alle Kulturen evolutionäres Geschehen, also verschiedenste Varianten von Menschwerdung. Der, aus meiner Sicht, wichtige Umbruch liegt in der *informationellen Reorganisation von Weltverständnis*, die mit den elektrischen Kommunikationstechniken (Morse, Telegrafie, Telefonie) begann und inzwischen zur dritten Natur des Menschen geworden ist (1. Körper, 2. Stadt, 3. Information).

Die Human-Computer-Interaction oder Human-Media-Interaction geben die informatischen Stichworte. Mit ihren Vernetzungen entstehen ortlose, fern-anwesende Handlungsräume, in denen Menschen lernen müssen, ökonomisch, informationell, kognitiv und kommunikativ zu leben.

Menschen sind weltweit dabei zu lernen, ihre Absichten und Fähigkeiten in kurzfristige, ergebnisoffene Vorhaben einzubringen. Um an Informationsflüssen beteiligt zu bleiben, aber vor allem, um die *soft skills* der *Informationsreduktion*, der *Informationsvernetzung* und der *Sensibilität in abstrakten und zugleich komplexen Umgebungen (Software verstehen, sie verwenden, verknüpfen zu können, sie als sozialen Raum zu beleben, sich in diesen Raum zu begeben etc.)* immer wieder neu zu lernen, müssen sich Menschen auf eine Projekte-Biografie einstellen; Abschied von der Berufs-Standard-Handlung.

Die globale *Biografisierung* von *Projekt-Welten* ist eine der Kernveränderungen, die den Beginn des 21. Jahrhunderts kennzeichnet. Lebens- und Kulturgeschichten werden in einen anderen Handlungs- und Bedeutungsmodus übersetzt. Gefragt ist Individualität als ein veränderungsoffener Formalismus. Mit ihr wird Identität zu einer nicht-abschließbaren Daueranstrengung. Wahrnehmung dynamischer, abstrakt-konkreter Zusammenhänge und die Fähigkeit, Informationen „projektgerecht" zu reduzieren (d.h. Einzelfunktion + Projektziel + Kooperation + veränderungsoffenes Lernen + Projektabschluss) rücken in das Zentrum der Projekt-Welten.

Es bildet sich der Eindruck heraus, dass es sich langfristig nicht mehr lohnt, sich in Gesellschaften einzurichten. Weder können diese ihre alt-modernen Versorgungsgarantien durchhalten, noch auf den Niveaus steil institutionalisierter Ordnungen Beteiligung, informationelle Selbstversorgung und Selbstbestimmung, also Lernen, Kooperation, dynamische Sinnsetzungen und Veränderung garantieren.

Dabei geht es *nicht* darum, auf Gesellschaft als Makroformalismus zu verzichten. Bestimmte Aufgaben wie Erziehung, Ausbildung, mittelständische Strukturen, Familienrecht, Steuerrecht z.B. werden weiterhin regional, also gesellschaftlich geordnet werden. Allerdings ändern sich die Koordinaten interaktiver Abläufe. Nicht nur die Zeitökonomien von Lernen, Produzieren, Recherchieren ändern sich unter digitalen Medienbedingungen, sondern auch die Reichweiten der Kooperationen und Partizipationen von Individuen und Gruppen werden medien-kulturell neu ausgerichtet.

1.1. Verstärkung medialer Kopplung

Globale Einzugsbereiche von Kooperationen entstehen ebenso, wie lokale Gruppen mit „Verfallsdatum". Sie bilden in sich immer mehr Differenzierungs- und Entscheidungsmacht aus, werden zu variablen Machtbereichen der Ökonomie, Wirtschaft, Politik und sind zugleich in ihren Veränderungspraxen und in ihrer Kultur der Informations- und Wissenserzeugung „auf sich selbst gestellt". Diese Annäherungen deuten an: Wir erleben eine *Krise der Institutionen*, d.h. eine Krise *der strukturellen Kopplungen* zwischen Sozialsystem und Individuum. Institutionen werden immer umfassender und weltweit durch die Dynamiken medialer Kopplung in Kernbereichen der Informationsbereitstellung, -speicherung und Informationserzeugung eingeschränkt. Normative Konflikte, die die innergesellschaftlichen und zwischengesellschaftlichen Strukturen betreffen, gehen damit ebenso einher wie Anpassungen der klassisch modernen Institutionen an die mediale Kopplung wie *Cyber Police*, *Cyber Law*, Fahndungen in globalen Netzwerken etc. oder wie *Attac*, das Netzwerk der Globalisierungs-Gegner. Parallel wird mit Engagement die Unverzichtbarkeit von Institutionen angesprochen (K.-S. Rehberg 2004). Der Ausgang dieser Debatten ist ungewiss.

Nun werde ich mich nicht hierauf beziehen. Mir schien es gleichwohl wichtig, recht früh zu vermerken, dass die vielfältige Bedeutung des Leitthemas Projekt ohne die Krise struktureller Kopplung nicht erklärbar ist. In ihr verändert sich die kulturelle Codierung von Projekt ebenso, wie sich die überlieferten Ordnungsrealitäten einer Welt gegenüber sehen, die mit ihnen immer weniger anfangen kann. Die kirchlich-strategischen, politisch-utopischen, revolutionär-etatistischen, produktionswirtschaftlichen Großversuche, große Zahlen von Menschen in eine Ordnung zu zwängen, führ(t)en alle zu starren Strukturen. Es lassen sich inzwischen Projektbereiche untersuchen, in denen die kooperierende Individualität (Tor Noretranders nennt es *egoistischen Altruismus*) wichtiger für das Gruppenüberleben ist, als die Konkurrenz unter den Bedingungen ausschließlicher Außenbewertung.

Vereinfacht gesagt: Wer nicht kooperiert, der verliert. Und das Verbindungsmuster hierfür ist „Projekt" – eine befristete Klein-Föderation. Projekte sind der Formalismus, in dem der Prozess der Individualisierung, den die Soziologie schon länger beschreibt, eine Art „Re-Sozialisierung" erfährt. Allerdings: dem Individuum steht keine soziale Kollektivorganisation als Auffangnetzwerk mehr zur Verfügung. Dass der Verlust der strukturellen Bindung von Gesellschaft, Kollektivorganen und Solidargemeinschaft erhebliche Schwierigkeiten erzeugt, ist bekannt, bleibt hier allerdings im Hintergrund.

1.2. Momentgemeinschaften, lernend

Ein turbulenter Struktur- und Bedeutungswandel der Makroorganisation „Gesellschaft" findet statt. Ihre politischen Handlungsebenen dünnen sich durch andauernde Deregulierungen seit den 1980ern aus. Gesellschaft ist „riskant" geworden. Und gleichzeitig wird Individualität, die über gesellschaftliche Bestätigungs- und Grenzregime bestimmt ist, zum „Risiko". Nun geht es mir nicht um Krisengerede. Neue Formen der Organisation menschlicher Kognition und Kooperation entstehen. Den Aktivierungen von digitalen Medienräumen, ihrer Kommerzialisierung und Ökonomisierung kommt das Potenzial zu, völlig neue Entwurfs- und Entscheidungsstrukturen zu begünstigen: gegenwärtig verstärken sich die Muster projektförmiger Interaktionen und damit neuartiger Codierungen von Komplexität zwischen Menschen, weltweit.

Es entstehen *Communities of Projects*, die an keinen Gesellschaftstyp und keine Topografie gebunden sind.

Sie lassen sich als weltweit vernetzte, episodische Momentgemeinschaften hoher Informations- und Interaktionsdichte beschreiben. Sie sind zeitlich und strukturell auf Projektabschluss (Programmierung, Markeneinführung, Entwicklung, Forschung, Bauvorhaben, Studium, Ausbildung) ausgerichtet, mit „Verfallsdatum" versehen. Mit ihnen scheinen sich, wie es aussieht, keine Gesellschaften im klassischen Sinne mehr zu generieren und garantieren zu können (Ch. Stegbauer, 2001). In diese klassischen Modelle waren Ideen zentral steuerbarer, territorialer Großräumigkeit eingelagert. Nichts von dem gilt noch. Weder das *vage moderne Verhältnis von Organisation und Innovation*, noch das Konzept der Rationalisierung lässt sich in den *Communities of Projects* beheimaten.

Das über annähernd zwei Jahrhunderte protegierte Modell von *Rationalität* fußte „im Großen und Ganzen" auf vor-organisierten Handlungen. Erziehung und Ausbildung waren daran ausgerichtet. Vernunft war *Plan* unterstellt, ob für fünf Jahre oder als Strukturgesetz der „planification" im Frankreich der 1970er. Max Weber hatte am Anfang des 20. Jahrhunderts mahnend melancholisch vom „stählernen Gehäuse der Hörigkeit" gesprochen, Martin Heidegger dachte gegen das entmündigende „Vorhandensein", Joseph Schumpeter entwarf Innovation als einen Zerstörungsprozess des „Alten". Sie reagierten alle auf Erstarrungen in der Moderne, als Kinder der Vernunft- und Plankritik. Noch Theodor W. Adorno und Karl Popper mühten sich im so genannten „Positivismusstreit" der 1960er um Statik und Dynamik von „Gesellschaft".

Merkzeichen der Projektformen, um die es hier gehen wird, ist ihre fehlende funktionale Durchspezialisierung. In ihnen dominieren eher Kompetenz-gemische als strikte Arbeitsteilung. *Offene Kooperation* steht gegen *Plan*. Dies schließt erhebliche Unterschiede im Anfangs- und Endwissen der Beteiligten nicht aus, weder in universitärer Lehre, noch bei Motorentwick-lung, Marketingkampagnen oder architektonischen Großbauten. Hierar-chien, wie flach sie gedacht und ausgerichtet sind, bleiben also ein wichti-ges Thema. Im Gegensatz zu scharfen Hierarchisierungen und Abteilungs-gehorsam klassischer Art, stehen allerdings kooperative Findung von Lösungswegen und von Wissenserzeugung im Zentrum des Geschehens. Begünstigt und beschleunigt werden diese Kooperationscluster durch digi-tale Informationserzeugung und -verbreitung. Unter den Bedingungen der (extern) beschriebenen Zielsetzung werden (intern) Handlungsabfolgen festgelegt, variiert und – entsprechend der beteiligten Kompetenzen – auf-einander bezogen. Wer will und kann, lernt spezifische und Querschnitts-kompetenzen. Die versammelten individuellen Fähigkeiten, mehrsensori-sche, in ihrem Aufbau sachlich und semantisch unterschiedlich logische Informationsbereiche wahrzunehmen, zu verarbeiten, sie mit den Wissens-beständen und Kompetenzen anderer Projektbeteiligten zu verbinden, sind die Grundanforderung in *Communities of Projects*. Ihre Form, ihre Dyna-miken, ihre Lernerfolge sind nicht vorherbestimmbar.

2. Vom Objekt zum Projekt

Es gehört inzwischen zu den bekannten Marken- und Marktgesetzen der Gegenwart, dass neue Werte und Produkte kaum noch durch Masse erzielt werden, sondern durch Differenzierung (U. J. Heuser, 1996, 42; R. Levine et.al. 2000); Gerd Gerken spricht für die Markenentwicklung von der „Universalität der Singularisierung" (1996, 146). Markt und Marke sind die Vorhut von Veränderungen, die alle informationsbewirtschafteten Gesellschaften betreffen. Sie bündeln *seismografisches Wissen*. Seine Eigen-art besteht darin, von sich aus *projekthaft* zu sein, da die „Gesetze des Marktes" die „Gesetze der Aufmerksamkeit" sind. Deren *Bezugszeit* ist *der Moment der Wahrnehmung*. Diese Projektart ist auf ein Markendetail bezo-gen, das zugleich eingebunden ist in die Dauerhaftigkeit der Produktfamilie, des Corporate Design, der Corporate Identity und der Verwertungsketten. Projekt ist, in diesem Feld, längst eine unhintergehbare Praxis der Ökonomisierung von Innovation, Einfällen, Gruppenprozessen. Sie steht unter den Bedingungen prinzipiell kurzer, unscharfer Aufmerksamkeitsvarianten. Für meine Vorschläge zum Konzept „Projekt" genügt diese radikale Marken-Verzeitlichung nicht, obwohl sie meine Gedanken begleiten wird.

Die obigen Anfangsbeschreibungen weiterführend, beschreibe ich *Projekt* als ein *mehrfach codiertes Denk-, Wahrnehmungs-, Kooperations- und Entwurfsmodul*. Es findet erst in der Anerkennung als Entwurf, Vorhaben, experimentelles Lernen, künstlerisches Forschen, Experiment oder Test seinen Ort in den *kulturellen Logiken der Anwendung*. Projekte enden also nicht dann, wenn ihre finanzierte, verwaltete oder verabredete „Laufzeit" endet. Sie enden, wenn ihre Ergebnisse wirtschaftlich, wissenschaftlich, karrierepolitisch, künstlerisch absorbiert werden (können). Ob ein System „absorptionsfähig" (oder lernfähig) ist, hängt von seinen Fähigkeiten ab, die grundsätzlich nicht steuerbare Vielfalt der Umgebungen mit zu berücksichtigen, für sich zu reduzieren und zu bewerten. Ich nenne diese Fähigkeit: *Komplexitätssensibilität*. Fehlt diese, so hat auch eine kulturelle Struktur des projektgebundenen Denkens und Handelns wenig Chancen, sei es in Ökonomie, Politik, Wissenschaft oder Kunst.

Obgleich „Universalität der Singularisierung" mächtig ist, steht sie nicht für sich. Sie ist eingebettet in Komplexitäten, deren Veränderungen sehr unterschiedliche Quellen und Adressaten haben, wie z.B. Kunst, Technologie, Architektur, Verwaltungen, Visualität, Kino, Fernsehen. Projekte stehen also in ungleichzeitigen Gefügen. Ihre Ergebnisse müssen immer wieder „vermittelt", „verallgemeinert" werden.

Gerade dies scheint in der Gegenwart ein erhebliches Problem in den europäischen Gesellschaften darzustellen. Sie stehen nach wie vor unter dem Erbe von (kirchlichen, politisch-institutionellen, utopischen, emanzipatorischen) Allgemeinheitsforderungen, die vor jeder Handlung, vor jedem Test, vor jedem Projekt mit Bedeutung aufgeladen werden. Es ließe sich sagen, dass weite Bereiche europäischer Gesellschaften gegenüber ihren eigenen (technologischen, wissenschaftlichen, informationellen, kooperativen, urbanen, globalen) Komplexitäten unsensibel sind. Oder anders gesagt: sie sind nicht projektbereit, womit sie im globalen Wettbewerb verlieren.

Die Vorsicht gegenüber einer Überbetonung des Projektdenkens ergibt sich aus der Dauerhaftigkeit von vormodernen, modern-industriellen, bürokratischen, institutionellen Machtidealen, die uns immer noch umgeben oder in Entscheidungs- und Weisungshandeln stecken. Dennoch sind die Veränderungsdynamiken nicht zu stoppen.

Mit Medien, mit hoch verdichteten informationellen Umgebungen, werden weltweite dynamisch-kybernetische Räume zur Routineumwelt. Und in ihr wechseln die Regime zu Regie, die Lehrpläne richtigen Denkens zu lernenden Projekten. Aber nichts ist entschieden. Wir sind es, die in diesen 4M-Welten aus Markt – Marke – Macht – Medien unsere Komplexitäten bestimmen müssen. Und diese sind an die episodische Neuzusammensetzung von Wahrnehmung, Unterscheidungslogik, Wissen und Kooperation gebunden. *Episodische Kulturräume* entstehen. In ihnen organisieren sich Gruppenkulturen in kurzzeitigen (ökonomisch, wissenschaftlich, technologisch, spielerisch, künstlerisch bestimmten) Ereignis- und Aktionsräumen. Ihre Aktionsmuster sind die der Projekte.

Es wird mir in diesem Beitrag darum gehen, die lokalen und regionalen Reichweiten episodischer, projektgebundener Kulturräume darzulegen. Im Zentrum steht die Frage, ob und in welcher Weise die programmierten, standardisierten digitalen Schaltungs- und Transferstrukturen Rahmenbedingungen für Projekt-Kultur schaffen. Gibt es also ein „framing for projects", dem zufolge eine Art „frame analysis" für Projekte entwickelt werden müsste? Im Unterschied zu Erving Goffmans (1974) rollentheoretisch gewendeter „Rahmenanalyse" geht es mir um (software-)Programm- und Vernetzungs-Analysen.

3. Form Follows Project

Es scheint nach wie vor schwierig zu sein, die Modi einer episodischen Kultur und die einer Projekt-Ökonomie zu denken, sie anzugehen, sie bereitzustellen. „Funky Business" (J. Ridderstrale / K. A. Nordström 2000) oder „fuzzy organisation" (B. Kosko, 2001), Bilder einer Neuorganisation von Entscheidungs- und Entwurfskulturen, haben noch wenig Akteure. Erkennbar ist allerdings, dass sich durch die Globalisierung von Informationsströmen, durch die weltweiten Ökonomien der Anwesenheit, die Handlungsnormen und -orte verändern, unumkehrbar.

Diese Veränderungen betreffen die Kartografien des Handelns und des Wissens. Berührt sind davon vorrangig die Ideen von relativ geschlossenen Strukturen. Unglaubwürdig und unpraktisch werden die Behauptungen von Transzendenz (Sinnversprechen) einer Marke, eines Marktes, eines sozialen Systems, einer Universität, einer Ausbildung; dasselbe geschieht mit Thesen fester Ordnungsbezüge (Kontext), oder auch den Annahmen vor jeglicher Handlung bereits bekannter Strukturen. Wären *Transzendenz,*

Kontext und *Strukturen* „klar" im Sinne bloß zu erkennender „Gegeben-
heit", bräuchten wir uns keine neuen Gedanken um das Erklären und
Nutzen von Komplexitäten zu machen. Alles wäre eine Angelegenheit des
Lernens, der Aufklärung; – wie gehabt.
Aber dies reicht schon länger nicht mehr. Jürgen Habermas sprach einst
von der „neuen Unübersichtlichkeit", Ulrich Beck beschrieb die Risikogesellschaft und erdachte fordernd eine reflexive „Zweite Moderne", Jaques
Lacan arbeitete sich zum Post-Strukturalismus durch und Jean-François
Lyotard notierte post-moderne Individualität. Seismografie auf hohem
Niveau, immer mit der Hoffnung verbunden, nicht ganz den Boden unter
den Füßen zu verlieren, Heimstatt und Dauer für Individualität und Kultur
benennen zu können. Aber gerade das entwickelt sich zu einer Hürde bei
der Erklärung gegenwärtiger Dynamiken informationellen Lernens, Entwerfens, Handelns, Unterscheidens. Die Suche nach „frames" für indivi-
dualisiertes Rollenverhalten, die Erving Goffman für die Analyse der formalen Strukturen für Akteure ausgerufen hatte, erweist sich als Rückblick,
als Blick in die Welt der Fabrik- und Industriesysteme. Die bei den
genannten Autoren nachlesbare Kritik am Erbe des Ordodenkens und der
System-Moderne zeigte zwar auf, dass diese unschlüssig geworden waren.
Was alle Autoren eint, ist der Versuch, Gesellschaft als Bezugsbegriff zu
erhalten, sozusagen das Exo-Skelett zu suchen. Aber eben diese Suche
scheint selbst zum Theorie- und Konzeptrisiko geworden zu sein.
Gesellschaft ist kein Formenarchiv für Zukunft (mehr). Aus Funktionen
lassen sich keine dauerhaften Formen mehr herleiten. Dies betrifft Institutionen ebenso wie Strukturen.
Damit steht nicht nur die Systembestimmung von Gesellschaft auf dem
Prüfstand. In den Forschungen zu Netzwerkentwicklungen (M. Castells
2005; M. Faßler 2001; A.-L. Barabási 2002) und die Kultur des gegenwärtigen Kapitalismus (R. Sennett 2005) wird darauf aufmerksam gemacht,
dass es keine Formkontinuitäten mehr gibt. Form entsteht im Zusammenwirken materialer Medien, codierter Informationen, Medienkompetenz,
Auftrag, Kooperation und Projektrahmen. Keine Form, keine Lösung ist
bereitgestellt oder wird institutionell bereitgehalten. Akteure sind auf sich
selbst gestellt. Kopierendes Handeln wird von entwerfendem, singularisie-
rendem Handeln überlagert.
Im Universum der informationellen Netzwerke zeigt sich, dass in jedem
Handlungsraum von den *Akteuren* gelernt werden muss, *ihre eigene Komplexität herzustellen*. Dies hat vor allem damit zu tun, dass – unter den
Bedingungen globaler Informations- und Entscheidungsräume – die Akteu-

re, die Informationen, die Absichten „herkunftsungleich" sind. Deutlich tritt zu Tage, dass jede neue Kartografie ihre eigene Zeitlichkeit hat, für den Moment gilt. Gehen die Akteure auseinander und treten unter anderen Bedingungen wieder zusammen oder mit anderen Akteuren zusammen, entsteht eine veränderte Komplexität, eine andere Idealisierung des Vorhabens. Man mag das mit „lebenslangem Lernen" verbinden. Wichtiger scheint mir, die Zusammensetzungen des Unterscheidungshandelns, der Formulierungen von Aufgabenstellungen und kooperativer Lösungswege beobachten und erklären zu lernen.

Projekt ist einzigartiger Kontext, – *single purpose structure*, einzigartig in einem nicht überschwänglichen aber respektvollen Sinne; und es birgt in sich eine *nicht übertragbare Komplexität*. Projekt ist ein Tanz der Fähigkeiten, eine ko-evolutionäre Situation. Der Abschluss des Werkstückes, der Aufgabenstellung, die Verlagerung der Interessenschwerpunkte, die „Ermüdung" eines Themas, das von einer Gruppe getragen wurde, ist das Ende dieser *verzeitlichten Struktur*. Es ist aber nicht das Ende der *intellektuellen Kultur*, die die Projektbindung ermöglichte. Die Fähigkeit, sich in eine Welt der befristeten Handlungsräume und -zusammenhänge zu begeben, entwickelt sich zur Basis für eine neue, *nicht-institutionelle Kontinuität*.

Diese wird, so meine These, nicht mehr reguliert durch überzeitliche, normative Zusagen, sondern durch *Programme*, in denen die Unterscheidungsregeln, die Codierung von Informationen, die Regeln der Verwendung von Codes und Informationen enthalten sind. Die Paarung von Programm und Projekt steht hier im Vordergrund der Argumentation. Damit wird es wichtig zu klären, ob Projekte, die mit den Adjektiven *kleiner, flacher, temporär, horizontal, kreisförmig, offen, abgewogen* verbunden sind, Formen der produktiven, intellektuellen oder organisatorischen Übergänge sein können. Ich werde mich für diese Antwort auf den Themenbereich der Wissensgenerierung und Wissensanwendung beziehen, d.h. auf die Frage, wie die veränderten Architekturen des Wissens aussehen und welche Bedeutung dies für universitäre Lehre aber auch für Produktionsstrukturen haben kann. Generierung, Emergenz, Entstehung von Wissen lösen dieses aus jeder Strukturzusage oder allgemeinen Archividee. Nun ist mir klar, dass eine solche Temporalisierung (= Projektbindung von Wissen) gegen die vorherrschenden Politisierungen von Wissenserwartungen steht. Es wird sich zeigen, dass für Wissen keine aufklärerische „Stunde der Wahrheit" (P. Weingart 2001) schlägt, sondern sich eine Welt ko-evolutionärer Projekträume geöffnet hat, in denen gilt:

Knowledge follows Project. Oder auch: *Form follows Project*.

4. Von Arbeitsteilung, Institutionen, Teams und Projekten

Im klassischen modernen Denken wird mit „Grenze" eher der Status eines „scharfen", überzeitlichen Unterschieds verbunden, der dann in einer Idealisierung mit Identität verschmilzt. Konkurrenzmechanismen sind hierüber bestimmt, ob in Nachbarschaften, Arbeitsbereichen, Märkten, Nationen oder zwischen diesen. Die fixierten Grenzen schufen steile Hierarchien, Stab-Linien-Systeme und ließen vom „Made in …" ausgehen, statt von „Made by …". Kooperationen waren „von außen" arbeitsteilig organisiert, folgten den Denkmustern linearer Folgerichtigkeit und rationaler Bereichsgrenzen. Großräumige, fast totale Synchronisation (zumindest in der Produktion) war der Leitwert von Politik und Ökonomie. Regulierung, Veramtung, staatliche Monopole auf Streichholz, Kaffee, Gewalt, Kommunikation, Medienlizenzen beschreiben die Machtformen. Der zentrale Machtmechanismus lag in der *hierarchisierten Zeitsouveränität*, der Fähigkeit (der Ökonomie), zu jeder Zeit zu „entlassen" oder (seitens der Politik) den Ausnahmezustand auszurufen.

Ähnlich „außen" angesiedelt waren die Solidarstrukturen der Gewerkschaften. Sie griffen zwar über Pausenregelungen, Überstunden und Tarifverträge in die Verteilungsherrschaft ein. Das Fremdregime der arbeitsteiligen Kooperation stellte dies allerdings nicht in Frage. Das „Ende der Massenproduktion" (M. J. Piore / Ch. F. Sabel, 1985), das in den späten 1970ern aufschien, änderte wenig an der hierarchisierten Kultur der Zusammenarbeit. Post-Fordistisch machte die Idee von der Teamarbeit in den 1970–1990ern die Runde. Die Absicht war, Produktionscluster zu bilden, in denen Facharbeiter und Angestellte „selbstkontrolliert" unter Zeitrahmenvorgaben ihre Arbeit machten. Ergänzt wurde dies dann schrittweise durch ein „neues Planungstool": das Internet. „Just-in-time" war das Zauberwort, gemeint war die Reduktion der Lagerhaltung, die rechtzeitige Zulieferung von Halbfertigwaren oder Einzelteilen. Zeitzwänge nahmen zu.

Und mit dem Internet setzt sich ein Universal- und Querschnittsmedium durch, das die überlieferten Identitäten und Ordnungen über den Haufen wirft. Die Ökonomie und frei assoziierte Computer- und Netzfreaks machten vor, was zum globalen Programmsetting werden sollte. Die so genannte „Revolution der Konsumenten" (H. Rost) bedeutete, dass die Einflussmöglichkeiten der Konsumenten auf die Produktion der Waren zunahm. Alvin Toffler sprach in den 1980ern von „Prosumenten" (Produzenten + Konsumenten), fraktale Unternehmen und Märkte wurden gedacht. Es zeigt sich, dass die Informationstechnologien nicht nur „tools" darstellten, sondern mit ihnen völlig neue Programme der Verständigung, der Entschei-

dungen, neue kulturelle Kommunikationsräume und Zeitregime entstanden.
Auch wenn die so genannte Instantaneität (Sofortigkeit) nicht zum Verstän-
digungsstandard werden kann, sondern allenfalls den Informationsabruf
betrifft, zeichnet sich in der Zeitidee der schnellen Informationsabfrage ein
wichtiges Grundmuster ab: das der zeitlich raschen Zusammenführung
aller wichtigen Informationen in einen Wahrnehmungs- und Entscheidungs-
zusammenhang, = Projekt.

Computer Supported Cooperative Work / CSCW war ein (Projekt-) Zauberwort der frühen 1990er. An diesem Zauber war richtig, dass vorläuferlose
Kooperationen, ja auch ko-evolutionäre Zusammenhänge von Medien,
Informationen und Arbeit entstanden waren. Inzwischen ist der Zauber
auf alle Bereiche menschlichen Tuns übergesprungen und zu einer Standard-
bedingung geworden: ohne echtzeitiges, rekursives Zusammenwirken bekommen wir in den *media landscapes* nichts richtig hin. Individualisierung,
Informationsgeschwindigkeiten und die wachsenden Komplexitäten der
Datenwelten führen zu neuen Kooperationsformen /-normen. Zugespitzt
wird dies unter spieltheoretischen Erwägungen von egoistischem Gemein-
schafts- und Kooperationsdenken (T. Noretranders, 2004) diskutiert. Strukturen wie *open source* und dem Basar-Modell des auszuhandelnden Tau-
sches in Netzwerken, der Beteiligungsaufforderung an Menschen, die nur
Informationen „absaugen" aber keine „einspeisen", sind andere Belege für
die sich ausdehnende Realität der kooperativen *Communities of Projects*.

Mit *Communities of Projects* beschreibe ich also jene intensiven Kooperationen, in denen Menschen zusammen Informationen produzieren, Auto-
teile entwerfen, Forschungen koordinieren, lernen, in denen gelehrt oder
gespielt wird. Diese Communities of Projects verstehe ich prototypisch.
Trotz ihres online-Status geben sie sozusagen die Taktfrequenzen für alle
Vermittlungs- und Kooperationsformen vor. Zugleich sind diese Formen
zeitlich befristet, ohne ein großes Ziel ausgestattet. Umso mehr stellt sich
die Frage nach den Strukturen, die sie verbinden, nach den Programmen,
aus denen immer wieder Projekte entstehen oder eingerichtet werden.
Entlang dieser These werde ich nun der Frage nachgehen, wie „Projekt"
gegenwärtig verstanden werden kann und wie es zu „Transfer" steht. Ich
werde mich auf Wissenserzeugung und -vermittlung beziehen.

5. Modus 2 – Die Kultur der Projekte

Projekt und Transfer sind sich wechselseitig stützende Realitätsbereiche.
Sie haben an Bedeutung gewonnen, weil sich die Strukturen der Wissensentstehung und -verbreitung grundlegend verändert haben. Wachstum

und Expansion der Wissens- und Forschungssysteme seit einigen Jahrzehnten, weltweite ökonomische Kopplung von Wissen und Anwendung sowie das Entstehen echtzeitlicher Informationsaustausche und rascherer Wissenskorrekturen beeinflussten und beeinflussen Wissensaufbau und Wissensverwendung.

Michael Gibbons et.al. fassen diese Veränderungen in ihrem Buch *The New Production of Knowledge* im Modellübergang vom Wissenserzeugungsmodus 1 (*mode 1*) zu Modus 2 (*mode 2*) zusammen. Sie beschreiben damit im Feld der Innovationsforschung eine wichtige Veränderung. Wissenserzeugung findet nicht mehr nur in Wissenschaft, in normativ organisierten Institutionen, in disziplinären Ordnungen, in anwendungsfernen Feldern statt. Mit dem *mode 2* wird Wissen sozusagen „demokratisiert", wird interpersonell, transdisziplinär, hängt von Kooperationen ab und entsteht in vielzentrischen (heterarchischen) Zusammenhängen. Ein Monopol auf exklusive Wissenserzeugung gibt es nicht mehr. Wissenserzeugung und Wissensanwendung wird in multiple Interaktionen zwischen Akteuren, Einrichtungen und Organisationen verlagert. (Gibbons, 2000: 86ff)

Die Schlussfolgerung für die Innovationsforscher ist, Netzwerke als Entstehungsraum von Innovation zu untersuchen und zu entwerfen. Dabei wird bedacht, dass Netzwerke nicht die Strukturen von *mode 1* vollständig ersetzen. Ihr gegenwärtiger Status ist nicht an vollständiger Integration aller Kommunikationsfelder orientiert, sondern an kooperativen Strukturen. In ihnen sind online-Informationsknoten und kybernetische Räume verbunden mit offline-Strukturen der modernen Institutionsgalaxis aus Wissenschaft, Staat, Wirtschaft. Eike W. Schamp (2000, 117) spricht in seinen Arbeiten zu Innovationssystemen von einem „set of organizations, institutions, and linkages for the generation, diffusion, and application of scientific and technological knowledge".

Dieser „set" wird zu jedem Projekt in anderer Weise zusammengestellt. Henry Etzkowitz und Loet Leydesdorff sprechen von einer „endless transition" (1998), die sich in den Vermengungen der Systeme Academia, Wirtschaft und Politik einstellt und erhält. Sie weisen mit ihrem Modell der *triple helix* (dreifache Helix) auf den Zustand hin, dass Wissenschancen in sehr unterschiedlichen Systemen codiert sind und dass Wissen akut erst geschieht. Mithin sind die Systeme Academia, Wirtschaft und Politik in ihrer Selbstorganisation allenfalls teilfertige Wissensquellen. Sie liefern Rohdaten für Wissen, das erst im interaktiven Prozess zwischen diesen Systemen entsteht, und zwar unter einem Projekt-Thema, das außerhalb dieser entstanden ist. Wenn aber Themen und Wissen nicht durch ein System selbst bestimmt werden können, und erst recht nicht die Lösungsfigur des Wissens und die Gestalt der Anwendung, lässt sich im Kern auch nicht mehr sicher von Transfer sprechen. Gibbons et.al. schlagen vor, nicht mehr von Transfer, sondern von „technology interchange" (2000, 88) zu sprechen, wobei im Wort „technology" bereits das Wissen um diese enthalten ist. Dann geht es um Wissensgenerierung, und zwar nicht im Sinne einer, in der Helix codierten Linearität, sondern im Sinne einer „Epigenetik", also einer sich immer wieder ändernden Entstehungs- und Formwirklichkeit von Wissen.

Was heißt das für unsere Thematik? Zunächst wird man sich von einer festen Trägerverteilung „Wissensnachfrager" und „Wissensanbieter" lösen müssen. Es gibt bezogen auf „Wissensanfrage" allenfalls für wenige *soft skills* (Lesen, Malen und Schreiben lernen) und *hard facts* (Grundregeln der Physik, Chemie, Mathematik, Medienkompetenz) noch Anbieter in Schulen, Familien, Peergroups und Universitäten. Damit verbindet sich eine Art *Wissenscasting*, das auf Verhalten in einer Wissensgesellschaft vorbereitet oder vorbereiten soll. Stellt man allerdings Wissen als einen thematischen Schalter für Veränderung und Innovation dar, und verbindet damit die Idee vom Wissen als (immer wieder neuem) Produkt, ist es erforderlich, die Dynamiken der interaktiven Felder zu benennen, in denen Wissen als lösungsgebundene Denk-, Beobachtungs- und Anwendungsform entsteht.

6. Drei Wissensschalter

Entstehung und Erhaltung von Wissen werden durch den Episoden- und Situationsbezug aus jeglicher Überzeitlichkeit herausgenommen und an zeitlich, räumlich, personell, funktional konkretes Geschehen gebunden. Wissen wird zu einer Kategorie, die in der kurzzeitigen Verbindung von wenigsten drei Feldern besteht: neuen Unterscheidungen (*Innovationserwartungen*), der Bestimmung des Erkenntnis- und Handlungsbezuges (*Episteme*) und der Erhaltung / Tradierung (*Konservierung*).

„In sich" – so könnte man sagen –, ist Wissen ein kulturelles Kompositum, das ständigen Änderungen, Dominanzkonflikten (z.B. Bildlichkeit versus Schriftlichkeit, Schriftreligion gegen Schriftwissenschaft, Alltag gegen Wissenschaft, Technik gegen Naturwissenschaft, ökonomische Wissenskonzepte gegen wissenschaftliche Wissenskonzepte) ausgesetzt ist.

Es wird aus meiner Sicht hilfreich sein, zwischen

– der grundsätzlich *individuellen Fähigkeit*, Erkennen und Erfahren in Wissen zu überführen, also Erklärungen und Modelle des Erkannten zu entwickeln und zu erhalten,

– den bereits formalisierten, *kommunikativ vorhandenen, tradierten Erklärungen* und den ihnen zugewiesenen Ordnungsoptionen und

– den *(ko-)operativen Strukturen der geregelten Zusammenführung* von individuellen Fähigkeiten und optionalen und funktionalen Ordnungen der Informationsverteilung, des Informationszuganges, der Wissensbefähigung und der Hierarchisierungen dieser

zu unterscheiden.

Hierzu gehören dann Forschungsfragen, wie die sozialen und kulturellen Prozesse der Formgebung aufgebaut und beeinflussbar sind. Dies rückt Fragen nach räumlicher Ansiedlung von Institutionen und Unternehmen, nach Urbanisierung in das Zentrum der Forschungen. Ob diese und wie diese als *strange attractors / sticky knowledge places* (U. Matthiesen 2004; K. R. Kunzmann 2004; G. Grabher 2004) wirken und welche der drei genannten Ebenen von diesen Prozessen wie gestärkt werden, wären dann Fragen nach den Bedingungen von konkurrenzieller, funktional differenzierter oder kooperativer Wissensgenerierung (U. Preisig 2003).

Um Orte, Lokalitäten, *real places* und *virtual-real places* in die dynamischen Geschehnisse gegenwärtiger weltweiter Informationsflüsse einzubeziehen, ist allerdings eine Forschung über die Zusammenhänge von Mediendiffusion, Informationalisierung, digitale Vernetzung, Medienkonvergenz, Face-File-Face Kommunikation, Online-Offline-Umgebungen u.ä. erforderlich. Hierfür könnte sich der von Alan R. Dennis / J. S. Valacich (1999) vorgestellte *Media-Synchronicity-Ansatz*, den sie gegen den von Richard L. Daft / Robert H. Lengel in den 1980ern entwickelten *Media-Richness-Ansatz* vorschlugen, lohnen. Während die Media-Richness-Theorie von einer höheren Lösungskapazität von Realwelttreffen bei Unsicherheiten und Mehrdeutigkeiten im Wissensgenerierungsprozess ausgehen, setzen Dennis und Valacich auf synchrones Arbeiten an einem Thema – was grundsätzlich auch im Netz erfolgen kann. Für das Verhältnis von Anwesenheit-Raum-Unsicherheit-Mehrdeutigkeit unterscheiden sie zwei Kooperationstypen: konvergente Prozesse, in denen Informationen verdichtet werden und die Online oder Offline stattfinden können; divergente Prozesse, in denen Informationen verteilt, von vielen Menschen geprüft und bestätigt / widerrufen werden.

Stichwort: Mediamorphes Wissen. Treten wir hier nicht zu weit in die Erforschung von virtuellen Knowledge-Communities (T. Erickson / W. A. Kellog 2003) ein. Lassen wir uns noch etwas Zeit für die Formulierung eines differenzierten Wissenskonzeptes.

Das informationserhaltende, auswählende Vermögen (= das Vermögen, etwas zu wissen), lässt sich auch beschreiben als Fähigkeit des Menschen, ausgewählte Informationen für Erkennen und Handeln „aufzubereiten". Über lange Zeit sind die damit verbundenen Formalismen sprach-kulturell eingehegt worden. Trotz weltweiter Wissenschaftskooperationen musste wissensfähige Information durch das nationale Wissens-Nadelöhr gehen, oder nicht. Eine nahtlose Wissenskultur gab es / gibt es nicht.

Die gegenwärtigen Herausforderungen für die Wissensdiskurse liegen nicht allein darin, dass die institutionellen und normativen Grenzen zwischen z.B. Wissenschaft, Wirtschaft, Kunst, innovativen Gruppierungen durchlässig geworden sind (J. Mittelstraß 1998; N. Stehr 2003; P. Weingart 2001). Es haben sich überraschend viele „Grenzmanagements" (Interdisziplinaritätsdiskurse; Debatten um art&science usw.) entwickelt. Die Herausforderungen liegen vor allem darin, dass die zu verarbeitenden Informationen zunehmend mediamorph (R. Fidler, 1997) sind. Dies bedeutet im Umkehrschluss, dass die Bearbeitung von Informationen im wachsenden Maße von (neuen, anderen) Kulturen der Selektion von Informationen und der Reduktion von Komplexität gebunden ist (D. Rippl, E. Ruhnau 2002). Wissen wird darin zu einem störanfälligen Produkt.

Denkt man Wissen und Innovation zusammen, wie wir dies hier vorhaben, so liegt die „Neuerungs-Fähigkeit" darin, zeitnah zu bereits getroffenen (Wissens-)Produktentscheidungen andere Entscheidungen auf der Basis anderer Informationen vorzuschlagen, zu entwerfen. *Innovation* heißt dann nicht nur, *Mengen von Informationen zu verarbeiten*. Es heißt, die *Modi der Wissensproduktion* ständig zu verändern und dadurch auch die Produkte.

Unter Bedingungen des Mengen- und Komplexitätszuwachses von Informationen wird dies nicht ohne (skalierte und skalenfreie) Netzwerke (s.o.) möglich sein. Hier soll versucht werden, die Mediamorphose des Wissens, die Grenzmanagements, die informationellen Vernetzungen und Partizipation zusammen darzustellen.

7. Wissen, ein partizipatorischer Zustand

Mit dem Ausdruck „partizipatorisches Universum" bezeichnet der amerikanische theoretische Physiker John Archibald Wheeler die Vorstellung, wonach das Universum nicht einfach „dort draußen" ist und nur seiner Entdeckung harrt, sondern erst durch die gestellten Fragen, Forschungsinstrumente, durch Informationen und den ihnen zugehörigen Reduktionen und Antworten Gestalt (Form) annimmt. Der Physiker Hans Christian v. Baeyer spricht deshalb auch in Anlehnung an Wheeler vom „beobachtungsabhängigen Universum" (2005).

Eine solch radikale Position war und ist nicht unumstritten. Vor allem die Rückführung von Beobachtung auf das Verhältnis von Beobachtetem und Beobachter/-in und die damit verbundene *Rückführung von Wissen auf den Moment* (oder die kulturellen Episoden) *der bedachten Beobachtung* wird nicht nur Widerspruch bei *Wissensmanagern* hervorrufen, da es doch hier vorrangig um *Beobachtungs- und Unterscheidungsmanagement* geht. Widerspruch wird auch von jener Seite kommen, die nach wie vor auf die Anhäufung von Wissen setzt, auf Fortschritt, auf Wahrheitsannäherung usw. Meine hier vorgestellten Überlegungen zu einem *prozessualen Wissenskonzept* und die Vorstellungen eines Forschungsrahmens, der die *informationellen und medialen Umgebungen für Wissensentstehung* betont, bedenkt diese Widersprüche, wird sie allerdings nicht ausführlich berücksichtigen.

Für mich ist der Konstruktivismus des Wheelerschen Denkens hilfreich. Partizipation setzt realistisch voraus, dass es die mögliche *Agency* (die Aktivitätsfähigkeit) eines beobachteten Gegenübers gibt, ob es nun menschlich, nicht-menschlich physikalisch, geologisch, chemisch, technologisch ist. Wir setzen damit auch voraus, dass jedes einzugehende Verhältnis dynamisch wechselseitig ist.

Oder anders gesagt: Jede *Beobachtung* schickt eine Art *Informationsbedarf* zum Gegenstand (konstruktivistisch gemeint: eine *Erwartungsbeobachtung*). Dieser gibt „der Beobachtung nichts preis", sondern nimmt die *episodische Gegenstandsform des Informationsträgers* an (fälschlich als Objektivität beschrieben). Wandert der Kegel der Aufmerksamkeit und Beobachtung weiter, sinkt der Gegenstand in sein Vorhandensein zurück. Im Verlauf der Beobachtung werden Informationen also „entnommen", um ihre Rolle in einem anderen Zusammenhang, nämlich in den *„kognitiven" Instrumenten z.B. Mustern, Schemata, Bedeutungen* zu spielen. Für unsere Wissens-Anfragen ist es wichtig zu verstehen, dass weder *Codierungen*, noch *Daten* oder *Informationen*, noch schlussendlich *Wissen* den Raum der Beobachtungen verlassen.

Mit diesen Wörtern sind allerdings sehr wichtige Formgebungs- und Formerhaltungsverfahren verbunden. Codierungen sind basale Unterscheidungsregeln, Daten sind deren Zeichenfigur. Informationen gehen auf diese wiederholbaren Standards zurück (Redundanz wird dies genannt) und sind zugleich Angebote, vorher nicht geläufige Unterscheidungen (Neues, Nicht-Redundantes) zu formulieren. „Sehen wir diese Unterscheidungen ein", so fügen wir diese in unser Erkennen ein, machen dieses dann eventuell zu unserem Wissen.

Wissen ist demnach nach den Regeln des Erhaltes und den Regeln der Veränderung aufgebaut. Allerdings sind die Regeln des Erhaltens kein Versprechen auf eine überzeitliche Her- oder Zukunft von Wissen. Sie meinen nur: versuchen wir kulturell den Laden des Wissensgeschäfts zusammenzuhalten. Dass daraus Übertreibungen folgen, bis hin zu missionarischen Idealisierungen von Erkennen (Wissen) oder auch Nicht-Erkennen (Nicht-Wissen, Glauben), ist geläufig. Anders formuliert: in Beobachtung verwenden wir bereits *bekannte Unterschiede*, nutzen sie für Kombinationen, für Irritationen oder auch für *neue Unterscheidungen*. In den Unterscheidungen entsteht Partizipation, entsteht der sich „nach innen" bildende Beobachtungsraum. Diesen nennt Otto E. Rössler den *Endo-Raum*, in Abgrenzung zum beliebten Exo-Raum der Beobachtung. Das ist weniger schwierig zu denken, als vermutet. Man kann sich dies in der Erweiterung eines alten kausaltheoretischen Satzes vorstellen: Ursachen erzeugen Wirkungen und Wirkungen werden wieder zu Ursachen. Der Gegen-Stand wird zum Gegen-Akteur, wird vernetzt, steht in dynamischen Wechselwirkungen. Auf Wissen bezogen meint dies: es ist ein *dynamisches, komplexitäts- und änderungssensibles* Produkt menschlicher Wahrnehmung und Verständigung.

Wir haben es also nie mit Einbahnstrassen zu tun, sondern mit massivem Gegenverkehr im Informationsfluss und ebenso massiven Konkurrenzen bei den Regeln der Selektion. Dies gilt vor allem auch für dieses aufregende (multisensorische, körperliche, sinnlich-abstrakte, abstraktionslogische) Intelligenzfeld, das wir als Wissen beschreiben. Wir versuchen Wissen mit den Methoden, die wir als wissenstypische Wege, etwas zu erkennen, beschreiben, zu beobachten. Die Gefahr ist: es entsteht unbedachter Selbstbezug. Die Chance ist: es entsteht bedachter Selbstbezug. Stellen wir diese Thematik aber noch zurück.

8. Vier Imperative

Partizipation ist, wie ich sagte, nicht ohne Konstruktion zu haben; Konstruktion ist, im Wortsinne ernst genommen, eine Kon-Struktur, in der wenigstens zwei Bereiche wechselseitig die Struktur des Gegenübers informationell beeinflussen. Und es scheint, dass gegenwärtig

(a) die Mengen informationeller Welt-Angebote größer,

(b) die Anforderungen an informationelle Reduktion umfangreicher und

(c) die normativen, regulierenden, ordnungssetzenden Semantisierungen riskanter geworden sind.

Wissen, das unter diesen Bedingungen gebildet wird, steht demnach nicht nur unter den Anforderungen,

– hinreichende Mengen von Informationen mit einbezogen zu haben (*Komplexitätsimperativ*),
– sondern auch unter den Forderungen, entweder hinreichend komplexe Handlungsmodelle zu bestimmen (*Anwendungsimperativ*)
– oder entsprechende einsetzbare Wissens-Netzwerke auf sich beziehen zu können (*Vernetzungsimperativ*) oder
– Handlungsalternativen anzubieten, aber nicht in die Anwendungsentscheidungen selbst eingreifen zu wollen / zu können (*Beratungsimperativ*).

Sie können an diesen Imperativen schon erkennen, dass ich Wissen keineswegs als ein freies Gut einer Menschenassoziation verstehe, sondern als *Produkt* normativer, institutioneller, erzieherischer, ökonomischer, militärischer, wissenschaftlicher Unterscheidungs- und Anwendungshierarchien. Dass ich dennoch davon ausgehe, dass Wissen an individuelle Träger gebunden ist, meint nichts anderes als, dass Suppe schmecken muss, damit sie wieder bestellt wird.

Wissen ist ein Formalismus, der *zwischen Konstruktion und innovatorischer Unterscheidung immer wieder neu ausgependel*t werden muss. Dass, wie das „pendeln" schon anspricht, sehr viel Wahrheits- und Wirklichkeitsdeutungen mit im Spiele sind, gehört zur kulturanthropologischen Vorsicht gegenüber „an sich Deutungen", – so hoffe ich. Auf meine begrifflichen Grundklärungen bezogen heißt dies: mir sind am Argument der Komplexität nicht die fröhlichen oder beängstigenden Vielfältigkeiten wichtig, sondern die (ökonomie-, wissenschafts-, kunst-, alltags-, kommunikations-) *kulturellen Repertoires der Reduktione*n.

Wenn, wie wir annehmen können, Partizipation nicht nur Konstruktion heißt, sondern immer auch Reduktion, lassen sich Fragen nach Wissen z. B. so stellen:

– in welcher Weise werden Verfahren der Reduktion und Formbestimmung von Information verwendet, um die Speicherung von Gegenstandsinformationen als Wissen zu ermöglichen?
– Worin bestehen solche Verfahren? Sind es Programme?
– Gibt es typische Unterschiede, die erlauben, von militärischen, wirtschaftlichen, ästhetischen, religiösen Verfahren der Lizenzierung von Wissen zu sprechen?
– Oder gibt es einen funktional nicht determinierten Wissenstyp/-topos?

– Wie sehr sind diese abhängig von Informationsmengen, von der Regulierung von Informationsströmen durch Instrumente, Beobachtungstechniken, Beobachtungskulturen, Abteilungsspezialisierungen, Klassenteilungen oder Stratifizierungen?
– Welche Funktionen haben mediale Umgebungen?

B. Konsequenzen für universitäre Ausbildung

9. Lehrpläne oder Lehrprojekte

Weltweit lässt sich ein fundamentaler Wandel in den Weisen der Wissensproduktion beobachten. Wissen zu erzeugen, zu erhalten, es als „Marke" zu führen, es nah an der Umsetzung oder Anwendung anzusiedeln, wird zu einem globalen Konkurrenzmechanismus. Was als Wissen anerkannt und gefördert werden soll, steht zur Disposition. In den 1960ern und 70ern sprach man von einer entstehenden „know-ledgeable society", von wissenschaftlich-technischer Revolution oder post-industrieller Informations- und Wissensgesellschaft (Daniel Bell), und betonte als dessen Träger universitäres wissenschaftliches Wissen. Die Hoffnungen auf diesen Träger sind noch da, aber der weltweite Strukturwandel der Wissensproduktion in Wissenschaft, Wirtschaft, Kunst, Alltag weist in viele andere Richtungen.

Wissensfähige Informationen nehmen in allen genannten Bereichen zu. Sie haben immer weniger mit der Suche nach universalen Gesetzen zu tun, denn mit Anwendungszusammenhängen. Transdisziplinarität, eine belastbare Zusammenführung von Wissenssorten und Wissensarten unterschiedlicher Herkunft, die auf einen Projekt- oder Problemfokus bezogen werden, ist weltweit zur wichtigen Kooperationsanforderung geworden. Die globale Medialisierung der wissensfähigen Informationen entzieht den überlieferten Strukturen im Wortsinn „den Boden". Entterritorialisierte Netzwerke verändern die Zeit- und Aufmerksamkeitsökonomien der Disziplinen. „Wer sich nicht in's Netz begibt, kommt darin um", lautete ein Satz in den frühen 1990ern. Er hat, gerade für Wissensproduktion, und eben nicht für Archivierung, seine Provokation behalten: „Wer sich nicht in die Informationsströme begibt, kommt darin um." Damit wird zugleich gefordert, sich über die jeweils notwendigen kulturellen Verdichtungen von Informationen (gerne auch *content* genannt) neu und anderes Gedanken zu machen.

So entsteht eine bislang wenig beobachtete Sphäre der globalen Wissensmöglichkeiten und -bedingungen. Sie beeinflussen erheblich die lokalen

Wissensformen und individuellen Weisen des Erkennens und Wissens. Die Chance auf Wissen löst sich zunehmend von den steilen Institutionalisierungen, die wir als Universität kennen. Wissensproduktion erfolgt mit immer größeren Reichweiten außerhalb der Körperschaft „Universität", und auch außerhalb des politisch-konzeptionell geschützten Raumes „Universität". Das Feld der globalen Medienintegration von Information und Wissenserzeugung wird zur zentralen Thematik transnationaler Wissensproduktion und -weitergabe.

Die Menschheit verfügt zum ersten mal mit den digitalen Techniken

a) über einen universellen Standard von Zeichen für Bilder, Texte, Töne, Bewegungen,

b) über Kommunikations- und Transferstandards, die, gelöst von Orten und Zeiten, den Globus mit einem ununterbrochenen Informationsmantel umgeben, und

c) über immer dichter vernetzte universell verstreute Werkstätten des Wissens.

Ob wir damit, wie Ulrich Beck einmal bemerkte, an der Schwelle einer „kosmopolitischen Gesellschaft" stehen, werden wir sehen. Und ob und wie europäische Universitäten daran beteiligt sein werden, wird die Zeit zeigen. In jedem Fall scheint es angezeigt, etwas vorsichtiger mit dem Begriff „Gesellschaft", und für diesen Beitrag, vorsichtiger mit dem Wort Universität umzugehen. Nicht auszuschließen ist, dass beides Auslaufmodelle sind, zumindest was den territorialen und institutionellen Universalitätsbezug regionaler Kulturen angeht. Sie für einen globalen Diskurs zu retten, erfordert doch mehr also eine Auffrischung durch Adjektive. Die Frage ist daher eher: Welche Zukunft für welche Wissenswerkstatt? Ob diese dann Universität heißt, ist nachrangig.

Die Werkstätten, die Labors, die Entstehungsorte für Wissen und dessen Anwendung, Einsatz, Kritik, haben immer weniger mit dem überlieferten Modell von Universitas und Universität zu tun. Ob dies nun behagt oder nicht: die globalen Informations-, Kommunikations- und Medienstandards verändern Wirtschafts- und Wissensstrukturen. Der permanente Veränderungsdruck gilt nicht nur in der Wirtschaft, sondern auch für Wissen und Wissenschaft. Die etablierten Abstände zwischen den Institutionen flachen ab, in den Informationsflüssen digitaler Netze sind sie verschwunden. Universitäten müssen mit ihren Fächern zu Knoten innerhalb der weltweit vernetzten Wissensumfelder werden, oder sie veröden.

Damit ist eine Prognose formuliert, die auf ein Vereinsamungs-Szenario klassischer Universitätsausbildung zielt, ohne dass dies für die Universitäten die Zukunft sein muss. In vielen Fächern ist nicht nur die klassische Internationalität selbstverständlich. Sie sind, wie man sagt, global aufgestellt. Die Wissensproduktion erfolgt nicht nur am heimischen Tisch nach „interessanten produktiven Kontakten" mit der Außenwelt. Die Themen sind global. Am Ozonloch ist ebenso wenig „Nationalität" erkennbar wie bei El Niño, am globalen Bevölkerungswachstum ebenso wenig wie an Transferstandards bei online-Bild- oder Textübertragung. Die Überschätzung der Jahrhundertmarken „Made in" oder „qualified in" trübt noch allzu oft den Blick auf die globalen Produkt- und Wissensföderationen, die entstanden sind.

Klar, soziale und individuelle Wirklichkeiten bleiben auch unter den expandierenden technologischen Realitäten und Möglichkeiten erhalten. Ihre Eigenarten gewinnen sie nicht mehr vorrangig aus den Ortsbezügen. Global ausgelegte Manager- und Hackerkulturen, virtuelle Gemeinschaften und Forschungsnetze, annähernd 850 Millionen tägliche Netzwerknutzerinnen und -nutzer und weltweite zeitnah in 2 oder 30 Sekunden erledigte Informationsanfragen zeigen, dass es nicht nur Weltwissen gibt, sondern auch Handlungsfelder, die hauptsächlich im Netz verarbeitet werden. Wirklichkeit findet also dort statt, *acht Stunden* oder *vier Stunden am Tag*, oder *in broker-online 24 Stunden am Tag*, – und bleibt als mediale Wirklichkeit in Erinnerung.

Lehre, high-end? Hochschulen/Universitäten reagieren auf diese Themen mit mehr oder minder finanziell gut abgesicherten Infrastrukturmaßnahmen und holen damit mit enormer Zeitverzögerung nach, was in Haushalten über individuelle Konsumtionsfonds bereits an Rechnern, Modems etc. gekauft wurde. Ein eher beschämender Wettbewerb, bei dem nicht nur die öffentliche Hand derzeit verliert, sondern der Sektor „Öffentliches Wissen", wie Burghart Schmidt in diesem Band umfassender ausführt. Wir befinden uns in der Situation, dass nicht nur in den Schulen der mediale Kompetenzwechsel vom Lehrer/von Lehrerin zum Schüler/zur Schülerin erfolgt. Die informationellen Werkstätten des Wissens sind zunehmend privat eingerichtet, high-end-Lernbereiche, während die Universitäten dem nicht nachkommen. Die Prozesse des tradierten Wissenserhaltes drohen, von den gegenwärtigen und zukünftigen Bereichen der Wissens- und Wertschöpfung wegzudriften. Wahrscheinlich ist, dass sich in diesen Verläufen Gegensätze in den Modellen von Wissen zwischen Herkunft / Archive / Institutionen und Entstehung / Verarbeitung / Erweiterung verfestigen. Sicher ist dies eine Vereinfachung, die mir allerdings prognostisch hilfreich erscheint.

Nicht auszuschließen ist deshalb, dass in naher Zukunft innerhalb der Gesellschaften zwei Fragen gestellt werden: Warum sollen wir überlieferte Wissensbestände ohne dauerhafte Anschlussfähigkeit an Bedarfsentwicklungen weiter „öffentlich" finanzieren? Und: Welche Handlungsebenen müssen entwickelt werden, um noch eine paar Terrabyte an Gesellschaftlichkeit im Netz der globalisierenden und individualisierenden Prozesse zu haben?

Bedenkt man die angedeuteten Aspekte, und verbindet diese mit den Erwartungen informations- und wissensintensiver und -sensitiver Megathemen der Zukunft, erscheinen manche universitären Ortserfahrungen eher unbeweglich. Themen wie Medienkonvergenz (Multimedia, Telekommunikation, Netzwerke), Edutainment (von Spielen bis zur virtual University, von Medienkompetenz zu künstlichen Lernumgebungen), Life Science, Biotechnologien, Bevölkerungsexplosion und Ernährungslage, Energie, Transportsysteme, globale Migration, und Gesundheit könnten sehr gut die Themen- und Projektfelder sein, um die herum sich Universitätskapazitäten gruppieren ließen, – in Lehr-Forschungs-Projekten (z.B. in der Kulturanthropologie an der Universität Frankfurt), in Projekten künstlerischen Forschens (z.B. im Zentrum für Kunst- und Wissenstransfer der Universität für angewandte Kunst Wien), in Projekten des experimentellen Lernens usw. Oder, es müssen völlig neue Kapazitäten gebildet werden, wenn überlieferte Strukturen sich hier unbeweglich und änderungsablehnend zeigen.

Es wird einfach zu wenig versucht, über das Morgen und Übermorgen dieser hochsubventionierten Anstalt der Wissensproduktion und Wissensvermittlung, sprich: Universität, nachzudenken. Dies liegt sicher auch in Personen begründet. Gravierender aber ist, dass aus den Fächern heraus nicht die wissenspolitische Frage danach gestellt wird, warum Gesellschaft sich in Zukunft gerade diese Art von Wissensproduktion leisten sollte. Man könnte ja in einem freudigen Sinn von der „Verweltlichung" der Wissenschancen sprechen, die aus der politisch-edukatorischen, aufklärerischen, industriellen und wissenschaftlichen Modernität der letzten 200 Jahre entstanden ist. Also Abkehr von den Modellen der Vollständigkeit oder der Vervollständigung.

Die Universitäten werden in die Pragmatik der globalen Wissensproduktionen mit einbezogen, werden Knoten einer höchst interessanten Konkurrenz um die Bestimmung von Grundlagen, Erfordernissen, dringlichem Wissen und Anwendungen.

10. Wissens-Föderationen, für kurze Zeit

Wir sprachen von Transdisziplinarität. Sie ist einer der interessantesten Begleiter beim Wandel der Abteilungs-Disziplinen zu Themen- und Projektwissen.

Sie ist eine Wissens-Föderation, die den Änderungsgeschwindigkeiten in der Wissens-Welt entspricht. Herkömmlich herrscht eine Selbstregulierung der Fächer vor, in der über die Anforderungen, alle Phänomene zu erfassen oder zumindest einen kategorial festen, konstanten und normativ wendbaren Begriffsrahmen zu besitzen – Wissensbesitzstand verteidigt wird. Daran ist erkennbar, dass gegenwärtig eine Unterscheidung zwischen

a) der konservierenden Funktion der Fach- und Institutionsbildung,
b) den zugelassenen Wissensbeständen und Wissensformen und
c) dem neuen Erkennen und der Wissenserzeugung unerlässlich ist.

In vielen Bereichen dominieren a) und b) noch. Sie vertreten das Los der Institution, der Archive, der tradierten Strukturen, der strikten Hierarchien der Wissensweihung, auch Qualifikationen genannt.

Es ist die alte Idee der *Universitas*, des geschlossenen Wissenssystems der Welt. Über Jahrhunderte war es ein europäischer Exportschlager, umgarnt von der Behauptung, es gäbe dieses eine Wissen, diese eine Welt, geschickt von Descartes in zwei Felder geteilt.

Nun wird man sagen können: mit der Industrialisierung und mit der aufklärerischen Modernisierung entstanden neue Wissensfelder, neue Institutionen wie Schulen, Akademien, Technische Hochschulen, die mit der mittelalterlichen Idee der Universität nicht direkt etwas zu tun hatten. Dem ist nicht zu widersprechen. Diese Entwicklungen der letzten 150 Jahre zeigen auf nationaler Ebene, dass abstrahierendes wissenschaftliches Wissen, das ausschließlich auf Geist bezogen ist, nicht mehr alleine ist. So wie vorher Kirchen, Feudalherren, Klöster und ein paar Städte in die geistvollen Wissenschaften und in wenige Naturwissenschaftler investierten, investierten Gesellschaften des 19. und 20. Jahrhunderts massiv in neue Wissensproduktion, in neue Wissenssorten und deren Anwendungen. Eine Art nationaler Wissensfirma entstand, mit institutionell und sozial strikt geregelten Wissens-Abteilungen, Abteilungsgehorsam inklusive. Allerdings knackte es nicht im Gebälk der Hierarchisierung.

Die technischen Fächer, die ingenieurswissenschaftlichen Richtungen, mitunter auch die sozialwissenschaftlichen Institute standen unter dem Negativzeichen der Anwendung, und stehen dort immer noch. Fast wie ein

Duplikat der Stilisierung von Hochkultur gegen Masse(-nkultur), retten sich die tradierten Vorstellungen von Universität vor dem Ansturm der Anwendbarkeit.

Die aktuellen deutschen Streits um das Promotionsrecht von Fachhochschulen und ob sie sich in internationalen Zusammenhängen als „University for applied..." nennen dürfen, sind ein kleines Beispiel. Nun: Anwendbarkeit ist eine Kulisse, hereingeschoben in einer Situation, in der noch nicht klar erkennbar war, in welcher Weise sich die kulturellen, qualifikatorischen, wirtschaftlichen und politischen Ansprüche an Wissen veränderten, welche Wissenssorten erforderlich würden. Hinter dieser Kulisse konnte man sich verstecken (Universität als Welt[ge]wissen) oder ernsthaft vortragen (Technische Hochschulen bis Fachhochschulen).

Seit drei Jahrzehnten wird ab und an eine andere Kulisse der Wissenspolitiken bewegt: Interdisziplinarität – ein hochgelobter Dauerbrenner, der seine Leuchtkraft verloren hat. Das „inter" ist nicht gelungen, weil letztlich doch wieder alle auf Disziplin setzten. Die Standort- und Baupolitiken der Universität Frankfurt, sicherlich schon etliche Jahrzehnte gepflegt, sind ein interessantes Beispiel für die Beharrlichkeit überlieferter Disziplin-Trennungen, so als hätte Charles Snow mit seinen unvereinbaren Wissenschaftskulturen doch recht. Zumindest sind die Bauplätze des Wissens in keiner kooperativen Nähe. Viel Engagement scheiterte daran, dass diese Debatten um Interdisziplinarität institutionell geführt wurden und werden. Niemand gibt von „seinem Territorium" irgend etwas auf, wenn er keine verbessernde Kompensation dafür erhält.

Interdisziplinarität ist Verteilungskampf geworden. Oder aber, sie scheitert daran, dass die Methoden, die Leitbilder oder der wissenschaftlichen Prüfung entzogenen Weltbilder als unvereinbar aufgestellt sind. In allen diesen Prozessen der letzten 30 bis 50 Jahre macht sich ein Grundmangel bemerkbar: Wissen wird nicht als Gebrauch menschlicher Fähigkeit verstanden, zu erkennen und zu inter-re-agieren. Seit der Rede von Roman Herzog (Alt-Bundespräsident / Deutschland) in den frühen 1990ern hält sich hartnäckig die Meinung, Wissen sei ein Ressource. So als könne man auf Wissen einfach zugreifen, wird die Idee gepflegt, es ginge in den schulischen oder universitären Ausbildungen um Wissen. Genauer betrachtet, sind Universitäten gut ausgestattete Informationsproduzenten, -verwaltungen und Verwaltungen der Übersetzungsregeln für die Informationen. Das ist die Architektur des „Elfenbeinturmes". Es geht nicht darum, diese Funktionen zu schmälern, sondern vorzuschlagen, sie in transkulturelle Prozesse der Wissensproduktion und des Wissenserhaltes zu übersetzen, also in Projekte. Dass sich hierfür das Innenleben und die institutionelle Architektur der Universitäten verändern müssen, ist da mitgedacht.

Es scheint, dass der Beginn des 21. Jahrhunderts weder die Stunde der disziplinär organisierten klassischen Universität, noch die Stunde der hierdurch entstandenen Wahrheit ist. Transklassische Universitäten, die selbstverständlich mit den globalen Veränderungen der Informations- und Wissensmengen zeitnah umgehen, die Fächer nach fünf Jahren zur Überprüfung freigeben (wie dies im Konzept der Universität Konstanz angedacht war), die beweglichere Besetzungspolitiken ermöglichen und mit Bereichen aufwarten, in denen unternehmerische Handlungsfelder und entsprechende Arbeitsrechtsordnungen möglich sind, sollten innerhalb der Universität diskutiert und vorbereitet werden.

11. Mängel zurücklassen

Es ist ein dramatischer Mangel, dass nicht nach Projekten, sondern ausschließlich nach disziplinärer Begriffshygiene gelehrt und gelernt wird. Es gibt keinerlei gemeinsamen Projektbezug; Lehrpläne, Fachverständnisse, Berufshierarchien stehen dagegen.

Es will mir scheinen, dass dies die größte Herausforderung an deutsche und anderen europäischen Universitäten ist: Wissensproduktion, Wissenserhalt und Wissensvermittlung, sowie spezifische Stellenplanung und spezifische Vertragsstrukturen sollten auf Projekte gerichtet sein, die die Beteiligung sehr unterschiedlichen Wissens erfordern:

– Projekte sind der Schmelztiegel von Transdisziplinarität.
– Projekte sind die kulturelle Form, in der Menschen kooperative Individualität lernen, die für sie existenziell ist.
– Projekte enthalten die Chance, komplexes Zusammenhangswissen ebenso zu erlernen, wie unterschiedliche Wege, etwas zu erkennen und zu wissen.

In welcher Weise Projektebenen zu Kontinuität stehen sollten, wäre dann zu diskutieren. Das alles hängt nun daran, was unter Wissen verstanden wird und in welcher Weise man meint, seine Entstehung und seinen Erhalt institutionalisieren zu müssen.

Ich plädiere für fachlich unterlegte Projekt-Studiengänge, d.h. auch für Fachentwicklungen, die sich ausdrücklich auf die weitreichenden Veränderungen von Wissen und von Wissensbedarf beziehen. Ob die Orte, an denen das geschieht, dann noch Universität genannt werden, ist nicht wichtig. Die Frage nach der Reichweite der Körperschaftlichkeit von Universität stellt sich nicht aus dem Wort „Universität", sondern aus den Prozessen heraus, die als Globalisierung, globale Medienkulturen oder global verstreute Wissenskulturen beschrieben werden.

Wir sind an einem hochinteressanten Wandel globaler Wissenskulturen beteiligt: vom archivierenden, relativ geschlossenen Konzept des Gesamtwissens (zentrierter Universalität) zu einem hochgradig vernetzten, dynamischen Konzept der weltweit verteilten Wissensgenerierung (fraktaler Globalität). Orte, an denen sehr unterschiedliches Wissens zusammen kommt, zu Projekten verdichtet wird und für Projekte bereitgestellt wird, werden darin wichtig. Netzwerke und Informationsströme, einzelne Menschen und Projektgruppen bestimmen die entstehenden Wissensökonomien.

Es wird immer deutlicher, dass wissensbildende Informationen und die Fähigkeiten, Wissen zu erzeugen, längst nicht mehr vorrangig in den klassischen Universitäten zu finden sind. Der kulturevolutionäre Wettstreit zwischen Institutionen und Projekten ist in den Netzwerken globaler digitaler Kulturen schon im Gange.

Literatur

Baeyer, Hans Christian von: *Das informative Universum. Das neue Weltbild der Physik*, München 2005

Barabási, Albert-Laszlo: *Linked: The new science of networks*, Cambridge, Mass. 2002

Bender, Gerd: *mode 2 – Wissenserzeugung in globalen Netzwerken?*, in: Matthiesen, a.a.O., Berlin 2004, S. 149–156

Castells, Manuel: *Die Internet-Galaxie. Internet, Wirtschaft und Gesellschaft*, Heidelberg 2005

Dennis, Alan R. / Joseph S. Valacich: *Rethinking Media Richness: Towards a Theory of Media Synchronicity*, in: *Proceedings of the 32nd Hawaii International Conference on System Sciences* (HICSS), 1999

Erickson, Thomas / Wendy A. Kellog: *Knowledge Communities: Online Environments for Supporting Knowledge Management and its Social Context*, in: Ackermann, Mark et.al. (ed.): *Sharing Expertise: Beyond Knowledge Management*, Cambridge, Mass. 2003, S. 299–326

Etzkowitz, Henry / Loet Leydesdorff: *The endless transition: A "triple helix" of university-industry-government relations*, in: Minerva 36, '03 –208, Dordrecht 1998

Favre-Bulle, Bernard: *Information und Zusammenhang. Informationsfluss in Prozessen der Wahrnehmung, des Denkens und der Kommunikation*, Wien-New York 2001

Faßler, Manfred: *Netzwerke*, München 2001

Faßler, Manfred: *Erdachte Welten. Mediale Evolution globaler Kulturen*, Wien New York 2005

Fidler, Roger: *MediaMorphosis. Understanding New Media*, Thousand Oaks, London-New Delhi 1997

Flusser, Vilém: *Vom Subjekt zum Projekt. Menschwerdung*, Bensheim-Düsseldorf 1994

Gerken, Gerd: *Multimedia. Das Ende der Information*, Düsseldorf-München 1996

Gibbons, M. / C. Limoges / H. Nowotny / S. Schwartzman / P. Scott / M. Trow: *The new production of knowledge –The dynamics of science and research in contemporary societies*, London, Thousand Oaks, New Delhi 2000

Goffman, Erving: *Frame Analysis. An Essay on the Organization of Experience*, Cambridge, Mass. 1976

Grabher, Gernot: *Die Nachbarschaft, die Stadt und der Club*, in: Matthiesen, a.a.O., Berlin 2004, S. 279–288

Heuser, Uwe J.: *Tausend Welten. Die Auflösung der Gesellschaft im digitalen Zeitalter*, Berlin 1996

Kosko, Bart: *Die Zukunft ist fuzzy. Unscharfe Logik verändert die Welt*, München-Zürich 2001

Levine, Rick / Christopher Locke / Doc Searis / David Weinberger: *The Cluetrain Manifesto. The End of Business as usual*, Cambridge, Mass. 2000

Matthiesen, Ulf: *Wissen in Stadtregionen*, in: Ulf Matthiesen (Hg.): *Stadtregion und Wissen. Analysen und Plädoyers für eine wissensbasierte Stadtpolitik*, Berlin 2004, S. 11–28

Mittelstraß, Jürgen: *Die Häuser des Wissens. Wissenschaftstheoretische Studien*, Frankfurt am Main 1998

Mutius, Bernhard v.: *Die Verwandlung der Welt. Ein Dialog mit der Zukunft*, Stuttgart 2000

Peter, Carsten: *Projektbasierte Kooperation zwischen Wissenschaft und Wirtschaft*, (Diplomarbeit, J.W. Goethe-Universität Frankfurt), Frankfurt am Main 2004

Piore, Michael J. / Charles F. Sabel: *Das Ende der Massenproduktion*, Berlin 1985

Rehberg, Karl-Siegbert: *Weltrepräsentanz und Verkörperung*, in: *Institutionalität und Symbolisierung. Verstetigung kultureller Ordnungsmuster in Vergangenheit und Gegenwart*, Köln-Weimar-Wien 2004, S. 3ff.

Ridderstrale, Jonas / Kjell A. Nordström: *Funky Business. Wie kluge Köpfe das Kapital zum Tanzen bringen*, London 2000

Rippl, Daniela / Eva Ruhnau (Hg.): *Wissen im 21. Jahrhundert. Komplexität und Reduktion*, München 2002

Sennett, Richard: *Die Kultur des Neuen Kapitalismus*, Berlin 2005

Schamp, Eike W.: *Vernetzte Produktion*, Darmstadt 2000

Stegbauer, Christian: *Grenzen virtueller Gemeinschaft*, Wiesbaden 2001

Stehr, Nico: *Wissenspolitik. Die Überwachung des Wissens*, Frankfurt am Main 2003

Warnecke, Hans-Jürgen: *Aufbruch zum fraktalen Unternehmen. Praxisbeispiele für neues Denken und Handeln*, Wien New York 1995

Weingart, Peter: *Die Stunde der Wahrheit. Zum Verhältnis der Wissenschaft zu Politik, Wirtschaft und Medien in der Wissensgesellschaft*, Göttingen 2001.

Eadweard Muybridge on Contemplation Rock
Glacier Point, Yosemite Valley, 1872

„Lichtmann", Biennale di Venezia, Arsenale, 2005
Foto: Bernhard Kleber

„Es geht ständig um Projekte, die gelingen sollen.
Daraus ergeben sich zusammenfließende Richtungen,
im Idealfall koordiniert sich vieles von selbst."

„… ich mache gerne viel Theater, deswegen ist mir
das Spiel mit mehreren Wahrheiten so wichtig."

Bernhard Kleber

„Es braucht höchste Präzision, um spontan sein zu können"

Bernhard Kleber im Gespräch mit Christian Reder

CHRISTIAN REDER: Neben deinen Projekten als Bühnenbildner unterrichtest du an der Universität für angewandte Kunst Wien „Bühnen- und Filmgestaltung"; die Ausbildungsimpulse kommen dabei nicht zwingend aus Theatern, aus Schauspielschulen, sondern sollen sich in einem von Architektur, Design, Malerei, Fotografie, Grafik, Mode, Installationen, Kunsttheorie geprägten Umfeld ergeben. Wir wissen aber, dass solche Transfers – oder gar gemeinsame Projekte – bestenfalls eher informell funktionieren, obwohl es bei Theaterarbeit, inhaltlich wie ästhetisch, immer wieder „ums Ganze" ginge. Wie lassen sich die Erfahrungen damit kommentieren?

BERNHARD KLEBER: Wichtig ist vor allem, zu begreifen, dass unsere Arbeit die räumlich-visuelle Gestaltung von Situationen ist, die schließlich ganz anders ablaufen können, sehr oft sogar konträr zu ursprünglichen Vorstellungen. Was dann tatsächlich geschieht, soll und kann nicht völlig vorausgedacht, vorausgeplant werden, schon wegen der vielen Beteiligten und sich verschiebender Positionen. Es braucht auch nicht in Theatern stattzufinden. Ideen tauchen von irgendwoher auf. In gewissem Sinn ist vieles *fake*, unecht, „getürkt", gekünstelt. Um diese Kompliziertheit in der Ausbildung präsent zu machen, holen wir Regisseure, Dramaturgen, Lichtexperten, setzen für Experimentelles Schauspieler ein. Über meine eigenen Projekte gibt es immer wieder Arbeitsmöglichkeiten an Theatern. Unser Freiraum an einer Kunstuniversität bleibt dennoch eine in mehrfacher Weise künstliche Angelegenheit, worin ich viele Vorteile sehe – weil wir uns eben nicht als reine Zulieferinstanz für den heutigen Theaterbetrieb verstehen. Innerhalb des Studiums sucht jeder den Zeitpunkt, dieses „Insel"-Dasein zu erweitern, es zu verlassen.

CHRISTIAN REDER: Als Basis, um eigene Positionen zu entwickeln, müsste es doch vorrangig um Belesenheit und eine Fülle von Schauerlebnissen gehen, damit für ein Stück reale Möglichkeitsräume hergestellt werden können?

BERNHARD KLEBER: Mit bürgerlichen Bildungsvorstellungen allein – Goethe, Schiller, Shakespeare, Tschechow – ist den Interessenslagen der Jungen nicht beizukommen. Oft fühle ich mich dabei drei Generationen älter als ich bin. Für viele ist vor allem die eigene, schnelle, sehr bestimmte künstlerische Behauptung wichtig – als Statement und als Lebensvorstellung. Unsicherheit und Selbstbewusstsein gegenüber einem Werk laufen oft auf schwer nachvollziehbare Art durcheinander. Das in weiterwirkenden Prozessen zu befragen, anzureichern, zu transformieren, ist die eigentliche Aufgabe, um für jeden individuell dessen neuen Blick mit Erfahrung und Bildung in Beziehung zu bringen. Zu interner Kooperation mit anderen Disziplinen kommt es, wenn überhaupt, am ehesten wegen konkreter Fragestellungen. Im Berufsleben später läuft das, wie wir wissen, oft sehr ritualisiert ab, mit vielfach unsinnigen Abgrenzungen, nach den ungeschriebenen Regeln der jeweiligen Betriebssysteme. Manchmal entwerfen Architekten, etwa Günther Domenig, oder bildende Künstler wie Anselm Kiefer oder Iannis Kounellis Bühnenszenarien; auch Filmleute werden einbezogen. Im Kern dreht sich aber alles um die etablierten Institutionen und das dort zugelassene Personal. Brücken wo anders hin entstehen eher gedanklich als real, trotz allem Cross-Over. In Bezug auf Weltkulturen wiederum ist unübersehbar, dass im deutschsprachigen Raum, anders als etwa in den Niederlanden, „Ethnisches", kulturell Fremdes fast durchwegs bloße Alibifunktionen hat. Um Liberalität zu demonstrieren werden eben manchmal Gruppen aus Asien, aus Afrika eingeladen. Erfreuliche Ausnahme ist zum Beispiel derzeit das Schauspielhaus Wien, das mit Gästen aus aller Welt sehr komplexe Projekte erarbeitet.

CHRISTIAN REDER: Für meine Zugänge war nie das so genannte Wiener Theater prägend, sondern – vor dreißig Jahren – etwa Peter Brook mit Aufführungen im Schlachthofgelände bei den von Ulrich Baumgartner konzipierten Festwochen. Eine solche Intensität, noch dazu in unverständlichen, teilweise künstlich entwickelten Sprachen, hat sich seither nur noch selten eingestellt. Das war Weltsicht, gerade in ihrer Archaik.

BERNHARD KLEBER: Für überzeugende Projekte, die, daran anknüpfend, Theatergeschichte machen könnten, wird ein globales Potential eben kaum genutzt.

CHRISTIAN REDER: Unlängst haben mich Hiphop-Tänzer aus Brasilien an eine solche wortlose Unmittelbarkeit erinnert, weil sie mit ihrer eigenen, auf der Straße zur Perfektion gebrachten Sache, dem Punk vergleichbar, eine packende Präsenz hatten [*H2.2005*, Inszenierung und Choreographie: Bruno Beltrão]. Lieber hätte ich sie wirklich live, also nicht auf einer Bühne gesehen. Es geht also doch immer wieder um Entdeckungen; plötzlich ist Kuba an der Reihe, trotz US-Embargo, mit dem Buena Vista Social Club, mit Rubén González … dazu durchdrehender, surreal-stereotyper Balkanwahnsinn, Emir Kusturica, Goran Bregović …

BERNHARD KLEBER: … einer unserer Studenten hat gerade in Ecuador einen Dokumentarfilm über einen Straßenjungen gedreht, statt aus Schaumstoff Kulissenmodelle zu basteln. Solche Faszinationen sind für uns auch intern etwas ganz Entscheidendes, um sich von dem und jenem zu befreien. Wir versuchen, sich medial veränderndes Handwerk zu vermitteln, zugleich sollen sich die Perspektiven so weit als möglich öffnen, oft sogar so weit, dass es vom ursprünglich angestrebten Beruf wegführt, ihn erweitert. Es muss keineswegs jeder Bühnenbildner werden, zwangsläufig im Theater landen. Was auf Grund solcher Studien möglich wird, lässt sich nicht vorherbestimmen. So gesehen verstehen wir uns als auf Räume orientierte, breit gefächerte Kunstklasse, in der Freiheiten ausprobiert werden um Selbstverantwortung auszuprägen. Weil Studierende angesichts solcher Offenheit Entscheidungen oft hinausschieben, versuche ich, ihre Interessen zu bündeln, nach architektonischen, malerischen, virtuellen, poetischen, musikalischen Intentionen. Viele gehen in Richtung freie Kunst, machen Performances, Events, Experimente. Einige haben gerade Hans Schabus dabei geholfen, seinen Biennale-Berg über dem österreichischen Pavillon in Venedig aufzubauen und stellen in der Kunsthalle Wien in der Video-Lounge aus.

CHRISTIAN REDER: Offensichtlich geht es bei vielen gar nicht mehr darum, möglichst rasch – zuerst als unbezahlte Hospitanten – über Regionalliga und B-Liga in die Starkult-Sphären der A-Liga aufzusteigen. Es kann doch durchaus auch „hintergründiger" funktionieren?

BERNHARD KLEBER: Darüber zu reflektieren halte ich derzeit für ein großes Thema, gerade was künstlerische Berufe betrifft. Es ist überfällig solche Fragen wieder kategorisch zu stellen: Was ist Erfolg? Die Resonanz, das Finanzielle? Wie stehe ich selbst zu den vorgegebenen Mustern? Die Art und Weise, wie jemand in den Medien vorkommt, kann manches kurzlebig ausgleichen, bleibt aber inhaltlich oft völlig wirkungslos. Das gilt es also nicht zu überschätzen. Sehr viel Interessantes passiert weiterhin im Stillen. Peter Brook mit seinen „anonymen" Akteuren hat immer wieder Phasen der Zurückgezogenheit gebraucht. Zugleich konzentriert sich die Finanzierung immer mehr auf üppig ausgestattete Institutionen, während überall sonst fehlende Mittel zum Hauptthema einer Produktion werden. Damit bestätigt sich etwas – was ist das eigentlich, dieses Etwas? – selbst. Was sich ergeben könnte, bleibt durchaus präsent, wird auch immer wieder vorgeführt, taucht als Erinnerung auf. Für kontinuierlich intensive experimentelle Arbeit sind die Zeiten jedoch sichtlich nicht günstig, sogar im Vergleich zu eklatanten Depressionsphasen früher, obwohl überall Innovation, Reflexion gesucht wird …

CHRISTIAN REDER: … öffentliche Räume verändern sich eben drastisch, lösen sich in medialen Überlagerungen auf. Kritik wird, als Teil der Unterhaltung, vielfach zur Farce ohne Kontinuitäten. Für das Relikt „Theater" – als vor berechnender Ökonomie halbwegs geschützter Raum für sichtbar gemachtes Nachdenken, Mitdenken, Streiten, Irritieren, Ironisieren – sind das doch ziemlich unübersichtliche Voraussetzungen, gerade auch was die Berufsausbildung betrifft?

BERNHARD KLEBER: Die hochkomplexe Kunstform Theater ist kein Relikt, sie wurde jedoch schon oft als solches ausgerufen. Aber Beispiele liefern kaum Orientierung. Peter Brook ist ein Klassiker der langen Weile, der Muße für hochkomprimierte, eigenwillige Momente. Christoph Schlingensief gibt ständig Interviews, wobei die Kameras ein Publikum simulieren, das möglicher Weise gar nicht mehr da ist, gar nicht mehr gebraucht wird.

CHRISTIAN REDER: Trotzdem ist er schnell in Bayreuth gelandet …

BERNHARD KLEBER: … rasend schnell nur im Bayreuth-Zeitschema; darüber freue ich mich ganz grundsätzlich, weil ein „bekennender" Nicht-Wagnerianer nun eben Wagner inszeniert und damit viele inhaltliche Positionen, auf die sonst so gepocht wird, über den Haufen geworfen werden.

Neue Energiefelder entstehen also durchaus: die Volksbühne mit Frank Castorf in Berlin oder rund um Christoph Marthaler, der mit Anna Viebrock ganz neue Formen von Zeit-Raum-Relationen gefunden hat. Das gibt es in Wien nicht, abgesehen von einzelnen Produktionen der Festwochen oder des Burgtheaters. Was Ursula Pasterk oder Klaus Bachler an Neuem nach Wien geholt haben, wurde rasch vergessen; somit hat sich keine Basis gebildet, von der aus weitergearbeitet werden könnte. Bachler hat das jetzt mit der nächsten Generation am Burgtheater wieder aufgenommen.

CHRISTIAN REDER: Wie bist du eigentlich in die inneren Kreise geraten?

BERNHARD KLEBER: Wo fangen die von dir angesprochenen inneren Kreise an? Wer definiert die inhaltlich? Mein erstes Bühnenbild habe ich an der Schaubühne in Berlin ohne irgendeinen Etat gemacht. Damit hatte ich den Namen „Schaubühne", musste mich aber durch die Provinz kämpfen bis endlich entscheidende Anrufe kamen, also die Sache mit den richtigen Leuten, im richtigen Moment, am richtigen Ort zu funktionieren begann. Ich bin dann mit Lust und Liebe mit Leander Haussmann das Treppchen hoch gestolpert. Das ist keineswegs theaterspezifisch; Elke Krystufek wird es genauso gegangen sein. Jeder so genannte Freischaffende ist zutiefst von den jeweiligen Betriebssystemen abhängig, alles andere wäre gelogen. Beim Bühnenbild verschärft sich das noch angesichts eines etablierten Dilettantismus und der offenen, oft auch nebulosen Aufgabenstellungen.

CHRISTIAN REDER: Vor deiner Zeit dort kannte ich in Berlin Leute rund um Peter Stein, damals am Halle'schen Ufer; die Truppe ging auf eine wochenlange Wolgafahrt, um sich auf Tschechow einzustimmen, hielt sich einen eigenen Ideologen mit meterlanger Marx-Bibliothek als Berater. Ein solcher Gruppengeist hat mir sehr imponiert.

BERNHARD KLEBER: Intensive Gemeinsamkeiten dieser Art sind kaum mehr vorstellbar. Was du da erzählst, klingt wie eine Anekdote aus einer schönen Mikrokosmoserfindung. Die Arbeitsweisen haben sich eklatant verändert, also professionalisiert, wie es so schön heißt; das konstatiere ich einfach so, ohne sozialromantische Wehmut. Die Geschwindigkeitskurve à la Virilio treibt sich unreflektiert selber in die nächsten Höhen. Wohltuende Reflektionsformen des Innehaltens in dieser Geschwindigkeit bietet zum Beispiel das artifiziell ausgeklügelte Zusammenfließen der verschiedenen

Theaterausdrucksmittel in Andrea Breths Inszenierung von Albert Oster-
maiers *Nach den Klippen*. Da gefriert die Raserei in Sekundenbruchteilen
zur langen Weile. Theater bricht auf und bestätigt sich neu durch Infrage-
stellung.

CHRISTIAN REDER: Das mobile Stadt Theater Wien rund um Anne Mertin
wiederum, mit dem wir lose kooperieren, konzentriert sich nun seit Jahren
auf das Werk von Marianne Fritz, bewusst ohne mit der Autorin selbst
in Kontakt zu treten. Da kommt eine Handvoll Zuschauer an irgendwelche Orte, es gibt null Budget, trotzdem wird das unverdrossen weiter betrieben …

BERNHARD KLEBER: … nur bringt es nichts, radikales *arte povera*-The-
ater gegen so genannte Luxustempel auszuspielen, die mittlerweile auch
mit ihren Riesenstrukturen zu kämpfen haben. Der Wunsch, in üppigen
Budgets zu baden und das gleichzeitig zu verachten, zu bekämpfen, ist eine
so latente schizophrene Attitüde, dass es sich längst als höchst praktisch
herausgestellt hat, für dieses Leiden doppelte Gagen zu verlangen. Ich
gehöre nicht dazu, sondern glaube an „die große Oper", elitär und artifiziell, sonst hätte ich ja vor zwanzig Jahren ein Kellertheater gegründet.
Insgesamt sieht das alles nach indifferenter Zwischensituation aus, ein solches Durcheinander der Gefühle hat es aber rund ums Theater immer
gegeben.

CHRISTIAN REDER: Selbst unter günstigen Umständen stelle ich mir die
Realisierung anspruchsvoller Bühnenaufführungen extrem schwierig vor.
Solche Leistungen werden in der Öffentlichkeit irgendwie hingenommen,
verlangen aber doch ein höchst subtiles „Projektmanagement". Wer sonst
bringt schon in kurzer Zeit Derartiges auf die Beine?

BERNHARD KLEBER: Das hat auch meinen vollen Respekt. Ich liebe die
alten Schlachtschiffe wie Burgtheater, Hamburger Schauspielhaus oder das
Palais Garnier. Es gehört enormes Fingerspitzengefühl dazu, sie zu führen.
Ein Manager im eigentlichen Sinn hat aber effizient zu arbeiten. Ich freue
mich über die ganz und gar Ineffizienten, die es mir ermöglichen, mich
weit aus dem Fenster zu lehnen. Dazu fällt mir das Bild von Yves Klein ein,
Der Sprung ins Leere. Unter jeder Leitung ist es anders, wie solche Apparate
lebendig gehalten werden, um Projekte, bei denen ja jede Nuance wichtig
ist, zur Bühnenreife zu bringen. Es geht nicht darum, ständig Angebote zu

verbreitern, sondern sie zu vertiefen und Theaterstrukturen aus heutiger Sicht neu zu überdenken, für sie endlich transformierte Perspektiven zu erarbeiten.

CHRISTIAN REDER: Große Häuser mit ihren vielen Inszenierungen verstehe ich als möglichst flexible „Strukturen", die mit ihrem Dienstleistungsapparat signifikante Projekte ermöglichen. Wird so gedacht, kann das auch für Forschungseinrichtungen oder Universitäten gelten, obwohl von den Arbeitsweisen her vieles nicht vergleichbar ist. Aber auch diese könnten viel projektorientierter arbeiten. Grundintention müsste das Ermöglichen sein, die Ausrichtung darauf, Markantes zusammenzubringen und inhaltliche Diskussionen mitzuprägen. Im Theater werden Ergebnisse so unmittelbar sichtbar wie sonst kaum wo, nur interessiert letztlich wenig, wie sie zustande kommen. Deswegen bleibt aber doch auch vieles so statisch?

BERNHARD KLEBER: Sobald der Vorhang hochgeht, ist eine Phase zu Ende; die eigentliche Aufführung ist bereits wieder etwas Neues. Die Termine erzwingen permanent zielgerichtetes Arbeiten, wobei die Suche selbst oft noch gar nicht zielgerichtet und daher schwer vermittelbar ist. Es geht ständig um Projekte, die gelingen sollen. Daraus ergeben sich zusammenfließende Richtungen, im Idealfall koordiniert sich vieles von selbst. Das Dazwischen ist das Dazwischen, das niemand wahrnimmt.

CHRISTIAN REDER: In ein solches Geschehen einzudringen, als freier Mitarbeiter, setzt voraus, dass man als Fremder halbwegs willkommen ist, nicht von „Einheimischen" blockiert wird. Wie funktioniert das in der Regel?

BERNHARD KLEBER: Meine Sucht gilt dem Fremden. Nehmen wir als Beispiel meine Zusammenarbeit mit Daniel Schmid, die für mich – wie jene mit Leander Haussmann – sehr prägend gewesen ist. Er ist an sich Filmemacher und inszeniert nur gelegentlich für Bühnen, ist fremder Liebhaber. Für Bellinis *Beatrice di Tenda* am Opernhaus Zürich hat er mich eingeladen mit ihm zu arbeiten. Dass es in Zürich optimale Arbeitsmöglichkeiten gibt, ist bekannt; alle Abteilungen sind darauf eingestellt, mit beträchtlichen finanziellen Mitteln, hoch konzentriert, unter großem Zeitdruck zusammenzuwirken. In den eineinhalb Jahren bis zur Premiere mussten sich hunderte Menschen aufeinander einstellen, um dann in fünf Wochen Probenzeit kraftvoll und koordiniert zusammenzutreffen. Alles lief – vielleicht als Höchstform von schönem Wahn – auf den einen Moment hin, als Edita Gruberova, eine große Arie singend, die Treppe hinabschreitet. Dieser eine, immer singuläre Moment ist es, um den es geht. Der ganze Druck – für einen Blick, für einen Ton. Die vielen, oft unangenehmen Begleiterscheinungen fallen dann ins Nichts. Was bleibt ist der Traum vom Theater … ein mit dem Publikum geteilter Moment, Schönheit, die nicht nach Himmel oder Hölle fragt …

CHRISTIAN REDER: … sich immer von Neuem über Raum, Zeit, Sprache, Musik, unwiederholbare Augenblicke konkretisierend?

BERNHARD KLEBER: Der Moment, der eine Satz, die Präsenz eines Schauspielers, einer Sängerin, der eine Raum, in dem alles stattfinden muss, das ist entscheidend – sehr im Unterschied zum Film, der ja ein montiertes Ereignis „zweiter Ordnung" ist. Aufzeichnungen von Theater, von Oper beweisen ständig, dass gerade die aufblitzenden Momente nicht reproduzierbar sind. Die gibt es nur in dieser speziellen Realität.

CHRISTIAN REDER: Was passiert da in deinem Denken während der Arbeit? Wie lassen sich eigene Vorstellungen durchhalten?

BERNHARD KLEBER: Intuition – Assoziation – wissen, was ich wieder über Bord werfe. Ich muss eine Grundemotion zum Stück aufbauen; das ist bei mir wichtiger als insistierende Kopfarbeit. Eine Theorie dazu überlege ich mir vielleicht hinterher. Begründungen ergeben sich im Zusammenspiel mit dem Team, mit der Regie, mit den Sängern. Inwieweit diese Hierarchien fruchtbar werden ist wichtig, inwieweit sie gemeinsam zu Neuem kommen.

CHRISTIAN REDER: Welche Vorgaben gibt es in der Regel? Könntest du auch bei drei Akten sieben Bühnenbilder vorschlagen? Wie wäre es ideal – im Spannungsfeld zwischen eigener Autonomie und Integration in ein Gesamtes?

BERNHARD KLEBER: Dafür gibt es kein Schema, das läuft sehr unterschiedlich, selbst mit denselben Partnern. Grundsätzlich bin ich interessiert, Schemata auch neu zu definieren, über Varianten zu sprechen, es muss also nicht von vornherein um eine fixe Idee von mir gehen. Ein Bühnenbild ist keine Rauminstallation, keine Kunstausstellung. Es funktioniert nur, wenn die Regie mit den Darstellern das umsetzt, was für den Raum gedacht ist. Bei allen Konflikten, die manche als Druck brauchen, muss sich im Idealfall immer wieder ein gegenseitiges Grundvertrauen einstellen, ein Respekt vor der Kompetenz der anderen. Das bestärkt auch ein Gefühl dafür, was alles vorgeschlagen werden kann. Wenn ein Regisseur dies und das fordert, liegt es an mir, inwieweit ich dem folge. Das kann durchaus zum Kampf werden; würde ich meine Interessen nicht behaupten, ginge ich mit meinen Raumvorstellungen unter. Um Feinheiten wirklich ohne dauernde Rückfragen festlegen zu können, ist die Kenntnis der jeweils sehr unterschiedlichen Arbeitsbedingungen ein Vorteil. Es gibt Teambesprechungen, die wichtigen Abstimmungen erfolgen aber meist in einem sehr kleinen Kreis, der eigentlich erweitert gehört.

CHRISTIAN REDER: Du kommst mit Modellen und Skizzen?

BERNHARD KLEBER: Ja, oft auch mit Fotomontagen. Die rein virtuellen Welten des Computers bringen es nicht. Dafür sind die Programmsprachen noch zu eindimensional. Modelle vorzuführen, in die ein Regisseur, ein Schauspieler hineingreifen kann, in der Figuren händisch verschoben werden können, ermöglicht einen haptischen Zugang, auf den ich bis jetzt nicht verzichten möchte. Material wird erlebbar. Bei mit Rechnern ausgearbeiteten Konzepten fehlt mir immer etwas. Wir stimmen uns auch anhand per E-Mail versendeter Bilder ab. Unter dem selbst gemachten Zeitdruck nimmt das zu; persönliche Besprechungen werden so seltener. Aber auch kostbarer.

CHRISTIAN REDER: Ist die im Theater stattfindende mediale Vermischung, mit Film-, Video-, Fotosequenzen für dich eine realitätsnahe Entgrenzung, ein Eingehen auf sich verschiebende Wahrnehmungsweisen?

BERNHARD KLEBER: Nein, ich wundere mich eher, warum viele so tun, als ob das neu wäre. Seit es Film gibt, wird im Theater Film verwendet. Wenn sich kein inhaltlich zwingender Zusammenhang erkennen lässt, also Leerstellen mit Projektionen gefüllt werden, finde ich es unnötig. Da denke ich dann, aha, jetzt geht der Fernseher an, weil Überlegungen fehlen und theatrale Momente nicht ergänzt sondern ersetzt werden. Positive Erlebnisse in dieser Hinsicht waren für mich z.B. die Produktion *Drei Schwestern* von der Wooster Group oder auch Matthias Hartmanns letzte Arbeiten und deren prägnantes Ineinandergreifen verschiedener Medienebenen.

CHRISTIAN REDER: Mit Bühnensituationen operiert auch das Fernsehen dauernd, als exemplarischer Guckkasten. Trotz der 500 über Satelliten empfangbarer Sender bleibt das Potenzial weltweit in Trash-Stereotypen stecken; intelligente „Fenster" – Alexander Kluge, 3sat, Arte, ausdrücklich „Minoritäten" ansprechende Mitternachtsangebote – sind rare Ausnahmen. Schon nach Sekunden lassen sich an der Machart Fernsehfilme von „eigentlichen" Filmen unterscheiden. Für Stage-Design müssten sich doch uferlose Betätigungsfelder ergeben? Wer macht so etwas eigentlich?

BERNHARD KLEBER: Die haarsträubende Ästhetik vom *Sportstudio* bis zu *Wetten, dass…* anders zu denken, wäre überfällig und sicher ein weites Feld, auch für die Ausbildung. In Deutschland am erfolgreichsten ist, glaube ich, Pit Fischer, der vom Theater kommt und sich auf Szenarien für TV-Unterhaltung verlegt hat. Gerade diese Nachmittags-Sozialproblem-Shows mit ihren stilbildenden Wirkungen wären signifikantere Entwicklungsthemen als jeder *Urfaust*. Schon zwanzig Studentenkonzepte würden ästhetische Neudefinitionen ergeben; das ist *Urfaust* heute …

CHRISTIAN REDER: Auch bei theatralischen Groß-Events, wie Olympiaden, Fußballweltmeisterschaften, Staatsfeiern sind irgendwelche gestaltende Spezialisten am Werk. Siehst du da für künstlerische Zugänge Perspektiven? Von André Heller bis Christian Ludwig Attersee werden ja solche Ansprüche erhoben. Mit Vergnügungsangeboten oder Erlebnisräumen, die Musik, Technik, Wissenstransfer, Museales ganz anders als gewohnt präsentieren, wird ja da und dort experimentiert.

BERNHARD KLEBER: Dabei geht es in aller Regel um ganz andere Momente als ich sie meine; meistens verpufft alles in Sekunden, schwebt irgendwie davon, hinterlässt kaum Erinnerungen. Es müsste sich eine Kultur daraus entwickeln. Eine einzige Las Vegas-Show hat mehr Ausstattungsbudget als das Wiener Burgtheater pro Jahr. Das zur Skala zwischen Power-Unterhaltung und *arte povera*. Zu fragen wäre, inwieweit ein extremes Hier und Jetzt unwiderruflich und übermächtig Gewalt über alles bekommt und warum die Entscheidungsträger für solche Inszenierungen so anonym bleiben. Was kann einem dann noch Vergangenes als Analysebasis für Gegenwart bedeuten? Brauchen wir, selbst in meiner Branche, nur noch ein Kurzzeitgedächtnis? Schon Axel Manthey, bis vor zehn Jahren mein Vorgänger als Lehrer, kennt von den derzeit Studierenden kaum noch wer. Der Rhythmus von Akzeptieren und Vergessen wird immer schneller. Zugleich sind Mainstream-Auftritte von Céline Dion Jahre vorher ausgebucht. Aber Fernsehen, Shows, Events sind sicher eine jede Bühnenausbildung erweiternde Sphäre. Das neue Fußballstadion in München von Herzog & de Meuron etwa, mit seiner farbvariablen Außenhaut, finde ich in seiner Funktionalität und Objekthaftigkeit sensationell. Die Eröffnungsshow hätte es gar nicht gebraucht. Da zeichnen sich Richtungen ab, in die es beim Thema Unterhaltung und Sport gehen könnte. Sonderbar ist aber, welche wertkonservative Haltungen in mir dabei hochkommen …

CHRISTIAN REDER: … wie auch bei mir, weil ich immer noch nicht wirklich wahrhaben will, dass Filme montiertes Stückwerk sind. Die Vorstellung, dass ein mich ergreifendes Ereignis, der Tod eines Helden, eine Szene mit Lauren Bacall, in Wahrheit ein aus dutzenden Einstellungen zusammengesetztes Patchwork ist, desillusioniert mich total …

BERNHARD KLEBER: … auch jemanden wie Jean-Marie Straub hat das wohl erschüttert. Ich halte mich aber an den Feuerwehrmann von David Lynch; *Blue Velvet* for ever.

CHRISTIAN REDER: Die Erweiterung deines Bühnendenkens um Film blieb aber bislang doch eher ein Reservefeld?

BERNHARD KLEBER: Das hängt logischer Weise auch mit der Situation der Filmindustrie zusammen. Überdies ist die interne Zusammenarbeit zwischen Schauspielern, Regie, Licht, Kostüm eine ganz andere als beim Theater. Film ist rasend viel schneller; über den Zeitfaktor muss man völlig anders nachdenken. Filmausstattung und Theaterausstattung sind komplett verschiedene Dinge. Für Filme kann ich Locations suchen, im Theater muss ich sie alle bauen. Das berufliche „Durcheinander" zwischen Theater, Oper, Film nimmt zu. Überall geht es um hohe Grade von Konzentration, zugleich sind unsere Arbeitsbedingungen so unterschiedlich, bei einem Gastspiel irgendwo, in einer Fabrikhalle, auf einer konventionellen Bühne, mit staatlichen Stellen, Bürokratien, Vereinen, selbstherrlichen Figuren oder Teamarbeitern als Gegenüber, dass wir in der Ausbildung eben sehr viele solcher Möglichkeiten einbeziehen müssen. Was eine Zeit lang galt, das Doktrinäre, Ausschließliche, das interessiert mich überhaupt nicht mehr – also diese schroffen Theaterwahrheitsbehauptungen: Es geht so, und nur so. Ein Beispiel für das, was ich damit meine: Was Paul McCarthy kürzlich im Haus der Kunst, dem Nazi-Bau in München, an Ineinandergreifen von bildender Kunst, Film und theatralem Sinn erreicht hat, hinterfragt wundervoll sittliches Empfinden und erfindet unkategorisiert Neues.

CHRISTIAN REDER: Eine funktionierende Erweiterbarkeit so genannter Kernkompetenzen wirkt auf dich also anspornend …

BERNHARD KLEBER: … auch weil damit die ganz anderen Gesetzmäßigkeiten, auf der Bühne, im Film, in der Architektur, bei Lichtinstallationen, bei Film- oder Theaterkostümen bewusster gemacht werden. Im Theater läuft alles in *real time* ab, eine Rolle, keine Filmrolle ..., Cut und Zoom im Kopf …

CHRISTIAN REDER: Ein geglücktes Kombinieren setzt Trennen voraus. Dazu habe ich mir von einem intensiven Denker wie Einar Schleef [1944 – 2001], der zuerst Malerei dann Bühnenbild und schließlich Regie studiert hat, die dezidierte Überlegung notiert, „dass jedes Thema nur in einer bestimmten Disziplin ausführbar ist, dass jedes Thema seine ureigenste Ausdrucksform in sich hat. Folglich intensivierte ich zunächst die Text-Arbeit, Malerei und Fotografie begleiten untergeordnet. / Die mehrjährige Textarbeit zeigte, dass die Disziplinen nicht mischbar sind, da jede ein völlig anders geartetes Leben voraussetzt, und dass vertieftes Eindringen in die gewählte Ausdrucksform vom Erleiden der zugehörigen Berufskrankheit abhängig ist. Dieser Erkenntnis zu folgen, weigerte ich mich, ich brach das Schreiben ab. Noch mit 40 sah ich van Gogh als Unglücksfall an. Erst mit 50 begriff ich, dass Theater einen kaputt macht. Unumgänglich war die Einsicht, dass kein Qualitätsanstieg ohne Schmerz zu erreichen war, dass auch ich meinen Fahrschein kaufen musste und nicht mehr den Kontrollor austricksen konnte." [Einar Schleef: *Droge Faust Parsifal*, Frankfurt am Main 1997, S. 486]

BERNHARD KLEBER: Das ist wunderbar auf den Punkt gebracht, gerade weil es die jeweilige Lebensform nicht abspaltet. Auf das von ihm inszenierte *Sportstück* bezogen hat ihm ja auch Elfriede Jelinek gesagt: „Machen Sie damit, was Sie wollen". Die Autorin lässt dem Regisseur völlig freie Hand, respektiert vollkommen dessen eigene Sichtweise. Beide machen ihre Sache. Zusammenarbeit kann also auch strikte Distanz heißen. Nur komme ich mit der Volksweisheit „Schuster bleib' bei deinem Leisten" nie woanders hin. Deswegen liegt mir daran, solche Wertigkeiten mit ihren Über- und Unterordnungen immer wieder mit Studierenden aufzuheben, nicht alles einer Behauptung unterzuordnen. Neue Sichtweisen erfordern ein Pendeln zwischen verschiedenen Positionen. Auch der von Einar Schleef so betonte Schmerz bezieht sich auf dessen persönlichen Weg; mir kommt dabei sofort Pasolini in den Sinn. Ich bin mir aber keineswegs sicher, ob das so sein muss, schon wegen meiner Erfahrungen mit deutschen „Problemregisseuren", mit diesem Kult, alles und jedes zu problematisieren, eine sichtlich an deren Sprachraum gebundene Tugend. Ob vor allem über Leidensfähigkeit, oder die Behauptung von Leidensfähigkeit, Qualität entsteht, das stelle ich sehr in Frage.

CHRISTIAN REDER: Einar Schleef betont als biografischen Hintergrund protestantischen Leidensdruck, bei Pasolini wäre es der katholische. Wie ist das bei dir, mit deiner frühen Prägung im Umfeld Belgien?

BERNHARD KLEBER: Meine Gefühlswelten haben ganz eindeutig einen katholischen Untergrund, daher meine Liebe zu Pasolini, inklusive aller Unmöglichkeiten, die sich daraus ergeben. Protestantisches äußert sich über internalisierte asketische Muster. „Wir" haben das Schwelgen bis hin zum Exzess, Barock, Sünde, Beichte, Vergebung. Von Patrice Chéreau, der mir diesbezüglich sehr nahe steht, habe ich zum Beispiel in Nanterre *In der Einsamkeit der Baumwollfelder* von Bernard-Marie Koltès gesehen, das mich wie kaum je eine andere Aufführung gefangen genommen hat. An Einar Schleef finde ich den strengen, konsequent analytischen Weg höchst eindrucksvoll. Er ist ein rares Beispiel für durchgehaltene Konzentration …

CHRISTIAN REDER: … also eher für Genauigkeit, Komprimierung als turbulent ausufernde Spontaneität?

BERNHARD KLEBER: Es kommt zu entscheidenden Momenten oder eben nicht. Im Schauspiel braucht es höchste Präzision um spontan sein zu können. Einar Schleef ist in meinen Augen oft als zu theoretisch missverstanden worden. Was ich von ihm gesehen habe, war von lustvoller Wucht, bezog sich auf große Begriffe; damit erweitert er das, was wir denken nennen. Eine solche Präsenz zu schaffen, als Autor, Regisseur, Schauspieler, ist eine Frage der Persönlichkeit, also von Standpunkten, von Sensibilisierungsdimensionen – und darum geht es auch in der Ausbildung. Entscheidendes bleibt ohnedies einem selbst überlassen, als zu findende Spur auch von Autodidaktischem, vom Gefühl, etwas tun zu müssen.

CHRISTIAN REDER: Wird einem jedoch etwas vorgemacht, etwas vorge-
spielt, sagt man schnell: „Mach' kein Theater" – so als ob es in der Alltags-
realität um Ehrlichkeit, Authentisches, um durchschaubare Identitäten
gehen würde …

BERNHARD KLEBER: … ich mache gerne viel Theater, deswegen ist mir
das Spiel mit mehreren Wahrheiten so wichtig. Eine Wahrheit gegen die
andere auszuspielen ist ein Lustgewinn. Es erhöht, befragt, kultiviert Komplexität. Text, Schauspiel, Oper, Film sind dafür geeignete Medien schlechthin. Im Grund geht es um Einfaches: einen Raum, in dem jemand steht
und ein Wort sagt, einen Ton singt, im Licht steht – im Licht, das Schatten bedeuten kann. Es geht darum, wie Charlotte Rampling in *Stardust
Memories* eine Weinflasche öffnet – um das Diesseits. Bühnenbild ist keine
Ikonenmalerei.

„Die Überlegung ist genauso wichtig wie das Bild"

Elfie Semotan im Gespräch mit Christian Reder

CHRISTIAN REDER: Als zwischen New York und Wien pendelnde Fotografin, die auch sonst ständig, meist begleitet von Assistententeams, von einer Arbeitssituation zur nächsten unterwegs ist, führst du doch ein exemplarisches Projektleben?

ELFIE SEMOTAN: So kann man das sicher bezeichnen.

CHRISTIAN REDER: Jeder Fototermin muss entsprechend vorausgedacht und organisiert werden. Um das anhand eines konkreten Beispiels zu besprechen, möchte ich von deinen wunderbaren Porträts von Louise Bourgeois ausgehen, von denen eines in deiner Ausstellung in Graz [© Elfie Semotan, Landesmuseum Joanneum 2005] zu sehen gewesen ist [Seite 186]. Darauf wirkt sie wie eine witzige, kluge, rationale Schamanin. Mit einer mystischen Inszenierung wäre das endlos in Esoterisches zu steigern gewesen. Die Szenerie hat aber, ganz im Gegensatz dazu, etwas sehr Lakonisches, Selbstverständliches, Ironisches an sich. Diese Fotos sind sichtlich keine Schnappschüsse, sondern aus einem komplexen Verfahren, einem vorbereiteten Zugang heraus entstanden, also das Resultat eines Projektes, um in meiner Sprache zu bleiben. Du musst dazu aufgefordert werden, es gibt Anlässe, Auftraggeber, Absichten. Völlig aus dem Nichts kommt es in aller Regel doch nicht dazu?

ELFIE SEMOTAN: Der seltenere Fall ist, wenn sich aus der Bekanntschaft mit signifikanten, exponierten Persönlichkeiten ein Vertrauensverhältnis aufbaut und daraus eventuell eine Zusammenarbeit entsteht. Normaler Weise kommt die Initiative von anderer Seite – im angesprochenen Beispiel ging sie von Helmut Lang aus. Er war bereits mit Louise Bourgeois in Kontakt

Louise Bourgeois Foto: Elfie Semotan

„…sich durch sorgfältige Arbeit in diesem
Dahinströmen positionieren"

„Aufträge sollten einen nicht zum Auftragnehmer stilisieren."

Elfie Semotan

und ich sollte sie für einen großen Bericht über ihn fotografieren. Dafür hatte sie sich, mit genau prüfendem Blick und sichtlicher Freude, einen Mantel von ihm ausgesucht, den sie auch unbedingt haben wollte. Das schöne bei dieser Art von Projekten, dem Porträtieren von Stars, ist es, dass sich überraschende Intensitäten ergeben können. Bei ihr hat das hohe Alter, sie ist ja über neunzig, Limits vorgegeben, weil es ihr sonst zu viel geworden wäre. Persönlich kannte ich sie vorher nicht. Als Künstlerin, als Frau, als weibliche Künstlerin, die erst sehr spät zu den Großen gezählt wurde, hat sie mich schon lange beeindruckt.

Um so jemandem in kurzer Zeit nahe zu kommen, muss ich mir jedes Mal ein System zurechtlegen. Zum Experimentieren, zum Ausprobieren fehlt die Zeit. Ich brauche also Vorstellungen davon, wie ich mich benehme, wie es gelingen könnte, eine unvermittelte Verbindung herzustellen, welche Art von Aufnahmen, welche Lichtverhältnisse wahrscheinlich gut sind. Es geht darum, im Zwischenraum, der einen trennt, etwas aufzubauen. Als ich in ihr Haus in New York gekommen bin, war ich sofort davon fasziniert, wie es mit ihren Kunstgegenständen, die überall herumliegen und herumstehen, angestopft ist. Sie hat eine Art von Assistenten, auch bereits ein älterer Herr, der auf sie schaut, mit ihr arbeitet, sich um sie kümmert, weil sie doch schon sehr gebrechlich ist. Ich war gut eine Stunde vor dem eigentlichen Termin mit meinen Assistenten da, um mich zu orientieren, habe die Räume besichtigt, ihre Arbeit angeschaut, mir Orte überlegt, an denen ich sie am besten fotografieren könnte. Das hat, wegen des Ambientes, bereits eine Annäherung an ihre Person ergeben, obwohl sie noch gar nicht da gewesen ist. Dann habe ich drei nackte, in grellem Rosa gehaltene, übereinander liegende fragmentarische Frauenfiguren ausgewählt, mit denen ich sie fotografieren könnte, weil mich besonders beeindruckt, wie diese alte Frau sich unverdrossen mit solchen ewigen Themen beschäftigt, mit Weiblichkeit, mit dem Verhältnis zu ihrer Mutter, mit ihrer Situation als Frau. Es geht mir also sehr darum, mich einzustimmen, Möglichkeiten durchzudenken bevor es eigentlich losgeht …

CHRISTIAN REDER: … und dann ist sie erschienen …

ELFIE SEMOTAN: … ja, und hat gleich den schwarzen Federmantel angezogen und ich habe zu fotografieren begonnen. Sie war unglaublich lebendig, kokett, hat mit ihren Haaren gespielt, und zwar ostentativ so, dass ich es gut aufnehmen konnte. Ohne viel Worte entstand eine gewisse Vertrautheit. Obwohl die Zeit so limitiert war, ging es nicht darum, ihr etwas

entlocken zu müssen. Ihre Präsenz ist unglaublich. Sie trägt ihr ganzes
Leben im Gesicht und dieser Eindruck lässt nicht nach. Es kommt nicht,
wie sonst oft, auf den günstigen Augenblick an. Sie ließe sich ununterbrochen fotografieren, ohne dass etwas von ihrer schweigenden, blitzenden
Aussagekraft verloren ginge. Sie „schön" abbilden zu wollen, wäre völlig
unsinnig. Ich wollte ihre Kompliziertheit klar sehen und in Bildern, wie es
durchaus treffend heißt, festhalten; allerdings ohne dieser Offenheit ihre
mysteriöse Grenzenlosigkeit zu nehmen. Ich glaube, ihr Lächeln auf den
Fotos ließe sich als dessen Bestätigung verstehen. Ihre Gegenwart und
Gegenwärtigkeit machten eine spezielle Ausleuchtung oder sonstige Hilfsmittel überflüssig. Schließlich ist aus etwa fünf Filmen die engere Auswahl
getroffen worden. Wir sind dann noch eine Zeitlang sitzen geblieben, ich
zu ihren Füßen, auf einem niedrigen Schemel. Vielleicht erstmals in meinem Leben habe ich mich so gefühlt, als ob ich einem Wunderwesen zuhören würde.

CHRISTIAN REDER: Das klingt nach Vertrautheitsmomenten, die nicht
unbedingt auf Kontinuität angewiesen sind. Mit Fremdheit und Intimität
umzugehen, gehört gerade bei Porträts zu deinem Alltag. Was lässt sich zu
den Unterschieden sagen, ob du jemanden gut kennst oder dich ihm erst
annähern musst, und das fast immer in zeitlichen Drucksituationen?

ELFIE SEMOTAN: Auch Fotomodelle, die ich mir aussuche, kenne ich nicht
„wirklich". Auf wen würde das schon zutreffen? Es muss aber gelingen, für
ein, zwei Stunden, für zwei, drei Tage, eine gewisse Intimität zu entwik-
keln. Sobald ich die Kamera aus der Hand lege, hört das auf, ebbt es ab.
Es sind künstliche Situationen, die dennoch vorübergehende Vertrautheit
erzeugen. Um sich frei bewegen zu können, um weiter zu kommen als
in einem beiläufigen Gespräch, sind solche Annäherungen notwendig. Es
funktioniert, wenn es beide Seiten als Versuch akzeptieren. Manchmal
komme ich mir aber durchaus monströs vor, wenn ich während des Fotografierens eine Beziehung entwickle, nur zum Zweck, gute Fotos zu machen. Danach trennen sich zwei Objekte, die zugleich Subjekte sind, so als
ob nichts gewesen wäre. Von der kurzfristigen Verbindung bleiben vielleicht nur Bilder übrig mit einem sichtbaren und einem unsichtbaren Partner. Haben wir uns nur dazu gegenseitig benutzt? Diese Frage taucht immer
wieder auf, sobald ein Projekt abgeschlossen ist.

CHRISTIAN REDER: Ich war ja öfters dabei, wenn du fotografiert hast, Bruno Gironcoli zum Beispiel, für die Kunstzeitschrift *springer/springerin*, Peter Kubelka für unser Sahara-Buch. Du hast meistens zwei, drei Assistenten für die Beleuchtung, für Lichtmessungen, für die Bereitstellung der richtigen Filme. Du machst viele Test-Polaroids. Geht es um Mode, sind Stilistinnen notwendig und der ganze Apparat. Die besten Kameras für diesen und jenen Zweck gibt es sowieso. Das wirkt auf den Beobachter wie eine Entlastung, aber auch Belastung, im Sinn von professionell organisierter Spontaneität. „Einfach so" scheint kaum etwas möglich zu sein, obwohl viele Fotos schließlich wie zufällig wirken.

ELFIE SEMOTAN: Den Druck professionellen Arbeitens, bei dem nichts schief gehen darf, im Ergebnis nicht sichtbar werden zu lassen, ist die permanente Herausforderung, die es zu sublimieren gilt. Sich auf Glückstreffer zu verlassen wäre fahrlässig. Das treibt den Aufwand in die Höhe.

CHRISTIAN REDER: Deine Ökonomie, mit hoch bezahlten Werbeaufträgen, mit mehr oder minder gut honorierten Porträtfotos, mit Low-Budget-Projekten in künstlerischen Bereichen ist schon in sich kompliziert genug. Wie lässt sich das beschreiben?

ELFIE SEMOTAN: Ich arbeite viel für internationale Zeitschriften und da gibt es Seitensätze. Ein kleines Foto bringt dann eben weniger als eine Doppelseite; die Entscheidungen darüber liegen wo anders. In letzter Zeit, mit dem überall betonten wirtschaftlichen Niedergang, verschärfen sich auch in diesen lange eher luxuriösen Bereichen die Zustände. Jetzt wird vielfach nur noch pro Foto bezahlt, unabhängig davon, wie groß es schließlich gebracht wird. Hoch bezahlt wird nur Werbung, vor allem wenn man Stars fotografiert. Wenn Brad Pitt mit einer bestimmten Uhr auftritt, dann heißt es, koste es was es wolle, selbst wenn er dem Fotografen nur genau fünf Minuten Zeit gibt. So schaut es aus. Auch die Fotos schauen dementsprechend aus. Sie werden einfach zu Tode retuschiert. Bei Kosmetik kommt es etwas mehr auf Finessen an. In der Mode lassen sich gestalterische Freiheiten noch am ehesten bewahren. Davon losgelöst Eigenes oder in Kooperation mit Künstlern zu machen, wird mir deswegen immer wichtiger.

CHRISTIAN REDER: Zurück zur Eingangsfrage: Projektleben. Wie steht es dabei um Kontinuitäten, vor allem um die beruflichen? Du agierst in einem Netz professioneller Beziehungen, die sich Jüngere eben aufbauen müssten.

ELFIE SEMOTAN: Daran ist aber nichts Stabiles. Diese Netze verändern sich andauernd. Die Personen wechseln. Es ständig mit Neuen zu versuchen wurde fast zur Sucht, auch aus Preisgründen. Da ergibt sich ein Auftrag, dort ein anderer. Kontinuität bietet eigentlich nur mehr das eigene Wollen – und der Rest von Privatleben.

CHRISTIAN REDER: Siehst du Unterschiede zu Arbeitsweisen *bildender* Künstler, wie man sie immer noch nennt? Mit Kurt Kocherscheidt, mit Martin Kippenberger, deinen früh verstorbenen Ehemännern, hast du ja oft sehr intensiv zusammengearbeitet. Projekte hatten auch sie ständig im Kopf. Das beschleunigt sich. Wo ich das verfolgen kann, macht internationaler Erfolg, wie bei dir, ein Leben im Flugzeug notwendig, von einem Treffen, von einem Vorhaben zum anderen.

ELFIE SEMOTAN: Bei ihnen war es mehr ein Dahinfließen, unterbrochen von schlechten Tagen, unruhigen Phasen, von Reisen. Auch Projekte, wie Ausstellungen, wie Kataloge, waren gewissermaßen Unterbrechungen. Bei mir verhält sich das umgekehrt, ist pointierter auf Aufträge bezogen. Ähnlichkeiten ergeben sich aus dem Gestaltungsanspruch. Auch ich gebe mir vielfach selbst Themen, Objekte, Situationen vor. Was daraus entsteht, möchte ich auf meine Art wiedergeben und darstellen, möchte es mir auch aneignen. Meine Kontinuität der Sichtweisen sieht man wahrscheinlich erst aus etwas deutlich machenderem Abstand und über einen längeren Zeitraum hinweg. Fotografie wird eben anders und serieller wahrgenommen als dezidiert als solche erkennbare Kunstwerke.

CHRISTIAN REDER: Es gibt in meinem Umfeld eine unterschwellige Kontroverse zwischen Projektdenken und dem Begriff des Werkes …

ELFIE SEMOTAN: … wie ließe sich das trennen? Es ist immer ein komplexer Vorgang bis zum Resultat. So gesehen geht es immer um Projekte mit bestimmten Konstellationen, die sich im Ergebnis ausdrücken. Es gibt auch fast durchwegs viele Beteiligte, ohne die das alles nicht zustande käme. Dass sie gern verschwiegen werden, dient nur Egomanien. Aus der Distanz gesehen werden auch in künstlerischen Leben Prozessphasen erkennbar, die sich bündeln, zu bestimmten Ausdrucksweisen führen, projekthafte Form haben. Projekt und Werk gegeneinander zu stellen sind Wortspielereien.

CHRISTIAN REDER: Im Internet verbreitete Schätzungen sprechen von 80 Milliarden jährlich gemachten Fotos. Wegen der Digitalisierung wird wahrscheinlich bereits die 100 Milliardengrenze überschritten. Dazu kommen 1,4 Milliarden Videos pro Jahr. Sich als Akteur in diesen Bildwelten zu bewegen, braucht in meinem Denken wiederum die Abgrenzung des Projektes.

ELFIE SEMOTAN: Absolut. Das Wissen um solche Quantitäten hat mich auch immer wieder gelähmt. Dann taucht der Gedanke auf, ganz wenig oder gar nichts mehr zu machen. Warum sollte ich dieser Bilderflut noch etwas hinzufügen? Die einzige Antwort ist: sich durch sorgfältige Arbeit in diesem Dahinströmen positionieren.

CHRISTIAN REDER: Du hast auch davon gesprochen, Marginalem mehr Aufmerksamkeit zu widmen.

ELFIE SEMOTAN: Gelegentlich schaue ich mir ausgeschiedene Fotos an und frage neu, warum ich früher so entschieden habe. Für Lichtproben fotografiere ich oft im Moment eben vorhandene Personen; das ergibt immer wieder sehr eigenartige Bilder. Plötzlich ist eine Person in meinen Raum getreten, um die es gar nicht geht. Sie agiert vor einem Hintergrund, der für jemand anderen vorgesehen ist und weiß davon vielleicht gar nichts. Sie steht nur stellvertretend für etwas Kommendes. Allein das ergibt schon eine ganz neue Situation. Es relativiert den Starkult, in den ich immer wieder eingebunden bin. Es hilft mit, zu hinterfragen, warum ich überhaupt fotografiere und was mich daran wirklich interessiert.
So wie noch Jacques-Henri Lartigue eine Gesellschaft mit modernem Blick kommentierte, funktioniert es heute nicht mehr. Wo und wie wäre „die Gesellschaft" noch greifbar? Die Zeit, also Erscheinungsformen und Denkweisen in Momentaufnahmen zu fassen, dafür sehe ich jedoch durchaus Möglichkeiten. Die Frage, was interessant ist, transformiert sich doch ständig, wenn man genauer reflektiert. Alles ist interessant, alles ist problematisch, also letztlich egal. Was also bekommt mediale Bedeutung? Lässt sich da überhaupt noch mitwirken?
Eine immer weitergehende ästhetische Vervollkommnung bringt es nicht. Es kann nur um die Suche nach anderen Ausdrucksmöglichkeiten in der Darstellung gehen, um andere Momente der Darstellung. Differenziertere Sichtweisen eröffnen sich gerade durch das, was vorher kaum wer bedacht hat.

CHRISTIAN REDER: Dein Metier, also Fotos für Werbung, für Zeitschriften und die Modebranche, Porträts, nicht an Aufträge gebundene künstlerische Fotografie, lässt die Grenzen von vornherein verfließen. Wie sollte da eingeteilt werden? Du trittst auch nicht einmal so und einmal so auf, wie ein Künstler, der sein Geld als Grafiker verdient. Sobald du dich mit deinen Arbeiten in das Kunstsystem, in Museen und Galerien begibst, wird der Anspruch deutlicher, selbst wenn du nichts zum Kauf anbietest. Bereitet dir dieses Durcheinander an Wertschätzungen – auch an Bezahlung, also Wertbezifferungen – Schwierigkeiten?

ELFIE SEMOTAN: Ab wann ein Foto künstlerisch wird, als Kunst gilt, hat mich nie zentral beschäftigt. Letztlich ist es eine Frage der Akzeptanz durch andere, durch Exponenten von Fachwelten. Mir sind Sorgfalt, Präzision, das Transformieren von Gefühlen das Entscheidende. Wenn mir das nicht ein ernsthaftes, zu ständiger Auseinandersetzung zwingendes Arbeitsfeld bieten würde, wäre ich nicht solange dabei geblieben. Sich ausdrücklich Kunstfotografie vorzunehmen, nützt allein gar nichts.

CHRISTIAN REDER: An unserer Universität hatte zuletzt die Fotoabteilung von Gabriele Rothemann die meisten Bewerber und Bewerberinnen, obwohl diese, da eine künstlerische Fotografieausbildung so nebenbei hätte laufen sollen, erst seit einigen Jahren besteht. Vielleicht gerade wegen der schon angesprochenen Quantitäten hat sich dezidiert künstlerische Fotografie jedoch durchaus ausgeweitete Räume erobert: Bernd und Hilla Becher, Cindy Sherman, Andreas Gursky, zuletzt Loretta Lux. Zugleich sind Fotos längst Teil bildender Kunst, wenn sie von einer solchen Position aus eingesetzt werden.

ELFIE SEMOTAN: Die Begründungen für den Anspruch „ich mache künstlerische Fotografie" würde ich im Einzelfall gerne wissen. Diesbezüglich offen zu bleiben, sollte auch in der Ausbildung wichtig sein. Selbstverständlich kann sich jemand ein solches Aktionsfeld vornehmen. Ich selbst habe es aber nie so gesehen, wollte es nie so sehen. Dem Diktat einer Trennung der Kunst von allem anderen, also etwa von Fotos, Grafik, Design, Mode, wollte ich mich nie unterwerfen. Das aggressive Vertreten solcher Grenzen hat mich immer sehr gestört. Schon bei meinen Plakatserien für Palmers oder Römerquelle wollte ich im öffentlichen Raum etwas so gestalten, wie ich Menschen, ihre Beziehungen, die Zeitumstände gesehen habe – mit der Absicht, dass das als Anregung verstanden wird. Gerade aus der Beschränktheit eines vorgegebenen Themas etwas Irritierendes zu machen, Abweichmöglichkeiten aufzuzeigen und durchzusetzen, war mir wichtig. Indem ich eine Auffächerung denkbarer Positionen plakatieren konnte und das auch Eindruck gemacht hat, bin ich letztlich bestätigt worden. Selbst feministische Kreise, die mich damals angriffen, haben sichtlich ihre starren Positionen verlassen; vielleicht, weil sie begriffen, dass es mir um die provokante Darstellung selbstbewusster Frauen gegangen ist.

CHRISTIAN REDER: Jedes solche Bild im öffentlichen Raum, das mit der Aura „Kunst" operiert, hätte andere Implikationen als deine gestalterisch anonym, aber unter Firmen-Logo auftretenden Plakate.

ELFIE SEMOTAN: Weil ich immer in einem künstlerischen Umfeld gelebt habe, sind mir die Schwierigkeiten der Positionsbestimmung gegenüber diversen Beurteilungsinstanzen von Anfang an geläufig. Ich bin also nicht von der Werbung hin zu Kunstnähe gewandert, wie das immer wieder versucht wird. Vermischungen haben sich aus der professionellen Realität ergeben. Ich wollte das auch so. Dass ich für unsere junge Familie Geld verdienen musste, war nur einer von mehreren Gründen. Es hat mich interessiert, in diesen massenmedialen Bereichen etwas zu bewirken. Solche Absichten sind doch künstlerischen Haltungen nichts Fremdes. Es kann also sozusagen von beiden Zugängen her etwas erreicht werden. Juergen Teller zum Beispiel hat mit Modefotografie angefangen, macht sie auch weiter, aber als entgrenzte Mitgestaltung heutiger Medienwirklichkeiten.

CHRISTIAN REDER: Solche Überschreitungen werden in diesem Band immer wieder angesprochen. Peter Sellars proklamiert eine neue Anti-Slavery-Bewegung. Fons Hickmann braucht neben dem Kommunikationsdesign sozial relevante Projekte, um nicht von Kommerziellem aufgesogen und letztlich verblödet zu werden. Zaha Hadid betont, wie wichtig ihr Mode ist, weil „sie einem eine Sichtweise darüber ermöglicht, wie sich Menschen verhalten, über ihre Verhaltensmuster in einem Raum". Nur in angestammten Feldern scheint sich kaum noch wer bewegen zu können. Trotzdem müssen alle bestrebt sein, sich in bestimmten Branchen zu verankern, um überhaupt halbwegs verständlich zu bleiben.

ELFIE SEMOTAN: Nur: Woher sollten denn ohne nebeneinander und durcheinander fließende berufliche Sphären die Impulse kommen? Vieles kann einander ergänzen. Mode sagt sehr viel über Wünsche, Sehnsüchte,

Veränderungen, Zwänge. Aufträge sollten einen jedoch nicht zum Auftragnehmer stilisieren. Es muss möglich bleiben – und diesbezüglich engt sich in den letzten Jahren vieles ein – seine Sache zu machen, mit seinen Auffassungen zur kulturellen Entwicklung beizutragen, um es einmal dramatischer zu formulieren. Guy Bourdin war dafür ein gutes Beispiel; er hat sich durchaus als Künstler gesehen, hat hochkarätige künstlerische Fotos gemacht, die niemand interessierten. Berühmt wurde er durch das Verschieben von Sichtweisen in der Mode. Das war Auftragsfotografie, der er aber ein sehr spezielles Gesicht verliehen hat. In den Details, in der Darstellung von Frauen oder Situationen ist er weit darüber hinausgegangen, was eigentlich gefragt war. Er konnte es auch durchsetzen. Ordentliche Budgets, wie sie dabei immer wieder verfügbar sind, ermöglichen das eben. Das demonstriert auch latent, was entstehen könnte, würde es diese anderswo geben, ohne Auftragsbindung.

CHRISTIAN REDER: Mit mehreren Identitäten zu operieren ist ein Widerspruch zum Bedürfnis nach Markennamen, zum Zwang, sich zu spezialisieren. Dir hat diese berufliche Mehrdimensionalität offenbar keine allzu großen Probleme bereitet, abgesehen von völlig unterschiedlicher Bezahlung. Mit der Kamera in der Hand wird klar, was man von dir wollen könnte. Ein Bleistift sagt das nicht so deutlich. Dass gerade die für einen essenziellen Dinge so oft am wenigsten marktfähig sind, ist ja in vielen Arbeitsfeldern so. Daran müssen wir uns sichtlich gewöhnen. Unverständlich bleibt es dennoch, gerade weil es so systemkonform funktioniert, nur die Nachfrage – also alle – zum Schuldigen macht. Sich vorzunehmen, Literatur zu schreiben, kann die Gedanken verkrampfen. Mit der schlichten Absicht, einen möglichst guten Text zu erarbeiten, komme ich vielleicht weiter.

ELFIE SEMOTAN: Das funktioniert bei mir ganz genau so. Die antiken Griechen konnten philosophische Tiefe durch Oberflächlichkeit ausdrücken; so oder so ähnlich lautet ein Spruch, der mir in Erinnerung geblieben ist. Das gefällt mir in seiner Direktheit sehr, wenn wir von Fotos, von Bildern, von Texten sprechen, die ja vorerst nichts anderes sind als Oberflächen mit gewissen Zeichen.

CHRISTIAN REDER: Wo aber findet ambitionierte Fotografie noch ein sie tragendes Umfeld – diesseits offensiver Kommerzialisierung? An *Life*, *Magnum*, *Twen* gibt es nostalgische Erinnerungen. Zu allen großen Fotoreportern, etwa Frank Capra, lässt sich nachlesen, wie problemlos sie sich mit Illustriertenbudgets bewegen konnten. James Nachtwey schaffte es, daran anzuknüpfen. Aber sogar Qualitäten des Baugeschehens transportierende Architekturfotografie ist ein karges Geschäft. Fachzeitschriften und Verlage erwarten von Architekten beigesteuerte, von diesen selbst organisiere und bezahle Aufnahmen. Jemand wie Gerald Zugmann wird als autonomer Teil architektonischer Verfahren akzeptiert, weil er – etwa für Coop Himmelb(l)au – mit seinen Bildern zum Teil der Kommunikationsprozesse wird. Margherita Spiluttini hat sich mit Konsequenz ihr eigenes Feld erarbeitet. Dennoch: Offensichtlich sinkt der Wert von Bildern als Medium des Verstehens. Solange wir allerdings nicht deutlicher begreifen, wie Verstehen tatsächlich funktioniert, lohnt es sich, das visuell weiter auszuloten.

ELFIE SEMOTAN: Es gehört mitgedacht, dass es vor zwanzig Jahren und davor gerade im Fotografiebereich deswegen luxuriöse Verhältnisse gegeben hat, weil das Neue daran gesellschaftlich, gedanklich, technisch, ästhetisch und kommerziell als wichtig angesehen wurde. Das hat ganze Branchen vorwärts gebracht, weil sich die Aktivisten den Kopf zerbrachen, welche Kamera, welcher Film, welche Art der Ausarbeitung, welche Druckqualität für eine Sache adäquat wären. Genauso signifikant ist aber auch, wie rasch diese kultivierende Sorgfalt dann fallen gelassen wurde. Jetzt kann jeder Schnappschuss Gültigkeit bekommen – weil ihm seine Bedeutung durch eine Unterzeile zugewiesen wird. Diese wurde wichtiger als das Bild selbst. Das Foto allein würde völlig anders oder gar nicht verstanden. Das nimmt dem eigenständig Visuellen viel weg, dessen frühere Kraft ist – wenn sich das generell sagen lässt – nicht mehr zurückgekommen. Massenmedial wird es für dies oder jenes benutzt; was es selbst vermittelt verschwindet in Quantitäten.

CHRISTIAN REDER: Manche Medien halten sich wenigstens noch Karikaturisten. Zugleich bin ich froh, dass einen nicht mehr die standesbewussten Sozial- und Berufs-Archetypen des August Sander umgeben, halte es aber für wichtig, dass sie von ihm lexikalisch erfasst worden sind.

ELFIE SEMOTAN: Vor allem rückblickend wirkt so etwas zweifellos an der Ausprägung von Weltbildern mit; zu seiner Zeit ist sein scharfer Blick, wie wir wissen, keineswegs sehr willkommen gewesen. Er hat zwar idealisiert, aber nicht in staatlich gewollter Idealisierungsweise.

CHRISTIAN REDER: Hans Hubmann wiederum hat sich als Fotojournalist verstanden, wir haben ihn oft genug auf seinen Beobachtungstouren getroffen. Vor allem im Nachhinein wurde deutlich, wie prägnant er Menschen in der Zeit abgebildet hat. Für diesen Bildsektor haben er, Erich Lessing oder Barbara Pflaum eben durchaus eine Bestärkung erreicht, ohne das als Kunst zu verstehen.

ELFIE SEMOTAN: Solche Qualitäten und die Milliarden Fotos machen evident, dass sich vom Fotoblick wahrscheinlich niemand mehr frei machen kann. Das Digitale wird neue, andere Bildwelten erzeugen. Ob ich da noch wirklich eintauche, bin ich mir nicht sicher.

CHRISTIAN REDER: Dir war es bisher sichtlich nicht wichtig, mit limitierten Edelauflagen am Kunstmarkt zu reüssieren. Honorare beziehen sich bei dir auf die Produktion, mit Höhe der Verbreitung – in der Werbung, in Magazinen – steigen sie meistens.

ELFIE SEMOTAN: Für die eingangs besprochenen Fotos von Louise Bourgeois war zum Beispiel ein englisches Magazin der Auftraggeber; von dort aus sind sie dann in sehr vielen anderen Medien präsent gewesen. Die wollten das eben und haben sozusagen keine Kosten und Mühen gescheut. So toll, wie oft kolportiert, sind solche Honorare aber auch wieder nicht. Im Großen und Ganzen, wenn auch rückläufig, wird in diesen Szenerien begriffen, dass von Projekt zu Projekt eilende Leute nicht wie Angestellte kalkuliert werden können. Mappen anzubieten, würde mich nur zwecks Geldbeschaffung interessieren; den zeitlichen Aufwand dafür kann ich mir kaum leisten. Wenn jetzt etwa Edward Steichen Phantasiepreise erzielt, gönne ich das den Beteiligten. Dass das angeboten wird, in höchster Printqualität, ist durchaus positiv. Ich kaufe mir lieber ein Buch von ihm.

CHRISTIAN REDER: Aus Sphären der Wohlhabenheit Geld für künstlerische Produkte abzusaugen, ist ja immerhin etwas.

ELFIE SEMOTAN: Mit strikten Auflagenlimitierungen weiß eben dann jeder, der so etwas besitzt, dass es das in dieser Qualität sonst nicht oder nur noch einige Male gibt.

CHRISTIAN REDER: Um mit einer Zäsur zum Ende zu kommen: Pierre Bourdieu hat erst kurz vor seinem Tod seine Fotos aus Algerien zur Veröffentlichung freigegeben. Als Teil von Analyseverfahren verstanden, die über bloß teilnehmende Beobachtung zu einer „teilnehmenden Objektivierung" führen sollten, sind ihm Parallelwelten von Bild und Text sichtlich wichtig gewesen. An Fotografie hat ihn gefesselt, dass sie „die einzige Praxis mit künstlerischer Dimension ist, die für alle zugänglich ist, und zugleich auch das einzige kulturelle Gut, das allgemein konsumiert wird" (Pierre Bourdieu: *In Algerien. Zeugnisse einer Entwurzelung*, Graz 2003). Trotzdem finden Bild- und Textwelten, abgesehen von populären Medienbereichen, nicht so ohne weiteres als ergänzende Mitteilungsformen, die jeweils eigene Ebenen erschließen, zueinander. Das hat zweifellos mit wissenschaftlichen und literarischen Ritualen zu tun, nach denen in Textform gegossenes Denken nicht durch die vagen Sphären von Bildern irritiert werden darf.

ELFIE SEMOTAN: Für mich ist das rätselhaft. Dass Bilder vielfältig interpretierbar bleiben, gerade wegen ihrer vermeintlichen Sprachlosigkeit, macht ja deren Stärke aus. Das trifft genauso auf komplexe Texte zu. Gemeinsam, in intelligenter Form zusammengeführt, könnte Unschlagbares entstehen. Zugleich merkt jeder, dass Fotografieren ohne Einfließen dessen, was man gelesen, gehört, mitbekommen hat, nicht möglich ist. Auch in der medialen Verwendung steht ein Bild meist in Schriftflächen oder ist sonst wie von Texten umgeben. In Sprachräumen fallen Äußerungen dazu. Solche Synergien weiter zu durchdenken und experimentell umzusetzen, gibt Perspektiven an, um die es gehen müsste. Um es einfach zu sagen: Die Überlegung ist für mich genauso wichtig wie das Bild. Sich dem zu entziehen, spaltet Möglichkeiten auf, überschätzt entweder Rationales oder Emotionelles.

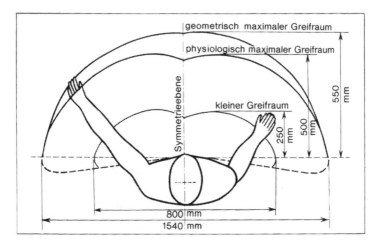

Die Bestimmung des Greifraums beim Sitzenden (nach Rohmert).
*Der „vermessene" Mensch. Anthropometrie in Kunst
und Wissenschaft,* München 1973

*„Projekte leben von Institutionen und Netzwerken,
die Netzwerke und Institutionen leben davon,
dass gewisse Dinge in Projektform realisiert werden."*

*„Projekte sind Vorhaben, die im Prinzip auf einer
guten oder sogar sehr guten Idee beruhen,
dummerweise an der Wirklichkeit häufig scheitern,
an denen man aber gerade deswegen dran bleiben muss.
Siehe: Das Projekt der Moderne, das Projekt des Sozialismus,
das Projekt des Kapitalismus …"*

Dirk Baecker

„Das musst du selbst herausfinden"

Dirk Baecker im Gespräch mit Claus Philipp und Christian Reder

CHRISTIAN REDER: Beim Wiederlesen Ihrer Schriften zu Organisation und Struktur von Systemen ist mir aufgefallen: Sie verwenden den Projektbegriff eher beiläufig. Stattdessen bringen Sie *Möglichkeitsräume* ins Spiel. Ich würde diese Möglichkeitsräume gern in einem Kontext diskutieren, der mir etwa in der Arbeit mit Studierenden, mit verschiedenen Aktivisten, mit sich Kunst und Wissenschaft zugehörig Fühlenden als Erklärungsmuster nützlich erscheint. Einerseits bewegen wir uns in einer Welt der Institutionen, der Unternehmen, der hierarchischen Systeme, andererseits lassen sich Projektwelten als Freiräume benutzen. In Ihrem Buch mit Alexander Kluge heisst ein eigener Abschnitt: „Systeme sind die Wand, gegen die wir spielen" [Dirk Baecker, Alexander Kluge: *Vom Nutzen ungelöster Probleme*, Berlin 2003]. Von beiden Seiten her entwickeln sich spezifische Formen der Kommunikation, eigene Arbeitsweisen. Beide Positionen können von einander wortwörtlich profitieren, vermischen sich auch ständig. Das alles scheint mir in einschlägigen Systemanalysen und Weltbetrachtungen wenig berücksichtigt.

DIRK BAECKER: Es gibt tatsächlich nur ein einziges gutes Buch unmittelbar zu diesem Thema, das von Heintel und Krainz über Projektmanagement [Peter Heintel, Ewald E. Krainz: *Projektmanagement. Eine Antwort auf die Hierarchiekrise?* 1988, Wiesbaden 2001]. Da geht es um die Frage, wie ausgeprägt hierarchisierte Organisationen mit Projekten umgehen, die allenfalls flache Hierarchien und Hackordnungen kennen. Man will sich den flexiblen Kooperationsstil zwischen verschiedenen Kompetenzen, der in Projekten möglich ist, in Organisationen zueigen machen, die gleichzeitig darauf angewiesen bleiben, klare Muster der Arbeitsteilung zu pflegen. Da sind Konflikte aller Art vorprogrammiert: Wie macht man Leute projektfähig, die auf Anweisungen warten? Und wie gewöhnt man Leute, die ihren eigenen Kopf zu gebrauchen gelernt haben, wieder an das Akzeptieren von Anweisungen? Hinzu kommt, dass Organisationen realisierte Routinen sind, während Projekte es eher mit den Ausnahmen von der Regel zu tun haben, mit noch unbekannten Aufgaben, unklaren Vorgehensweisen und ungewohnten Mechanismen der Ungewissheitsabsorption. Hier ist Kreativität und, schlimmer noch, Spontaneität gefordert, ohne dass man wüsste, wie man herausfindet, welche Ideen brauchbar sind und welche nicht.

Wie soll eine durchformalisierte Hierarchie damit zurande kommen? Und wo sollen Leute, die kurz- oder längerfristig in Projekte eingebunden waren, bei denen es auf Einfallsreichtum und intensive Auseinandersetzung mit Störungen, Anregungen und Gelegenheiten aller Art ankommt, die Erfahrungen lassen, die sie hier machen, wenn sie anschließend wieder mit den Hierarchien der Organisation konfrontiert werden? In den letzten dreißig Jahren mussten viele Organisationen mühsam lernen, ihr Personal Projekterfahrung machen zu lassen, es anschließend „abzukühlen" und wieder in die institutionellen Hierarchien einzubinden.

CLAUS PHILIPP: Das ist doch vermutlich oft im Gefolge von „Gründerzeiten" der Fall. Da wird zum Beispiel eine Zeitung oder ein TV-Sender neu gegründet, es gibt so etwas wie eine Anziehungsphase, in der alle Beteiligten denken, sie seien quasi gleichberechtigt, und dann kommt irgendwann der Punkt, wo – abgerechnet wird zum Schluss – klar wird, wer hier der Boss ist und wer der Abteilungsleiter, und wer auf Dauer für die Routine nicht mehr gebraucht wird.

CHRISTIAN REDER: Da verfestigt sich ein Projekt eben zum Unternehmen.

DIRK BAECKER: Ja sicher, aber es gibt auch Leute, die es nicht interessiert, zu erleben, wie ein Unternehmen erwachsen oder reif wird, sondern lieber kündigen und sich auf die Suche nach der nächsten Gründung machen.

CHRISTIAN REDER: Für die individuelle Lebensstrategie ist das jedoch möglicherweise sehr unübersichtlich. Man muss es sich ja in jeder Hinsicht leisten können, in Projekten zu arbeiten bzw. ein hohes Maß an Selbstorganisation zustande bringen, gerade wenn man sich in freischaffenden Sphären bewegt.

DIRK BAECKER: Nicht zuletzt deshalb leben Projekte oft von institutionellen Einbindungen. Das Kapital bzw. der Auftrag müssen meist von irgendwoher kommen, meistens müssen auch die Leute irgendwoher kommen und anschließend wieder zurück gehen können. Gerade die Welt der NGOs oder der Entwicklungsarbeit lebt ja davon, dass vorübergehend in Projektzusammenhängen gearbeitet wird, die Beteiligten gleichzeitig aber genau wissen, welche Berichte, welche Form der Zusammenarbeit, auch welche Erfolge vor Ort kompatibel sind mit dem, was die Organisation, die sie schickt, für die Aufrechterhaltung ihrer eigenen Planungshorizonte erwartet. Da ist das Selbstverständnis der Mitarbeiter eine spannende Frage. Aber, und das sollte man nicht ausklammern, für den sich selbst organisierenden Kapitalismus sind Projekte nur eine interessante Alternative unter vielen anderen möglichen Organisationsformen.

CHRISTIAN REDER: Die mobile Sphäre *Projektkultur* ist aber doch gerade bei größeren Konzernen sehr gefragt, auch in der.UNO, von der EU. Die Routine – das ist die koordinierende Planung, die Verwaltung, das Controlling, die Buchhaltung, die Bilanzerstellung ...

DIRK BAECKER: ... ja, aber nicht nur. Ich kenne das aus der Bankenwelt. Eine Zentrale irgendwo in der Wall Street denkt sich für den gesamten globalen Markt fünf, sechs, sieben Produkte aus, die sie dann von *multidomestic* aufgestellten Firmen in den Markt pushen läßt. Die Leute vor Ort, zum Beispiel in Düsseldorf, haben null Spielraum beim Ausdenken regional kundenangepasster Strategien. Sie können nur das Programm der Zentrale exekutieren.
Versicherungen operieren genau so. Ein paar Versicherungsmathematiker überlegen, welche Risiken können wir zulassen und wie sieht die Prämiengestaltung aus und dann wird das zwanzig Jahre durchgezogen, von einer Heerschar von Mitarbeitern, die alle in diesen formalisierten Hierarchien sitzen. Andererseits gibt es aber doch ein paar Sachen, die sich nur situativ und lokal hochangepasst entwickeln lassen. Die müssen in Form von Projekten organisiert werden.

CHRISTIAN REDER: Wie würden denn Sie das definieren – ein Projekt?

DIRK BAECKER: Projekte sind Vorhaben, die im Prinzip auf einer guten oder sogar sehr guten Idee beruhen, dummerweise an der Wirklichkeit häufig scheitern, an denen man aber gerade deswegen dran bleiben muss.

Siehe: Das Projekt der Moderne, das Projekt des Sozialismus, das Projekt des Kapitalismus …

CHRISTIAN REDER: … oder: Reformen, einschneidende Gesetze. Das wären während des Entstehens und Durchbringens alles Projekte. Politik als Kette, als gestaltendes Netzwerk von Projekten? Selbst Kriege, solange sie nicht zur Daueraufgabe werden, sind in meinem, a priori nicht wertenden Verständnis Projekte, weil in überschaubarer Frist etwas erreicht werden soll. Ich habe also abschließbare oder scheiternde Aktionsgebilde im Blick.

DIRK BAECKER: So weit würde ich nicht gehen. Für das amerikanische Militär ist Krieg Routine. Auf welcher Ebene ist der Irakkrieg ein Projekt: zur Reform des Pentagons? des Budgets? wegen des Öls? Donald Rumsfeld wird zugeschrieben, dass er in ihm eine Chance sieht, der amerikanischen Öffentlichkeit zu sagen: Die alten kommunistischen Feinde existieren nicht mehr, Kriege der Zukunft werden nicht mehr mit Panzern geführt, Terror kann von allen Seiten kommen. In der alltäglichen Politik jedoch wird ein Vorhaben wohl nur dann als Projekt definiert, wenn man den Verpflichtungsgehalt gering halten möchte. Wenn sich der Auftraggeber vorbehält zu sagen: Also, jetzt reicht's! Jetzt habt ihr es lange genug versucht, jetzt hören wir auf. Oder: Das war zwar eine schöne Idee, aber wir brauchen sie doch nicht.

CLAUS PHILIPP: Das bringt uns zum – relativen – Luxuscharakter von Projekten. In Ihrem Buch *Wozu Soziologie?* haben Sie einen erhellenden Text darüber und über die prinzipielle Inkompatibilität von Wirtschaft und Kunst geschrieben – und was das in der projektbezogenen Kommunikation zwischen den beiden Systemen bedeutet. Da könnte man sagen: Oft wird die Inkompatibilität einfach überspielt …

DIRK BAECKER: … indem man z. B. ein Kunstprojekt lanciert, das eine eigene Dynamik hat. Die beiden Systeme werden nie miteinander kommunizieren können, aber innerhalb eines kurzfristig geschützten Biotops kann mit Bezug auf die Steigerung der Rentabilität eines Unternehmens durchaus ein sinnvoller Zusammenhang entstehen, indem gesagt wird, wir setzen hier Kunst ein: zum Schmücken unserer Fassade, zur Begeisterung unserer Mitarbeiter und unserer Kunden, was auch immer. Wir reservieren einen bestimmten Ressourcenhaushalt, stellen ein Budget bereit, wir engagieren Künstler. Im Grunde hätten diese ganz was anderes zu tun, aber gut bezahlt sind sie bereit, darüber mal nachzudenken und etwas zu realisieren. Klar ist: Im Rahmen eines solchen Projektes organisieren wir eine Überschneidung, die ich persönlich nicht als Überschneidung von Wirtschaft und Kunst beschreiben würde, sondern als Realisierung eines Kunstprojektes innerhalb einer Organisation. Das Projekt bekommt eine gewisse Zeitspanne mit Berichtspflichten eingeräumt, mit Besuchen seitens der auftraggebenden Organisation, was auch immer, und bekommt in der Regel, wenn man halbwegs sicher stellen will, dass es zu etwas führt, eine Deadline. Und seitens der Organisation gilt: Wenn wir den Eindruck haben, das bringt nichts, dann können wir es abstellen. Der Witz ist jedenfalls, dass in einem kleinen Hexenkessel Ingredienzien zusammen gebraut werden, die normalerweise nicht zusammenpassen. Es gibt aber gute Gründe, sich trotzdem darauf einzulassen – Imagegewinn der Organisation, Finanzierung der Künstler – und, das ist jetzt die Pointe, eben nicht nach wirtschaftlichen Kriterien und auch nicht nach Kriterien der Organisation und auch nicht einmal nach künstlerischen Kriterien. Gebunden an die lokalen Bedingungen der Realisierung von etwas ganz Konkretem wird das durchgezogen und auch bewertet: die Gestaltung einer Eingangszone, eines Platzes, eines Denkmals etc.

CLAUS PHILIPP: Inwiefern unterscheidet sich in solchen Konstellationen, die ja auch mit sonstigen externen Experten entstehen könnten, der Künstler von anderen Projektemachern?

DIRK BAECKER: Gar nicht. Vielleicht hat er größere Schwierigkeiten, mit anderen zurande zu kommen, weil er ein eher indisponibles Professionalitätsverständnis hat, also glaubt, er sei der Einzige, der nach ästhetischen Kriterien urteilen kann. Die meisten Professionen haben irgendwann gelernt, dass sie sich auf andere Professionen einlassen müssen. Der Arzt weiß, dass er den Rechtsanwalt braucht und ihm nicht erzählen kann, wie die Rechtslage ist. Er weiß aber auch, dass der Rechtsanwalt ihm nicht erzählen kann, ob der Blinddarm raus muss oder nicht. Der Künstler – das färbt interessanterweise manchmal auf Architekten ab – glaubt, er sei jemand, der letztlich allen anderen sagen kann, wie das Ganze laufen soll. Das würde ich aber auch wiederum nicht dramatisieren. Das Spannende an Projekten ist jedenfalls, dass sie darauf angewiesen sind, Sprachregelungen zu entwickeln in der Verständigung der Leute untereinander.
Das kann nicht über professionelle Sprachen erfolgen. Es gibt ein wunderbares Buch, *Music on Demand* [Robert R. Faulkner: *Music on Demand.*

Composers and Careers in the Hollywood Film Industry, 1983], das nicht nur von Projekten handelt, sondern auch von den strukturell zugehörigen Netzwerken. Es geht darin um die Art und Weise, wie Filmkomponisten in der Hollywood-Filmindustrie aufgestellt sind. Beschrieben wird, dass die entscheidende Fähigkeit und Geschicklichkeit aller Beteiligten, des Komponisten, des Regisseurs, jedes Schauspielers, des Investors, des Produzenten, des Produktionsleiters, des Bühnenbildners usw., darin besteht, a) zur Kenntnis zu nehmen, dass man jeweils der einzige ist, der eine bestimmte Kompetenz hat; b) anzuerkennen, dass die anderen andere Kompetenzen haben; und sie c) deswegen eine Form des Redens entwickeln müssen, die es den anderen ermöglicht einzusteigen. Die Angelsachsen nennen das *talking the talk*. Es werden Geschichten erzählt. Es werden Fantasien entwickelt. Da stellt sich jemand morgens aufs Set und spricht von einem Traum, den er in der Nacht hatte. Das dient dazu, festzustellen, wann die anderen worauf einsteigen, um zu sagen, ach jetzt weiß ich, warum du das so und so komponiert hast. Und jetzt kann ich mir besser vorstellen, wie mein Bühnenbild dazu aussehen kann. Man regt sich auf eine spontane, unkalkulierte, überraschungsreiche, aber auch erwartungsvolle Art und Weise gegenseitig an. Man darf allerdings nicht übersehen, dass es sich hierbei im allerallerbesten Sinne des Wortes um parasitäre Strukturen handelt. Projekte leben von Institutionen und Netzwerken, die Netzwerke und Institutionen leben davon, dass gewisse Dinge in Projektform realisiert werden.

CHRISTIAN REDER: Pierre Bourdieu hat zuletzt voll auf Gegenwelten zu Unternehmen, zu Institutionen, zu herkömmlichen Parteien gesetzt, nur mehr von NGO-Projektnetzen etwas erwartet …

DIRK BAECKER: … er war immer schon Ethnologe. Und ein Ethnologe ist letztlich jemand, der an Stammesgesellschaften glaubt. Projektformen kommt das sehr nahe. Vielleicht sind die Häuptlinge das Problem, ansonsten wirkt das Fehlen vertikaler Hierarchien durchaus als Muster. Würde *Greenpeace* jedoch heute gegründet, käme es weniger darauf an sondern vor allem auf die profilierte Positionierung im Spendenmarkt.

CHRISTIAN REDER: Dennoch erstaunt mich immer wieder, dass man mit solchen Einsichten selbst an Kunstuniversitäten, exemplarischen Orten vielfältiger Projekte, weiterhin auf Ignoranz und Abwehr stößt, weil es auch unter freigeistigen Lehrenden problematisch ist, Kooperationen übergreifender Art zu formieren. Kompetenzüberschreitungen werden mindestens so argwöhnisch beobachtet wie anderswo, obwohl es auf der Hand läge, Projekte als Grundlagen von Ausbildung und fachübergreifender Kommunikation zu begreifen.

DIRK BAECKER: Die größte Schwierigkeit liegt wohl darin, dass viele nicht wissen, wie sie Projektarbeit und deren Resultate bewerten sollen. Es fehlen die Kriterien. Das springt aus dem, was man über Themenvorgaben, was man in Seminaren und Vorlesungen als lernbaren Stoff vermitteln und dann auch prüfen kann, radikal heraus. Was auch mitspielt: Werden Studierende einmal auf die Idee gebracht, dass sie in Projekten mehr lernen – was wird dann aus den Seminaren und Vorlesungen?

CHRISTIAN REDER: Dazu kommt, dass sich das akademische Leben geradezu bereitwillig zunehmend hierarchisiert und verschult. Übergreifende Projekte durchbrechen Stundenpläne, verwirren die Anrechenbarkeit, negieren Studienordnungen, provozieren jedes geordnete Personalsystem. Vielfach erscheinen sie als Umwege, die vom zügigen Absolvieren abhalten. Wenn aber selbst universitäre Angebote solcher *Möglichkeitsräume*, wie Sie es nennen, in Fachgebiete eingebunden bleiben, bekommt das überall geforderte transdisziplinäre Denken und Agieren nicht einmal in der Studienzeit Rückhalt – für unberechenbare Projektwelten des späteren Berufslebens ein gravierendes Manko.

DIRK BAECKER: In den Diskussionen dazu im Rahmen unseres Studiengangs *Philosophie und Kulturreflexion* an der Universität Witten/Herdecke versuchen wir den Studierenden zu sagen, und viele Erfahrungen entsprechen dem auch, dass das entscheidende Erfolgskriterium eines Projektunterfangens darin besteht, welches Projekt man anschließend machen kann. Es geht also darum, wegen der in einem Projekt gemachten Erfahrungen Angebote für mindestens genauso interessante weitere Projekte zu bekommen. Man gewinnt Einblicke in Unternehmen oder Behörden, lernt sich in Strukturen zu bewegen, lernt den Umgang mit Leuten. Selbst wenn das im Moment keinen Spaß macht, hat man etwas davon. Wichtig wäre, dass es im Weiteren Wahlmöglichkeiten gibt. Das erfordert Trainingsfelder und daher erwarten wir auch, dass die Studierenden an Projekten im Umfeld teilnehmen und zugleich dezidiert eigene Projekte realisieren.

CHRISTIAN REDER: Einem solchen Springen von Projekt zu Projekt, das meine eigenes Arbeitsleben prägt, wird gerade in künstlerischen Argumentationen immer wieder die Forderung nach Produkten, nach Werken, nach Sichtbarem entgegengehalten.

DIRK BAECKER: Das ist wohl eine Generationenfrage. Von jungen Leuten wird diese Forderung selten erhoben; ihnen dürfte der Projektcharakter vieler Arbeitszusammenhänge längst geläufiger sein. Zuweilen wird der Projektbegriff auch deswegen abgelehnt, weil Projekte etwas mit Prozessen zu tun haben. Wer an einem Projekt teilnimmt, muss sich auf zuweilen unübersichtliche Prozesse einlassen und anderen nicht zuletzt auch Zugang zu eigenen Prozessen ermöglichen. Wer tut das schon gerne? Da fordert man lieber *Werke*, in denen die Prozesse schon abgeschlossen sind und das Projekt allenfalls noch vom Ergebnis her beurteilt wird. Mit Schließungen, wie sie Werke anzubieten scheinen, fühlen wir uns wohler als mit Öffnungen, wie sie in Projekten und Prozessen gefordert sind. Etwas als Projekt zu begreifen, erfordert, dass man sich die Prozesse anschaut und sie reflektiert.

CLAUS PHILIPP: Sie selbst scheinen jedoch die Haltung zu bevorzugen, sich nicht in die Karten schauen zu lassen, während Sie Expertisen ausformulieren?

DIRK BAECKER: Ich schreibe allein, versuche aber, die Ressourcen, auf die ich zurück greife, transparent zu halten, durch Fußnoten, Begriffsklärungen. Wenn ich von *System* spreche, dann signalisiere ich damit, du kannst mich als Systemtheoretiker beobachten, dazu gibt es die und die Literatur. Als Essayist würde man das nicht so offen legen.

CLAUS PHILIPP: Wie würden Sie Ihre Position, bezogen auf diese Thematik und Ihren Arbeitsbereich beschreiben?

DIRK BAECKER: Ich stecke in Projekten, in Arbeitsprojekten, die für mich vielfach so offen und unklar sind, dass ich Diskussionen über sie scheue. Aber anders kann ich nicht arbeiten. Ich versuche das zu kompensieren, indem ich mit vorläufigen Abschlüssen arbeite und so nicht zuletzt auch Anschlüsse für andere offen zu halten versuche.

CLAUS PHILIPP: Und wie steht es mit den Anknüpfungspunkten nach aussen, mit dialogischen Strukturen? Ihr Ruf ist doch – so das Gerücht – durch Gespräche zwischen Alexander Kluge und Heiner Müller drastisch bestärkt worden, die Ihre eigentlich an die Wirtschaftswelt gerichteten Kolumnen zu Managementfragen, zu Tom Peters & Co., zur viel zitierten ICH AG, in die Diskurse von Intellektuellen, von Kunst- und Kulturschaffenden transferiert haben. Schlingensief beruft sich auf Müller, Kluge kriegt nicht genug von solchen Geschichten.

DIRK BAECKER: Ich finde es faszinierend, wenn es zu überraschenden Übersprungseffekten zwischen unterschiedlichen Diskurs- und Denkwelten kommt. Man entdeckt dabei strukturelle Ähnlichkeiten, Sensibilitäten, Vorgehensweisen, die lieb gewordenen Vorurteilen widersprechen und so von einer anderen, vielleicht „prozessualen" Wirklichkeit Zeugnis ablegen. Geschichten sind in dieser Hinsicht der Verknüpfung des Unterschiedlichen natürlich viel informativer als wohl geordnete Sachwelten, wenn es die überhaupt noch gibt …

CLAUS PHILIPP: … laut Luhmann ist der Leser derjenige, der sich den Sinn anschafft …

DIRK BAECKER: … ja, und für Heinz von Foerster bestimmt der Hörer den Sinn der Aussage, nicht der Redner.

Vom »Beschäftigten«
zur »ICH AG«.

ICH AG … fragt regelmäßig: WER BIN ICH?/WAS WILL ICH SEIN?

ICH AG … strebt Meisterschaft in *einer Disziplin* an!/hat etwas Wichtiges zu sagen! (Und weiß auch *wie*.)

ICH AG … beschäftigt sich mit Arbeit, die Sinn macht!

ICH AG … macht Arbeit, die ihr Geld wert ist!

ICH AG … konzentriert sich 100-prozentig auf … D-A-S P-R-O-J-E-K-T!

ICH AG … achtet besonders auf die persönliche Verpackung (Design).

ICH AG … »verkauft« mit Leidenschaft und hat ein überzeugendes Verkaufsargument!

ICH AG … wählt Kunden s-e-h-r sorgfältig aus/verzichtet auf ungeeignete Kunden!

ICH AG … ist Adressbuch-/Netzwerk-Fanatiker!

ICH AG … achtet stets auf den Ruf der Verlässlichkeit und Glaubwürdigkeit!

Eine ICH AG … ist »erneuerungswütig«/kultiviert Neugier/ergreift jede Gelegenheit, e-t-w-a-s Neues zu lernen!

Tom Peters: *Top 50. Selbstmanagement. Machen Sie aus sich die ICH AG*, München 1999

CHRISTIAN REDER: Die ICH AG nimmt sich sichtlich einen verdrehten, an Künstler-Stereotypen orientierten offensiven Individualismus zum Vorbild, was bei Tom Peters seit *Auf der Suche nach Spitzenleistungen* (1982/ dt. 1984), seit *Leistung aus Leidenschaf* (1985/ dt. 1986), wo *Skunks*, also Stinktiere, Außenseiter, die Helden der Managerwelt sind, denen Angestellte nachstreben sollten, die fixe Idee ist. Dass sich eine solche Lebendigkeit als Innovationshaltung hätte durchsetzen können, ist mir nicht aufgefallen. Interessant wäre, warum derartige Appelle in gewandelter Form immer wieder kommen. Auch die Euphorie – „Die ICH AG … konzentriert sich hundertprozentig auf … D-A-S P-R-O-J-E-K-T!" – hatte inzwischen genug Zeit, wirksam zu werden. Da und dort greift das durchaus, nicht aber in den tatsächlich neuralgischen Feldern.

CLAUS PHILIPP: Offenkundig sind für Ihre soziologischen Analysen Kulturschaffende empfänglicher als jene, die es eigentlich angeht …

DIRK BAECKER: … vielleicht weil die von mir aufgegriffene kalifornische Managementphilosophie von multinationalen Projektwelten spricht, ohne vertikale, hierarchisierte Organisationen. Da viele Kunst- und Kulturschaffende längst in kleineren und größeren Zusammenhängen dieser Art operieren, wittern sie Morgenluft und sagen, die Struktur unseres Arbeitens sollte sich wesentlich häufiger auch in anderen politischen, wirtschaftlichen, religiösen, militärischen, sportlichen Zusammenhängen wiederfinden.
Mein Buch und der Begriff *Postheroisches Management* waren aus der Idee entstanden, mich über Unternehmenstheorie zu habilitieren. Dazu musste ich diese dezidiert nicht-intellektuelle, grausig geschriebene, oft marktschreierisch daherkommende Managementliteratur zur Kenntnis nehmen, also Bücher, die ich selbst nie so schreiben würde. Ich bin dabei aber auf interessante Punkte zur Gestaltung der Arbeitswelt gestoßen, die in einem interessanten Kontrast zu unserer eher statischen europäischen Unternehmenswelt stehen. Mein Problem bestand darin, herauszufinden, wie die empirisch interessanten Punkte dieser unwissenschaftlich auftretenden Literatur in meine soziologisch reflektierte Unternehmenstheorie integriert werden konnten. Die Zeitungsglossen, die dann in dem Büchlein *Postheroisches Management* gesammelt wurden, versuchen dieses Problem mit den Mitteln der Ironie zu lösen. Ich habe versucht, Parabeln zu konstruieren, von denen man nicht sofort wissen konnte, ob sie nun die kalifornische Managementphilosophie, das europäische Unternehmensverständnis oder den herumtastenden Autor vorführen sollen. Jede Parabel sollte mindestens so ambivalent sein, dass der Leser nicht darum herum kommt, eine eigene Meinung – jedoch als durchaus unsichere, mehrdeutige Meinung – zu bilden. So muss der Leser mitdenken; und das scheint einigen Leuten gefallen zu haben.

CLAUS PHILIPP: Sie haben sich dafür entschieden, relativ wertfrei Systeme zu analysieren. Kommen sie dabei tatsächlich ohne moralische Kategorien aus, etwa wenn erkennbar wird, dass durch Verfremdung eines Medienmarktes die Spielregeln für das Funktionieren von Kommunikation auf den Kopf gestellt werden?

DIRK BAECKER: Mein Schreiben ist mit Sicherheit nicht frei von Moral. Aber ich versuche, sie zum einen implizit, also unaufdringlich, und zum anderen mehrdeutig, also verpflichtungsfrei zu halten. Ich glaube, es gibt so etwas wie eine Moral der Ambivalenz, für die ich mich interessiere. Zum Beispiel versuche ich so über Hierarchie zu schreiben, dass der Leser sie nicht nur aus irgendeinem „demokratischen" Reflex heraus ablehnt, sondern zugleich auch merkt, wie sehr er intellektuell und emotional mehr auf sie angewiesen ist, als er sich das zuvor vorgestellt hätte. Ich versuche, den Anteil des Lesers an der Konstruktion und Rekonstruktion des Phänomens, um das es gerade geht, sichtbar und spürbar werden zu lassen. In unserem Kopf bauen wir Hierarchien ab, die wir mit unserem Verhalten gleichzeitig wieder aufbauen. Und das gilt für Führer und Lenker genauso wie für Geführte und Gelenkte.

CLAUS PHILIPP: Sie glauben, den Widersprüchen großer Organisationen sei nicht beizukommen?

DIRK BAECKER: Diese Widersprüche sind Teil ihrer Überlebensbedingung. Keine Organisation ohne strukturelle Spannungen, die sie lebendig erhält, ist einer der frühen Leitsätze von Niklas Luhmann. Auch darauf versucht mein Stichwort der *Ambivalenz* hinzuweisen. Wer glaubt, er käme dieser Ambivalenz mit einer Moral der Eindeutigkeit und Klarheit bei, verkennt den Knotencharakter unserer Wirklichkeit. Manchmal träume ich von Texten, in denen der Leser das Risiko des Urteils hautnah zu spüren bekommt.

CHRISTIAN REDER: Dieses Vorbereiten von Beurteilungen durch andere ist mir nichts Fremdes. Erlebbar war aber für mich, um auf Ihre Wahlmöglichkeiten zurückzukommen, wie kulminierte Erfahrungen und Kenntnisse den Markt nicht interessieren; er braucht handelbare Waren und Stilisierungen. Mein berufliches Pendeln zwischen Consulting, NGO- und Sozialarbeit, der Beratung von Kulturinstitutionen, auch der Wechsel an eine Kunstuniversität, hatte immer etwas von einem Neuanfang in Subsystemen, die wenig kümmert, was vorher war, an sich. Das macht Projektleben, in denen von Gebiet zu Gebiet gesprungen wird, auf gewisse Weise bodenlos. Wird ein Segment freiwillig verlassen, finden das manche – so wie man selbst – interessant. Bei zu großer Entfernung aus geläufigen Verstehensräumen wird es zu kompliziert; Kontakte reißen ab. Ob in Banken, Medien, Museen oder in der Entwicklungszusammenarbeit, wo ich gute

Arbeitskontakte hatte, ist Analoges zu beobachten gewesen. Politikberatung, in die ich öfters eingeschaltet war, geht zuletzt immer auf undurchsichtige innere Zirkel über. Alles hängt von wechselnden Personen ab; „die Strukturen" denken nicht, merken sich nichts, obwohl über alles Akten vorhanden wären. Selbst auf solchen privilegierten Ebenen wird somit spürbar, dass man in begreifbaren Feldern bleiben müsste … oder darüber zu schreiben anfängt …

DIRK BAECKER: … das macht unser Gespräch für mich so interessant: wir arbeiten an einer Stilisierung des Nichtstilisierbaren – und je besser uns das gelingt, desto schwieriger wird es, die Schließungen zu reproduzieren, von denen Sie sprechen …

CLAUS PHILIPP: … auch jede Regierung dieser Welt, egal welcher Couleur, scheint solche Berührungsängste zu haben, wenn es um intellektuelle Auseinandersetzung und tatsächliche Reformen geht. Wie ritualisiert und verengt Inputs und Querverbindungen einbezogen werden, nur weil Unberechenbarkeit irritiert, bestätigt sich selbst in einer überschaubaren Szenerie wie Wien andauernd …

CHRISTIAN REDER: … wo der Politikfilz, von Beraterfunktionen bis zur Stellenvergabe, für mich immer viel deutlicher spürbar blieb, als in Deutschland, vielleicht weil mein Zugang dort oberflächlicher bleibt. Unabhängigkeit wird stets nur sehr kurzfristig gebraucht; wie sollte sie auch „integrierbar" sein?

DIRK BAECKER: In Wien kennt man sich in den verschiedenen Milieus auch untereinander. Daraus resultiert eine wunderbare Verlangsamung, weil viel beredet wird und sich so von selbst erledigt. An anderes geht man nicht mehr ran. In Deutschland müssen wir das alles institutionalisieren. Und wir haben genau das, was Sie gerade beschrieben haben, ein Netz von Beratern, ein dichtes Netz institutioneller Kontakte, Verbände, Lobbyisten. Dessen Exponenten muss man fragen, sie wollen gefragt werden. Sie sagen auch selbst, bevor sie gefragt werden, was sie zu sagen haben.
Nehmen wir die Einführung der Gesamtschule als Beispiel. Tausende Stimmen äußern sich dazu und verwässern das großartige Projekt einer intelligent integrierten Ausbildung. Wegen des bürgerlichen Milieus werden Gymnasien weiter geführt. Aus intellektueller Perspektive sagen wir dazu: Dumm gelaufen. Aus einer gesellschaftlichen Perspektive muss man sagen: Nur so

kann es laufen. Denn jedes Milieu muss mitgenommen werden. Man kann nicht einfach sagen, lass doch diese Bürger und diese Möchtegern-Bürger, lass sie doch sonst wo ihre Kinder hinschicken, sondern man muss sie mitnehmen in das, was als Entwicklungsperspektive eines Landes denkbar ist.

CLAUS PHILIPP: Anderes Beispiel: Kultur in der Hauptstadt Berlin. Theater schließen, wechselnde Senatoren etc. Erregungen entstehen, ob beim Reichstag Bäume gepflanzt werden oder die Flick-Collection Armen etwas bringt. Wenn man, wie Sie, betont, nur so kann es laufen, indem man alle mitnimmt, wird vieles egal. Wäre es nicht viel eher eine klug beratene, geradezu autoritäre Position, zu sagen, wir investieren offensiv in das Jetzt?

DIRK BAECKER: Im Moment kann ein Grossteil der Leute mitgenommen werden, nicht auf Grund von Beratung, sondern durch Meinungsbildung. Und dabei kommen alle Positionen vor, die von irgendeiner gesellschaftlichen Relevanz in dieser Stadt sind. Einige wollen eben eine Peter-Stein-Inszenierung von Goethe und nicht einen schwierigen Regisseur aus Weimar im Umgang mit Flaubert erleben. Berlin ist immerhin soweit gut beraten, dass man sich all das leistet, was an unruhigem, experimentellem Off-Theaterbereich und Off-Musikbereich existiert, wenn auch auf kleinstmöglichem Platz und niedrigem finanziellem Niveau. Offensichtlich ist es auf Stadt- und Bundesebene die Strategie, aus Berlin einen Tourismus-Magnet mit einer Kulturszene zu machen, welche in der Lage ist, maßgebende Stichwörter für die gesamte bundesdeutsche Produktion zu geben. Würde es bloß um ein quirliges Feld von Leuten gehen, die in Berlin überdauert haben, interessiert das niemand. Aber wenn ich Derartiges beschreibe, dann um die Positionen klar zu markieren und Alternativen denkbar zu machen. Wohin sollten bloße Klagen auch führen?

CLAUS PHILIPP: Beschreibung ließe sich aber so weit treiben, dass sie tatsächlich zu Maßnahmenprogrammen wird und der Politiker nicht darum herumkommt, so zu handeln.

DIRK BAECKER: Diesen zwingenden Zusammenhang gibt es nicht.

CLAUS PHILIPP: Einerseits brechen Strukturen, die wertvoll waren, zusammen, andererseits kommt es nicht dazu, dass Strukturen, die entstehen könnten, tatsächlich entstehen. Gibt es einen zwingenderen Zusammenhang, als einen solchen Antagonismus?

DIRK BAECKER: Wer trifft die Entscheidung, welche wegbrechenden Strukturen wertvoll waren und welche gerade entstehenden auch notwendig sind?

CLAUS PHILIPP: Ich würde mit Alexander Kluge sagen, da gäbe es so etwas wie einen Erfahrungsschatz, auf den man sich berufen könnte …

DIRK BAECKER: … vertreten von zwei Oberlehrern, drei Künstlern, einem SPD-Kultursenator, vielleicht auch von einer Ortsgruppe der PDS?

CLAUS PHILIPP: Ihr Oberlehrer, der vielleicht sogar eine ganz interessante bürgerliche Perspektive vertritt, kommt doch gar nicht in das öffentliche Gewebe hinein, um zu sprechen.

DIRK BAECKER: Kunst ist heute so sichtbar milieugebunden, wie sie das tatsächlich immer schon war. Das kann man nicht mehr mit Wertungsskalen ordnen, denn entweder Sie gehören einem Milieu an und verstehen, was dort interessiert oder nicht. Und die Kunstgeschichte und Kunstkritik, die gleichzeitig Milieugeschichte und Milieukritik wäre, gibt es zwar nicht zuletzt dank Bourdieu schon, aber in die Kunst- und Kulturpolitik ist sie noch nicht vorgedrungen. Wie soll der Staat sich entscheiden? Was ist förderungswürdig und was nicht? Sind wir nicht längst dabei, ähnlich wie in der Wirtschaftsprüfung nicht mehr die Qualität des Produkts, sondern nur noch die Qualität seiner Herstellung zu beurteilen? Und ist das so falsch?

CLAUS PHILIPP: Das heißt, die produzierenden und rezipierenden Milieus sprechen für sich gar nicht mit für das, was sie brauchen?

DIRK BAECKER: Jedenfalls sollte man sich an die Selbsteinschätzung der Milieus nur in dem Maße gebunden fühlen, wie man das Milieu und seine Grenzen gleichzeitig offen markiert und reflektiert.

CHRISTIAN REDER: Zu Ihrer Milieu-Argumentation: Was spricht gegen Projektwelten, die solche Prägungen durchbrechen? Unlängst habe ich in einer eher hochrangigen Wirtschaftsrunde eine Inseratkampagne ins Gespräch gebracht, zum Thema fremdenfreundliches, offenes Land, mit der sich die wichtigsten Unternehmen, die ja Tausende zugewanderte Beschäftigte haben, deklarieren könnten. Die Meinungen dazu waren freundlich reserviert; mit Regierung und Medienmacht will man es sich sichtlich nicht verscherzen. Weiters: Warum ist es undenkbar, die Masse armer Asylanten anstatt in der grauenhaften, überfüllten Habsburger-Kaserne von Traiskirchen oder im ärmlichen, von Spenden lebenden Integrationshaus in Wien, in einem Neubau von Coop Himmelb(l)au unterzubringen, der weltweit signalisiert, was neben touristischer Gastfreundlichkeit noch notwendig wäre? Vielleicht sind die Leute viel weltoffener und urbaner als die Politik uns glauben macht? Wie anders als durch derartige Projekte ließen sich Stimmungen – der nebulose Common Sense, auf den sich alle berufen – beeinflussen? Im Rahmen von Peter Sellars Projektinitiativen zu *Enlightenment. Theory and Practice*, von denen an anderer Stelle in diesem Band die Rede ist, konzipieren Studierende unserer Universität gerade für das genannte Integrationshaus einen Dachgarten, als ersten Schritt zu mehr Großzügigkeit. Derartiges könnte doch für eine „erweiterte" Normalität prägend werden?

DIRK BAECKER: In Deutschland neigt man, glaube ich, immer noch zu der Auffassung, dass die Bevölkerung zur Demokratie und damit zu ihrem Glück gezwungen werden muss. Kultur wird deswegen gerne als ein „Vermittlungsproblem" behandelt. Mir fällt dabei nur auf, dass hier die einen die Werte schon kennen, deren Abwesenheit sie bei den anderen feststellen. Vielleicht geht es deswegen auch hier eher um Milieuabgrenzung als um Kulturentwicklung. Ein großzügiges Asylantenheim von Coop Himmelb(l)au wäre zwar ein deutliches Signal, wie aber lässt sich abschätzen, dass es nicht kontraproduktiv wirkt? Denn damit würde auf die Existenz von Asylanten auf eine Art und Weise aufmerksam gemacht, die es interessanter macht, auf diese Leute die nächsten Brandflaschen zu werfen. So zu argumentieren ist mir im Rahmen von Pariser Antisemitismus-Debatten bewusst geworden, in der Jacques Attali – er ist Jude – betont hat, es müsse mitgedacht werden, dass Artikelserien und Kunstprojekte gegen den Antisemitismus ihrerseits eine Markierung von Juden bewirken. Sie werden zwar positiv und schützend markiert, wir wissen aber: Vorzeichen auszuwechseln und sie ins Negative zu wenden, kann im Handumdrehen geschehen.

CHRISTIAN REDER: Es müsste also unauffällig laufen, normalisiert, um den bizarren Widersprüchen zwischen grinsendem Tourismusland und ebenso grinsender Fremdenfeindlichkeit entgegenzuarbeiten? Andererseits sind Projekte zur Gastfreundlichkeit seit Urzeiten Element der *condition humaine* …

DIRK BAECKER: … wenn man nicht klar macht, um wen es geht, bleibt es offener. Polarisierungen können sinnlos zuspitzen; man muss sich fragen, wie lässt sich das moderieren, also moderat halten. Darüber zu reden, es in Filmen, in Romanen vorkommen zu lassen, halte ich für eine intelligente Strategie. Forderungen allein laufen ins Leere.

CHRISTIAN REDER: Schön gesagt, aber defensiv: erzählen, nicht fordern. Glauben wir noch, dass das angesichts der Aggressionspotenziale tatsächlich Milieus beeinflussen könnte?

DIRK BAECKER: Absolut, weil sich der Erzähler, die Erzählerin damit auch selbst markiert, als jemanden, der um Befürchtungen weiß.

CHRISTIAN REDER: Zurück zu „Projektleben", zu einem Existieren in Projektkonstellationen. Wie stehen Sie zu Grundsicherung und Basisgehalt für alle? Können wir uns überhaupt noch Massen von Menschen vorstellen, die machen könnten, was sie wollen, was sie interessiert, wenn auch auf bescheidenem ökonomischem Niveau? Würde das Projektwelten zum Blühen bringen?

DIRK BAECKER: Berlin ist de facto eine Stadt, deren künstlerische, kulturelle, jugendliche Milieus von Sozialhilfe, also von einem „Basisgehalt" leben.

CHRISTIAN REDER: Ihrer Lebendigkeit schadet das nicht. Es gibt auch eine erstaunliche Selbsthilfekultur und starke kollektive Traditionen. Wo aber wären die Projekte, in die man sich einklinken könnte, als Alternative zu linear ablaufenden Jobs? Offene Lebensformen strebt heute fast jeder an. Auch unter Kunststudierenden ist das meist genauso wichtig wie die Sache selbst. Vieles dreht sich um die Frage nach einem interessanten Leben, als Metapher für richtiges Leben. Was sagen Sie Studierenden, wenn Sie das gefragt werden?

DIRK BAECKER: Dann antworte ich: Das musst du selbst heraus finden. Ich lebe auf meine Art und Weise, und du siehst ja, was daran erstrebenswert oder falsch ist. An einer Universität geht es darum, möglichst rasch zu lernen, selbst die Entscheidung zu treffen, wie es weiter geht, also um die Fähigkeit zur Selbstselektion und eigener Arbeitsmarktgestaltung.

CHRISTIAN REDER: Einer der großen Personalberater in Deutschland, mit dem ich befreundet bin, bestätigt mir immer wieder, dass ich mit meiner bunten Projektbiografie in keiner Bewerbung mehr über die vorselektierende Sekretärin hinaus käme, selbst wenn ich zwanzig Jahre jünger wäre. Meine Antwort ist stereotyp – er stammt aus der DDR – dass er an einem neuen Stasi-System mitwirkt, das mit modulhaft-gereinigten Vorstellungen die Wirtschaftswelt austrocknet, aus der auch ich ursprünglich komme. Glücklicher Weise ist das deren und nicht mein Problem. Im Universitätsbereich wiederum ist alles in Routine eingebettet; Projekte werden von den Strukturen kaum unterstützt, sind allzu oft tendenziell privatisierte Nebenaufgaben.

CLAUS PHILIPP: Solche Aussonderungsprozesse sind doch eine signifikante systemanalytische Frage. Diese Tendenz zu Hermetik, zu Kalkulierbarkeit. Das betrifft genauso große Universitäten wie große Verlage. Die Gesellschaft hat sich das längst sehr cool organisiert. Für viele Publikationen wird überhaupt keine Verbreitungsunterstützung mehr unternommen, die Großen machen das, die Kleinen jenes.

DIRK BAECKER: Ich bin mir da nicht so sicher. Im Moment beobachte ich eher wieder etwas mehr Mobilität zwischen Milieus und Institutionen, die allerdings, da gebe ich Ihnen Recht, mit einer großen Aversion gegen begriffliche und sachliche Klärung oder auch nur Unterscheidung und mit einer ebenso großen Liebe zu einer problematische Grenzgänge eher vernebelnden rein pragmatischen Haltung einhergeht. Man probiert viel aus, will sich dabei aber nicht in überkommenen Begrifflichkeiten beobachten und beschreiben lassen.

CHRISTIAN REDER: Fest in Unternehmen arbeitet in meinem Umfeld kaum wer, bei fast allen sind projekthafte Lebenswege bestimmend geworden; praktisch keiner wollte in einer Bank oder bei IBM enden …

DIRK BAECKER: … wenn schon eine Arbeit in einem Unternehmen, dann am liebsten als Berater, auch wenn man keine Ahnung hat, wen man wobei womit überhaupt beraten kann …

CHRISTIAN REDER: … das manifestiert sich sogar in diversen studentischen Berufswunsch-Rankings in denen *Consulting* ganz oben steht. Auch das zeigt, dass man sich nicht unbedingt von Mega-Strukturen gefangen nehmen lassen will, lieber von außen her mit ihnen kooperiert. Einfacher wird es in „freischaffenden" Feldern jedoch nicht, obwohl sich dort jeder, der geregelte Arbeitszeiten einhält, am falschen Platz fühlen muss. Spalten sich solche Welten immer weiter auf? Unsere Universität „produziert" nicht durchwegs Künstler; viele tauchen in Projektbereiche ein, machen schließlich Unvorhergesehenes. Da ist ein starkes Bedürfnis da, das die Gesellschaft, die Wirtschaft nicht erfüllt, zu dem es bestenfalls fragile Angebote gibt, auf welcher ökonomischen Ebene auch immer.

CLAUS PHILIPP: Manche Strukturen können aber auch einen Luxus bieten, sofern die Rahmenvorgaben große Freiräume ermöglichen …

DIRK BAECKER: … und Widerstand denkbar bleibt.

CLAUS PHILIPP: Um den Blick von unten zu versuchen: „Macht Not erfinderisch?", diese ewige, für Alexander Kluge besonders wichtige Frage. Wenn man das beschreiben müsste, als wertebildendes System, ließe sich sagen, die gegenwärtig die Strukturen bestimmenden Eliten schaffen in den Unterbereichen Notzustände, die einen gewissen Erfindungsgeist produzieren sollen.
Halbwegs tolerierte kleine Gruppen äußern sich in sehr vitalen Milieus und entwickeln durchaus einfallsreich einen ansonsten negierten Themenreichtum. In letzter Konsequenz hieße das, das System schafft sich von oben selber ab, denn akute Notzustände werden nur noch an der viel zitierten Basis artikuliert. Oben wird vorgegeben, dass alles unter Kontrolle zu sein scheint.

DIRK BAECKER: Vertikale Hierarchien transformieren sich derzeit auf allen Ebenen zu Netzwerken. Daraus resultieren entscheidende Differenzen zwischen Zentrum und Peripherie. Die alten zentralen Funktionen, die einmal oben saßen und jetzt flach im Zentrum von Vernetzungen sitzen, versuchen heraus zu kriegen, mit welchen Signalen sie die Leute noch zum Tanzen bringen, ob es nun Gewinnchancen, Reputation oder Projektchancen sind. Plötzlich ist entscheidend, dass sie in einzelnen Projekten mit Leuten zusammen arbeiten können, von denen man sich drei Minuten vorher nicht hätte vorstellen können, jemals mit ihnen ein kluges Wort zu wechseln. Schließt euch zusammen, ist das Leitbild, denn hier gibt es etwas zu gewinnen. Das Spannende an solchen überall greifenden Netzwerkstrukturen ist, dass diese Signale inhaltlich unspezifiziert sein können.

Es kommt nur darauf an, „Spitze" zu sein und bestimmte Gewinnmargen zu realisieren, die eine Holding vorgibt.

CLAUS PHILIPP: Das heißt, der dumpfeste Satz durchläuft Instanzen und bekommt erst am Ende Inhalte?

DIRK BAECKER: Die inhaltliche Bestimmung kann von einer Spitze aus, die keinen Überblick über das mehr hat, was produziert wird, nicht erfunden werden. Nur an der Peripherie, unmittelbar vor Ort, sind Inhalte ein Thema. Ansonsten geht es primär um Finanzen. Also schafft man schwache Voraussetzungen, die aber in ihrer Vagheit akzeptiert werden müssen. Quantenmechanisch formuliert, werden weiterhin starke Restriktionen ausprobiert, wie man solchen Prämissen genügen kann. Diese Herrschaftsstrategie unterscheidet sich kaum von dem, was immer schon von oben her betrieben wurde. Nur glauben die Leute an der Peripherie, sie hätten jetzt weit mehr Möglichkeiten, selbst zu erfinden, was sie jeweils tun, als es jemals der Fall war. Dabei geht es in Wahrheit nur um den Arbeitsplatz; ist er halbwegs sicher, läuft das Leben noch in geordneten Bahnen.

CLAUS PHILIPP: Mein Lieblingsbild von Peripherien ist immer, was Tolstoi in *Krieg und Frieden* beschreibt. Napoleon schickt einen Boten an die Front, mit dem Befehl, was getan werden soll. Bis der dort ist, hat sich die Situation aber völlig geändert. Nichts davon kann mehr exekutiert werden, der Verantwortliche muss sich einen neuen Befehl ausdenken. Vielleicht ist die ursprüngliche Order auch nie angekommen.

DIRK BAECKER: Das ist der springende Punkt. Darauf stellen wir uns gerade massiv um, in allen organisatorischen Milieus, ob Kirche, Sport, Politik oder EU.

CLAUS PHILIPP: Wie aber geht man wieder von der Peripherie zum Zentrum, damit es nicht um die 15 oder 20 Prozent Rendite, sondern erneut um die lange genügenden 4 Prozent geht, was gewisse Qualitäten ermögliche? Dieser Druck ist doch ein totaler Wahnsinn.

DIRK BAECKER: Man müßte für solche Gegenstrategien Submilieus finden. Von erreichbaren Limits her gesehen heißt das immer Selbstausbeutung. Von Anlegern Zufriedenheit bei 4 Prozent zu fordern, wenn anderes möglich scheint, kann es nicht bringen.

CHRISTIAN REDER: Wir leben in der reichsten Erbengesellschaft der Geschichte. Damit meine ich nicht nur Flick, Horten, Agnelli & Co., sondern auch den Mittelstand. *Adventure Capital* erscheint mir dafür als interessante Möglichkeit, wenn wir von moralisierenden Appellen nichts erwarten. Geldvernichtung an der Börse wird als Fehlgriff hingenommen; warum wird das bei der Finanzierung von Projekten so ganz anders gesehen, verbrämt als Sponsoring? Erben, die ratlos herumhängen, mangels Kontakten, mangels sozialer Phantasie, fangen vielleicht an, Kunst zu kaufen. Es käme auf attraktive Angebote an, vom Forschungsprojekt über Filme bis hin zu Sozialarbeit. Dass angesichts der globalen sozialen Situation bildende Kunst so im Vordergrund steht, spiegelt, wie sich alles in Richtung Repräsentatives, Besitzbares und Spekulationen kanalisiert.

DIRK BAECKER: Dazu würde es sich lohnen, zum Fundraising für exponierte Projekte sorgfältige Argumentationsstrategien zu entwickeln. An unserer Universität Witten/Herdecke hat der Universitätsgründer Konrad Schily die Startgelder beschafft. Eine seiner Ideen hierfür war es, Vermögensbesitzern einen Weg aufzuzeigen, wie sie mit ihrem Geld auch einmal etwas Sinnvolles machen können, indem sie in die Bildung unseres Nachwuchses investieren.

CHRISTIAN REDER: Meine Beobachtung ist allerdings: Es herrscht Angst, viel stärker als vor zehn, fünfzehn Jahren, selbst in sehr etablierten Industriekreisen; Firmen werden aufgekauft, zerschlagen, allerorts feindliche Übernahmen. Das hat exzessiv zugenommen, dieser Verlust an „bürgerlicher" Sicherheit – in der reichsten Gesellschaft, die es je gab. Selbst für die Minorität sozial und kulturell Engagierter unter ihren Exponenten macht das langfristige Planungen zunehmend unmöglich. Es scheint so, als ob „das System" das so will.

DIRK BAECKER: Das sehe ich ganz genau so. Das Zentrum der Weltwirtschaftsentwicklung wandert – das nennen wir Globalisierung – aus dem atlantischen in den pazifischen Raum und die Leute in den Vorstandsetagen und Unternehmerfamilien merken, dass das Modell der Produktion, das Modell der Finanzierung, das man in Europa seit Generationen mit Erfolg produziert hat, ausläuft. Das Kapital fließt wo anders hin, die Produktionstechnologien werden woanders entwickelt, die Märkte expandieren woanders. Natürlich haben die Angst. Aber jetzt kommt wieder der soziologisch entscheidende Moment: Was macht man mit der Angst? Stärkt man sie? Oder schafft man erkennbare, das heißt begrenzte Angebote, sich mit alternativen Modellen des Weiterproduzierens so zu beschäftigen, dass man sie nicht gleich für eine beängstigende Alternative zum eigenen Modell hält?

Wie kann man zum Beispiel in Unternehmen übergreifende Lernzusammenhänge schaffen, von denen sowohl Studierende als auch die Unternehmen etwas haben, ohne dass das gleich als Rückfall in den Sozialismus angesehen wird? Solche Prozesse würden einige Jahrzehnte brauchen, bis sie auf breiter Basis greifen. Ständig gäbe es Anlässe, zu sagen, das bringt nichts, aber auch Erfahrungen, die im Weitermachen bestärken. Dazu bräuchte es Leute wie Sie, mit vielfältigen Projekterfahrungen, die junge Menschen an der Hand nehmen können und ihnen helfen, über gewisse Klippen hinüberzukommen. Dann merkt einer, die nächste schaffe ich vielleich alleine, selbst wenn ich mich derzeit noch in schlecht oder unbezahlten Sphären bewege.

CHRISTIAN REDER: In solchen Fragen bin ich selbst sehr einem Projektdenken verhaftet, vielleicht weil mir Kontinuitäten kaum noch greifbar erscheinen. Etwas neu aufzubauen kostet auch ungleich mehr als vor zwanzig Jahren. Welcher Konzern ließe sich schon dafür gewinnen, Sektoren eine Kunstuniversität längerfristig und unter Wahrung gedanklicher Freiheiten als Entwicklungslabor mitzufinanzieren? Es bleibt bei abgezirkelten Projekten und Events.

Auch in der öffentlichen Verwaltung, wo ich länger als beratend-konzeptioneller Organisationsanalytiker tätig war, setzten sich immer systemkonforme Kräfte durch, obwohl es eine Zeitlang so schien, als ob sozial langfristig relevante Reformen greifbar wären. Das ist aber lange her. Signifikanter Weise sind die Erfahrungen auf der Gegenseite analog. Auch in „alternativen Projekten" war es kaum möglich, interessante Kräfte auf etwas längere Sicht einzubinden; die viel zitierten Netzwerke haben sich genauso individualisiert und privatisiert wie alles andere. Soche Schwierigkeiten, Transfers zwischen unvereinbar erscheinenden Arbeitsfeldern und Positionen zu organisieren, begleiten mich während meines ganzen Berufslebens. Selbst gute Honorare nützen wenig. Bourdieus Glaube an zivilgesellschaftliche NGOs allein kann es doch nicht bringen?

DIRK BAECKER: Meines Erachtens muss man sich genau überlegen, wen man in welchen Projekten wohin mitzunehmen versucht und wen nicht. Einer meiner Kollegen in Witten glaubt, man müsse Ökonomen die

Systemtheorie der Wirtschaft nahe bringen. Ich halte das eher für vergebliche Liebesmühe und konzentriere mich statt dessen lieber auf deren konsequente Ausarbeitung, ohne zu versuchen, jemanden „mitzunehmen".

CLAUS PHILIPP: In ihrer einzelgängerischen Perspektive halten Sie also den Ökonomisierungen von oben eine individuelle Ökonomisierung entgegen und sagen: Wenn ihr euch darauf konzentriert, was euch wichtig ist, dann konzentriere auch ich mich auf das, was mir wichtig ist. Ich werde mich jetzt nicht verzetteln in einem Dialog mit euch, der keiner ist.

DIRK BAECKER: Exakt. Wie lautet die wichtigste Regel der anonymen Alkoholiker? – Du kannst einem Alkoholiker nur helfen, indem du dir selbst hilfst. Und in diesen durchhierarchisierten vertikalen Strukturen sind gewissermaßen alle Alkoholiker. Sie sind süchtig nach ihren eigenen Formen.

CLAUS PHILIPP: Woraus entsteht diese Sucht?

DIRK BAECKER: Aus der mangelnden Fähigkeit, sich Alternativen vorzustellen und hoher Kompetenz im Umgang mit der Dynamik vertikaler Hierarchien. Wenn Sie das zwanzig Jahre lang gemacht haben, dann wissen Sie, wie so ein Laden tickt. Wollen Sie jetzt irgendwo anders anfangen weiter zu arbeiten, wo Sie nicht wissen, wie dieses Umfeld auf Sie wirkt? Also sorgen Sie lieber dafür, dass der Laden nach wie vor in Säulen strukturiert ist wie bisher, denn dabei kennen Sie sich aus.

CHRISTIAN REDER: Aber selbst in reformerisch nicht so eingeengten Zeiten wie heute sind „Projektwelten" auch von einer analytischen Soziologie weitgehend negiert worden, obwohl es unter Aktivisten und Aktivistinnen permanent um Projekte gegangen ist. Als ich vor zwanzig Jahren in einem Podiumsgespräch an der Universität Wien mein damaliges Konzept einer *projektorientierten Organisation* [*Neuorientierung von Kunsthochschulen*, Wien 1985] diskutieren wollte, bin ich etwa bei Niklas Luhmann auf demonstratives Desinteresse gestoßen. Vertreter unseres Wissenschaftsministeriums hätten und haben sich nicht anders verhalten.
Dabei ging es im Kern und mit vorerst bloßem Consulting-Wissen schlicht darum, Projekte stärker ins Zentrum universitär unterstützter Verfahrensweisen zu rücken, statt sie weiter als periphere Anhängsel zu betrachten. Die Umsetzung solcher Vorstellungen bleibt bis heute eine zähe Angelegenheit,

obwohl als Produktivität vor allem plausible – oder zu kritisierende – Projekte wahrgenommen werden, was für mich auch Publikationen vorerst einmal sind.

DIRK BAECKER: Da ist sicher etwas dran. Luhmann hat sich damals einfach nicht für dieses Feld interessiert, war völlig auf Gesellschaftstheorie und Systemanalyse konzentriert. Man braucht sich nur anzusehen, mit welchen Vokabeln unsere sozial-, geistes-, oder kulturwissenschaftlichen Beschreibungen in den letzten Jahrzehnten erstellt worden sind. Das Wort *Netzwerk* hat keine Rolle gespielt. Erst seit gut zehn Jahren ist es geläufiger. Hätten wir darüber früher nachgedacht, mit all dem, was das heißt, nämlich Abhängigkeit zwischen unabhängigen Positionen denken zu können, dann wären wir auch an ganz anderen Milieus interessiert gewesen, nicht bloß an den Blockaden im System. Man hätte in diesen im Grunde illusionistischen Apparaten verstärkt Lebenswelten fördern, Projektbedingungen viel komplexer begreifen können.

Transkription: Esther Hecht, Textfassung: Christian Reder

Aids-Programm von *Ärzte ohne Grenzen* in Mosambik
Foto: Reinhard Dörflinger, 2004

*„Konzentrierte Medienkampagnen machen Divergenzen
zwischen Spendenbereitschaft, interner Verteilung
und Umsetzungsmöglichkeiten deutlich;
Defizite dabei müssten als solche zum Thema werden. "*

Reinhard Dörflinger

„Aufbrechen zu Notwendigem"

Reinhard Dörflinger im Gespräch mit Christian Reder

CHRISTIAN REDER: Wir haben im von 1980 bis 1994 bestehenden *Öster-reichischen Hilfskomitee für Afghanistan* zusammengearbeitet, das Flücht-linge in Pakistan dabei unterstützte, selbstverwaltete Gesundheits- und Sozialdienste aufzubauen und in Afghanistan landwirtschaftliche Initiati-ven gefördert hat [vgl. dazu: *Afghanistan, fragmentarisch*; Wien-New York 2004]. Du warst, wie auch andere westliche Experten, über Projekteinsätze als Arzt mit dabei, ich über periodische Aufenthalte als Planer, Organisa-tor, Controller. Qualifiziertes Personal gab es in den riesigen Lagern genug, von Europa aus ging es vor allem um Beratungsfunktionen, um gezielte Sonderaufgaben, etwa für Frauenprogramme, um die Geldbeschaffung. Mitgewirkt haben Ethnologen, Ärzte, Studenten, Buchhalter, Administra-toren, Architekten, die Interesse und Zeit hatten; viele davon ehrenamt-lich, dauerhaft im Ausland Stationierte gegen bescheidene Bezahlung. Wir waren also eine klassische, aus Aktivisten und Aktivistinnen zweier höchst unterschiedlicher Gesellschaften zusammengesetzte Nicht-Regierungsorga-nisation (NGO). Beide Seiten haben etwas davon gehabt. Inzwischen pro-fessionalisieren sich auch solche Aktionsfelder immer mehr. Offensichtlich löst sich vieles von normalem zivilgesellschaftlichem Engagement ab. Wie siehst du als Arzt, dem Professionelles doch höchst willkommen sein muss, diese Entwicklung?

REINHARD DÖRFLINGER: Als Mediziner ist mir fachkundiges Arbeiten selbstverständlich wichtig, vom Gruppengeist her jedoch hat sich seit den Zeiten der Solidaritätskomitees tatsächlich viel verändert. In meinem ersten Auslandseinsatz – 1979 – ging es um die Hilfe für Flüchtlinge aus Nicara-gua in Honduras. Unsere Gruppe damals, die *Kritische Medizin*, wurde, durch Kontakte mit *Longo Mai* dazu animiert, sozusagen aus dem Nichts heraus aktiv. Wir wollten und sollten einfach etwas für die Opfer des

Bürgerkrieges in Nicaragua tun. In kürzester Zeit entstand ein Nicaragua-Komitee, die Universität von Tegucigalpa übernahm die Schirmherrschaft in Honduras, Teams mit lokalen Counterparts, ohne die so etwas nie funktionieren kann, haben sich gebildet. Der Wiener Chirurg Werner Vogt war mit dabei …

CHRISTIAN REDER: … heute ist er, statt als Pensionist zurückzublicken, Wiener Pflege-Ombudsmann für das Gesundheitswesen. Nach dem Sturz der Diktatur hat es übrigens auch mich Ende 1979 nach Nicaragua gezogen, weil ein Wirtschaftsexperte gesucht worden war, der mit den neuen Ministern Hilfsangebote aus Österreich vorverhandeln sollte; ein einschneidendes Erlebnis – nicht zuletzt, weil einem der anhaltende US-amerikanische Regierungsdruck auf alles Linke, selbst auf Liberales, unmittelbar begreiflich wurde, während sich zugleich tausend Nordamerikaner für die Sache einsetzten.

REINHARD DÖRFLINGER: Diese Anfänge waren jedenfalls pure Spontaneität; im Afghanistan-Komitee funktionierte das bereits viel stabiler, auf konkrete Projekte hin organisiert. Ein Afghane war Projektmanager, es gab afghanische Ärzteteams, eine ausgebaute Mitbestimmung, phasenweise über 300 afghanische Beschäftigte. Vergleichbare Grundstrukturen erlebe ich auch bei *Ärzte ohne Grenzen* [*MSF – Médecins Sans Frontières*], für die ich nun, neben unserer Arztpraxis, seit Jahren tätig bin. Entsandten Experten stehen ungefähr im Verhältnis 1 : 10 lokale Mitarbeiter und Mitarbeiterinnen gegenüber, um lokales Knowledge zu nützen und weil ein Übergang zur Selbsthilfe sonst keine Basis hätte. Da in *MSF*-Projekten immer die medizinische Arbeit die Trägerfunktion hat, lassen sich soziale Initiativen, etwa für Frauen, für Kinder, für Familien leichter als selbstverständliche Erweiterung angliedern. Wird Medizin ernst genommen, ist sie immer Sozialmedizin – braucht also Vernetzungen, kann sich nicht auf Pillenausgabe und Spritzen beschränken. Von der Grundproblematik ist das in Katastrophengebieten nicht viel anders als hierzulande.

CHRISTIAN REDER: Mit eurer Praxisgemeinschaft in Wien-Meidling seid ihr in Österreich Pioniere gewesen. Gelingt es, das als Denkmodell weiter zu tragen? Es zielt ja darauf ab, deutlich mehr zu leisten, als inzwischen aus Effizienz-, Investitions- und Kostengründen üblich gewordene Zusammenschlüsse einander fachlich ergänzender Ärzte.

REINHARD DÖRFLINGER: Für uns als Praxisgemeinschaftsteam war von Anfang an klar, dass wir als Allgemeinmediziner nur Grundbereiche abdecken können und eine medizinische Plattform sein wollen, die nicht bloß zu Spezialisten, sondern auch zu sozialer und psychischer Betreuung kontinuierliche Verbindungen herstellt. Als wir 1984 begonnen haben, stellten wir uns – als Projekt – bewusst gegen die herrschende, alles isolierende Arbeitsweise, um eigene Vorstellungen von einer sinnvollen beruflichen Zukunft zu realisieren. Dazu war es notwendig, Gegner, vor allem die Ärztekammer, mit Allianzen in Schach zu halten und Unterstützer zu finden, damals den Wiener Gesundheitsstadtrat Alois Stacher. Die Gebietskrankenkasse verhielt sich abwartend-neutral, nach dem geläufigen Motto: „Wozu brauchen wird das?". Für die Ärztevertretung hat unser Modell nicht in formalisierte Reihungslisten gepasst, hatte sichtlich zuviel Kollektives an sich. Sie hat in uns einen medizinischen Supermarkt gesehen, gegen den niedergelassene Ärzte geschützt werden müssten. Wir bekamen sogar eine Geldstrafe, weil unsere Visitkarten nicht ärztlichen Standesregeln entsprachen und wir – als Gruppe – Dienste anboten, die offiziell nicht vorgesehen waren.

Von der zwanzig Jahre danach gekommenen gesetzlichen Regelung – das Gruppenpraxisgesetz – sind wir zwar bestätigt worden, signifikanter Weise hat sie sozial aber nicht mehr allzu viel bewirkt. Im Kern sind wir derzeit eine klassische Ordination der Allgemeinmedizin, mit vier – einander auch vertretenden – Ärzten und Ärztinnen. Angeschlossen ist eine Familienberatungsstelle für Interventionen im psychosomatischen Bereich sowie eine Sozialarbeiterin, die von der Stadtverwaltung bereitgestellt wird. Indem wir also bis zu kostenloser psychischer und psychosomatischer Betreuung gehen können, inklusive Krisenintervention, ergibt sich ein fundierter professioneller Hintergrund, wie wir ihn für richtig halten.

CHRISTIAN REDER: Vom Egalitär-Kollektiven, pointiert sozial Eingestellten der frühen Jahre wirkt also doch vieles weiter?

REINHARD DÖRFLINGER: Von den Grundpositionen her sicher. In den Arbeitsweisen gab es durchaus Verschiebungen. Die ersten fünf Jahre haben wir im Team alle das gleiche Gehalt bezahlt bekommen, aus der Haltung heraus, jeder braucht, unabhängig von der Qualifikation, dasselbe zum Leben. Dann gab es auch bei uns „Glasnost & Perestrojka", also einen konservativen Schwenk, mit Differenzierung von Gehältern, von Rechten, von Berufsstatus.

CHRISTIAN REDER: In meinen Anfangsjahren habe ich als Systemanalytiker und Konzeptentwickler länger im Gesundheitswesen gearbeitet, zum Beispiel, um die staatlichen Hamburger Krankenhäuser zu einer eigenen Betriebseinheit zu formieren. Eingesperrt in eine ziemliche Pragmatik wollte ich dennoch Brücken zum Modellkrankenhaus Herdecke schlagen, habe auch mit Ivan Illich [*Die Nemesis der Medizin. Von den Grenzen des Gesundheitswesens*, Reinbek bei Hamburg 1975] über eine eventuelle Zusammenarbeit diskutiert. Heute ist offenkundig, dass sich – außer dem freundlicheren Ton und medizintechnischen Fortschritten – an der strukturellen Problematik nicht allzu viel geändert hat: Krankenhausmanagement, Kostendämpfung, Bettenabbau, kürzere Verweilzeiten ... Ivan Illich hat mir damals kategorisch geraten: „Vergessen Sie das westliche Medizinsystem, engagieren Sie sich in der Dritten Welt, um wirklich an der Basis anzusetzen; dort wären zehntausende Barfußärzte notwendig ..." Zugleich hat der Chef der Wiener Zentralsparkasse, Karl Vak, mit dem ich gute Beraterkontakte hatte, über sozialistisches Management und öffentliche Verantwortung geschrieben; unter seinen Nachfolgern ist das alles in internationalen Konzernstrukturen aufgegangen. Alternativen haben sich erübrigt ...

REINHARD DÖRFLINGER: ... das waren eben lebendige Zeiten. Wie jedem ersichtlich, ist es bei insularen Initiativen geblieben. In meinem Feld gibt es Fortschritte, etwa in der Drogentherapie, wo sich viel gebessert hat. Patientengespräche werden wichtiger genommen. Im Prinzip tradieren aber die Leistungskataloge der Krankenkassen alles seit zwanzig Jahren unverändert weiter. Von Vernetzung wird mehr geredet als dass sie stattfindet, selbst der technologische Stand ist in weiten Bereichen erschreckend niedrig. Einen Aufschwung hat vor allem die „privatwirtschaftliche" Komplementärmedizin genommen, chinesische Methoden, Homöopathie, Akupunktur, Shiatsu, Aromatherapie. Viele engagierte Kräfte, wir sehen das an unseren Lehrpraktikanten, bauen sich außerhalb des Kassensystems, abseits einer Breitenmedizin, Arbeitsfelder auf. Mit dieser, von den Intentionen her nachvollziehbaren Individualisierung zerfällt allerdings auch eine weiter gefasste sozialmedizinische Verantwortung. Davon spricht derzeit kaum noch wer. Ob Projekte wie unsere Gruppenpraxis langfristig fortgesetzt werden können, ist also durchaus fraglich, wenn das mit üblichen Karriereaussichten und Einkommensmöglichkeiten nicht mithalten kann.

CHRISTIAN REDER: Es ist mir aber auch präsent, wie sehr das System des Medizinstudiums eine lineare, vielfach von Zynismen begleitete Programmatik vorgibt, die kaum konkrete Projekterfahrungen oder Abweichungen in noch nicht durchorganisierte Arbeitsfelder erlaubt. Entweder wirst du Arzt, wirst du Ärztin, oder du bist gescheitert. Bei der Kunstausbildung gibt es analoge Grundmuster.

REINHARD DÖRFLINGER: Über Psychosomatik, über Psychologie in der Medizin ist viel hinzugekommen. Aber selbst bei seit Jahren in der Praxis stehenden Ärzten sinkt das Interesse, ihre Kommunikationsdefizite auszugleichen. Im angelsächsischen Bereich hingegen ist *shared decision making* bzw. *patient empowerment* das Thema schlechthin, also eine sorgfältigere Abstimmung der Befindlichkeit des Patienten und dessen Umfeld in Zusammenhang mit medizinischen Entscheidungen. Es ist längst evident, wie wichtig das für Heilungsprozesse ist – zur einzuübenden Programmatik gehört es in unseren Breiten längst noch nicht.

CHRISTIAN REDER: Die mediale Typisierung fixiert sich neuerlich auf Society-Ärzte. Ein überarbeiteter Spitalsarzt ist mir im Fernsehen schon lange nicht untergekommen. Verlierer sind eben selbst schuld …

REINHARD DÖRFLINGER: …wenn es um ferne Länder geht, kommt die Samaritervariante hinzu; weißer Arzt, ausgehungertes schwarzes Baby im Arm. Solchen Bildvorstellungen sind wir ausgeliefert. Anders wird offenbar nicht rezipiert, dass es doch noch Leute gibt, die sich einsetzen, sogar aufopfern. Das wiederum aktiviert Ersatzhandlungen, also Spendenbereitschaft. Für *Ärzte ohne Grenzen*, in Österreich seit zehn Jahren aktiv, bedeutet das ein Jahresbudget von knapp 8 Millionen Euro im Jahr 2004. 95 Prozent davon sind private, 5 Prozent institutionelle Beiträge. Damit können wir durchaus signifikante Projekte realisieren. Ein Drittel des dabei eingesetzten Personals sind Ärzte und Ärztinnen, zwei Drittel sind Krankenschwestern, Hebammen, Mitarbeiter für Projektmanagement, Logistik und Administration. Wer sich dafür interessiert, meldet sich in aller Regel aus dem Bedürfnis nach individueller Hilfeleistung, „Karriere" kann nicht wirklich das Motiv sein, auch Finanzielles nicht.

CHRISTIAN REDER: Damit sich ein über den Job hinausgehendes Arbeits-, Gruppen-, Kulturverständnis entwickelt, wie in den Hilfskomitees, von denen wir gesprochen haben, müssten sich aber doch selbst in akuten Katastrophensituationen Kontinuitäten abzeichnen?

REINHARD DÖRFLINGER: Die Zugänge sind inzwischen zwangsläufig andere. Meist steht die Soforthilfe, das Unmittelbare völlig im Vordergrund. Im Süden Ruandas zum Beispiel haben wir – drei Ärzte und zwei Krankenschwestern – ein Jahr nach dem Genozid von 1994 eine Ambulanz der *Caritas Österreich* übernommen, von der aus wir ca. 100.000 Menschen zu versorgen hatten. Die französische Sektion von *MSF* führte das lokale Spital. Die dort lebenden *IDP*s (*Internal Displaced Persons*) waren vor allem Hutus, fast nur Alte, Frauen und Kinder, die Männer hatten sich in Richtung Zaire abgesetzt.

Von Einsätzen in Rumänien, für die politischen Gefangenen in Uruguay, für die Flüchtlinge in Pakistan, war ich einen Turbo-Lerneffekt gewohnt, also ein hochintensives Aufnehmen von Essenziellem, von Hintergründen, vor allem durch Gespräche mit Involvierten. In Ruanda war das plötzlich völlig anders. Unter jenen, welche an den Massakern mitgewirkt und jenen, die sie übererlebt hatten, herrschte durchgehendes Schweigen. Auch mittels der Übersetzer, wir agierten auf Französisch und Englisch, war in keiner Weise an posttraumatische Fragestellungen heranzukommen. In unserem Team, darunter ein Chirurg, ein Gynäkologe, eine Krankenschwester aus dem Wiener Allgemeinen Krankenhaus, alle hoch motiviert und zwangsläufig intensiver auf sich überschneidende Problemfelder konzentriert, als das unter normalen Umständen vorgesehen ist, kamen wir in dieser Situation einem Verständnis keinen Schritt näher. Was hätte sich an den entsetzlichen Vorgängen auch verstehen lassen? Es gab die Masse der Tutsi als Opfer. Was aber tatsächlich geschehen war – plötzlich fällt eine Gruppe von Nachbarn über die andere her und metzelt sie zu Zehntausenden mit Hacken nieder – stand gleichsam außerhalb von Begreifbarem. Auch von Traditionen der Gewalt zu reden bringt da wenig. Ärztliche Hilfe war das einzige, was wir leisten konnten.

CHRISTIAN REDER: Bleibt also nur übrig, dieses Nichtverstehen zu akzeptieren, mit in Europa vorgekommenen Gräueln im Hinterkopf?

REINHARD DÖRFLINGER: Wir kommen jetzt vor allem als nützliche „Handwerker". Früher waren wir vom politiko-historischen Informationsfluss in den Hilfskomitees aufgeladen. Heute spiegelt sich die Komplexität der Probleme in der Informiertheit der Mitarbeiter wider; sie finden in den widersprüchlichen Informationen oft keinen Halt, suchen auch kaum noch weiter, konzentrieren sich auf die unmittelbar notwendige Arbeit. Der sozialpolitische Kontext geht dabei oft unter. Eine gewisse Tendenz zu „Katastrophen-Nomaden", die sich mit Aufenthalten in Somalia, in Ruanda, in Bosnien oder sonst wo schmücken, ohne Interesse an erzielter Wirkung, an Ansätzen zu Nachhaltigkeit, wird sichtlich stärker.

CHRISTIAN REDER: Auf Einsätze im UNO-Umfeld bezogen gibt es für die Szenerie gut bezahlter *job hopper* den Ausdruck *mission junky*; merkwürdige Aussichten für die Vertrauenswürdigkeit von Projekten.

REINHARD DÖRFLINGER: Je mehr sich gerade die prägenden internationalen Organisationen auf austauschbare Nutznießer von Privilegien stützen, desto substanzloser werden sie agieren. Von den Projektstrukturen zivilgesellschaftlicher Komitees, mit ihrer Mischung aus engagiert-professionellem Agieren und kultureller Aufmerksamkeit, scheinen sie sich immer weiter zu entfernen. Es ist einfach zu viel zu tun, ohne dass es genügend geeignetes Personal dafür gäbe. Auch die Forderung nach Neutralität ist etwas höchst Zwiespältiges. Auf Afghanistan bezogen, haben wir im Komitee doch klar gesagt, mit fundamentalistischen *Hezb-i-Islami*-Leuten arbeiten wir nicht zusammen…

CHRISTIAN REDER: …und das zu Zeiten, als diese Vorläufer der Taliban und späteren Partner von Al-Kaida wegen ihres Antikommunismus CIA-Lieblinge gewesen sind. Rückblickend erscheint das so, als ob interessierte Sozialarbeiter mehr Gespür für erfreuliche und unerfreuliche Perspektiven entwickelt hätten als involvierte Geheimdienste mit ihren tollen Experten.

REINHARD DÖRFLINGER: Über die Gut-Böse-Frage war früher anscheinend leichter zu entscheiden; Sandinisten gegen die Somoza-Diktatur, ein klarer Fall. In Afghanistan ist es wegen der Rolle der Sowjetunion schon schwieriger gewesen. Es wurde aber rasch deutlich, dass es nicht um soziale Erneuerung sondern um eine imperiale Besetzungspolitik ging und Millionen Flüchtlinge darunter litten. Ruanda schließlich ist mir als totale humanitäre Sackgasse erschienen. Und Srebrenica? Diese Ausbrüche von nationalistischem Hass, nach Generationen vermischten Zusammenlebens? Unsere Kriterien für geschichtliche Übersicht, soziale Traditionen, kulturelle Gewohnheiten ermöglichen vielleicht noch vage Einordnungen, was aber erklärt das schon? Überall treffen wir auf Opfer, auf Menschen, denen geholfen werden müsste, losgelöst von Ursachen.

CHRISTIAN REDER: Nach jeweiliger Sicht – politisch korrekt – primär nur Opfer der einen Seite im Auge zu haben, wie es bei den nationalen Befreiungskämpfen der 1970er und 1980er Jahre vorgegeben war, ist mir, vielleicht bestärkt durch Familienerinnerungen an die stalinistischen Zeiten in Ungarn, stets suspekt erschienen. Beim Engagement für Afghanistan, dessen politische Perspektiven einem damals völlig trostlos erscheinen mussten, dürfte das mitgespielt haben. Die angeblich „Linken" in Kabul haben sofort die Gefängnisse gefüllt und sich ihrer Dissidenten entledigt, zum „rechten" Gegenterror hätte es durchaus Alternativen gegeben. In Syrien, in Libyen wiederum ergab sich für mich zuletzt der Eindruck verbreiteter Orientierungslosigkeit, haben doch Zehntausende in Budapest oder Moskau studiert und trotz Militarismus und Diktaturen staatssozialistische Traditionen präsent gehalten. Das wird, auch als Transformation in Islamisches, wenig beachtet. „Religiöser" scheint es auf allen Seiten zuzugehen, gerade auch was Feindbilder betrifft. Abgesehen von gewissen kulturellen Prägungen ist ohne sorgfältige Differenzierung mit dem Links-Rechts-Schema wegen der pluralistischen Überschneidungen doch oft kaum noch etwas anzufangen, selbst wenn das, was man nicht will, ziemlich klar ist. An welcher erfreulichen Praxis, an welchen aufklärenden Theorien sollte es sich auch orientieren, wenn ein Überleben in reichen oder eben armen Businesssystemen als einziger Weg vorgegeben ist? Von Demokratie, ihrer Sicherung, Weiterentwicklung ist doch auch in unseren Breiten nur verteidigend die Rede.

REINHARD DÖRFLINGER: Für mich ist die Unterscheidung in Regierungsmacht und Nicht-Regierungsmacht ein Leitfaden gewesen. Mit unterdrückten Kräften, die noch nicht in staatliche Manöver involviert waren, konnte man sich leichter solidarisieren, Widersprüche waren weniger offensichtlich. Was aber heute oft losbricht, ohne erkennbare politische Willensbildung, als Stammeskrieg, als Gruppenchaos, aus undurchsichtigen Machtkonstellationen heraus, macht einem Parteinahmen fast unmöglich. Seine Leitlinien braucht man deswegen nicht aufzugeben. Werden Menschenrechte, elementare Bürgerrechte, demokratische Rechte verletzt, wird das auch ohne Ursachenforschung am Ergebnis erkennbar. Das ist der kleinste gemeinsamer Nenner, der Kern der Sache.

CHRISTIAN REDER: Zurück zu *Ärzte ohne Grenzen*. Die ersten Aktivisten von *Médecins Sans Frontières* (*MSF*), es ist ja ursprünglich eine französische Gründung, habe ich 1980 in Afghanistan auf ihrer Rückkehr aus dem

Panjir-Tal getroffen, wo sie wochenlang im Einsatz gewesen sind, mitten im Kriegsgebiet, eine wirklich imponierende Sache. Später haben sie mir ihren Bericht in *Le Monde* geschickt, es ist also auch seriöse Öffentlichkeitsarbeit betrieben worden. Die Grundkonzeption, medizinischen Fachkräften zu ermöglichen, sich für eine Zeit aus ihren Alltagsstrukturen herauszulösen für solche gezielten Kriseninterventionen, entspricht dem, was ich mir für weite Arbeitsfelder als Projektkultur vorstelle, nicht nur auf Entferntes sondern genauso auf nahe Liegendes bezogen. Eine Samariterideologie braucht es dazu gar nicht, eher die Bereitschaft zu sinnvollen Transfers, zu wechselnden Intensitäten. Dass die eklatant unterschiedlichen Einkommensniveaus zwischen Nord und Süd Barrieren bilden, ist nicht so ohne weiteres überwindbar; für die Massen „kostengünstigerer" Arbeitskräfte könnten aber damit ausgeweitete Arbeitsfelder erschlossen werden. Angesichts weltweiter Probleme von „Ärzteschwemmen" zu reden, wie es bei uns phasenweise üblich ist, konterkariert das bloß zynisch. Warum bleibt es eigentlich bei einem Minoritätenprogramm, warum wird das nicht zur selbstverständlichen beruflichen Möglichkeit?

REINHARD DÖRFLINGER: *Ärzte ohne Grenzen* könnte durchaus mehr qualifizierte Kräfte brauchen. Die Bezahlung ist bescheiden, die Arbeitsbedingungen sind schwierig. Genau besehen, kann für jemanden, der keine hohen laufenden Kosten zu tragen hat, eine Projektteilnahme aber kein Problem sein. Ärzte und Ärztinnen mit Verpflichtungen, mit Familie, mit Karriereerwartungen können sich das jedoch praktisch oft nicht leisten. Es melden sich in der Regel Leute, die nach einigen Jahren Berufserfahrungen noch Erweiterungen anstreben, die aus der Routine ausbrechen wollen. Primär ist der humanitäre Impuls ausschlaggebend, also etwas zu tun, das tatsächlich und erkennbar Hilfe bringt. Wer im Spital arbeitet, muss sich karenzieren lassen und eine Rückkehrzusicherung haben. Das ist, wie bei einem *sabbatical year*, möglich, aber keineswegs immer einfach. Die Angst, in einem anderen kulturellen Umfeld kooperativ, verständnisvoll und kompetent agieren zu können, hält sicher viele ab. Entscheidend ist, dass sich bereits eine hinreichende Sicherheit über die eigene Berufsrolle herausgebildet hat.

CHRISTIAN REDER: Ein plastischer Chirurg, den ich kenne, hat nach einigen Einsätzen Afrika wieder den Rücken gekehrt, weil er ständig an den unzureichenden Hygienebedingungen der Spitäler gescheitert ist, dabei könnten mit einfachen Hauttransplantationen tausenden Menschen, meistens sind es von kochendem Wasser verbrühte Kinder, durch rasch hergestellte neue Augenlider die Sehkraft gerettet werden.

REINHARD DÖRFLINGER: Das hängt immer von geeigneten Projektgruppen und der Einbindung lokaler Kräfte ab. In Mosambik – ein Schwerpunktland der österreichischen Entwicklungszusammenarbeit – zum Beispiel hat *Ärzte ohne Grenzen* mit der Gesundheitsverwaltung einen mehrjährigen Vertrag für Aids-Behandlungsprogramme und baut dafür ein Netz von Ambulanzen auf. Der staatliche Gesundheitsdienst hat im Schnitt 1 Dollar pro Person jährlich zur Verfügung. Bei einer Bevölkerung von 16 Millionen und einer Infektionsrate von etwa 18 Prozent haben wir es mit ca. 3 Millionen Infizierten zu tun, von denen 10–20 Prozent an Aids erkrankt sind und die ohne Eingreifen nur noch eine Lebenserwartung von 4–5 Jahren haben. In der Hauptstadt Maputo haben wir neben der Klinik – die ausschaut wie überall, eher devastiert, Unmengen von Wartenden, schmutzige Gänge, gleichmütig agierendes Personal in weiß, was medizinisch dabei herauskommt, ist sichtlich bezweifelbar – unsere Aids-Einheit aufgebaut, ein freundliches Haus mit Garten und Blumen. Sollten wir uns anpassen? Unsere kleine, herzeigbare Insel ist ein Gegenpol zum Normalen und deswegen auch kritisiert worden. Dieses Dilemma ergibt sich fortwährend.
Es kommt also sehr auf die Gruppenkonstellation an, auf die Strukturen, auf die Personen – und auf internationales Zusammenwirken. So haben die Klagen von Südafrika gegen große Pharma-Konzerne Druck gemacht in Richtung günstigerer Medikamentenpreise. Parallel dazu waren unsere weltweite Kampagne und das Lobbying bei der Welthandelsorganisation WTO gegen deren Preis- und Copyrightpolitik schließlich durchaus erfolgreich. Die Kosten einer Behandlung sind von ca. 3.000 Dollar auf 150 Dollar pro Jahr gefallen. Die stark verbilligten Medikamente können nun aus Indien und Brasilien bezogen werden. Bei uns inzwischen zur kontrollierbaren chronischen Infektionskrankheit geworden, sei die HIV-Erkrankung in Afrika – so heißt es immer – wegen der Unorganisiertheit, der Sozialstrukturen, der Disziplinlosigkeit nicht zu behandeln, selbst wenn die Kostenfrage nicht mehr das zentrale Problem wäre. Genau dagegen kämpfen wir nun an, mit dem sozialmedizinischen Ansatz, was in Europa möglich ist, muss auch Afrika zugute kommen. Dafür wird inzwischen ein Drittel unseres Gesamtbudgets eingesetzt. Mit den Erfahrungen von Mosambik gehen wir weiter nach Botswana, Sambia, Zimbabwe, Uganda.

CHRISTIAN REDER: Die gängige Begründung, dass Europäer eben besser organisieren könnten, ist aber doch angesichts der enormen Improvisationsleistungen, die in solchen Ländern überall augenscheinlich sind, höchst fragwürdig?

REINHARD DÖRFLINGER: Wir haben schlicht das Geld dazu. Wir wollen und müssen etwas vorweisen, das uns geläufigen Standards entspricht, ganz speziell auch den Standards von Buchhaltung, Budgetwahrheit und Controlling. Gerade in exponierten Vorhaben wird die Relation von Kosten und Wirkung sehr transparent.

CHRISTIAN REDER: Das spräche für tausende lokal integrierte Kooperationsprojekte auf der ganzen Welt, gerade im Gesundheitswesen. Von „höherer" Ebene, also UNO, Rotes Kreuz, mit ihren abgehobenen Apparaten und Gehaltsebenen, sind primär sinnvolle Aktionen bei Massenkatastrophen zu erwarten. Das sind längst andere „Kulturen", mit ihren Delegationen, Uniformen, Geländewagen-Karawanen, den TV-gerechten Suchhunden an der Leine. Erkennbar wird dennoch ständig, dass es viel zuwenig professionelle Hilfstrupps gibt, einsetzbare Netze zu Experten in der Bevölkerung kaum ausgebaut sind. Als es etwa um ein Erdbeben im Kurdengebiet ging, haben uns die Delegierten des Rotes Kreuzes schon körpersprachlich zu verstehen gegeben, dass sie mit aktivistischen Komitees absolut nichts zu tun haben wollen, denn sie allein seien die Profis. Die UNO wiederum hat uns über UNHCR, ihre Flüchtlingsorganisation, sehr wohl als – billig arbeitende – Projektgruppen mitfinanziert.

REINHARD DÖRFLINGER: Selbst *Ärzte ohne Grenzen* ist den Etablierten vielfach suspekt. Wir sind für sie „die Wilden", die Chaoten, die sich unbekümmert vorwagen, wobei das völlig absurd ist, weil auch wir längst zur Großorganisation geworden sind – mit fünf Einsatzzentralen in Genf, Brüssel, Barcelona, Amsterdam und Paris, dutzenden nationalen Gesellschaften, einem koordinierenden International Council. Dennoch sind wir eine sehr bewegliche Projektorganisation geblieben und können rasch reagieren.

CHRISTIAN REDER: Bezeichnend ist, dass alle erfolgreichen humanitären Initiativen praktisch zu Konzernen mit Stammpersonal und Freischaffenden geworden sind, sich also ein *humanitarian business* entwickelt hat, wie es oft kritisch heißt, die Gründungssituationen aber sehr spezifische waren.

Das *Rote Kreuz* und das *Internationale Komitee vom Roten Kreuz* entstanden bekanntlich in der Schweiz. Der Initiator Henri Dunant konstatierte noch programmatisch: „Für eine Aufgabe solcher Art kann man keine Lohnarbeiter brauchen." *Amnesty International* gründete eine Gruppe um den englische Rechtsanwalt Peter Benenson und den irischen Menschenrechtsaktivisten Sean MacBride. *Greenpeace* war ursprünglich eine kanadische Initiative gegen die Atomtests im Pazifik, *Oxfam International* eine private Oxford-Gruppe für internationale Hilfeleistungen. *Médecins Sans Frontières*, *Médecins du Monde* oder *Attac* haben sich zuerst in Frankreich formiert. In den USA sind vergleichbare Organisationen stets sehr regierungsnah gewesen. In Europa hingegen hat sich damit eine zivilgesellschaftliche Ebene herausgebildet, die durchaus eigenständiges Gewicht hat, vielfach in Konflikt mit Regierungen gerät. Mich weiter in solchen Projekten zu engagieren hat mir sogar der frühere UNHCR-Chef in Pakistan, Roman Kohaut, geraten, sofern mich das Finanzielle am damals angebotenen UNO-Posten nicht blenden würde – eben weil so ein freieres Arbeiten außerhalb der Intrigen- und Einflussnetze, mit denen er sich herumschlagen musste, möglich sei.

REINHARD DÖRFLINGER: Auf transnationalen Ebenen wird es trotz vieler Fehlentwicklungen immer mehr Mischformen und Kooperationen geben, auch als Chance zu inhaltlicher Erneuerung. Ein Beispiel: Die *MSF*-Kampagne zu den „vergessenen Krankheiten" und zu Medikamenten, welche für die Pharma-Industrie nicht interessant sind, weil es finanziell nichts bringt. Dazu gehört zum Beispiel die Chagas-Krankheit, zu der *MSF* in Bolivien ein Projekt betreibt. 15 Millionen Menschen leiden unter dieser von Tieren übertragenen Langzeitinfektion, die schließlich zum Tod führt. *Médecins Sans Frontières* hat dazu erstmals mit aktivierbaren Pharma-Firmen und unabhängigen Wissenschaftlern ein Forschungsinstitut gegründet. Diesem hat die UNO ihr von Unternehmen übertragene Patente überlassen, so zum Beispiel gegen Gehirnhautentzündung, die in der Subsaharazone epidemiehaft auftritt. Das Gegenmittel ist eine einfache ölige Lösung, die wenige Cents kostet, aber von niemandem, weil geschäftlich uninteressant, produziert wird. Auch gegen die Schlafkrankheit gibt es seit zwanzig Jahren keine neuen Medikamente obwohl sich die Erregerstämme verändert haben und eingeführte Mittel wirkungslos wurden.
An den entstandenen Konzernstrukturen für Humanitäres sind also die globalen Aktionsmöglichkeiten interessant; die Projekte wiederum sollen weiterhin so wie gute NGOs funktionieren, übersichtlich, motiviert, flexibel,

nicht zu groß. Von unabhängiger Seite die Wirksamkeit bestätigt zu bekommen, schützt davor, sich vielleicht überengagiert zu verrennen. Transparenz wird immer wichtiger. Die Kooperation mit Behörden, Auftritte im Fernsehen, auch auf regionaler Ebene, sind etwas ganz Entscheidendes, um öffentliche Akzeptanz zu erreichen. Ein mittleres Projekt von uns hat etwa 5 Millionen Euro Jahresbudget, das erfordert ein hohes Niveau bei Buchhaltung und Controlling, bei der Abwicklung von Devisentransfers, beim Import von Medikamenten.

CHRISTIAN REDER: Neben medizinischem Personal haben demnach Projektmanager eine Schlüsselfunktion …

REINHARD DÖRFLINGER: … zweifellos, nur kommen unsere fast nie aus Business-Schulen. Was wir brauchen, scheint dort nicht zu interessieren. Wo gibt es schon Möglichkeiten, in exponierten Projektteams, die ganz anders arbeiten als Abteilungen in irgendwelchen Bürokratien, Erfahrungen zu sammeln? Unsere Stärke ist „die gute Sache", das verbindet, aktiviert, bis hin zur Überforderung und Erschöpfung, wie das in helfenden Berufen so häufig ist. Dem steuern wir entgegen durch eine möglichst professionelle, entlastende Logistik.

CHRISTIAN REDER: Lässt sich eine solche Sozialarbeit noch als öffentlicher Dienst verstehen, selbst wenn sie überwiegend in privaten Organisationen stattfindet? Nach meiner Berufsauffassung ja; Zyniker könnten sagen, der Hauptunterschied besteht in schlechterer Bezahlung. Zugleich haben sich überall in solchen Sphären Insider-Zirkel, Animositäten unter konkurrierenden – in Österreich etwa eher sozialdemokratisch, eher religiös orientierten – Gruppen gebildet. Wann lese ich schon: Kulturell erfahrener Projektmanager gesucht, der für Recherchen morgen ins Flugzeug nach Albanien oder nach Tschetschenien steigen kann? Auch bei mir haben stets nur persönliche Kontakte etwas ergeben, für ein Projekt in Nepal zum Beispiel. Mit den in ständiger Umorganisation begriffenen staatlich-halbstaatlichen Instanzen ist die Kontinuität immer wieder abgebrochen. Jede kleine Personalrochade ändert die Beziehungsfelder.

REINHARD DÖRFLINGER: Diese Abschottung gibt es sicher in gewissem Ausmaß, vielleicht, weil die öffentliche Funktion von den Aufgaben her klar, in der Praxis aber von der Profilierung gegenüber anderen, von Projektschwerpunkten, vom Spendenaufkommen abhängig ist. Wir können auch

keineswegs jeden brauchen, vor allem keine „Europa-Flüchtlinge", die sich
wegen irgendwelcher Probleme in etwas anderes stürzen wollen. Einige
Jahre Berufserfahrung und eine psychische Stabilität sind Voraussetzung.
Grundsätzlich muss jeder seine Arbeit eigenständig verrichten können. Wir
sind auf Erfahrungen, auf Kontinuität aus und das ergibt sicher ein gewisses Insider-Leben. Unsere Heads of Mission – die Projektmanager in den
jeweiligen Einsatzländern – haben sich bewusst, als Alternative zu vorge-
zeichneten Wegen, zu einem Projektleben entschieden. In späteren Phasen
etwa in UNO-Strukturen zu wechseln, ist durchaus eine Perspektive. Manche
steigen aus diesem Rhythmus schließlich auch völlig aus. Individuell kann
es durchaus noch so anreichernd funktionieren, wie wir das in Komitee-
zeiten erfahren haben, als strukturelle Basis hat eine solche Dichte aber an
Boden verloren, wird, abgesehen von Begleitinformationen, nicht mehr als
Notwendigkeit anerkannt.

CHRISTIAN REDER: Um ein Ende zu finden, in dieser uferlosen Proble-
matik: Einsatz für unmittelbar Notwendiges ist doch euer Grundthema.
Wie wird darüber entschieden, wie schnell könnt ihr irgendwo anfangen?
Große Apparate brauchen dazu – wie jedes Militär – doch oft Monate.

REINHARD DÖRFLINGER: Gerade bei uns ist es immer ein Aufbrechen zu
Notwendigem und das kann sehr rasch gehen. In den operativen Zentren
verfolgen *emergency desks* das Weltgeschehen, stehen in Kontakt mit allen
regionalen Organisationen und stimmen Prioritäten für Einsätze ab. In
wenigen Wochen kann, vorbereitet von Logistikteams, die Arbeit, wo immer
es auch sei, beginnen. Wir kennen aber auch unsere Grenzen. Manchmal
sind harte Entscheidungen unumgänglich. So hat sich *Médecins Sans Frontières* wegen der Ermordung von fünf seiner Mitarbeiter nach 25 Jahren
komplett aus Afghanistan zurückgezogen, obwohl wir gerade in „chronischen" Katastrophengebieten, etwa in Mosambik, für gewöhnlich sehr
lange durchhalten. Bei der Tsunami-Katastrophe, mit ihrer Ballung von
enormen Hilfsgeldern und eingeflogenen Organisationen wiederum haben
wir sehr rasch begonnen, einlangende Mittel – was die Abstimmung mit
jedem einzelnen Spender erfordert – umzuleiten. Es gab einfach die Kapazitäten nicht, solche Budgets sinnvoll einzusetzen. An anderen Stellen liegen zweifellos weiterhin enorme Gelder dafür bereit. Das gilt auch für
Dafour. Konzentrierte Medienkampagnen machen also Divergenzen zwischen Spendenbereitschaft, interner Verteilung und Umsetzungsmöglichkeiten deutlich; Defizite dabei müssten als solche zum Thema werden.

CHRISTIAN REDER: Vielfach mangelt es also nicht so sehr an Geld, dafür umso mehr an geeigneten Projektstrukturen für sinnvolles Arbeiten?

REINHARD DÖRFLINGER: Finanzressourcen sind zahlreich vorhanden, zum Beispiel der hoch dotierte Global Fund der UNO, der zur großflächigen Malaria-, Aids-, Typhus-, Cholera-Bekämpfung eingesetzt werden soll, einschließlich Research & Development und Unterstützung nationaler Strukturen im Kampf gegen Pandemie, also Epidemien großen Ausmaßes. Dabei geht es eben darum, unabhängige Implementierungsstrukturen einzubeziehen und auszubauen. Würden diese Gelder einfach in staatliche Gesundheitsverwaltungen fließen, ist der Wirkungsgrad wahrscheinlich minimal. Gelingen die dafür notwendigen Allianzen, etwa für eine offensive Aids-Behandlung, kann durchaus viel in Bewegung geraten, auch in Bezug auf Strukturen und Arbeitsplätze in armen Ländern. Daran mitzuarbeiten, könnte für Ärzte und Ärztinnen, für Pflegepersonal, für Administratoren durchaus als Parallelebene zu einer geläufigen Biografie gehören; zu wünschen wäre es.

www.aerzte-ohne-grenzen.at
www.aerzte-ohne-grenzen.de
www.msf.org
www.accessmed-msf.org

Europäische Kommission
Generaldirektion Forschung

Direktion A	Koordinierung der Gemeinschaftsmaßnahmen
Direktion B	Strukturelle Aspekte des Europäischen Forschungsraums
Direktion C	Wissenschaft und Gesellschaft
Direktion D	Menschlicher Faktor, Mobilität und Marie-Curie-Aktivitäten
Direktion E	Biotechnologie, Landwirtschaft und Ernährung
Direktion F	Gesundheit
Direktion G	Industrietechnologien
Direktion H	Verkehr
Direktion I	Umwelt
Direktion J	Energie
Direktion K	Geistes- und Sozialwissenschaften; Zukunftsforschung
Direktion M	Investitionen in die Forschung und Verbindungen mit anderen Politiken
Direktion N	Internationale wissenschaftliche Kooperation
Direktion R	Ressourcen

Homepage *Generaldirektion Forschung*:
http://europa.eu.int/comm/dgs/research/index_de.html

„Jedenfalls ist ein Europa ohne die von uns geförderte Projektwelt nicht mehr vorstellbar. Vieles davon war heiß umstritten, hatte aber sehr oft tief greifende Wirkungen."

Barbara Rhode

„Uns geht es um strukturbildende Projekte"

Barbara Rhode im Gespräch mit Christian Reder

CHRISTIAN REDER: Wenn wir uns in den letzten Jahren gesehen haben, dann kommst du gerade aus Kiew, wie jetzt, aus Moskau oder aus Kasachstan. Zuständig bist du aber für Forschungsprojekte der Europäischen Union; wie lässt sich diese Vielfältigkeit darstellen?

BARBARA RHODE: Indem die EU dort Forschungsprojekte von ehemaligen Waffenwissenschaftlern aus der Zeit des Kalten Krieges unterstützt, wird ihnen ermöglicht, in zivilen Forschungsprojekten mitzuarbeiten, damit sie nicht woanders in der Welt ihre vormalige Expertise anbieten müssen. Bevor wir jedoch zu diesen speziellen Bezügen kommen, vielleicht zur Person und zum größeren Aufgabenfeld der Europäischen Forschungsförderung.

Ich bin als Sozial- und Politikwissenschaftlerin zur EU gegangen, weil das Angebot kam, in der Europäischen Kommission die Generaldirektion Forschung in der Frage zu beraten, ob es Sinn macht, auch die Sozialwissenschaften als einen weiteren Bereich in die Europäische Forschungszusammenarbeit einzufügen. Das war Anfang der 90er Jahre und die EU, damals noch EWG, investierte bereits seit über zehn Jahren in den Aufbau eines Europäischen Forschungsverbundes, und zwar ausdrücklich nicht als Struktur- sondern als reine Projektförderung. Bis dato war sie ausschließlich technologisch orientiert, um erkennbar gewordene Schwächen Europas auszugleichen und neben den großen – also Deutschland, Frankreich, England – auch die kleinen Länder im Verbund global wettbewerbsfähiger zu machen. Mit dem Schritt von der Europäischen Wirtschaftsgemeinschaft (EWG) hin zu einer auch politisch agierenden Ländergemeinschaft, der Europäischen Union (EU), war es zunehmend offensichtlich geworden, dass sich dieses zusammenwachsende Europa nicht allein auf technische Wissenschaftskooperationen wird stützen können. Sozialwissenschaftliche

Projekte sollten hier eine wesentliche Wissenserweiterung bringen, zum einen durch die Gemeinsamkeit des Nachdenkens, aber auch um eine bessere Nachdenk-Infrastruktur herzustellen, durch die Vernetzung nationaler Think Tanks und anderer sozialwissenschaftlicher Institutionen. Später hat sich dann mein Aufgabengebiet in der Forschung auf die Bewerberländer aus Osteuropa und die Nachfolgestaaten der Sowjetunion gerichtet. In diesem Bereich hatte ich von früheren Tätigkeiten her bereits Erfahrungen.

CHRISTIAN REDER: Vorstellungen von einem ökonomisch-technologisch geprägten „Wissensraum Europa" sollen also zunehmend angereichert werden?

BARBARA RHODE: Ja, dabei geht es immer um Schwerpunktsetzung oder Schwerpunktverlagerungen. Wie wir wissen, besteht der größere Teil der EU-Ausgaben aus Subventionen, so z.B. im Agrarbereich oder für regionale Strukturförderung. Die Forschungsförderung folgt einer ganz anderen Logik. Sie soll durch die Vergabe von Forschungsprojekten einen Verbund von Kooperationsstrukturen schaffen. Zwischen den national vorhandenen Forschungskapazitäten soll über Projektarbeit eine quasi aus diesen nationalen Säulen herauswachsende und sie verbindende gemeinsame europäische Forschungskultur entstehen. Die starken, vormals isolierten nationalen Säulen werden durch ein relativ dünnes vernetztes Projekt-Dach besser genutzt. Diese neu entstandene Struktur ist in der Lage, größere Projekte gemeinsam anzugehen und vorhandene Ressourcen besser zu nutzen.

CHRISTIAN REDER: Dass viel passiert lässt sich bei jeder Reise an diversen EU-Tafeln ablesen. Medial werden, selbst auf die internen Öffentlichkeiten von Fachwelten bezogen, aber nicht so ohne weiters überzeugende Linien erkennbar; solche Defizite sind ja auch im Zuge des momentanen Scheiterns der EU-Verfassung überall angesprochen worden.

BARBARA RHODE: Unsere Kommunikation ist sicher verbesserungsfähig. Das Europa der EU kann sich häufig sehr schlecht mitteilen, weil es verschiedene Sprachen spricht und die Medien national sind. Die österreichische Präsidentschaft in der ersten Hälfte 2006 will sich diesem Thema besonders widmen. Auch wenn der Bürger wenig davon gehört hat: In den vergangenen zwei Dekaden ist die Forschung auf europäischer Ebene enorm vorangetrieben worden.

Dass reicht von einer intensiven und zwischen verschiedenen Ländern koordinierten Krebs-, Aids- oder auch Malariaforschung, über den Wandel von der einfachen Materialforschung hin zur Ausbildung von ganz neuen Technologiezweigen wie den Nano-Technologien, die von kleinen Ländern gar nicht alleine geleistet werden könnte, gemeinsamer Arbeit an einer Verbesserung der Lebensmittelsicherheit in Europa, bis hin zum ersten Europäischen Satelliten der Weltraumbehörde ESA, der jetzt die Entwicklung von Telemedizin für abgelegene Gebiete in Europa oder Afrika ermöglicht, die Früherkennung von Umweltveränderungen (Gletscherformationen oder Dürregebiete) absichert oder aus dem All eine schnelle Abschätzung von Hilfseinsätzen bei Katastrophen unterstützen kann, z.B. durch Angaben zu Anzahl und Erreichbarkeit abgelegener Dörfer eines Erdbebengebietes. Inzwischen wird auf europäischer Ebene auch in eine gemeinsame Forschung zur Luftfahrt investiert, da in allen Ländern interessante Zulieferfirmen sitzen. Dass diese wichtigen Schritte in der Forschung nicht immer so ohne weiteres, gerade massenmedial nicht, zum besseren Verständnis der EU-Projektpolitik beitragen, ist wieder eine andere Frage. Vieles wird nicht unmittelbar sichtbar. Es findet aber statt und verändert viel.

CHRISTIAN REDER: Das markanteste Ereignis war wohl der Fall des auch in unserem Denken nachwirkenden Eisernen Vorhangs …

BARBARA RHODE: … er ist auch für die Forschungsstrategien der EU eine zentrale Zäsur gewesen auf die sehr rasch reagiert worden ist. Der Wissenschaftsbetrieb und die geistigen Haltungen aller zehn nunmehrigen Mitgliedsländer und Beitrittskandidaten waren in der Forschung über Jahrzehnte völlig anders geprägt als im Westen Europas. Wissenschaft hatte zwar in der alten Sowjetunion und bei ihren Bündnispartnern einen sehr hohen Stellenwert, aber eben in einer ganz anderen Ausrichtung. Nicht die Verbesserung der Lebensqualität der Menschen oder die Wettbewerbsfähigkeit der Leistungsstrukturen standen im Mittelpunkt der Forschung sondern vornehmlich der direkte militärische Nutzen. Daneben hatten sich in inhaltlich politikfernen Nischen, etwa bei nicht auf Computer angewiesener Mathematik, ohne Anwendungs- und Konkurrenzdruck hervorragende Expertenkulturen ausgebildet. Unsere Aufgabe war es nun, eine massive Abwanderung dieser Wissenschaftler aus ihren Ländern zu verhindern, um deren Eliten während des Annäherungsprozesses nicht zu schwächen. Dafür mussten innerhalb kürzester Zeit die Institutionen der neuen Länder auf unsere Programme eingestimmt werden, um sie in die Lage zu versetzen, EU-Gelder auch nutzbringend abrufen zu können.

CHRISTIAN REDER: Forscher müssen also hineinkommen, sich mit den Gepflogenheiten zurechtfinden, passende Ziele anstreben. Sie werden sich dadurch verändern.

BARBARA RHODE: Nun, ja. Man braucht allerdings gewisse administrative oder manche sagen auch „bürokratische" Kapazitäten. In der EU geht es uns um strukturbildende Projekte, als Startimpulse für differenziertere Kontinuitäten. Für Einzelkämpfer gibt es individuelle, Mobilität unterstützende Förderungen wie die *Marie Curie European Reintegration Grants* und Ähnliches.

CHRISTIAN REDER: In meinem Umfeld gilt der administrative Aufwand für Einreichungen als drastische Barriere; an Universitäten bilden sich erst langsam professionelle Unterstützungsinstanzen dafür aus. Wer hat schon wochenlang Zeit, sich auf die Unsicherheiten einer vom Erfolg her fraglichen, detailreich ausgefeilten Projektbewerbung einzulassen? Auch der akribische Kontrollaufwand bei Abrechnungen erzeugt Lähmungen.

BARBARA RHODE: Zugegeben, der erforderliche Aufwand ist nicht immer einfach zu erbringen. Obwohl im Grund alles sehr übersichtlich organisiert ist, mit Aufrufen für Projekteinreichungen und Termin-Deadlines. Viel ist getan worden, um Beratungs- und Informationskapazitäten aufzubauen. In Wien z.B. ist das *BIT*, das *Büro für internationale Forschungs- und Technologiekooperation* eine solche unterstützende Stelle. EU-Projekte stehen unter einem großem Transparenzdruck, da auf allen Ebenen jedem Verdacht unzweckmäßiger Mittelverwendung vorgebeugt werden muss. Wir sind sicher eine der am meisten kontrollierten Behörden überhaupt, müssen also sehr genau dokumentieren, müssen alles rechtfertigen können. Es gab ja auch weithin kolportierte Korruptionsfälle, was wesentlichen Einfluss auf die Zunahme von Kontrollen hatte. Das hat auch den Druck auf Gutachter und Auditing beträchtlich erhöht. Jeder Antragssteller muss seine Bonität und Kapazität ausreichend darstellen können. Begutachtungen münden in Ranking-Listen. Budgetmöglichkeiten werden durchgerechnet, es kann zu Kürzungen kommen. Da Tranchen ausbezahlt werden, bevor Ergebnisse vorliegen, braucht es entsprechende Bürgschaften. Diese Kontrollen sind unumgehbar, deshalb sind wir sicherlich bürokratischer geworden.

Unsere neue Haushaltsordnung seit 2003 definiert die Verfahren in überdachter Weise; zugleich denkt eine Arbeitsgruppe neuerlich über Simplifizierung und Transparenz nach.

Von 25 Ländern aus wird sehr genau beobachtet, wo Gelder hinfließen. Die Länder zahlen entsprechend ihrer Quote ein, ihre Wissenschaftler versuchen dann im offenen Wettbewerb miteinander und auf Grund der Exzellenz ihrer Projekte entsprechende Anteile zurückzuholen. Etwa 80 Prozent der eingereichten Projekte werden ausgeschieden. Das muss keine verlorene Arbeit sein, sie können möglicherweise auf nationaler Ebene noch Chancen haben. Die Gutachtergruppen präzisieren ihre Entscheidungen anhand von vorgegebenen Auswahlkriterien, wie wissenschaftliche Exzellenz, Neuigkeitsgrad und Innovationspotenzial, sozio-ökonomische Folgewirkung, Projektmanagement, Kosten-Nutzen-Analyse. Vorgelegte Arbeitspläne werden genau bewertet. Die beurteilenden Experten und Gremien müssen überzeugt werden, dass das Projekt mit den vorgeschlagenen Mitteln und Arbeitsschritten erfolgreich verwirklicht werden kann. Auch, ob die vorgeschlagene Forschung ethischen Grundsätzen in den einzelnen Ländern entspricht, wird von einem Komitee geprüft. Wenn eine ethische Fragestellung in einem Projekt angesprochen wird, z.B. ob Tierversuche wirklich notwendig und zulässig sind, so wie der Arbeitsplan es darstellt, dann wird das nachgeprüft. Forscher sind davon nicht immer angetan. Aber auch das gehört zu unserer „bürokratischen Prüfung".

Für vier Jahre haben uns in den Jahren 2002–2006 ca.17 Milliarden Euro zur Verfügung gestanden. Die Mittel für die Jahre 2007–2013 werden um einiges höher ausfallen, um den europäischen Wirtschaftsmotor besser auf Touren zu bringen. Das kommende 7. Forschungsrahmenprogramm bietet derzeit 10 inhaltliche Schwerpunkte an. Diese sind in komplexen Abstimmungen mit den Ländern entwickelt worden. Großprojekte können bis zu zweistellige Millionenbudgets haben. Die Anschlussfähigkeit dieser Rahmenprogramme ergibt sich in einem rollenden, eng aneinander anschließenden Verfahren. Sehr hart wird nie umgesteuert, damit es zu einem sich Schritt für Schritt konsolidierenden Aufbau kommt.

CHRISTIAN REDER: Eine solche Projektorientierung wird doch immer wieder als Verlagerung weg vom fließenden, Grundsätzliches verfolgenden Forschungsbetrieb hin zu platter Kommerzialisierung kritisiert?

BARBARA RHODE: Grundlagenforschung haben wir bislang nicht finanziert. Das war Sache der Länder. Aber das wird sich nun ändern.

CHRISTIAN REDER: Wir stecken in Österreich durch neue gesetzliche Regelungen in der noch eher verdeckt ablaufenden Debatte, dass Kunst als gleichrangiges Feld neben Wissenschaft akzeptiert und somit auch künstlerisches Forschen aus den entsprechenden Budgets finanzierbar wird. Forschungsförderung ist ja einiges der wenigen Gebiete, auf denen ein Staat ohne Verletzung von EU-Regeln ziemlich frei agieren kann. Formal ist die Einbeziehung von Kunst zwar bereits möglich, für ein Durchsetzen bräuchte es aber noch kräftigen Lobbyismus. Gerade so weite Felder wie Visualität, Raum, Material, Klänge, Bewegung, Medien aus forschenden Denkweisen und Textwelten auszuschließen, ist ja eine makaber enge Sicht. Das sollte nicht mit Kunst- oder Kulturförderung vermischt zu werden. Vieles davon könnte sehr *straight* oder eben Komplexität steigernd, die Sichtweisen irritieren, sie anreichernd, zu Erkenntnisprozessen beitragen. Es ginge tatsächlich um die forschenden Aspekte, um einen radikal erweiterten Forschungsbegriff. Wer kann schon ohne Bilder denken?

BARBARA RHODE: Da ich zur EU gekommen bin, um die Sozialwissenschaften als gleichberechtigtes Forschungsfeld neben der Technologieforschung in der EU zu verankern, habe ich selbst einen solchen Erweiterungsschritt mitgestalten können. Dabei muss einem bewusst sein, dass zur ursprünglichen Wirtschaftsausrichtung der Europäischen Wirtschaftsgemeinschaft erst seit der politischeren Zielsetzung der EU auch mehr und mehr Soziales und damit die Sozial- und Humanwissenschaften hinzugekommen sind. Die Einengung der Wissenschaft allein auf angewandte Industrieforschung ist nun zum Thema geworden; auch weil das die kreative Basis langfristig unterminieren kann. In unserem nächsten Rahmenprogramm ab 2007 wird deshalb eine neue Konstruktion in das Forschungsrahmenprogramme eingebaut, ein Europäischer Wissenschaftsrat, der erstmals – unabhängig von den politischen, mit den 25 Mitgliedsländern abgestimmten Voraussetzungen – tatsächlich frei Forschungsmittel wird vergeben können. Er konstituiert sich gerade. Noch ist es nicht ganz klar, in welche Richtung er gehen wird. Die besten Wissenschaftler werden sich dort zusammenfinden und über die Ausrichtung selbst entscheiden. Deklariertes Ziel ist es, freies Forschen zu ermöglichen. Ob es tatsächlich zur Einbeziehung künstlerischen Forschens kommen wird, hängt also von sich dort herausbildenden Einschätzungen ab.

CHRISTIAN REDER: Wenn Architekten wie Coop Himmelb(l)au, die in diesem Band vertreten sind, mit großem Computeraufwand riesige, fast frei schwebenden Dachkonstruktionen realisieren, Günther Domenig seit 30 Jahren mit möglichst filigranen, weit auskragenden Betonformen experimentiert oder Frei Otto sein Leben lang mit leichten Flächentragwerken, so sind das nur besonders anschauliche Beispiele, welche Denkzonen und Dimensionen aus gut dotierter Forschung in der Regel ausgeklammert bleiben.

BARBARA RHODE: Nur führt das sofort zu Frage, ob solche Leute sich auf die vorhin skizzierte Maschinerie einlassen und überhaupt bereit sind, solche Anträge zu stellen. Es läge dann sicherlich an den zukünftigen Entscheidungsträgern im Europäischen Wissenschaftsrat auch solchen ungewöhnlichen Forschungsansätzen Rückhalt zu vermitteln. Gleichzeitig ist ein Verlassen auf die alte, rein institutionell geregelte Finanzierung, wie das z.B. bei den Max Planck Instituten über Jahrzehnte hinweg üblich war, kaum noch haltbar. Zusätzliche Projektmittel einzuwerben wird nicht nur aus rein budgetären, sondern vor allem auch aus Anerkennungsgründen wichtig. Institute, und ich spreche hier von großen wissenschaftlichen Instituten auf dem Gebiet unseren Schwerpunktbereiche, die keine EU-Projekten nach Hause tragen können, werden sich heute schwer tun, in ihrer *scientific community* wirklich Ansehen zu erringen. Woher die so genannten Drittmittel kommen ist keineswegs sekundär und die EU ist inzwischen eine wichtige Adresse dafür. In nationalen Evaluierungen spielt das zunehmend eine Rolle.
Für Einzelkämpfer wird es sicherlich schwerer, es sei denn, der Wissenschaftsrat lässt sich von noch so Ungewöhnlichem überzeugen. Ansonsten gibt es hervorragende Stiftungen verschiedenster Ausrichtung, die immer auf der Suche nach förderungswürdigen Ideen sind. Im übrigen werden von der EU durchaus Themen auf die nationale Ebene zurückgespielt, wodurch sich dann wiederum neue Gruppierungen herausbilden.

CHRISTIAN REDER: Ein durchorganisiertes, hochkomplexes Spiel mit Vereinheitlichung, Differenzierung, Insider-Outsider-Abgrenzungen? Gerade von gedanklich unabhängigen, also auch künstlerischen Positionen aus, könnten der Welt der Behauptungen essenzielle Fragen entgegengehalten werden. Wir wissen doch, wie Gruppenzwänge – gerade auch unter Experten – formatierend wirken können.

BARBARA RHODE: Ohne Rückwirkungen auf Erkenntnisprozesse, die auf nationaler Ebene evident machen, wo eigene Stärken und Schwächen liegen, bliebe das alles inhaltsleer. „Administrieren" lässt sich das nicht so ohne weiters. In Finnland, in Frankreich oder Slowenien z.B. wird man sich sehr wohl Gedanken machen, wo einen die eingebrachten Projekte weiterbringen, wo sich Defizite ausgleichen lassen, oder wo anderes über transnationale Arbeitsteilung in eine Balance gebracht werden könnte.

CHRISTIAN REDER: Es muss aber doch nicht jeder Wissenschaftler, jede Wissenschaftlerin zum vernetzten und verwendbaren Projektarbeiter werden. Bücher entstehen ohnedies meist „nebenberuflich", in der Nacht, in den Ferien, weil sonst dazu kaum Zeit bleibt. Die vielen vergriffenen Standardwerke machen einem ständig bewusst, wie unkultiviert und kurzfristig agiert wird. Die Dominanz anglo-amerikanischer Fachliteratur wird einen bald zwingen, gleich englisch zu schreiben. Um Konträrem mehr Wirkung zu geben, brauche ich mir nur eine leistungsfähigere Verlags- und eine interessiertere Nachfragesituation vorzustellen, in der auf Neues gewartet wird, ohne dass ein Druckkostenbeitrag oder der zustimmende Bescheid irgendeiner von missgünstigen Konkurrenten dominierten Bewilligungsinstanz gefordert wird. Auch wegen solcher Umstände ist die Produktivität akademischen Personals nicht gerade atemberaubend. Übersetzungsbudgets, speziell für kleinere Sprachgruppen, könnten vieles aktivieren. Wer aber fühlt sich dafür zuständig? Mein Denken beeinflussende Bücher stammen vielfach aus ungebundenen Bereichen, aus der nicht-wissenschaftlichen Literatur, sehr oft sind es Texte aus entlegenen Quellgebieten.

BARBARA RHODE: EU-Projekte münden durchwegs in Ergebnisdokumentationen, Reports, in Publikationen oder in Patente. Wenn das anderswo nicht so ist, müsste man nach Bedingungen und eigentlichen Interessen fragen. Im sozialwissenschaftlichen Bereich gibt es auch kleinere EU-Vorhaben in Größenordnungen um 300.000 Euro, und das kann dann gerade den Einsatz von zusätzlichen Assistenten, von Recherchen, einschließlich der Finanzierung von Druckkosten ermöglichen.

CHRISTIAN REDER: Eine europäische Forschungs- also auch Nachdenklandschaft stelle ich mir als Zehntausende solcher Projekte vor und die gibt es ohnedies, mit welcher Rückenstärkung immer. Der Zwang zur Größe systematisiert jedoch, kann leicht blockierend wirken. Viele Anzeichen sprechen dafür, dass gerade Vielfaltsebenen ausgetrocknet werden. Unser *Transferprojekt Damaskus* hat mich mit einem höheren EU-Vertreter für den Mittleren Osten in Kontakt gebracht; die „interaktive" Strategie, unsere

Kooperation mit arabischen Vertretern von Kunst- und Wissenschaft, ist von ihm als absolut im EU-Interesse liegend gewürdigt worden. Aber für ein Verteilen von 200 arabisch-deutschen Katalogbüchern an regionale Bibliotheken gab es keinen Budgettitel. Erst mit einem ausgeweiteten Programm für 5 Millionen Euro, so sein Rat, hätte ich gute EU-Chancen. Unser Aufwand lag bei 100.000 Euro. Gefragt war also diese Art von Aktivismus mal 50 für einige Jahre, mit Konferenzen, Flugkosten, Hotels und dem ganzen Programm – eine andere, Pseudo-Kontinuitäten meinende Welt.

BARBARA RHODE: Die angesprochene Kleinteiligkeit kann die EU nicht leisten, das müsste auf nationaler Ebene passieren oder über Stiftungen; bei uns geht es um die strukturbildende Vernetzung der großen Schwerpunktthemen und daher auch um entsprechende Volumina. Außerdem sind wir gehalten, unsere Verwaltungskosten sehr niedrig zu halten. So können wir uns kaum um kleine Projekte kümmern.

CHRISTIAN REDER: Damit spreche ich auch nicht zwingend die EU an, sondern Vorstellungen von Forschen, von intellektueller Arbeit. Überall ist Transdisziplinäres gefordert, geformt werden aber auf Förderungswürdiges spezialisierte Projektprofis. Professionalität positioniert sich neu; das ist eben so, aber im Blick sollte man diese Transformationen haben. Es geht auch auf den quasi privatisierten, abgespaltenen, gering geschätzten Ebenen einiges weiter. Aus der Kenntnis heraus, wie viele Gelder selbst in penibel kontrollierenden Institutionen trotz aller Vorschriften und minutiöser Belegwirtschaft über geheimnisvolle Kanäle fließen können, ist es mir suspekt, in immer mehr Kontrollen Heilung zu suchen. Es ließen sich auch andere Projektabrechnungssysteme denken, als Alternative zu kunstvoll rekonstruierten Scheinbilanzen.

BARBARA RHODE: Für ein Überdenken der gesamten EU-Konstruktion ist das durchaus ein signifikanter Punkt. Welches Vertrauen ließe sich voraussetzen, welche Modelle gäbe es, um den latenten Korruptionsverdacht nicht zum Motor überbordender bürokratischer Kontrollen werden zu lassen? Offenbar provozieren Größe und die Vielzahl der Beteiligten leichter als anderswo ein prinzipielles Misstrauen.

CHRISTIAN REDER: Brüssel gilt auch als Lobbyisten-Metropole. Dass das inzwischen akzeptiert, begrüßt, vermarktet, sogar gelehrt wird, verschiebt

Vorstellungen von korrekten, unbeeinflussbaren Mandataren und Funktionsträgern. Wer sich, auf welche Weise immer, durchsetzt, wichtig macht, der gilt eben etwas.

BARBARA RHODE: Um die Sozialwissenschaften in Brüssel als förderungswürdig zu verankern war auch Beratung notwendig, politisch gesteuerte Einflussnahme auf einer nachvollziehbaren Ebene des Dialogs. Ich möchte hier z.B. Wolf Lepenies nennen, der mit uns eine Diskussion über das Konzept der Schwerpunktförderung von Centers of Excellence begonnen hat. Ideen wurden ausgesprochen, angeregt, dann weiter diskutiert, andere Gruppierungen wurden in ihren Bannkreis gezogen, auch in den Mitgliedsländern. Entscheidend ist es, gute Leute zur Beratung, für die Initialphasen zu gewinnen und zu sehen, welche Konsequenzen eine solche Initiative haben kann. Beratung und Lobbyismus liegen nahe beieinander.

CHRISTIAN REDER: In den Anfangsphasen des EU-Austauschprogramms für Studierende, das sich sehr gut entwickelt hat, bin ich *Erasmus*-Beauftragter unserer Universität gewesen. Die internationalen Konferenzen dazu sind vom Typus – durchaus motivierter – Administrationsprofessoren dominiert worden, die sich da neue Einflussfelder schaffen wollten; ich habe die Zähigkeit solcher Verfahren nicht gut ausgehalten. Das sollten gute Universitätsverwaltungen machen, was inzwischen ja auch eingesehen wird.

BARBARA RHODE: Das kann ich sehr gut nachfühlen. Angesichts der internationalen Verzahnungen ist es aber nicht leicht, solche ehrgeizigen Projekte in kompakterer Form zu realisieren. Alle diese anrechenbaren Module und die Detailbestimmungen zu entwickeln erfordert langwierige Verfahren – und geduldige Bürokraten.

CHRISTIAN REDER: Auch sehr projektorientierte Administrationen wie die Generaldirektion Forschung, in der du arbeitest, sind also dauernd davon bedroht, durch sich verfestigende Programmierung ihre Flexibilität einzubüßen?

BARBARA RHODE: Dem arbeiten wir mit unseren ca. 1.500 Beschäftigten entgegen, weil wir uns eben nicht als verwaltende Bürokratie, sondern dezidiert als eine Projektorganisation, eine Trägerinstitution für Projekte verstehen. Die Programme sind über Internet einsehbar, man kann sich also geeignete Partner suchen und Projekte absprechen. Der Forschungs-

und Entwicklungsinformationsdienst *CORDIS* liefert die inhaltlichen Informationen dazu. Seit dem letzten Rahmenprogramm ist jede Gruppierung weltweit, jedes Institut, ob aus Südkorea, Ägypten oder Südafrika zugelassen, abgesehen von Industriestaaten wie die USA oder Japan, die nachvollziehbarer Weise von Europa nicht gefördert werden. Durch diese Sogkraft sollen die besten Wissenschafter aus aller Welt angezogen werden und an unseren Projekten mitarbeiten. Der auf 3-Jahres-Projekte ausgerichtete Rhythmus soll uns beweglich halten.

CHRISTIAN REDER: Zu eurem 17 Milliarden Budget für vier Jahre sind die 500 Millionen jährliches Kulturbudget der EU eine interessante Relation.

BARBARA RHODE: Die Kulturhoheit ist eben Ländersache. Das ist auch in einem Bundesland wie Deutschland so. Man muss im Kopf haben, dass das „Projekt Europa" nach dem 2. Weltkrieg begonnen wurde, um die Jahrhunderte alten Konflikte in Europa zu überwinden. Das Projekt wurde unter Aussparung einer Wertediskussion begonnen, da diese uns sofort in weitere Konflikte über Kriegsschuld und Verhalten gebracht hätte. Es war deshalb so konzipiert, dass es direkte wirtschaftliche Lebensverbesserungen für die Menschen mit sich bringen sollte – keine großartige Wertedebatte, sondern spürbar günstigere Lebensumstände durch organisierte Zusammenarbeit. Begonnen hatte es bekanntlich als Kooperation der Grundindustrien Kohle und Stahl, daraus wurde die EWG, als Europäische Wirtschaftsgemeinschaft. Die Werte- und Kulturfragen zu dem, was uns immer wieder auseinander gebracht hatte, wurden parallel dazu im Europarat diskutiert. Die kulturelle Eigenständigkeit jedes Landes sollte nicht berührt werden.
Erst mit dem Konzept der Europäischen Union entstand der Bedarf, Soziales und Kulturelles intensiver zu debattieren. Mit der von Franzosen und Niederländern abgelehnten Verfassung ist wohl deutlich geworden, wie dringend wir eine solche Wertediskussion brauchen, die auch die Wirtschaftwerte mit einschließt. Jede Generation muss eine neu angelegte Debatte über den Europäischen Zusammenschluss auch wieder neu führen. Die Argumente nach dem Zweiten Weltkrieg waren wichtig, sie müssen aber heute nach der Vereinigung von Ost und West in Europa auch wieder neu formuliert werden. Vielleicht ist unter den heutigen Bedingungen gerade auch der Zusammenhalt in der Wirtschaftskooperation sehr wichtig. Neu entstandene Differenzen müssen neu ausgehandelt werden.
Meine Zuständigkeit für Fragen von Ethik in der Forschung hat mich mit katholisch, protestantisch, jüdisch, orthodox, muslimisch geprägten

Denktraditionen in Europa konfrontiert. Es wurde deutlich, dass ein Konsens etwa in Bezug auf Stammzellenforschung zu diesem Zeitpunkt nicht möglich war. Dennoch haben wir Wege gefunden, wie wir gemeinsam Forschungsprojekte durchführen können unter Wahrung der unterschiedlichen Positionen. Dass wir dabei trotz unterschiedlicher ethischer Grundhaltung kooperieren können, liegt an der Aushandlung von gemeinsamen Position und, können sie nicht erreicht werden, am Respekt, der der jeweils anderen kulturellen Grundhaltung entgegengebracht wird. Durch diese europäische Herangehensweise bildet sich eine Kultur der Toleranz und des Diskurses aus, die – vom propagierten Selbstverständnis her – als spezifische Kultur Europas bestärkt werden soll. Das Ziel ist, unterschiedliche Kulturen als Wert zu schätzen, ohne dass eine Zentrale sich ungebührlich einmischt. Dazu gehört aber auch, nicht jeden Unterschied bis zum zerreißen auf die Probe stellen zu wollen, sondern sorgsam mit kulturellen Unterschieden umzugehen. Der Schutz von Minderheiten ist deshalb ein wichtiger Punkt im Zusammenleben. Er war und bleibt deshalb ein entscheidendes Aufnahme- und Qualifizierungskriterium beim Beitritt zur EU.

Kulturförderung als staatlich Aufgabe wird deshalb immer eine nationale Angelegenheit bleiben. So bedauerlich es sein mag, aber Kulturförderungsprogramme auf europäischer Ebene können nur klein sein. Sie dienen nur dem Austausch und vermehrtem gegenseitigem Verständnis. Ich glaube, wir alle wollen keine Einheitskultur in Europa und keine zentral gelenkte Kultursteuerungsbehörde.

CHRISTIAN REDER: Selbst wenn die EU-Forschungsförderung couragierte Projekte forciert, frage ich mich, ob sie nicht letztlich zu einem stilisierenden Zwangsapparat wird, der nur gewisse Verhaltens- und Denkweisen zulässt. Irgendwo abgesondert davon an seinen Sachen zu arbeiten erscheint mir wieder attraktiver als noch vor zehn Jahren, weil Nebenfelder der forcierten Professionalisierung einen nicht unbedingt zwingen *to stay in your box*, wie es prägnant im Englischen heißt. Nicht sofort Zuordenbares erweckt vielleicht Interesse, in die organisierten Abläufe passt es aber nicht so ohne weiteres.

BARBARA RHODE: Das sehe ich nicht so sehr als Problem, sondern als Herausforderung. Wir bauen und unterstützen so genannte Technologieplattformen. Das klingt als Wort schrecklich, meint aber, dass unterschiedliche Gruppierungen bei der Entwicklung von neuen Technologien eingebunden und in einen Dialog gebracht werden sollen. Wissenschaftler agieren nicht mehr alleine, sondern im Dialog mit Vertretern der Industrie, mit den Nutzern von Innovationen – unter Einbindung nicht-professioneller Gruppierungen, wie z.b. der spezifischen Konsumenten, Adressaten oder auch, wenn du so willst, der Betroffenen. Denk- und Interessenswidersprüche sind immer erlaubt und laden nur ein, neue Wege zu beschreiten. Dass nicht jeder sich einbinden lässt, ist dabei selbstverständlich. Wir wollen eben intelligente Techniklösungen, die nicht an den Interessen der europäischen Bevölkerung vorbeigehen. Konfliktfelder tun sich immer auf, sie müssen bearbeitet werden.

CHRISTIAN REDER: Die Innenwendung akademischer Apparate, die nur mehr unter Ihresgleichen verkehren, aufzubrechen, ist immer wieder Versuche wert. Anderes wird von dort aus vielfach gar nicht wahrgenommen, z.B. visuelle Bereiche, trotz exzessiver Medienorientierung des Geschehens.

BARBARA RHODE: Solche Tendenzen sehe ich auch. Der neue Europäische Wissenschaftsrat könnte da entscheidend gegensteuern, damit freiere Forschung nicht zu sehr eingeengt wird. Nur ist die EU letztlich auch nichts anderes als die Summe in ihren Mitgliedsländern entstehender und propagierter Meinungen. Abgesehen davon, dass etwas ganz allein passieren kann, brauchst du auf der einen Seite kleinteiligen Support, auf der anderen die Chance für Größeres. Allein die enorme Integrationsleistung, die wir vor uns haben, mit den neu aufgenommenen Ländern, mit Bulgarien und Rumänien als Beitrittsländern, mit Kroatien, der Türkei, den restlichen Balkanstaaten als potentiellen Bewerbern, ist ein ungeheures, in allen seinen Dimensionen noch gar nicht absehbares Projekt. Viele kleine, von sich aus passierende Dinge von möglichst freien Geistern sind dafür enorm wichtig; im Großen müssen aber die Kapazitäten und die Arbeitsprogramme da sein, weil sonst Geleistetes nicht weiter verarbeitet werden kann.

CHRISTIAN REDER: Nur wird es auch in diesem Band mehrfach angesprochen, dass – neben luxuriösen Sektoren – in den letzten Jahren vieles enger, unfreier, ärmlicher wird, obwohl wir in so reichen Gesellschaften leben. Den Erklärungsbedarf für diese Tendenzen zum Do-it-yourself, zum gerade für ungesicherte Projektarbeiter schärfer werdenden Überlebenskampf, decken nicht einmal Oppositionsparteien überzeugend ab.

BARBARA RHODE: Der Auftrag, das Mandat, warum auf europäischer Ebene Forschungsförderung überhaupt betrieben wird, zielt hauptsächlich auf die Stärkung der europäischen Wettbewerbsfähigkeit ab. Es geht darum, durch die Vernetzung der vorhandenen europäischen Forschungskapazitäten zu einem Strukturwandel in Europa beizutragen, und durch diesen Mitteleinsatz das europäische Sozialmodell im globalen Sturm widerstandsfähiger zu machen. Die zusätzlichen europäischen Ausgaben, welche national vorhandene Mittel ja nur miteinander in Kontakt bringen, stellen gerade einmal 5 Prozent des gesamten europäisch vorhandenen Mittelaufwandes in der Forschung dar.

CHRISTIAN REDER: Zugleich werden Projektwelten, in denen ich unterwegs bin, von Organisationen aufgesogen. Sie verfestigen sich, werden zum Teil der Apparate, weil anders keine Folgefinanzierungen absehbar sind. Freiheiten ergeben sich am Rand, in kleinteiligen Initiativbereichen, durch ständiges Neubeginnen.

BARBARA RHODE: Solche Reflexionen stoßen in meinem Umfeld durchaus auf Resonanz. Die erste Phase der Projektförderungen war auf Vernetzung und Schwerpunkte gerichtet. Jetzt, mit dem Schritt hin zu einem Europäischen Wissenschaftsrat, wird es auch wieder mehr Freiräume für freie, für politisch nicht zielgebundene Fragestellungen der Grundlagenforschung geben. Das hoffe ich wenigstens. Es ist uns durchaus bewusst, dass viele Wissenschaftler gerade mit den Antragsverfahren unzufrieden sind. Sobald Kritik kommt, werden auch Lösungen diskutiert. Da ist nichts statisch, das ist in permanenter Entwicklung.

CHRISTIAN REDER: Selbst auf der Ebene „wirklichen" Theaters wird deutlich, dass Entscheidendes vielfach auf Festivals, also losgelöst vom Dauerbetrieb, in Form von Sonderprojekten passiert, obwohl dafür eingerichtete Institutionen – so wie Universitäten, Museen, Architekturbüros, Förderinstanzen – an und für sich Kopfstellen für interessante Projekte sein sollten. Diesen Eventcharakter braucht auch jede Off-Szene, ob nun Attac oder das Sammelsurium an Globalisierungskritikern. Wie könnte in diesem Sinn die EU zu einem diskursiven Verhältnis von Macht und Opposition, von Macht und sich *ad hoc* organisierender Ohnmacht finden?

BARBARA RHODE: Die Konstruktion der EU ist ein Viel-Ebenen-Modell. Unser, der Europäischen Kommission direktes Gegenüber sind die Mitgliedsländer. Die regionale Ebene empfindet die EU oft als eine Ebene der Freiheit. Nichts spricht dagegen, dass oppositionelle Projekte eingereicht werden. Ob sie sich durchsetzen, macht Gegebenheiten evident. Jedenfalls ist ein Europa ohne die von uns geförderte Projektwelt nicht mehr vorstellbar. Vieles davon war heiß umstritten, hatte aber sehr oft tief greifende Wirkungen.

CHRISTIAN REDER: Das sich dabei bemerkbar machende Misstrauen gegen Universitäten, die seit Jahrhunderten für Internationalität, Universalität, Vernetzung stehen oder stehen sollten, ist mir durchaus plausibel, auch um sie aus Routine herauszulocken, seit sich die Staaten immer passiver verhalten.

BARBARA RHODE: Die Nationalstaaten soll das nicht entlasten. Wir bieten einfach eine zusätzliche Dimension. Eine vormals eher säulenhaft ausgerichtete Forschungslandschaft, so sie denn auf relativ starre Personal- oder Vorrückungssystemen aufgebaut war, muss sich nun mit zusätzlichen Anreizen auseinandersetzen, was auch ihr eigenes System mobilisieren kann.

CHRISTIAN REDER: Österreich wird zur Zeit von in Deutschland keine Studienplätze findenden Medizinstudenten überschwemmt. Alles dreht sich darum, sie abzuwehren. Das als Auftrag zu Centers of Excellence der Medizinausbildung zu verstehen, ist im allgemeinen Spargesäusel nicht wirklich diskutiert worden. Wir schotten uns wieder einmal ab – und gründen eine „Elite-Uni", voraussichtlich in einer aufzulassenden Nervenheilanstalt abseits jeder Urbanität. Eine attraktive Stadt wie Wien offensiv zum hochrangigen Ort für Kunst und Wissenschaft zu machen, unter Konzentration auf Transdisziplinäres, auf Synergien, ist in den defensiven Reformquerelen der letzten Jahre nie wirklich zum Thema geworden. Offensichtlich genügt die Einbildung auf einem solchen Weg zu sein.

BARBARA RHODE: Um europaweit arbeitsteilige Schwerpunkte durchzusetzen, ist vom Wissenschaftsrat einiges zu erhoffen.

CHRISTIAN REDER: Kehren wir zum Abschluss zu deiner eingangs erwähnten Ostorientierung zurück. Was führt eine EU-Wissenschaftsbeamtin nach Russland oder nach Kasachstan?

BARBARA RHODE: Wie ich schon erwähnt habe, richtet sich meine derzeitige Aufgabenstellung darauf, Wissenschaftler, die in der alten Sowjetunion als Waffenexperten gearbeitet haben aus der Forschung für militärische Anwendungen – wo sie für Atom- oder andere Massenvernichtungswaffen eingesetzt waren – in zivile, nutzbringende Forschungsprojekte einzubinden. Es bestand die Gefahr, dass sie, mit Ende des Kalten Krieges oftmals brotlos, ihr Wissen oder ihre Materialien an Meistbietende verkaufen könnten. Heute noch gib es geschlossene Städte, die früher auf keiner Karte verzeichnet waren und die auch jetzt noch nicht frei zugänglich sind. In den frühen 90er Jahren, nach der Auflösung der Sowjetunion, haben sich die USA, Japan, Deutschland, (im Falle der Ukraine auch Schweden) und Russland zusammengesetzt, um internationale Forschungsprojekte zu finanzieren, damit diese hoch qualifizierten Wissenschaftler durch Integration in westliche und transparente Netzwerke in zivile Anwendungen eingebunden werden.

Wer die eine Seite der Forschung kennt, kennt auch die andere, kann also auch an neuen Impfstoffen, an der Vermeidung von nuklearem Müll oder an Sicherheitsmaßnahmen für alte Reaktoren etc. erfolgreich mitwirken. Insgesamt ist das ein langwieriges aber sehr erfolgreiches – im Wortsinn Strukturen bildendes, und vor allem auch Strukturen veränderndes – Projektprogramm, das derzeit gerade wieder in den Blickpunkt gerückt ist. Bislang kennen wir noch keinen Fall, in dem ein früherer Waffenwissenschaftler der Sowjetunion sich anderen Organisationen angeboten hätte. Zum Thema „Projekte" ist das jedenfalls ein bislang sehr erfolgreiches, immer noch nicht abgeschlossenes Beispiel.

Europäische Union:
  http://europa.eu.int/index_de.htm
Generaldirektion Forschung:
  http://europa.eu.int/comm/dgs/research/index_de.html
Cordis. Forschungs- und Entwicklungsinformationsdienst der EU:
  http://cordis.europa.eu.int/de/home.html
BIT – Büro für internationale Forschungs- und Technologiekooperation, Wien:
  www.bit.or.at/irca/kontakt.htm

Gerald Bast

Das Schaffen neuer Realitäten …

Perspektiven universitärer Produktivität

In einem völlig unösterreichischen Akt des radikalen Bruchs mit Traditionen und Paradigmen wurden die österreichischen Universitäten 2004 von – bis dahin – autonomen Einrichtungen der Republik Österreich zu rechtlich eigenständigen juristischen Personen. Fragmentierung und Wettbewerb haben staatliche Planung und Regulierung als leitende bildungspolitische Prinzipien abgelöst. Ob der nun angesagte Wettbewerb zwischen den Universitäten nun zu besseren Ergebnissen führen wird, als das staatliche Planungsprimat wird sich zeigen.

Tatsache ist, dass – aus diversen politikimmanenten Ursachen – eine staatliche Planung des universitären Bildungsangebots inhaltlich wie quantitativ kaum je stattgefunden hat. Tatsache ist auch, dass die Globalisierung vor dem Bildungssektor nicht halt macht und dazu führt, dass Bildung – und besonders universitäre Bildung – gar nicht mehr unter primär national-staatlichen Aspekten geplant werden kann. Die grenzüberschreitende Mobilität der Studierenden zwischen Universitäten, die Internationalisierung der Wirtschaft und damit auch des Arbeitsmarktes sowie die rasch fortschreitende Globalisierung des Wissenschafts-, wie des Kunst- und Kultursektors stellen neue Herausforderungen dar, denen sich universitäre Bildungsinstitutionen in zunehmendem Maße stellen müssen, wenn sie nicht auf der Ebene der Provinzialität landen wollen.

In den Bereichen des institutionalisierten Kulturbetriebs – Theater, Opern- und Konzerthäuser, Festivals, Museen, Kunsthallen – sind die internationale Mobilität der Akteure und der grenzüberschreitende Wettbewerb zwischen Kulturinstitutionen schon seit langem die gängige Praxis. Fernsehmacht bestärkt, verzerrt oder unterminiert die dafür verfügbaren öffentlichen Räume. Wie im Film, in der Literatur, in der bildenden Kunst, in Architektur, im Design, in der Mode, Qualitäten entstehen und bewusst werden, ist jeweils von international verflochtenen Medien-, Betriebs- und

*„Die primäre Funktion einer Universität war und ist
die Produktion von Veränderung. Tatsächlich ist es das Schaffen
neuer Realitäten, die Transformation der intellektuellen
Strukturen und der Wahrnehmungsmuster,
die kritische Reflexion über
das persönliche Denken und Handeln …"*

*„Die Tendenz zur ‚Projektuniversität' wird im Lichte dieser
neuen organisatorischen Rahmenbedingungen und deren
Konsequenzen in wachsendem Ausmaß zur Realität werden,
ja zur Realität werden müssen."*

*„Projektorientierung wird nicht nur auf der organisatorischen
Ebene erforderlich sein, sondern ebenso auf der
inhaltlich-operativen Ebene – von der Zielentwicklung
über die Vorbereitung und Analyse,
von Leistungsvereinbarungen mit dem Bund bis hin
zur Entwicklung von Umsetzungsstrategien und der Erstellung
von Wissensbilanzen und Leistungsberichten,
von der Entwicklung neuer Aktivitätsfelder bis zur
öffentlichen Demonstration von Arbeitsergebnissen."*

Gerald Bast

Vertriebssystemen abhängig. Auf welche Bedingungen Entstehendes trifft, ist somit eine neuralgische Frage jeder Gesellschaft; mit der flotten Rede von Creative Industries wird gerade das oft ausgeblendet. Universitäten müssten somit verstärkt in der Lage sein, in dieser vielfach lebensentscheidenden Übergangszone von der Ausbildung zu den Bedingungen für Entstehendes eine Schlüsselfunktion als eigenständige, Entwicklungen mitprägende Transferplattformen einzunehmen. Durch die explosive Ausweitung technischer Möglichkeiten des Wissenstransfers würden sie bei Beharren auf traditioneller Monopolisierung zunehmend ihre Funktion in sich abzeichnenden Wissensgesellschaften verlieren. Die Konsequenzen aus dem Zusammentreffen von internationaler Mobilität und internationalem Wettbewerb führen jedoch zu zunehmendem ökonomischen, Vielfalt einengenden Druck auf die Institutionen: Die Tendenz zur Risikominimierung, zum inhaltlichen Mainstream als Garanten für ökonomischen Erfolg ist nicht zu übersehen. Mag sein, dass die Tendenz zu Risikovermeidung und inhaltlichem Mainstream ein gesamtgesellschaftliches Phänomen ist. In Zeiten, in denen das primäre gesellschaftliche Orientierungsschema der *shareholder value* zu sein scheint, ist dies auch nicht weiter verwunderlich. Kunst droht immer mehr zum Produkt eines weltweit vernetzten Marktes zu werden, welcher ebenso wie auch andere Märkte konjunkturellen Schwankungen unterliegt. Die Folgen davon sind, dass sich der Kunstmarkt letztlich der Entwicklung der Kunst bemächtigt – mit allen Konsequenzen konjunktureller Schwankungen bei allen Akteuren auf dem Kunstmarkt.

Die Kunstindustrie erlebt im Augenblick einen Boom: Biennalen und Kunstmärkte werden immer zahlreicher, das Angebot an Kunst ist auch in Österreich größer als es in den Dekaden vorher war. Und doch hat man manchmal den Eindruck, dass Beliebigkeit und Perspektivlosigkeit um sich greifen. Wir erleben die Musealisierung und Kommerzialisierung von Kunst, die signifikanterweise zum bloßen Produkt des Kunstbetriebs mutiert. Künstlerische Kulinarik ist gefragt in den großen Kulturhauptstädten; leichte Kost mit großen, bekannten Namen, die quasi im Vorübergehen konsumiert werden kann, ohne sich dabei viel Gedanken machen zu müssen. Angesichts dieser Situation gerät man in Versuchung, das Wort von Jürgen Habermas über die „aufgeklärte Ratlosigkeit" abzuwandeln – zur abgeklärten Rastlosigkeit.

Dieser angebliche Geist der Zeit setzt auch die Universitäten unter zunehmenden Druck: Billigerer und schnellerer Output, Notwendigkeit, Brauchbarkeit, Verwertbarkeit und ökonomischer Nutzen sind die dominierenden Argumente in hochschulpolitischen Diskussionen. Die Europäische

Union sieht die Leistungen der Universitäten ausschließlich unter den Aspekt der Steigerung der *employability* und des Wirtschaftswachstums. Die Hauptideen, was eine Universität ist, was sie sein müsste, scheinen in der Gegenwart blasser und blasser zu werden.

Die primäre Funktion einer Universität war und ist die Produktion von Veränderung. Tatsächlich ist es das Schaffen neuer Realitäten, die Transformation der intellektuellen Strukturen und der Wahrnehmungsmuster, die kritische Reflexion über das persönliche Denken und Handeln, was eine Universität wirklich ausmacht. Universitäten waren schon immer Orte, wo Fragen wichtiger waren, als Antworten.

Die wirklich existenzielle Frage über die Zukunft der Universitäten hängt eng zusammen mit der Antwort darauf, welche Rolle die Universitäten und die an ihnen vertretenen Arbeitsfelder im Prozess der Produktion von Fortschritt spielen. Und davon wird ohne Zweifel auch die künftige Entwicklung unserer Gesellschaften bestimmt werden. Entscheidend wird sein, welche Bereiche die größere innovative Kraft und damit die Definitionsmacht über den Begriff von Fortschritt und Entwicklung besitzen. Kunstuniversitäten trifft diese Herausforderung in ganz besonderem Maße, weil es darum geht, den gesellschaftlichen Stellenwert von Gegenwartskunst und die Rolle der Kunstuniversitäten im System der Kunstentwicklung zu betonen und zu stärken, sowie Dimensionen visueller, ästhetischer, kulturwissenschaftlicher, kunstphilosophischer, auf Komplexität, auf Medien, Raum, Licht, Materialien, Technologie, Emotionen, Lebensumwelten und gesellschaftliche Bedingungen bezogener Forschung und Entwicklung öffentlich bewusster zu machen und Fragen dazu in der Ausbildung ein dominantes Gewicht beizumessen.

Die folgenden Entwicklungsperspektiven sind logische Konsequenzen der neuen, institutionenzentrierten Organisationsform der Universitäten.

– Noch mehr als bisher, wird für eine positive Entwicklung jeder Universität ihre öffentliche Reputation und ihre inhaltliche Qualität Ausschlag gebend sein. Das gilt besonders für die Bereiche
  – Art, Qualität und Aktualität des Studienangebots,
  – künstlerische und wissenschaftliche Erfolge des Lehrpersonals,
  – Erfolg der Absolventen,
  – Kooperation mit außeruniversitären Partnern,
  – öffentliche Wahrnehmung der Universität durch ihre Aktivitäten und die Aktivitäten ihrer Lehrenden und Studierenden in der Öffentlichkeit, der *sientific community* und am Kunstmarkt

– Teilnahme an bildungs-, kultur- und kunstpolitischen Debatten bzw. die aktive Stimulierung und Steuerung dieser Debatten.

– Der Wettbewerb um die besten und motiviertesten Studierenden sowie der Wettbewerb um die interessantesten und besten Lehrenden wird national und international schärfer werden, weil allen Beteiligten klar ist, dass der Grad an Qualität und Reputation die Attraktivität der Institution für Lehrende und Studierende dominant beeinflusst.

– Die neue Organisationsform der Universitäten wird dazu führen, dass der Verteilungskampf zwischen den österreichischen Universitäten um die knappen staatlichen (und privaten) Mittel schärfer wird. Dabei ist insbesondere zu beachten, dass die Kunstuniversitäten ihren im Vergleich mit den wissenschaftlichen Universitäten wesentlich höheren Finanzbedarf nur dann erfolgreich verteidigen werden können, wenn es ihnen gelingt,
  – die Bedeutung des Stellenwerts von Kunst in unserer Gesellschaft zu sichern und auszubauen,
  – die besonderen Arbeitsbedingungen für Lehrende und Studierende an einer Kunstuniversität klar und außer Streit zu stellen,
  – durch die künstlerischen und wissenschaftlichen Erfolge ihrer Lehrenden und Absolventen ihre Qualität unter Beweis zu stellen, und nicht zuletzt
  – durch ihre institutionelle Präsenz Druck auf die öffentliche Meinung auszuüben.

– Das Studienangebot innerhalb der österreichischen Universitätslandschaft wird nicht vereinheitlicht, sondern vielmehr fragmentiert und diversifiziert werden. Die weitgehende Unabhängigkeit der einzelnen Universitäten bei der Entscheidung über die Gestaltung ihres Studienangebots und die Notwendigkeit, sich als Institution national und international zu profilieren, wird dazu führen, dass die Universitäten tendenziell ihre Studienangebote so transformieren, dass sie sich von jenen anderer Universitäten mehr oder weniger gravierend unterscheiden. Das können universitätsspezifische Spezialisierungen innerhalb von auch an anderen Universitäten eingerichteten Studienrichtungen sein, oder völlig neuartige Studienangebote. Diese Tendenz zur Schaffung neuer Studienangebote wird sich mittelfristig auf den Bestand bereits existierender Studien nur wenig auswirken. Die Erfahrung aus anderen Bereichen zeigt, dass neue, innovative und inhaltlich interessante Angebote auch zusätzliche Nachfrage schaffen. Dies wird auch an den Universitäten der Fall sein, insbesondere wenn sie die bereits begonnene Internationalisierungsstrategie fortsetzen.

– Die staatliche Finanzierung der Universitäten wird ab 2007 umgestellt auf ein System von Leistungsverträgen zwischen dem Staat und jeder einzelnen Universität. Inhalt dieser Leistungsvereinbarungen sind die
  – von der Universität zu erbringenden Leistungen in den Bereichen
    – strategische Zielbildung, Profilbildung, Universitäts- und Personalentwicklung
    – Forschung, Entwicklung der Künste
    – Studienangebot und Studienbetrieb
    – gesellschaftliche Zielsetzungen (Erhöhung des Frauenanteils, Angebote für Berufstätige, Ausbau von gesellschaftlich relevanten Kultur- und Forschungsbereichen, Wissens- und Technologietransfer)
    – Erhöhung der Internationalität und Mobilität
    – interuniversitäre Kooperationen
  – und die dafür zustehende budgetäre Leistungsverpflichtung des Staates.

– Erfolgreiches Bestehen im Wettbewerb um staatliche Mittel, um Mittel aus nationalen und internationalen Förderungsfonds sowie um private Drittmittel erfordert hohe gesellschaftliche Reputation der Universität im Bereich der von ihr vertretenen wissenschaftlichen sowie künstlerischen Fächer und Disziplinen.

– Die zunehmende internationale Mobilität der Studierenden und die Tatsache, dass diese Studiengebühren bezahlen, wird den Druck nach optimalen Studienbedingungen, inhaltlicher Aktualität des Studienangebots und internationaler Vernetzung erhöhen. Zum bisher dominierenden Wettbewerb um öffentliche und private Finanzmittel werden in zunehmendem Ausmaß der Wettbewerb um die besten und motiviertesten Studierenden sowie der Wettbewerb um die besten, interessantesten und bekanntesten Lehrenden als gleichrangige strategische Faktoren treten. Gemeinsam mit dem Faktor der erfolgreichsten Absolventen und Absolventinnen werden diese drei zuvor genannten Faktoren (Finanzmittel, Qualifikation der Studierenden, Qualifikation der Lehrenden) wie in einem kybernetischen System einander wechselseitig beeinflussen und steuern.

– Die Entwicklung der Universität wird immer weniger einen Stillstand
kennen, sondern sich zunehmend auf einer Spirale abspielen, auf der man
sich entweder nach oben oder nach unten bewegt. Ein längerfristiges
Verharren einer Institution in einem stabilen Gleichgewicht auf einem
scheinbar gesicherten Niveau scheint in diesem System so gut wie ausgeschlossen, weil sowohl die Entwicklung der Künste und der Wissenschaften als auch insbesondere externe Einflüsse in Form von anderen institutionellen Konkurrenten eine stete Dynamik erzwingen.

Die Tendenz zur *Projektuniversität* wird im Lichte dieser neuen organisatorischen Rahmenbedingungen und deren Konsequenzen in wachsendem
Ausmaß zur Realität werden, ja zur Realität werden müssen. Projektorientierung wird nicht nur auf der organisatorischen Ebene erforderlich sein,
sondern ebenso auf der inhaltlich-operativen Ebene – von der Zielentwicklung über die Vorbereitung und Analyse, von Leistungsvereinbarungen
mit dem Bund bis hin zur Entwicklung von Umsetzungsstrategien und der
Erstellung von Wissensbilanzen und Leistungsberichten, von der Entwicklung neuer Aktivitätsfelder bis zur öffentlichen Demonstration von Arbeitsergebnissen. Die Notwendigkeit der verstärkten Herstellung von Öffentlichkeit innerhalb und außerhalb der Universität, die Konkurrenzsituation mit
anderen Institutionen und der daraus folgende Innovationsdruck wird
dazu führen, dass universitäre Aktivitäten immer mehr projektorientiert
gesehen und betrieben werden: zielgebunden, vernetzt und kommunikati-
onsbetont.

Kunstuniversitäten wie die Universität für angewandte Kunst Wien, an der
ich seit dem Jahr 2000 die Funktion des Rektors ausübe, haben dabei gewisse Vorteile, weil der Studienbetrieb weitgehend projektorientiert organisiert ist: Nicht einzelne, inhaltlich und organisatorisch isolierte Lehrver-
anstaltungen stehen im Mittelpunkt, sondern das jeweilige Semesterpro-
jekt im – inhaltlich und quantitativ für das Studium dominanten – „zentralen künstlerischen Fach". Das Überschreiten von Disziplinengrenzen
oder gar die Vernetzung unterschiedlicher Disziplinen oder Bereiche im
Rahmen von Projekten ist aber auch an Kunstuniversitäten noch ein oft
schwieriges Unternehmen. Die Gründe dafür sind vielfältig:
Die Welt der Universitäten war und ist eine Welt der Disziplinen, entlang
derer sich auch Macht- und Einflussstrukturen definieren. Die Bedeutung
einer Disziplin – innerhalb der Universität und darüber hinaus – hat Rückwirkungen auf den Status und die Karrieremöglichkeiten der in dieser

Disziplin tätigen Personen – innerhalb und außerhalb der Universität. Wer innerhalb einer bestimmten Disziplin arbeitet – und für die eigene Arbeit vielleicht sogar noch eine inhaltliche Nische findet, die sonst noch niemand besetzt hat, kann Ergebnisse und Erfolge klar für sich und das eigene Fach beanspruchen. Man fördert damit die Bedeutung dieser (Sub-)Disziplin ebenso, wie das eigene Ansehen und den persönlichen „Marktwert". Bei transdisziplinärem Arbeiten stellt sich in einem von disziplinenzentrierten Macht-, Einfluss- und Karriereperspektiven geprägten Umfeld immer die Frage nach den Auswirkungen des Disziplinen verlassenden Arbeitens auf Macht-, Einfluss- und Karrierestrukturen: Wer hat Einfluss auf die Gestaltung der Projektinhalte? Wer tritt nach außen auf? Wie sind Ergebnisse und Erfolge den befassten Personen und Disziplinen zuordenbar? Wie lassen sich Projektergebnisse nach gewohnten Kriterien bewerten?

Eine Trendwende weg von der ausschließlichen Disziplinenzentrierung ist dann zu erwarten, wenn nachvollziehbar ist, dass transdisziplinäres Arbeiten allen beteiligten Personen und Disziplinen insgesamt mehr zurechenbare Erfolgserlebnisse bietet als isoliertes disziplinäres Arbeiten. Und dies wiederum ist nur dann möglich, wenn Themen und Ziele definiert werden, die sich nicht an den Inhalten (und damit Grenzen) einzelner Disziplinen orientieren, sondern Themen und Ziele, welche die Ebene der Einzeldisziplinen und deren Lösungskompetenz überschreiten, Themen und Ziele, die den Disziplinengrenzen übergeordnet sind. Dirk Baecker betont in diesem Band die Anschlussfähigkeit von Projektarbeiten für alle Beteiligten, denn es müssten sich „Angebote für mindestens genauso interessante weitere Projekte" ergeben, damit sich aktiv bleibende Netzwerke herausbilden. Dafür sind gerade Kunstuniversitäten ein exemplarisches Experimentierfeld oder könnten es verstärkt sein. Dass dies möglich und überdies höchst erfolgreich betrieben werden kann, zeigt uns das Beispiel der so genannten Life Sciences. In der Vernetzung von Teilbereichen der Medizin und der Naturwissenschaften werden neue inhaltliche Dimensionen erschlossen, die den Einzeldisziplinen niemals offen gestanden wären. Dass sie die Öffentlichkeit bewusst mit archetypischen Sehnsüchten und Ängsten bedienen, ist wieder eine andere Sache.

Was heute im Bereich der Life Sciences gedacht und experimentiert wird, ist jedenfalls radikaler, provokanter und weitreichender an gesellschaftspolitischer Sprengkraft als künstlerische Ansätze und Handlungen es je waren. Mit der inhaltlich transdisziplinären strategischen Neupositionierung auf einer den Einzeldisziplinen übergeordneten Ziel- und Projektebene haben traditionelle wissenschaftliche Disziplinen – unterstützt durch gezielte Herstellung von Öffentlichkeit – nicht nur die gegenwärtige forschungspolitische Realität verändert, sondern dominieren auch in zunehmendem Ausmaß die Welt der Ideen über die Zukunftsperspektiven unserer Gesellschaften. Die Künste – von Walter Benjamin einst als Statthalter der Utopie angesehen – drohen, ebenso wie die Geisteswissenschaften, in die gesellschaftliche Marginalisierung gedrängt zu werden. Wie hat Schiller in seinen Briefen über die ästhetische Erziehung des Menschen diese Situation ausgedrückt? „Die Grenzen der Kunst verengen sich in dem Maße, in dem sich die Grenzen der Wissenschaft vergrößern." Den Kunstuniversitäten kommt dabei eine durchaus ambivalente Position zu: Einerseits müssen sie ihre Studierenden auf den Markt vorbereiten, andererseits haben sie die Aufgabe, die aktuellen Gegebenheiten des Kunstmarktes inhaltlich und funktional zu konterkarieren.

Die aktuellen hochschulpolitischen Rahmenbedingungen haben zweifellos durch die Inhalte und den gewählten Weg der grundlegenden Veränderung universitärer Strukturen bei vielen Universitätsangehörigen Verunsicherung hervorgerufen und vor allem den Veränderungsprozess selbst in den Mittelpunkt der Arbeitskapazität gestellt – zu Lasten der eigentlichen universitären Aufgabenfelder in Lehre, Forschung und Kunstentwicklung. Andererseits darf sich eine Institution, welche die Produktion von Veränderung als ihr Ziel ansieht, selbst der Veränderung nicht verschießen.

Kurzfristig machen die Umstellung auf die neuen Strukturen und manche von staatlicher Seite lancierte, primär mechanistisch-quantitativ angelegte Steuerungsmechanismen das Überschreiten der Disziplinengrenzen, das mentale Überwinden disziplinenzentrierter universitärer Macht-, Einfluss- und Karrierestrukturen, das Beschreiten inhaltlich neuer Wege nicht gerade einfach. Wer glaubt, Angst haben zu müssen, um die eigene Position und um die Wertigkeit des ureigensten Tätigkeitsfeldes, wird wenig Bereitschaft zeigen, das Risiko unbekannter Bewertungen trans- und interdisziplinärer Aktivitäten einzugehen, wenn diese Aktivitäten Arbeitskapazitäten von der Beschäftigung im bewährten Disziplinenschema abziehen – zumal sich auch die Systematiken der Wissensbilanzen und Leistungsberichte noch weitgehend am traditionellen Fächerkanon orientieren.

Langfristig gewinnen werden aber jene Bereiche und Akteure, die sich frühzeitig auf dieses Risiko einlassen – inhaltlich und gegenüber der außeruniversitären Öffentlichkeit strategisch gut positioniert. Der Weg dazu werden inneruniversitäre und interuniversitäre Projekte sowie Projekte mit außeruniversitären Partnern sein – initiiert und (finanziell) gefördert durch die Universitäten selbst, idealerweise auch durch überuniversitäre nationale und übernationale Förderungsinstitutionen. Die beschriebene neue institutionelle Konkurrenzsituation zwischen den einzelnen Universitäten wird solche Projekte sicher tendenziell auf Kooperationen zwischen fachlich unterschiedlichen Universitäten, Fakultäten und Instituten fokussieren (wegen des systemimmanenten Drucks zur institutionellen Profilierung gegenüber gleichartigen Institutionen oder Bereichen). Andererseits wird eben dieser Druck zur nationalen wie internationalen institutionellen Profilierung (Wettbewerb um Finanzmittel sowie um die besten Lehrenden und Studierenden) die Bereitschaft der Universitäten zur Projektorientierung unterstützen. Auch inzwischen anders konstituierte Interessenslagen profilierter, zeitlich in ihrem Hauptberuf stark beanspruchter Akteure und Akteurinnen in der bildenden Kunst, in der Architektur, im Design, wirken in diese Richtung und machen für sie an Universitäten befristete Projektserien attraktiver als langfristige Verpflichtungen. Studienangebote können dadurch deutlich an Intensität gewinnen. Selbstverständlich kann und wird die Tendenz zur *Projektuniversität* die Existenz von Fachdisziplinen in Lehre, Forschung und Kunstentwicklung nicht ersetzen. Sie sind letztlich bis zu einem gewissen Grad die Voraussetzung für interdisziplinäres Arbeiten. Die Universität der Zukunft wird sich aber nicht zuletzt auch bewähren müssen im Wettbewerb um die Produktion von Fortschritt als Umsetzung von Utopien (Oscar Wilde). In einer Welt, die gekennzeichnet ist von nie gekannter Vernetzung und Komplexität, wird man diesem Anspruch wohl nur unter Anwendung komplexer und vernetzter Projektstrategien gerecht werden können.

1 Wie viele akademische Disziplinen an dieser Diskussion beteiligt sind dokumentiert Klaus Sachs-Hombach (Hg.): *Bildwissenschaft. Disziplinen, Themen, Methoden*, Frankfurt am Main 2005

2 „Es ist kein Zufall, dass die Entwicklung des Kinos und die Entwicklung der ‚Berliner Illustrierten Zeitung' ziemlich parallel laufen. In dem Maße, in dem der einzelne weniger bereit war, in stiller Aufmerksamkeit eine Zeitschrift zu durchblättern, in dem gleichen Maße war es notwendig, eine schärfere, prägnantere Form der bildlichen Darstellung zu finden. Ohne Bilder waren die Dinge, die in der Welt vorgingen, unvollständig wiedergegeben, erschienen oft unglaubwürdig …". So der Chefredakteur Kurt Korff in: *50 Jahre Ullstein 1987–1927*, Berlin 1927, S. 279ff.

3 Es ist unmöglich für diese Rede eine angemessene Literaturreferenz zu geben, da sie zum Allgemeinplatz geworden ist. Die theoretischen Konsequenzen, die aus den massenhaften (elektronischen) Bildern der Massenmedien gezogen wurden und zu den Begriffen „pictorial turn" (W. J. T. Mitchell) und „iconic turn" (Gottfried Boehm) geführt haben, wird an späterer Stelle genauer eingegangen.

Gabriele Werner

Was eigentlich hat die Kunst vom „Projekt Bildwissenschaft" zu erwarten?

All jene, die in ihren wissenschaftlichen oder akademischen Professionen mit Bildern zu tun haben, finden sich seit geraumer Zeit mit einem neuen diskursiven Feld konfrontiert, der so genannten *Bildwissenschaft*.[1] Was genau der Gegenstand einer Wissenschaft vom Bild sein soll, ist dabei ebenso wenig Konsens, wie die Übereinkunft darüber, wie denn die Frage zu beantworten sei, worüber gesprochen wird, wenn von einer Wissenschaft des Bildes die Rede ist. Der Terminus *Bildwissenschaft*, der sich zwar als starker Begriff binnen kurzer Zeit im akademischen Sprachgebrauch situieren konnte, bleibt jedoch als Bezeichnung für etwas, das als solches definiert werden könnte, bemerkenswert leer. Hierfür lassen sich mehrere Gründe finden. Zum einen ist – dies besonders mag bei dem Begriff erstaunen – mitnichten geklärt, was ein Bild sei. Des weiteren folgt daraus beinahe zwingend, dass über die Bildwissenschaft in bilderlosen Texten geschrieben wird. Darüber hinaus ist, was geschrieben wird, von einer methodischen und theoretischen sowie thematischen Vielfältigkeit, die es schwerlich möglich macht, in der Bildwissenschaft etwas anders zu sehen als eine Subdisziplin, welche sich unterhalb der etablierten, akademischen Institute angesiedelt hat. Als solche erscheint „die Bildwissenschaft" als Symptom des *Branding* für eine Produktpalette, wie sie Tschibo und Eduscho anbieten: „Jede Woche eine neue Welt". Weil dem so ist, gehören die wissenschaftlichen und akademischen Debatten über die Inhalte einer Bildwissenschaft zu den produktivsten der letzten 15 Jahre, da diese die Geistes-, Lebens-, Gesellschafts- und Naturwissenschaften gleichermaßen zu betreffen beansprucht. Seit dem Aufkommen des Films und des Bildjournalismus wurde nicht mehr soviel über Bilder gesprochen.[2] Die Dringlichkeit hierfür wird in der „Bilderflut" gesehen, die unaufhaltsam durch die Fernseher, die Printmedien und vor allem durch das Internet heranschwemme (übersehen wird dabei, dass dieses katastrophische Szenario mit dem Wort Bilder*flut* selbst erzeugt wird).[3]

Martha Rosler: Erweiterung der 1967 begonnenen Serie
Bringing the War Home, 2005, © *Sammlung Generali Foundation*

„Selbstverständlich gibt Kunst immer Auskunft über etwas,
enthält sie eine Mitteilung. Der Zweck von Kunst ist aber nicht,
diese Mitteilungen zu kommunizieren. Hierin unterscheidet
sich Kunst grundsätzlich von anderen Bildern. "

Gabriele Werner

4 Eine Ausnahme hierzu ist Martin Schulz: *Ordnungen der Bilder. Eine Einführung in die Bildwissenschaft*, München 2005. Allerdings muss sich angesichts der darin ausführlich debattierten kunsthistorischen Theorien zum Bild und zur Bildlichkeit die Frage stellen, wieso dieses Buch unter „Bildwissenschaft" firmiert und nicht unter „Kunstgeschichte".

5 Es war Gottfried Boehm, der diese Bilddefinition 1994 als Angebot für eine klärende Antwort auf die Frage „Was ist ein Bild" machte. Vgl. Gottfried Boehm: *Die Wiederkehr der Bilder*, in: Ders. (Hg.): *Was ist ein Bild?*, München 1994, S. 30. Diese Grundlegung wurde als Konsens akzeptiert. Vgl. dazu Hans Dieter Huber: *Bild. Beobachter. Milieu. Entwurf einer allgemeinen Bildwissenschaft*, Ostfildern-Ruit 2004, S. 26; Klaus Sachs-Hombach (Hg.): *Bildwissenschaft. Disziplinen, Themen, Methoden*, Frankfurt am Main 2005, S. 13.

6 Gottfried Boehm (s. Anm. 5), S. 31

7 Gottfried Boehm: *Jenseits der Sprache? Anmerkungen zur Logik der Bilder*, in: Christa Maar, Hubert Burda (Hg.): *Iconic Turn. Die neue Macht der Bilder*, Köln 2004, S. 30.

8 Reinhard Brandt: *Bilderfahrung – Von der Wahrnehmung zum Bild*, in: Christa Maar, Hubert Burda (s. Anm. 7), S. 48

9 Reinhard Brandt (s. Anm. 8), S. 48; Klaus Sachs-Hombach (s. Anm. 5), S. 13

Eigentümlich unterbelichtet ist in der Debatte um die Bildwissenschaft jedoch die Frage, ob ihre Thesen zum Bild Folgen für die Wahrnehmung von Kunst haben. Oder: wenn neu über das künstlerische Bild gesprochen wird, wie diese Rede von jener über nichtkünstlerische Bildwelten beeindruckt ist.[4] Dies soll im Folgenden anhand der zwei Großthemen in der Diskussion über die Bildwissenschaft nachgeholt werden. Erstens anhand der Diskussionen darüber, was denn nun genau ein Bild sei und zweitens anhand der Debatte darüber, wie Bild und Sprache miteinander verbunden sind. Als konkretes Beispiel für die Erörterung dient Martha Roslers nebenstehend abgebildete jüngste Erweiterung ihrer Serie *Bringing the War Home*, aus dem Jahre 2005 (die 1967 begonnen wurde), da in dieser Serie Bilder aus den Printmedien – gemeinhin also als nicht-künstlerische Bilder verstanden – für ein, der Intention nach, künstlerisches Produkt collagiert sind.

Thesen zur Bildlichkeit ... und ihre Ausgrenzungen?

Es gibt avancierte Bildtheorien, die sich bemühen, einen allgemeinen aber verbindlichen Begriff vom Bild so zu formulieren, dass dieses als eigenständige Erkenntnis- und Erlebnisform angeschaut und analysiert werden kann. Dass der geradezu intrinsische Grund für diese Theorie darin besteht, das Bild als verschieden von der Sprache zu setzen, wird später diskutiert werden. Unabdingbare Grundlage für diese Bildtheorie ist, dass das Bild eine materiale Bindung hat, eine dinghafte Evidenz ist; als Referenz wird für diese Präsenztheorie dient der Phänomenologe Edmund Husserl.[5] Auch wenn die an die Dinglichkeit gebundene Bildlichkeit nicht notwendig dreidimensionale Objekte ausgrenzt und selbst nicht solche Bilder, die durch technische oder elektronische Verfahren erzeugt werden – solange ein Trägermaterial und ein Bildschirm vorhanden sind –, so ist es dennoch nicht verwunderlich, wenn das gute alte Tafelbild, „ein Stück mit Farbe beschmierte Fläche"[6], der Gegenstand ist, an dem die materiale Gebundenheit des Bildes exemplarisch fest gemacht wird. Der Grund hierfür liegt in den weiteren Verfeinerungen dieser Bildtheorie, für die dasjenige ein Bild ist, was als Singularität[7] und als Einheit[8] zu existieren vermag, welche sich wiederum durch den Rahmen[9] markiert. Alle drei Begriffe aber unterlegen dasjenige Objekt, welches als Bild bezeichnet werden kann, jedoch schon von vornherein mit einem ganz bestimmten Sinn, der dieses Bild vorprägt: es wird im traditionell kunsthistorischen Sinne zu einem Werk. Streng genommen kündigt diese Bildtheorie ihre Kommunikationsbereitschaft mit den Naturwissenschaften an dieser Stelle auf. Dort, wo dies nicht geschieht, kommt es nicht selten genug zu einer, im Sinne der Singularität, Einheit und Rahmung, Verkunstung naturwissenschaftlicher, visueller Repräsentationen.[10] Aber der für notwendig erachtete Werkcharakter dessen, was als Bild bezeichnet werden soll, hat nicht die Abgrenzung zum naturwissenschaftlichen Bild im Blick, sondern die Abgrenzung zur Sprache.

Die Grenzziehung beginnt mit dem Angebot zur Übereinkunft darüber, dass Bilder etwas zeigen, was sie selbst nicht sind. An dieses Angebot ist anderes geknüpft, als die Aufgabe einer Bildmagie. Im Gegenteil! Mit der Formulierung, „dass Bilder etwas anschauen lassen, was sie selbst nicht sind"[11], wird eine Tür zu einem Sinn der Bilder geöffnet, der sich nicht nur anhand ihrer Bildlichkeit, über die Form oder das Sujet zeigen soll, sondern der gerade nicht „rational distanziert und gebannt" werden kann und nicht in den disziplinierenden Ordnungen der wissenschaftlichen Analysekategorien, seien es diejenigen der Philosophie, der Kunstgeschichte oder der Semiotik, „aufgeh(t)"[12]. Diese profane Bildmagie wird derzeit wohl am beharrlichsten von Gottfried Boehm in die Diskussion eingebracht, und er findet dafür Worte, die nicht nur deutlich antikonstruktivistisch sind, sondern gerade deshalb der phänomenologischen Präsenztheorie zuarbeiten. Löst man Boehms Begriff der *Seinsvalenz*, die dem Bild durch das Dargestellte gegeben wird, nach seinen Bedeutungsschichten hin auf, so ist damit nicht nur eine spezifische Wertigkeit der Einheit Bild gemeint, welche seinen syntagmatischen Eigenschaften nach mehrwertig sein kann, sondern auch ein Aufforderungscharakter, der von Boehm gerade nicht als prädikativ (also im Sinne einer Aussage) oder propositional (im Sinne einer Information nach der Logik: „Ich weiß, dass x") verstanden wird. Stattdessen wird eine Wirkungsmacht des Bildes aufgerufen, die in

10 Grundlage dieser Verkunstung ist eine Formanalyse zu derem Zweck naturwissenschaftliche visuelle Repräsentationen autonom gesetzt werden. Es ist der kunsthistorische Ansatz, über eine Formbeschreibung die Erkenntnisleistung, welche sich in den Bildern zeigt, nachzuzeichnen. Vgl. Horst Bredekamp: *Darwins Korallen. Frühe Evolutionsmodelle und die Tradition der Naturgeschichte*, Berlin 2005.
11 Reinhard Brandt: *Die Wirklichkeit der Bilder. Sehen und Erkennen – Vom Spiegel zum Kunstbild*, München-Wien 1999, S. 10
12 Martin Schulz (s. Anm. 4), S. 96
13 Martin Schulz (s. Anm. 4), S. 69f. verweist auf die mutmaßliche Nähe jener von Boehm ins Spiel gebrachten „ikonischen Differenz" – die zwischen dem materialen Bild und dem Sinn des Bildes unterscheidet – und der Heideggerschen Wendung der „ontologischen Differenz" – die das Sein vom Seienden scheidet.
14 Gottfried Boehm: *Zuwachs an Sein. Hermeneutische Reflexion und bildende Kunst*, in: Hans-Georg Gadamer (Hg.): *Die Moderne und die Grenzen der Vergegenständlichung*, München 1996, S. 106, Hervorhebung GB

ontologisch verstandenem Sinne, dem Bild ein Sein verleiht, das dem Dargestellten nicht faktisch anhaftet, sondern auf dieses erst zukommt.[13] Selbstredend ist dieser Sinn weder der Sprache noch dem Logos zugänglich, sondern ein Fall von sinnlicher Erfahrung – mit entscheidenden Setzungen, Urteilen und auch Behauptungen:

„Starke Bilder sind solche, die Stoffwechsel mit der Wirklichkeit betreiben. Sie bilden nicht ab, sie setzen aber auch nicht nur dagegen, sondern bringen eine dichte, nicht unterscheidbare Einheit zustande. Es ist diese Interferenz von Darstellung und Dargestelltem, die als kategoriale Umschreibung des Bildes in seiner unverkürzten Mächtigkeit besehen werden darf. In der Nichtunterscheidung partizipieren wir an beidem: einer ästhetischen Perfektion und einer inhaltlichen Evidenz. Stark sind solche Bilder, weil sie uns an der Wirklichkeit etwas sichtbar machen, das wir ohne sie nicht erführen. Das Bild verweist auf sich selbst (betont sich, anstelle sich aufzuheben), weist damit aber auch zugleich und in einem auf das Dargestellte. So vermag es eine gesteigerte Wahrheit sichtbar zu machen, die es über die bloße Vorhandenheit, welche Abbildung vermittelt, weit hinaushebt."[14]

Boehms Rede zielt nicht nur auf eine emotionale, selbstvergessene Wirkung von Bildern ab, sondern auf einen Erkenntniszugewinn, auf einen, wie der Titel seines Aufsatzes besagt *Zuwachs an Sein*. Dies meint zwar nicht die Verwechslung von Bildsujet und Wirklichkeit, wie es Heiligenbildern so oft unterstellt wird, sondern geht explizit davon aus, dass das Bild als Bild erkannt wird. Das heißt, die quasi magische Wirkung, die Bilder haben können und die zu ihrer Zerstörung führen (Michelangelos *Pieta* oder Barnett Newmans *Who's affraid of red, yellow and blue*) ist, soweit erkennbar, nicht angesprochen. Dennoch gibt es Vorraussetzungen und Urteile, die deutlich machen, vor welchem Differenzdenken diese Mächtigkeit (die aufgeklärte, profane Bildmagie) nur bestehen kann.

Das wichtigste Argument ist die Umdeutung der Ikonografie in Hinblick auf die Produktionsästhetik. Von einer kunsthistorischen Methode, die vielschichtigen Quellen narrativer (profaner und sakraler) Bildsujets im Dienste eines historischen Bildverstehens für seine Interpretation zu versammeln, wird eine scheinbar einfache Abhängigkeit des Bildes von einer behaupteten vorgängigen Schrift. Dadurch wird das Bild zum Abbild, zur Illustration, zur Dienstleistung und zum Platzhalter für einen sprachlichen oder Schriftsinn, der außerhalb des Bildes formuliert wird und für den das Bild nur Substitut ist.[15] Es wird nicht bestritten, dass Bilder diese Funktion haben können, entschieden aber gilt: „Erst das *gesehene* Bild ist in Wahrheit ganz Bild geworden."[16] Mit dem „gesehen" ist wohl der heikelste Punkt in dieser Argumentation benannt. Wie verbalisiert man eine Sinnesleistung als mentale Leistung unabhängig von Sprache? Mit dieser Frage ist nicht gemeint, dass Wissenschaft in Sprache stattfindet, sondern die Frage danach, wie etwas als ein Etwas gesehen werden kann, als „Bedeutung stiftender Grundakt"[17], ohne dieses „Etwas" als sprachlich Verfasstes, Benennbares, Bezeichenbares zu verstehen? Es geht dieser Bildtheorie nämlich nicht um das Goutieren des bloß Erscheinenden, sondern um Sinn und Bedeutung von Bildlichkeit. Und so kann Sinn und Bedeutung nur in der Beschreibung der formalen Logik des Bildaufbaus liegen, in der Beschreibung der Verhältnisse von figurativen Formen und Grund, von Licht, Linie und Farbe – angereichert durch eine Psychoanalyse des Sehens und des Blicks.[18] Sprache wird in diesem Zusammenhang als Akt der Zurichtung und Disziplinierung, der Einschränkung und der Gängelung des Aktes der Betrachtung verstanden. Vorraussetzung für diese Auffassung ist, Sprache auf ihre prädikative Logik oder Funktion zu reduzieren.

Dass es in Bezug auf das Verhältnis zwischen Wahrnehmung und Sprache auch diametral entgegengesetzte Auffassungen gibt, ist denkbar klar:

> „Jedes Lebewesen, das wahrnehmen kann, besitzt die Fähigkeit einer Wahrnehmung-von etwas. Aber nur begrifflich erkennende Wesen

---

15 Prononciert wird diese These – in Anlehnung an W. J. T. Mitchell – von Gottfried Boehm (s. Anm. 7), S. 35f. vorgetragen. Wie wenig die Simplifizierung, Ikonografie bedeute den bloßen Nachweis eines dem Bild vorgängigen Textes, dieser kunsthistorischen Methode gerecht wird, zeigt exemplarisch der Aufsatz von Kathrin Hoffmann-Curtius: *Orientalisierung von Gewalt: Delacroix' „Tod des Sardanapal"*. „Von sechs verschiedenen Gesichtspunkten aus will ich Delacroix' Komposition in einen Kontext verflechten, der das Gemälde als eine Antwort auf die Todesbilder der großen Männer aus der Französischen Revolution zu erkennen gibt." In: Annegret Friedrich, Birgit Haehnel, Viktoria Schmidt-Linsenhoff, Christina Threuter (Hg.): *Projektionen. Rassismus und Sexismus in der Visuellen Kultur*, Marburg 1997, S. 61-78.

16 Gottfried Boehm (s. Anm. 7), S. 41, Hervorhebung GB

17 Gottfried Boehm (s. Anm. 7), S. 32

18 Die Bildtheorie, welche die Spezifität des Ikonischen gegenüber der Sprache betont, verfällt nicht einfach in die Formanalyse der Wiener Schule zurück. Gottfried Boehms Buch *„Was ist ein Bild"* (s. Anm. 5) enthält die beiden zentralen Texte Jaques Lacans zum Bild, „Linie und Licht" und „Was ist ein Bild/Tableau"; beide aus dem Jahr 1964.

19 Martin Seel: *Ästhetik des Erscheinens*, München-Wien 2000, S. 51f.

verfügen über eine Wahrnehmung-daß, wie sie allein zusammen mit der Fähigkeit einer Wahrnehmung-als gegeben ist. (...)
Eine Vorraussetzung der ästhetischen Wahrnehmung ist die Fähigkeit, etwas begrifflich Bestimmtes wahrzunehmen. Denn nur wer etwas Bestimmtes vernehmen kann, kann von dieser Bestimmtheit, oder genauer: kann von der Fixierung auf dieses Bestimmen auch absehen. Die Wahrnehmung von etwas als etwas ist eine Bedingung dafür, etwas in der unübersehbaren Fülle seiner Aspekte, etwas in seiner unreduzierten Gegenwärtigkeit wahrnehmen zu können. Etwas, das so und so ist oder so und so erscheint, etwas, das als dieses oder jenes bestimmt werden kann, wird wahrgenommen ohne auf eine seiner möglichen Bestimmungen festgelegt zu werden."[19]

Für Martin Seel folgt daraus, dass die Aufmerksamkeit gegenüber der phänomenalen Präsenz eines Objekts nur entstehen kann, wenn zugleich die Fähigkeit zur begrifflich bestimmbaren Wahrnehmung gegeben ist. D.h. in dieser Argumentation haust keine Ontologie, sondern sie basiert auf einer Kulturtechnik der Absehung und Zuwendung.

Probe am Exemplum

In den aktuellen Fotocollagen von Martha Rosler, mit denen sie die Serie *Bringing the war home*, die zwischen 1967 und 1972 entstand, erweitert hat, werden Bilder vom Irak-Krieg und der Folterungen im irakischen Gefängnis Abu Ghraib verwendet. Die Bilder sind den Medien entnommen, die ihre Position als vierte Macht im Staate zur Aufklärung dieser Verbrechen genutzt haben. Das heißt, Rosler enthüllt oder entlarvt Krieg und Folter nicht; das ist, was den Stand der Informiertheit anbelangt, mit dem publizierten Stand des Wissens vergleichbar. Doch legen die Collagen aus Bildzitaten der Kriegsfotografie, der Kriegsverbrechen, der bürgerlichen Interieurs und der Bilder des Weiblichen und des Männlichen nahe, dass nicht Krieg und Folter im Irak an sich das Thema sind, sondern dass diese mit einer anderen „Wirklichkeit" kontextualisiert werden. Wirklichkeit ist also nicht gegeben, sondern mindestens mehrfach und unterschiedlich erfahrbar. Dieses hervorzuheben tut Not, denn wenn Bilder einen „Stoffwechsel mit der Wirklichkeit betreiben", dann mag es faszinierend sein, sich Adrenalinausschüttungen und Energieverbrennungen angesichts von Bildbetrachtungen vorzustellen, viel wichtiger ist indes, sich Gedanken darüber zu machen, von welcher Wirklichkeit für wen die Rede ist.

Hinsichtlich einer künstlerischen Tradition steht die Arbeit von Martha Rosler im Kontext des *Agit-Prop*, steht sie für eine intentionale, politisch motivierte, für eine informativ-aufklärende Kunst. Ist sie deshalb Abbildung, Illustration oder Dienstleistung?

Selbstverständlich gibt Kunst immer Auskunft über etwas, enthält sie eine Mitteilung. Der Zweck von Kunst ist aber nicht, diese Mitteilungen zu kommunizieren. Hierin unterscheidet sich Kunst grundsätzlich von anderen Bildern. Wenn man mit Nelson Goodmans These einverstanden ist, dass Bilder ihrem Gegenstand nach immer Zeichen der Repräsentation und der Exemplifikation sind, d.h. bei der visuellen Herstellung von Information immer ein Auswahlprozess stattfindet, der von Kontext, Konvention und Verwendungszweck abhängt und zudem Visualisierungen Information herstellen[20], so gilt dies im besonderen Maße für künstlerische visuelle Produkte. Die Frage also, ob ein Bild Abbild oder Illustration ist, lässt sich nicht mit schwachen oder starken Bildern beantworten, sondern mit der Problematisierung des Abbild- oder Illustrationsbegriffs. Denn in letzter Konsequenz hängt an beiden Begriffen die Mutmaßung darüber, ob die im Bild abgebildete oder durch das Bild illustrierte Wirklichkeit richtig oder falsch verstanden wurde, ob das Bild wahr oder unwahr ist.

Richtig- oder Falschverstehen sind Bildkompetenzen, die in manchen Bereichen unerlässlich sind. So hilft es dem Bildverstehen, dass im Piktogramm für die Ankunftshalle von Flugzeugen, das sinkende Flugzeug mit ausgefahrenem Fahrwerk gezeigt wird, um ein landendes, nicht ein abstürzenden Flugzeug zu zeigen. In bezug auf Kunst die Fragen des Richtig- oder Falschverstehens zu stellen, ist äußert müßig, solange der Gegenstand nicht einer ganz allgemeinen, tradierten Ikonografie zugehört, die mit ihren historischen Variablen erlernt werden kann. Doch was nicht Anspruch der Kunst ist oder sein will, wird für die elektronischen Bilder in den Massenmedien als Problem diskutiert: die Möglichkeit ihrer manipulativen Fälschung und damit Verbreitung von Unwahrheiten. In Martha Roslers Arbeit treffen also zwei ungesicherte Aussagen aufeinander. Einerseits die individuelle Deutung von Wirklichkeit und Wahrheit über politische Zusammenhänge und andererseits die behauptete Wahrheit darüber, dass die

20 Nelson Goodman: *Sprachen der Kunst. Entwurf einer Symboltheorie*, Frankfurt am Main 1997 (Original: *Languages of Art. An Approach to a Theory of Symbols*, Indianapolis 1976)

21 Jens Kastner: *Was sind Bildpolitiken? Eine kurze Einführung*, in: *Bildpunkte.* Zeitschrift der IG Bildende Kunst, Herbst 2005, S. 8

22 Frank Lesske: *Politikwissenschaft, in: Klaus Sachs-Hombach* (s. Anm. 5), S. 241

Bilder von den Folterungen in Abu Ghraib keine Fälschungen sind, sondern wahrhaftig die Verbrechen zeigen.

Wenn es um Bild und Politik geht – um jene Bildwelten also, die zum
genuinen Gegenstand der Disziplinen Soziologie und Politologie, aber
natürlich auch der Kulturwissenschaft gehören – dann herrscht wie automatisch zuallererst einmal eine ikonoklastische Haltung ihnen gegenüber
vor: „Eine gängige Frage ist die nach der Politik hinter den Bildern. Denn
es gibt sie zweifelsohne, diese verborgene, ideologische Seite des Bildes, die
es nach wie vor zu enttarnen und bloßzulegen gilt, um sich nicht mit
Oberflächlichem abzugeben und nicht der Politik auf den Leim zu gehen.
Allein die Tatsache, dass Bilder immer ‚gemacht' sind, macht sie anfällig
für Manipulation: Sie selbst werden und mit ihnen wird manipuliert."[21]
Für den Politikwissenschaftler Frank Lesske sind Bilder nur mangelhaft bis
gar nicht geeignet, Politik „darzustellen", sie können allenfalls – und dies
ist nicht werteneutral gemeint – zur „affektiven" Beeinflussung von Entscheidungen beitragen. Gerade deshalb bedrohen Bilder, weil sie zu einer
„Ent-Rationalisierung und Emotionalisierung der politischen Debatten
und damit der politischen Entscheidung" der Informationsvermittlung
führen.[22] Größer kann beinahe eine Unvereinbarkeit von Bildtheorien
nicht sein: hier ein Zuwachs an Sein, dort eine Verhinderung an freier
Willensbildung. Oder ist der Vergleich unzulässig, da die eine Theorie
über das Bild in der Kunst formuliert ist, während die andere die (elektronischen) Bilder der Massenmedien im Visier hat? In der Arbeit von Martha
Rosler sind nur Bilder aus Massenmedien collagiert. Wie verhält es sich
nun in dieser mit der Wirklichkeit und Manipulation, mit ikonischer
Mächtigkeit (Emotionalität) und (konzeptueller) Rationalität?

Die Frage ob ein Bild wirklich oder manipuliert ist, setzte ein Ereignis voraus, auf das sich das Bild bezieht. Dieses Ereignis einer glaubwürdigen
Dokumentation, anhand derer sich die Bilder messen lassen müssen oder
können. Im Falle der Folterungen im Gefängnis Abu Ghraib sind es die
von Karen J. Greenberg und Joshua L. Dratel in *The Torture Papers. The
Road to Abu Ghraib* 2005 veröffentlichten Dokumente.

Folgt man den Beschreibungen der insgesamt 44 Vorfälle zwischen dem
20. September und 13. November im so betitelten *Fay-Jones-Report* vom
August 2004, von denen 24 als *physical and sexual abuses of detainees* ein-
geordnet sind und auch der Akt des Fotografierens als Misshandlung ge-
wertet wird, so wurden insgesamt 227 Fotografien sichergestellt. Allein 6
wurden vom Häftling Nr. 15 angefertigt, der am 4. November 2003, mindestens zwischen 21.45 h und 23.15 h, angeschlossen an Elektrokabel und

mit einer Kapuze auf dem Kopf, auf einer Holzkiste stehen musste. 29 Fotos zeigen, dass Häftlinge im Beisein von Armeeangehörigen zur Masturbation gezwungen wurden, weitere 29 Fotos sind im Zusammenhang mit dem ungeklärten Tod eines Häftlings entstanden, 36 Fotos zeigen Angriffe von Hunden auf nackte Häftlinge, und auf 11 Fotografien sind zwei weibliche Häftlinge mit entblößten Brüsten zu sehen. Zu ihnen heißt es – obgleich als Missbrauch aufgenommen – dass nicht sicher sei, ob diese Handlung einvernehmlich erfolgte oder erzwungen wurde.[23] Geht man zudem davon aus, das der Trakt in dem die Verbrechen stattgefunden haben, nach Aussagen von Häftlingen videoüberwacht war, so kann man von der Existenz von wesentlich mehr Bildmaterial ausgehen, nach Zeugenaussagen auch von Bildern von Vergewaltigungen mindestens eines jungen Mannes und einer Frau durch männliche Armeeangehörige.[24]

Unter den eidesstattlichen Erklärungen, die in *The Torture Papers* abgedruckt sind, befindet sich – von den früh schon namentlich bekannt gewordenen Tätern und Täterinnen – nur diejenige von Spezialist Sabrina Harman, nicht aber diejenigen der Gefreiten Lynndie England, von Spezialist Charles Graner oder des Unteroffiziers Ivan Frederick. Frau Harman sagte aus, das sie selbst die Fotografien auf einer CD gesammelt und zu Hause aufbewahrt hat und mit einer Mitarbeiterin von CNN über die Fotos gesprochen hätte. Sie gibt zu Protokoll, dass ihres Wissens nach nicht nur innerhalb ihrer Einheit Fotos getauscht wurden, sondern auch unter den Mitgliedern der Military Intelligence.[25] Andere Zeugen sagen aus, dass Folterfotos als Bildschirmschoner benutzt wurden, wieder andere, dass für *senitmental values* Fotos von der Örtlichkeit, also dem Gefängnis, gemacht worden seien.[26]

23 August 2004 (The Fay-Jones-Report): Investigation of Intelligence Activities at Abu Ghraib / Investigation of the Abu Ghraib Prison and 205th Military Intelligence Brigarde, LTG Anthony R. Jones / Investigation of the Abu Ghraib Detention Facility and 205th Military Intelligence Brigarde, MG Georges R. Fay.In: Karen J. Greenberg, Joshua L. Dratel (Ed.): *The Torture Papers. The Road to Abu Ghraib*, Cambridge University Press 2005, S. 987–1131.
24 Translation of Statement Provided by K. H. Detainee # 151108. 1300/18 JAN 04, in: Karen J. Greenberg, Joshua L. Dratel (s. Anm. 23), S. 504 (Name gelöscht); Sworn Statement, Matthew Scott Bolinger, 17 JAN 04, in: ebenda, S. 514
25 Sworn Statement, Sabrina D. Harman, 16 JAN 04, in: ebenda, S. 527
26 Sworn Statement, Samuel Jefferson Provance, 21 JAN 04, in: ebenda, S. 482
27 March 2004 (The Tabuga Report): Article 15-6 Investigation of the 800th Military Police Brigade, in: ebenda, S. 415; 416
28 Vgl. Manfred Deistler: *Wirtschaftswissenschaften zwischen Empirismus und Dogmatismus*, in: Emil Brix, Gottfried Mangerl (Hg.): *Weltbilder in der Wissenschaft. Wissenschaft. Bildung. Politik* Band 8 (herausgegeben von der Österreichischen Forschungsgemeinschaft), Wien-Köln-Weimar 2005, S. 103ff.

So gibt es in den im Buch publizierten Protokollen der Vernehmungen, die alle aus dem Januar 2004 stammen, immer wieder die Frage nach den Fotos. Ihr Stellenwert ändert sich in den Untersuchungsberichten. Im ersten Bericht von Antonio Taguba vom März 2004 wird erwähnt, dass der *US-Army Criminal Investigation Command* „also uncovered numerous photos and videos portraying in graphic detail detainees abused by Military Police personnel on numerous occasions from October to December 2003". Und Taguba kommt zu dem Schluß: „Due to the extremly sensitive nature of these photographs and videos, the ongoing CID investigation, and the potential for the criminal prosecution of several suspects, the photographic evidence is not included in the body of my investigation."[27] Er erwähnt noch, bei welchen innermilitärischen Ermittlungsbehörden die Bilder erhältlich sind. Im schon erwähnten *Fay-Jones Report* vom August 2004 sind hingegen die Summe der Fotos sämtlicher Vorfälle, gegliedert nach ihren Kennzeichnungen als Beweisstück, aufgeführt und haben – so ließe sich schlussfolgern –, ihren Status als prekäre Geheimdokumente hin zum zugänglichen Beweismittel modifiziert und stehen auf gleicher Ebene wie die jeweiligen Zeugenaussagen.

Die umfangreiche Dokumentation von Greenberg und Dratel dient nicht dazu, die Glaubwürdigkeit der Fotografien und Videofilme unter Beweis zu stellen. Gerade weil den Bildern Glauben geschenkt wurde, das Verbrechen in ihnen gesehen wurde, waren die Untersuchungen notwendig geworden und das zeigt, wie prekär jener Automatismus der Soziologie und der Politikwissenschaft ist, der zunächst von Bedrohung der Manipulation und Fälschung von Bildern zum Zwecke ideologisch motivierter Verbreitung von Fehlinformationen oder Beeinflussungen ausgeht. Die Bilder der Folterungen in Abu Ghraib verhinderten keine Aufklärung, ihr Bekanntwerden förderte eine Aufklärung.

Gesagt ist damit nicht, dass die Funktion als Beweismittel die einzige Bedeutungsschicht der Fotos ist. Skeptikerinnen und Skeptiker gegenüber der kunsthistorischen Methode der Ikonografie und Ikonologie, die dem Bild als bloßes Abbild einer Schrift misstrauen, mögen auf eine aufgeklärte Wirtschaftswissenschaft horchen. Würde man das Bild als ein mit Daten vergleichbares empirisches Faktum sehen, so weiß diese Wirtschaftswissenschaft, dass es zu diesem Faktum unterschiedliche Geschichten für seine Erklärung gibt und dass aus diesen Geschichten unterschiedliche Konsequenzen für Handlungen resultieren.[28] In diesem Sinne wäre eine Handlung Kunstproduktion. Es fällt und ist auch nicht notwendig, Kunstproduktion ohne die Beteiligung von Emotionen zu denken; dies gilt für die Produktionsseite ebenso wie für die Rezeption. Martha Roslers Arbeit zeigt, dass damit das Gegenteil von Aufklärung verbunden werden kann. Ihre Collagen können über eine andere Bedeutungsschicht der Bilder von den Folterungen Auskunft geben.

Sabine Mannitz[29] hat darauf hingewiesen, dass die Zeugenaussagen der Angeklagten zwischen nicht vorhandenem Unrechtsbewusstsein und Selbstentmündigung siedeln, für Isabell Lorey[30] sind die lachenden Gesichter der Folterer ein entäußerter Hinweis hierfür. In der Tat wurde ja der erste Prozess gegen Lynndie England ausgesetzt, weil der Richter ihr Schuldeingeständnis deshalb zurückwies, da er nicht glaubte, dass sie zur Tatzeit gewusst habe, dass sie an illegalen Handlungen beteiligt war; das strafmildernde Schuldeingeständnis ist aber an ein Unrechtsbewusstsein und ein damit verbundenes Verantwortungsgefühl gebunden. Die gleichgültige Reaktion weiter Teile der US-amerikanischen Öffentlichkeit auf die Veröffentlichung der Fotos aus Abu Ghraib, die unter anderem von Susan Sontag beschrieben wurde[31], begleitete diesen Mangel an Unrechtsbewusstsein.

Diese Bedeutungsschicht kann für eine Analyse der Collagen von Martha Rosler produktiv gemacht werden, da Ausrisse aus den Bildern aus Abu Ghraib mit Werbebildern collagiert sind und wenn man diese Bilder als Repräsentationen von Öffentlichkeit oder gar Gesellschaft versteht.

Wenn Martha Rosler über sich selber sagt, sie sei eine Antikriegskünstlerin, so meinte das für ihre Arbeiten, dass für sie unterschiedslos der weibliche Körper, imperiale Übergriffe auf Territorien und Ressourcen, die Kapitalmärkte, der unmittelbare Lebens- und Wohnraum, die Konsum- und Warenwelt, aber auch die Kämpfe um theoretische Deutungshoheiten Kriegsschauplätze bleiben.[32] In der aktuellen Serie sind diese Orte des Krieges auch weiterhin mit dem militärischen Kriegsschauplatz Irak collagiert. Die Tat der Täter kommt ins Haus, die Verursacher von Verbrechen werden ihrem kulturellen Kontext zugeordnet. *Domestic violence* steht demzufolge

29 Sabine Mannitz: *Kollateralschaden. Menschenwürde? Wider die Bagatellisierung von Menschenrechtsverletzungen durch demokratische Sicherheitskräfte*, in: *HSFK Standpunkte.* Beiträge zum demokratischen Frieden, Nr. 5/2005, S. 11
30 Isabell Lorey: *Ekel – Die Wiederkehr des Verdrängten. Zu den ersten Reaktionen auf die Folterbilder aus Abu Ghraib*, in: *Genderzine* WS 2004/2005: *OFF-Scene*, http://www.gender.udk-berlin.de, S. 2
31 Vgl. Sabine Mannitz (s. Anm. 29), S. 9
32 Vgl. Inke Schube: *a different kind of war reporting / Eine andere Art Kriegsberichterstattung*, in: Dies. (Hg.): Martha Rosler. *Passionate signals*, Sprengel Museum Hannover, Osterfildern-Ruit 2005, S. 273
33 Vgl. Giorgio Agamben: *Ausnahmezustand*, Frankfurt am Main 2004 (Original: *Stato di eccezione*, Turin 2003)

nicht nur für die häusliche Gewalt sondern auch für all jene Orte des Inneren, in denen Herrschaftsverhältnisse gewalttätig ausgetragen werden – nicht zuletzt im Inneren eines Gefängnis.

Die formale Trennung aber zwischen den Ausrissen der Folterbilder aus den Print-Medien und den Hochglanzfotos lässt ein simples Verursacherprinzip nicht zu. Vielmehr scheint es so, als sei gerade die Gleichgültigkeit, die Abwesenheit von politischer Aufmerksamkeit zum Thema geworden, als seien die in den vorangegangen Arbeiten thematisierten Kriege so gründlich gewonnen, dass jede Aufklärung an dem Festhalten glanzvoller Oberflächen abgleitet, unbeachtet ins Abseits gelegt ist, durch Lachen verdrängt wird. Und hier treffen sich dann das Grinsen der Täter und das Lachen der Gleichgültigen – beiden fehlt ein Unrechtsbewusstsein, beiden fehlt die Aufmerksamkeit für die Verletzung der Norm, für das Brechen des Gesetzes.

Martha Rossler braucht nicht mehr über die Verbrechen in Abu Ghraib zu informieren, aber sie teilt etwas mit, was das Sehnsuchtsszenario, welches rund um die Fotos errichtet wurde, zerstört. Die Rede von den „faulen Äpfeln", von der Ausnahme, des Außer-Ordentlichen wird bildlich zurückgewiesen durch die neue Kontextualisierung. Martha Rossler zeigt – ob nun gewollt oder ungewollt – was im akademischen Diskurs derzeit wieder Konjunktur hat, der analytische Nachweis des permanenten Ausnahmezustands, in dem wir vermeintlich leben.[33] Für diese Mitteilung collagiert sie nicht einfach nur Bilder, sondern sie greift auf eine von ihr entwickelte Ikonografie zurück, bei der die nachgelassenen kulturellen Produkte einer Gesellschaft symptomatisch für diese gebraucht werden. In den Collagen wird System – Gesellschaftssystem – formal als Zusammenstand veranschaulicht.

Eine Bildtheorie, die nicht mehr sein will, als „die Kunst" und ihre Bildmächtigkeit zu begründen, ist für solche Arbeiten, wie Martha Rosler sie vorlegt, nicht zu gebrauchen. Kunst im Rahmen des *Projekts Bildwissenschaft* zu analysieren, heißt im Falle der Collagen von Martha Rosler, Bildtheorien anderer Disziplinen kritisch zu begutachten, um all jene Urteile, Grenzziehungen und Bewertungen miteinbeziehen zu können, von denen die Analyse künstlerischer Produkte ebenso betroffen ist, wie die nicht-künstlerischer Bilder. Wenn vom Bild die Rede ist, so schlieren die Grenzen zwischen den Disziplinen nicht, sondern erweisen sich als äußerst manifest. Ein Projekt Bildwissenschaft, so es denn interdisziplinär angelegt ist, ist herausgefordert, die Grenzwälle und ihre Funktion für die Bildanalyse produktiv zu machen, um genauer die jeweiligen Leistungen der Einzeldisziplinen würdigen zu können.

„… was können Projekt und Projektarbeit schon meinen,
wenn nicht höhere Komplexitätsgrade der Problemstellung …"

„Was ist nun aber ein Projekt?
Eine seiner Bestimmungsmöglichkeiten für Wissenschaft und
Kunst lässt sich ausdrücken als eine hoch komplexe
Problemstellung, die viele anzugehen hätten – weil diese selbst
sich in dieser Problematik befinden und aus ihr beunruhigt
werden, auch wenn sie es nicht wissen."

„Interdisziplinäre Arbeit im Projekt setzt fachgeschulte,
fachsouveräne Mitarbeiter voraus, sonst hätten sie nichts
überlegt fachlich Fragmentarisches beizutragen."

„Das Fachwissen wird spätestens
beim Wechsel in ein anderes Feld überschritten."

„… die Fachidiotie antwortet darauf
mit dem zum Schimpfwort gewordenen Dilettantismus."

„Man kommt um eine gewisse vage Bildung des Überblicks
über andere Wissenschaften und Künste nicht herum,
auch wenn dies fragmentarisch sein darf, so sehr größte Breite
wünschenswert wäre und sie die Effizienz erhöhte."

„… nicht einen Teil seiner künstlerischen wie
wissenschaftlichen Arbeit interdisziplinären Projekten
zu widmen, hieße schlichtweg Borniertheit."

„Spezifisch ist das Scheitern von Projekten deshalb,
weil mit ihm ein Projekt nicht aus der Welt ist."

Burghart Schmidt

Burghart Schmidt

Im Gemenge mit dem Fächerstolz vor Bildungsthronen

Über Transfer von Kunst und Wissen, weit gegen eng, Teamwork, interdisziplinäre Forschung, Projektarbeit, Praxisbezug, Praxisentzug und die Probleme des Dilettantismus nicht zuletzt

TRANSFER ZUR WIRTSCHAFT HIN? An der Universität für angewandte Kunst Wien zum Beispiel widmet sich diesem Thema und zugehörigen – keineswegs nur auf Wirtschaft hin orientierten – Projekten eine nun als *Zentrum für Kunst- und Wissenstransfer* etablierte, vor zwanzig Jahren gegründete Lehrkanzel, die sozusagen der ideelle Versammlungsort für diese Publikation ist. Kunst- und Wissenstransfer – in deutscher Übersetzung Kunst- und Wissensübertragung: welch' großes Wort? Denn man denkt vom Wortlaut her doch sofort an das Interkulturelle, an den Übertrag von Kunst und Wissen zwischen verschiedenen Kulturen. Damit wäre das eine uralte Angelegenheit der Menschheit bis in die Vorgeschichte zurück und eine breite, äußerst vielfältige, vielartige, schwierig konstruierte und daher schwierig konstruierbare, weit gedehnte in Zeit und Raum, in Raumzeit der Geschichte. Aber seit der halb-anglophone Ausdruck als solcher eingeführt wurde und sich in aller Munde einrichtete, so dass man ihn von überall her zu hören bekommt, wurde der damit meinbare Sachverhalt aufs Äußerste verengt, herabgesetzt und also erniedrigt, wenn auch vielleicht aufs leichteste handhabbar gemacht, was ja Positivisten immer gefällt, ob es sich um positivistische Wissenschaftler handelt oder positivistische Wirtschaftler.

Und so meint man jetzt unter dem pluralen Terminus das Übertragen von wissenschaftlichen Einsichten wie künstlerischen Erfindungen aus den Institutionen der Forschung und Ausbildung in nutzbare Forschung und aus den Institutionen künstlerischer Entwicklungen samt Ausbildung dazu in die Wirtschaft, das heißt, in ihre Verwertungsinteressen hinein, und das auf kürzesten Wegen. Wobei sich „die Wirtschaft" bei solchem hochtrabend die Praxis der Wissenschaften und Künste nennt. Denn sie schämt sich schon gar nicht mehr, nun nach Ende des Kalten Krieges, ihre militaristische Sprache eingeschlossen, als Neuer Ökonomismus partial vulgärmarxistisch zu klingen. Umgekehrt bedeutet das aber wegen der betont angezeigten kürzesten Wege auch, dass Wissenschaften und Künste nach Maßgaben der wirtschaftlichen Verwertbarkeiten auszurichten sind, damit keine Verzögerungen, Leerläufe und Überflüssigkeiten stattfinden. Wiederum vulgärmarxistisch wird Praxisorientierung von Denken, Wissenserzeugung und künstlerischer Phantasie beschworen, den Schlagwörtern nach. (Vgl. zum heutigen Neo-Ökonomismus in seinem Verhältnis zur Kultur, was ja Kunst und Wissenschaften, Kunst- und Wissenschaftstransfer miteinschließt, hier im Buch den Beitrag von Robert Misik. Da er auf den Ego-Ego-Individualismus aus Neo-Existenzialismus konzentriert ist, blendet er allerdings die Transferproblematik aus. Doch spricht er von in der Tat bestehenden Bedingungen, die im heutigen Lebensfeld wenigstens Euro-Amerikas jedem Kulturtransfer entgegenwirken könnten, mit denen man bei der kulturellen Transferdiskussion auf allen Ebenen zu rechnen hat – auch in der von ihnen in Frage gestellten Projektarbeit – und in deren Absurditäten man Transfer und Projekt einhängen muss. Denn es bleibt bei der Notwendigkeit von Transfers, bei Strafe von Kulturabsturz. Aber auch diese Strafe umspielt wieder nur eine Absurdität. Noch die größte Vereinzelung des „Einzigen und seines Eigentums" [Max Stirner] passiert nur durch Transfers.)

Höchstens geistert da noch in angezeigtem Ökonomismus das dunkle, nahezu mystisch-metaphysisch wirkende Wort von der Umwegrentabilität herum, unter deren Fahne man, vorläufig noch, wirtschaftsferne Forschung und Kunstunternehmen laufen und fördern lassen mag, für Langfristigkeiten ohne Gewähr und ohne Vorhersehbarkeiten. Dann muss aber mächtig Firmen-, Marken-, Waren-Werbung dabei sein und miteingetopft werden. Oder vorläufig Wirtschaftsfernes muss hier und jetzt wirtschaftliche Unternehmen so aktivieren wie beflügeln. Überregionale Eventkünste oder auch Wissenschaftskongresse mit vielen Teilnehmern und deren Umfeld vermögen das ja in etwa, wie bewährt. Denn selbst dann haben alle Branchen von Touristikunternehmen wirtschaftlichen Erfolg davon, auch wenn die eigentliche Arbeit solcher kulturellen Vorgänge nicht, noch nicht verwertbar scheint. Während sie, in ganz regionaler Gestalt immerhin, Einkaufsbereiche zu beleben und aufzuwerten vermögen oder sonst Stadtquartiere.

Die beiden Haupttaktiken im Durchsetzen von äußerster Wirtschaftsnähe des wissenschaftlichen und künstlerischen Arbeitens, soweit es sich um staat-

liche Institute handelt, sind Folgende: Zum ersten die Steuerung der
Geldströme. Immer stärker zieht sich die so genannte öffentliche Hand aus
der Finanzierung zurück, wenigstens den prozentualen Proportionen nach,
auch wenn manchmal reale Geldbeträge anzuwachsen scheinen. Ersetzt
werden sollen die ausfallenden Mittel durch so genannte Drittmittel, also
von der Wirtschaft aufgebrachte Mittel zur Förderung von Forschung und
Kunst. Aber die Wirtschaft will selbstverständlich etwas in ihrem Sinne für
die Aufwendungen zu sehen bekommen und muss das auch sogar steuer-
gesetzlich. Also folgt aus der laufenden Veränderung der Mittelbasis notwendig und unvermeidlich ein Ausrichten der Wissenschaften nach den
Interessen der Wirtschaft. Das zweite Manöver besteht im Heranziehen
von Experten für den eben skizzierten engen und pragmatischen Defini-
tionsbegriff von Kunst- und Wissenstransfer an die Hochschulen und Universitäten. Sie sollen einerseits Zugang zu Drittmitteln erschließen und
Arbeitsergebnisse der Hochschulen und Universitäten in die Wirtschaft
lancieren, das heißt, sie schlicht und einfach so teuer wie möglich verkaufen.
Andererseits kommen sie aus diesen Aktionskontakten mit den Ausrich-
tungsvorstellungen der Wirtschaft an ihre Hochschulen und Universitäten
zurück, in diesem Fall als mittelbare Sprecher der Wirtschaft, um von
vornherein zu klären, für welche Art von Forschung und Gestaltung am
ehesten Gelder aus der Wirtschaft zu erwarten sind, sei es auf Wegen der
Drittmittel, also Vorfinanzierungen, sei es auf Wegen des späteren Verkaufs
an Wirtschaftsinteressen, also nachträgliche Finanzierung. In solchen
Prozessen verbergen sich große Gefahren für die Wissenschaften und die
Künste.

Denn gegen ein vernünftiges Optimieren wirtschaftlicher Verwertungen
dessen, was in den Wissenschaften und Künsten hervorgebracht wird, wäre
ja nichts Argumentierbares, Diskutierbares einzuwenden. Auch nicht gegen
eventkulturelle Repräsentation wissenschaftlicher und künstlerischer Arbeit,
von der die Touristik, der Handel oder der Symbolwert von Stadtquartie-
ren oder Landschaften, nicht zuletzt in Hinsicht wieder auf Touristik oder
Handel, etwas haben. Aber Eventkulturelles, das entfaltet, weil eben für die
Vielen, nur anreißerische Oberflächen des unmittelbar Anschaulichen,
nicht die wissenschaftlichen oder künstlerischen Angelegenheiten selber.
Wenn dennoch nichts dagegen zu sagen ist, dann im Sinn der Anzeige, der
Animation, des Interessantmachens für die Vielen, auch wenn dann diese
durch die Eingespanntheit in ihre jeweilige Arbeitswelt oder den Wechsel
darin gar keine Lebenszeit aufbringen können, um den Anregungen der
Oberflächen in die Gründlichkeiten zu folgen. An Oberflächen entstehen

doch kulturelle Geltungseindrücke, eventuell später so nützlich werdende wie nutzbare oder im Wechsel der Arbeit plötzlich durch nachholendes Gründlichmachen nutzbare. Was wäre dagegen zu sagen, dass sehr viele durch solche Events etwa kulturelle Schlagworte und kulturelle Schlagbilder von Sachanliegen und kulturell produktiven Personen mnemotechnisch behalten, selbst wenn ihnen dieses nur bekannt wird, ohne dass sie irgendetwas davon erkannt hätten.

Aber wenn die Events der Anzeigen, Ankündigungen, ahnungsvollen Versprechen alle Finanzmittel aufzehren und für das gründliche Arbeiten an dem Angezeigten, Angekündigten, ahnungsvoll Versprochenen daher materielle Realisationsvoraussetzungen ausbleiben, dann entstünde eine Anzeigenkultur des bloßen Bekanntseins, also Kultur als verdauerter, vielmehr immer wieder aufgelegter Klatsch. Bliebe es bei dieser Anschlusslosigkeit des Anzeigens von Anzeigen der Anzeigen, von Plakatieren des Plakatierten aus Plakatiertem, von Versprechen des Versprechens des Versprechens (= bargeldlosem Verkehr) – solche Selbstreferentialität ist ja mit der überall zu hörenden Rede von Profilierung ein Trend des Heute – so riefe sich die Frage hervor: Wäre da nicht blankes und gründliches Vergessen das kulturell angemessenere Verhalten zur Kultur, also die Preisgabe von Kultur um ihretwillen statt ihrer Auswaschung zur Fadenscheinigkeit? Aber heute findet sich ja viel allgemeine Zustimmung zu großen Museumsbauten und Institutsgebäuden für Kunst und Wissenschaft, weil solche Bauvorhaben Arbeitsplätze schaffen, repräsentativ wirken. Dass dann nichts mehr an Ressourcen für den sinnvollen Betrieb vorhanden ist, nimmt man breitest hin.

Es dreht sich also um die große Steuerungsmacht des Ökonomischen im Ausrichten von Wissenschaften und Künsten. Sie geht selbstverständlich ebenso von Vorfinanzierungen wie von Wegen der Nachfinanzierung aus, weil wissenschaftliches und künstlerisches Arbeiten auf das konzentriert werden, was sich erwartbarer Weise am ehesten und im größten Verwertungsumfang verkaufen lässt. Und nun ist auf den Hochschulen, den Universitäten, den Akademien, den Forschungs- und Gestaltungsinstituten schon längst zu spüren, dass die von den skizzierten Geldregulierungen ausgehende Steuerung in Europa verabsolutiert werden soll, bei weitest möglichem Wegrationalisieren eben des Orchideenhaften etwa und bei Zusperren der Nischen dafür.

Wobei zum Orchideeischen gar Forschungs- und Kulturbereiche gezählt werden wie Sinologie, Arabistik, Islamforschung, Islamkunst und so weiter, Fächer der jetzt eintretenden Zukunft, Slawistik nicht zu vergessen, bei denen aber bisher keine Aussichten zu kurzfristigem Praxisbezug bestanden. Was soll man also derzeit praktisch mit ihnen, also weg damit! Es geht um Gegenwart! Zu derart roher Praxisgegenwart statt Zukunftsgeflüster und Nostalgie wird in den Debatten sogar Sozialethik eingesetzt, als ob es nahezu ein sittliches Vergehen wäre, für Minderheitsinteressen zu arbeiten, die allein noch Vergangenheitssinn und nachhaltiges Zukunftsengagement zu wahren scheinen. Verlangt wird, seine Arbeitskraft den Vielen zu widmen, ihren Interessen hier und jetzt, während Zukunft wie Vergangenheit sich fast nur noch als science-fictionale Unterhaltung regen, als Krimi oder beides zusätzlich als Computerspiel. Für Minderheitsinteressen zu arbeiten, das kommt verschwendeter Arbeit gleich, und die ist gleichzusetzen mit Faulheit und Arbeitsverweigerung. Europäisch läuft ja in der Tat alles auf jene Karikatur hinaus, nach der Albert Einsteins Forschungsarbeit als Freizeitallüre eingestuft wird, noch nicht einmal in ihren Unkosten von der Steuer absetzbar, weil ein Hobby, Liebhaberei; denn eine Jury aus Experten für Wissens- und Kunsttransfer sieht sich außerstande, in Einsteins Exposes zu Mittelanträgen irgendeine wirtschaftliche Verwertbarkeit zu erahnen.

ÖFFENTLICHKEIT Und noch eine andere, den Aufklärungsgeist in den europäischen Wissenschaften wie Künsten vernichten wollende Gefahr steckt nun insbesondere in der Drittmittelfinanzierung. Ich habe hierzu Vertragsformulare studiert. Und wie ich misstrauisch annahm, fand ich in den gängigen Mustern überall rechtsverbindlich festgehalten, dass mit Drittmittelfinanzierung verwirklichte Wissenschafts- wie Kunstergebnisse in Sachen Veröffentlichung zuerst einmal den Drittmittelgebern vorzulegen seien. Was diese gebrauchen könnten, sei exklusiv ihnen zu widmen, dürfe also nicht veröffentlicht werden oder nur auf von ihnen gebilligte Weisen. Nur was sie nicht gebrauchen könnten, dessen Veröffentlichungsrecht stellen die Drittmittelgeber an die Autoren zurück. Der europäische Öffentlichkeitscharakter von Wissenschaften und Künsten wird also aufgehoben. Und das, obwohl bei Wissenschafts- und Kunstproduktion an öffentlichen Institutionen die Drittmittel nur einen geringen Anteil an den materiellen Voraussetzungen für Forschung und Entwicklung ausmachen, allerdings den aneignenden und dabei öffentliche Anteile zum Nulltarif privatisierenden. Von der Privatarbeit universitärer Klinikchefs her unter Gebrauch der gesamten öffentlichen Einrichtung, selbst samt Mitarbeiterschaft, ist das geläufig. Dieses Privileg von Klinikchefs soll allerdings jetzt einschränkt oder kostenpflichtig werden, während unter der Decke solchen Fortschritts dessen Grundstruktur für Wissenschaft und Kunst verallgemeinert wird. Aber das sind eben die wirtschaftlichen Verwertungsweisen und ihr Verteilungsrecht.

Mir geht es hier um die Zerstörung des Öffentlichkeitscharakters von Wissenschaft und Kunst. Sicher, so naiv bin ich nicht, dass ich nicht wüsste, wie oft und breit er in der Vergangenheit unterlaufen wurde. Beispiele ließen sich jede Menge anhäufen. Aber es war immer das Unterlaufen des Wesenscharakters und wurde als solches empfunden, in Protesten wie durch schlechtes Gewissen. Während nun Unöffentlichkeit der Wissenschaften und Künste zu ihrem Prinzip durchgesetzt werden soll. Etwas, wie die Weitergabe deutschen physikalischen Wissens über Niels Bohr und die deutschen, von den Nazis vertriebenen Physiker, wodurch verhindert wurde, dass das Nazireich den Wettlauf um die Atomwaffen gar monopolistisch gewann, solches soll zu Unrecht gemacht werden, das sich in Zukunft sogar gerichtlich international verfolgen lässt.

KULTURTRANSFER | ORNAMENT | BILD | SPRACHE Gegen alle diese auf- und angezeigten Tendenzen in ihrem, und das ist entscheidend, Verabsolutierungsdrang, Perfektionierungsdrang, verziert mit dem verblödenden Gerede von der Professionalisierung (*professio* heißt original Bekenntnis, was die meisten Professoren leider sofort vergessen haben, als sie Professor wurden, Wörter können eben auch die wirkliche Angelegenheit mit Schall und Rauch ersetzen), dagegen muss man sich für den weitest möglichen Begriff von Kunst- und Wissenstransfer zur Verhinderung seiner Nasenspitzen-Pragmatik engagieren. Und im weitesten Sinn verstanden kommt er weithin mit Kultur zur Deckung. Kultur ist – wenigstens zunächst einmal – eine einzige Transferialität zwischen den Kulturalitäten der Menschenweltbereiche, zwischen den Kulturalitäten der Gesellschaftsschichten und der Immigrations- wie Emigrationskomponenten, aus denen noch jede Gesellschaft bestanden hat, in welcher Struktur auch immer. Man denke an Metropolen der Verkehrsknotenpunkte in der menschlichen Migrationsgeschichte und den spezifischen Pluralismus ihrer jeweiligen Metropolenkultur mit Herkunft aus uralten Zeiten, wie Damaskus, Byzanz/Istanbul, Rom, London, Paris usw., das antikgriechische Athen nicht zu vergessen.

Aber es wäre sicher falsch, das Transferiale von Kultur, kulminierend in Transfer von Wissen und Kunst, zu beschränken auf Metropolisches, es betrifft genauso die Kultur der Ländlichkeit überall, wenn auch in Verschüben der Ungleichzeitigkeiten. Vom Wiener Architekturtheoretiker und Literaten Friedrich Achleitner, selber eine Transferfigur, gibt es wichtige

Überlegungen zu Volkskunst und Folklore gegen die Theorie, dass die Ebene der Hohen Kunst, Architektur und überhaupt Kultur, sich überall aus dem Volksgrund der Künste gebildet habe. Es verhielte sich vielmehr umgekehrt. Volkskunst und später dann durch Touristik erzeugte Folklore für den Reisefroh seien überwiegend Ableger, gelehrt ausgesprochen: Derivate der Schübe von Hochkultur. Wenn Achleitner das zwar vor allem an Architektur demonstriert, so lassen sich seine Feststellungen auch auf andere Künste, ja die Lebensstile der Ländlichkeit übertragen. Die Ländlichkeit muss also desgleichen die aus- und durchgreifende Transferialität enthalten. Römermünzen wanderten eben auch in Bauernhände und die beschreibenden Erzählungen von Romreisen und dem Verwandten gingen auch in Dörfern um.

Bleiben wir noch grob und oberflächlich in ersten Überlegungsschritten, dann verdankt Europa seine führende Weltstellung, falls man seinen Nachfahren, die USA, dazu zählt, vor allem zwei zivilisatorischen Komponenten, ohne die diese Vormachtstellung nicht erreicht worden wäre. Die Komponenten, die ich meine, gingen aus kulturellem Transfer hervor. Der Ursprung dieses Transfers vor dem eigentlichen Transfer findet sich im Ästhetischen. Man denke an das Pulver und den Kompass. Beide Angelegenheiten waren in China längst erfunden, dienten dort aber nur der ästhetischen Unterhaltungskultur. Mit dem Pulver bewirkte man wunderschöne Feuerwerke. Und der Kompass war ein interaktives Phänomen, Spaß-Spielzeug eben. Auf etwas Anderes verfielen die Chinesen nicht bei den beiden Sachen. Erst im europäischen Transfer nach Europa kam es zur Transformation in die Seefahrtsorientierung und das Militärwesen der Schießkräfte. Das müssen wir festhalten in allem Transferwesen, dass es stets mit Transformation zusammenhängt, ja sich nur in Transformation ausbildet. Allerdings gehört zu den Europa konstituiert habenden Komponenten auf dem Gebiet des Wissenstransfers noch eine, nun ganz ungeheuerliche Übernahme, diesesfalls über die Araber aus dem Indischen, die, jetzt als geistige, nicht stofflich-instrumentelle, in der Dialektik der Null bestand. Für deren Übernahme brauchte es nur ganz wenig Transformativität, weil Araber und ihnen zuvor Inder eine hochentwickelte Mathematik besaßen. Europas Transformativität beschränkte sich hier auf den Übertrag ins Technologische. Aber das war praktisch entscheidend, dieser technologische Übergang, indem er Bewegung und Verkehr aus den unmittelbaren Naturbedingungen befreite, eine Maschinisierung der Bewegung erst richtig eröffnete, will man nicht schon das Rad, das Ruder, die Besegelung dazu zählen. Zentrale Funktion des kulturellen Transfers also ist, was der Transfer daraus transformativ hervorbringt und Transfer bezieht sich immer auf etwas, was nicht um seinetwillen und dessentwillen gemacht war.

Genau diese Komponente will der heutige enge Transferbegriff kaputtmachen, das heißt, er ist unterwegs dazu, sich selber zu erübrigen, indem er alles Transferierenswerte aus der Welt schafft und nur noch die Tautologien des Abzählbaren übrig lässt. Bleiben wir also im Widerspruch dazu beim weiten und breiten Transferbegriff, der sich nicht selber umbringen will.

Dann bieten sich für Kunst- und Wissenstransfer die beiden einander extrem gegenüberliegenden Pole, das Ornamentale und das Sprachliche, an. Mit dieser Polarisierung meine ich den Umstand, dass das Ornamentale zwischen den gelebten Kulturen von allen kulturellen Phänomenen am allerhäufigsten gewandert ist und ausgetauscht wurde. Es scheint eine leichte Verständlichkeit zu bieten auch für die völlig Unvorbereiteten, während Sprache für Wanderung und Austausch die höchste Schwelle aufrichtet, ist doch eingehende Schulung nötig, bevor einer sich in einer Fremdsprache zu bewegen vermag, kommunikativ oder gar als Übersetzer von Sprachakten aus einer Sprache in die andere. Daher träumt man ja bis heute für die Internationalismusintentionen und -tendenzen von einer Bildersprache, durch die sich die „babylonische Sprachverwirrung" unter den Menschen überwinden ließe, man denke etwa an lange Bemühungen Otto Neuraths, die nur für viele andere stehen, aber besonders beharrlich, umfangreich und hoffnungsfroh sich ausprägten.

An der scheinbar leichteren Transferierbarkeit des Bildlichen, so wie wir es gegenüber dem Formalismus von Sprache naiv verstehen – im Grunde ist ja auch die Schriftlichkeit der Sprache, weil aufs Visuelle angewiesen, eine Bildlichkeit – daran liegt es wohl, dass Ornamentik eine so viel schnellere und umfänglichere Austauschbarkeit gewährt als Texte. Das zeigt die größere Menge des ausgetauscht Ornamentalen und die viel größere Menge derer, die in den Genuss des Austauschs kamen wie kommen. Denn das Sprachliche wurde seit frühesten Zeiten durch Übersetzungsarbeit vor allem nur unter sprachgeschulten Eliten weithin ausgetauscht und transferiert. Wären also Bildlichkeiten – und darum auch das Ornamentale – unvorbereitet, unstudiert, unmittelbar für alle verständlich?

Man möchte es meinen, wenn es um das naturale Bild geht, das Bild also, das die allen vor Augen liegende Welt abbildet und so selber allen vor Augen liegt als Abbild eines woanders schon Gesehenen. Und so spielt es auch im Ornamentalen durchaus eine Rolle, wie man weiß, mit den Motiven des

Pflanzlichen, Tierischen, Landschaftlichen, Architektonischen, Menschlich-
Sichtbaren – also des am und vom Menschen Sichtbaren. Ja, es gibt das
physikalisch-chemisch-physiologische Sehen, das bei allen Menschen außer den sehgeschädigten gleich ist seit dem Ursprung der Menschheit.
Insofern hat dem allen Menschen gleichen Sehen eine allen Menschen gleiche Welt vorgelegen. So wie Aristoteles sagt, die Träumenden hätten alle
im Träumen eine Welt für sich, den Wachen aber sei die eine Welt gemeinsam.

Und dennoch, in allem Wahrnehmen gibt es ganz entscheidend die Aufmerksamkeitskomponente vom Menschen her, in der das Wahrnehmen
erst aufgeht und eigentlich angeht. Diese Aufmerksamkeitskomponente aber
wird durch kulturellen Wandel im Prozess geprägt, sodass keinesfalls alle
gleich das Gleiche sehen in Hinblick auf das, was ihnen unmittelbar vor
Augen liegt. Selbst das natural Bildliche wird – noch vor dem seit Mensch-
heitsbeginn wirksamen Faktor der symbolischen Funktion, man vergleiche
Ernst Cassirers *Philosophie der symbolischen Formen* (1931, Darmstadt 1954,
Hamburg 2001) – nicht unmittelbar transferierbar. Dafür gibt es in Sieg-
fried Kracauers Filmtheorie ein wunderbares Beispiel. Ein US-amerikani-
sches Filmteam hat bei mexikanischen Indios gefilmt und zeigt diesen nun
das Gefilmte. Es entsteht eine Diskussion über das Huhn. Das Filmteam
aber hat trotz wiederholten Betrachtens überhaupt kein Huhn wahrgenommen. Neuerliches Anschauen führt zum selben Ergebnis: Kein Huhn
weit und breit. Endlich fällt einem auf, dass einmal für Bruchteile von
Sekunden durch den unteren Bildbereich ein Huhn läuft. Weil Indios für
ihre Versorgung Hühner das Allerwichtigste sind, stürzte sich ihre Aufmerksamkeit auf dieses blitzschnelle Rand- wie Abseits-Motiv, das den US-
Amerikanern völlig gleichgültig war. Deren Interessen aber waren wiederum den Indios das Nebensächliche, das sie nur mit halbem Auge und halbem Ohr wahrnahmen. Also: vorläufiges Ausbleiben von Transferialität.
Es müsste erst nach beiden Seiten einschulende, lernende und entwerfen-
de Übersetzungsarbeit geleistet werden, obwohl es um naturale Bildlichkeit geht.

Und auf der anderen Seite, jener der Sprachlichkeit in ihrem akustischen
und visuellen Charakter? Ist sie ganz auf Erwerb der jeweiligen Sprachkompetenz angewiesen, damit Transferierbarkeit in Gang kommt? Würde
sie ansonsten in der „babylonischen Sprachverwirrung" verharren? Nein!
Sie lässt sich über das Sichtbare von Schriftlichkeit als Ornamentales verstehen, ohne Sprachkompetenz, und über die Hörbarkeit als eine Art Musik.
Dazu gab es europäisch-kulturgeschichtlich ein eindrucksvolles Beispiel

beim Auftritt von deutschsprachigen Vertretern der Konkreten Poesie in der Prince Albert Hall in London, als vor Tausenden des Deutschen nicht mächtigen Engländern in deutscher Sprache, unübersetzt, vorgetragen wurde. Der große Jubel für den stundenlangen Abend bewies, dass trotz gänzlich fehlender Sprachkompetenz doch etwas verstanden wurde, nämlich ein Musikalisches, vielleicht auch Theatralisch-Gestisches. Diese Art von Transfer ist übrigens kein bloßes Phänomen der Moderne des 20. Jahrhunderts, so sehr gerade die Konkrete Poesie zentral das Bildliche der Sprache in der Schrift und das Musikalische der Sprache in der lebendigen Rede geltend machen wollte. Die Intention zum Dialekt etwa kam ja konkret-poetisch nicht daraus, weil man unter die Landleute zu gehen suchte, wie manche Impressionisten und Expressionisten, oder in die Folklore für den touristischen Ländlichkeitskult, sondern es wurde damit darauf gesetzt, dass gemeintes, angesteuertes Metropolenpublikum gerade Dialekt nicht mehr verstehe und daher zum rein musikalischen Auffassen von Sprachlichem durch den unverstandenen Dialekt gezwungen sei.

Eine solche Einstellung hat uralte Hintergründe, und das auf höchster Ebene des Denkens. „Schon" Platon, dem die Inhalte Homerischer Epik nicht gefielen, diese Geschichten von Göttern als Kapital-Verbrechern, nämlich Mördern, Vergewaltigern, Räubern, Vertragsbrechern, Einbrechern und von Göttinnen als Huren, Puffmüttern, Speichelleckerinnen, Lügnerinnen, Fallenstellerinnen, abgesehen davon, dass sie alle männlichen Gemeinheiten und Schweinereien mitbetrieben, „schon" Platon also sagte, ja schrieb an entscheidender Stelle in seiner *Politeia*, dass sich Homerische Epik trotzdem, nun ästhetisch, genießen ließe, indem man vom Inhalt wegdenke, ihn ausblende und nur die Musikalität und Rhythmik der Versifikation auf sich wirken lasse. So ist Platon in der Tat, allerdings nur über die ästhetische Auffassungsweise, nicht über die Art des Kunstprodukts, wenn man von seinen Ausführungen über Musik absieht, zu so etwas gelangt, wie es im 20. Jahrhundert Konkrete Kunst genannt wurde. Denn was er über die reine Form unter Wegvorstellen des Inhalts meint, will er auch auf Skulptur und Malerei als Möglichkeit übertragen wissen. Und seine große Begeisterung für Musik folgt aus dem Umstand, dass sie es sehr erleichtere, wahrnehmend nur formal aufzufassen.

Nun: Ein Auffassen des Sprachlichen vom Schriftbild her und von den Tonfallstrukturen her kann freilich Sprachliches nicht im jeweils genuin Sprachlichen aneignen. Indem tausende Engländer deutsche Sprachaktivitäten ästhetisch formal genossen, hatten sie nicht in einem unmittelbaren Nu die deutsche Sprache erlernt. Aber es zeigt sich daran, dass auch im

Sprachlichen Auffassungsebenen vorliegen, die einen direkten, eben voraussetzungslosen Transfer zulassen, ja herausfordern.

So liegt nun einerseits eine naturale Bildlichkeit vor, deren Wahrnehmung über den symbolisierenden und von vornherein schon symbolisierten Faktor der Aufmerksamkeitslenkung und Aufmerksamkeitsakzentuierung kulturgeschichtlichen Trennungen wie Differenzierungen unterliegt, was einem unmittelbaren Transfer entgegenarbeitet. Und andererseits zeigt das am stärksten Versymbolisierte der menschlichen Kultur, das aus nichts Anderem als Symbolik zu bestehen scheint, die Sprache – auch in ihrer sie verdauernden Schrift, nicht nur im vorübergehend Tönenden lebendiger Rede, also in aktualisierendem, momentanisierendem Sprechen – wiederum Ebenen an, auf denen sie sich unmittelbarem oder voraussetzungslosem Transfer öffnet.

Dieser Überlegungszug ruft allerdings jetzt den Eindruck hervor, als sei die vorhin aufgezeigte Polarisierung von Ornament und Sprache in Bezug auf Transferialität klammheimlich zur Polarisierung von naturalem Bild und Sprache korrigiert worden. Doch in der nun folgenden Diskussion von großen Argumentationsstrategien gegen kulturgeschichtliche Trennungen und sich voneinander abscheidende Differenzierungen will ich doch auch zeigen, wie naturale Bildlichkeit, denkt man an Kulturtransfer, sich zwischen den Polen Ornamentik und Sprache bewegt.

WAHRNEHMEN | AUSTAUSCHEN Die erste Argumentationsstrategie ergibt sich aus den wahrnehmungstheoretischen Folgerungen, die von der Gestalttheorie nahegelegt werden. Insbesonders Rudolf Arnheims Werk *Anschauliches Denken* (Köln/Ostfildern 1972 / 2001) ist für die dadurch aufgeworfenen Fragen wichtig. Arnheims Einsichten zufolge betrifft der subjektiv-menschliche Anteil am Zustandekommen von Wahrnehmung nicht nur das Ausrichten der Aufmerksamkeit, das selbst bei Verinnerlichung bis in die Tiefen des Unbewussten alles andere als das Wichtigste wäre, sondern es geht um ein aktives Einsehen von Gestalt und Figur, auch Struktur, in das von außen gelieferte Datengewimmel. Klar, Arnheim bleibt als Gestalttheoretiker – und Gestalttheorie kam via Edmund Husserl aus dem Neukantianismus – vom Grundansatz her Immanuel Kant verpflichtet, der alle Form der Welt auch in den Sinnen einer entsprechend mitgegeben verankerten Auffassungsstruktur erkennender, d. h. auch sinnlich wahrnehmender Wesen zuschrieb. Allerdings deutet sich bei Arnheim eine Dämpfung dessen zur Idealisierungsfunktion des Wahrnehmens an. Und so kann jeder es am eigenen Wahrnehmen überprüfen, dass etwas daran ist. Alles, was im Außen irgendwie rund scheinen mag, vollendet unser Wahrnehmen zum exakten Kreis. Man denke daran, wie es unserem unmittelbaren Wahrnehmen schwer fällt, den Vollmond exakt als Vollmond zu bestimmen, was ja nur eine kurze Phase ausmacht, während wir nächtelang den Vollmond als solchen sehen, ihn also zum Vollmond visuell vervollständigen.

So sehr allerdings Arnheim vor einem ganz strikten transzendentalen Subjektivismus, der erst intersubjektiv Objektivität erzeugt, zurückscheut, so sehr will er die Idealisierungsfunktion des Wahrnehmens ahistorisch anthropologisieren. Es läuft dabei auf ein Ersehen abstrakt vollkommener Gestalten, Figuren, Strukturen hinaus, die einen denn doch an darstellende Geometrie gemahnen. Und diese sollen als Aktionssystem in allem menschlichen Wahrnehmen hausen. So belegt Arnheim auch seinen Buch-Titel, alles Wahrnehmen sei abstrahierend wie das Denken, daher ein „anschauendes Denken". Wieder tönt Kant an, bei dem sich hinter seinem eigentlichen Ästhetikbegriff (Ästhetik als allgemeine Wahrnehmungslehre wörtlich genommen), für unser Normalverständnis von Ästhetik überraschend, die Theorie der Mathematik verbirgt. Aber eben etwas ist daran im Sinn des Idealisierens und Abstrahierens unserer Wahrnehmung, die nicht passiv aufsaugt, sich nicht passiv etwas einbrennen lässt.

Und genau dieses Idealisieren und Abstrahieren objektiviert sich anschaulich oder kommt zur Darstellung in der Ornamentik, geradezu als System. Und indem das Idealisieren wie Abstrahieren allem menschlichem Wahrnehmen zukommt, zeigt sich, wie das Ornamentale in zwei Zügen auf allgemein Menschliches anspielt, auf naturale Bildlichkeit einerseits und auf die Vervollkommnungsfunktion des Wahrnehmens andererseits. Daher öffnen sich zwei Wege zum Transfer, während die naturale Bildlichkeit für sich allein nur den einen Weg zur Annäherung im Übertrag hat, den der Physiologie der Sinne. Denn in Hinsicht auf alles andere steckt ja, wie oben angegeben, das naturale Bild sogleich in der Symbolisierungsgeschichte, durch welche kulturgeschichtliche Trennungen auftreten.

In Hinsicht auf die Doppelwegigkeit erwies sich auch die Ornamentik als das besonders hinderungsfrei Austauschbarere, das leichter zu Transferierende gegenüber dem naturalen Bild. Dieses bewegt sich eben doch in seiner Einwegigkeit zwischen den Polen, so können wir durch Arnheim lernen, wenn wir anthropologische Verabsolutierungen nicht mitmachen.

Aus dem aber, was zur Transferierbarkeit des Sprachlichen gesagt wurde, geht hervor, dass Transfer, der kulturelle Austausch im ersten und unmittelbaren Schritt, alles andere als ein 1 : 1-Übertrag ist. Was in solcher Phase von Transfers zum wirklichen Austausch kommt, das sind nur bestimmte Ebenen und Aspekte. Und so ergeht es auch dem Ornamentalen im Austausch. Wird Ornamentik durchaus nachdrücklich übernommen, so heißt das noch lange nicht das volle Verständnis des Übernommenen. Ja, für den Transfer von Ornamentik reicht ein Minimum an Verständnis und Einsicht aus. Schon allein das Erfassen dessen, etwa dass es sich um Schmuckform handelt, und Ornamentik ist immer auch und in einer Funktion Schmuckform, das genügt. Die Römer führten die militärischen Ornamente und Zeichen der Besiegten in ihren Triumphzügen mit, nun umgekehrt gehalten, also nicht so, wie es beim Gegner vor seiner Niederlage üblich war. Die reine Umkehr ist hier die Aneignungsweise, als Ornamentierung des Triumphs mit fremden Federn. Ich meine auch, dass in interkultureller Kommunikation oberflächliche Austäusche nicht zu verachten sind, zumindest als Motivation, als hinführende animatorische Funktion.

Das Realgeschichtliche eines Oberflächentransfers von Wissen und Kunst verführt allerdings selbst kritisches Historisieren bis in eingefahrene Methoden zu Irrwegen, gegen die eine zweite engagierte Argumentationsstrategie angetreten ist, mit der die Trennungen durch Kulturgeschichte widerlegt werden sollen. Ich habe damit Claude Lévi-Strauss im Auge und seine *Strukturale Anthropologie* (Frankfurt am Main 1978), das heißt einen ihrer Hauptgedanken in Sachen Polemik. Diese richtet sich bei Lévi-Strauss empört gegen etwas, was ich Stumpfsinns-Philologismus nennen möchte, Stumpfsinns-Philologismus aus einem verabsolutierten Transferkonzept heraus. Lévi-Strauss verhöhnt nämlich einleuchtend jenes historisierende Verfahren, nach dem bei Vorliegen von Ähnlichkeiten zwischen Quellenfunden, seien es Textdokumente, seien es Objekte, auf die Abhängigkeit des Späteren vom Früheren geschlossen wird. Erweist sich etwa das höhere Alter ostasiatischer Ornamentik gegenüber ähnlichen Funden in Amerika, dann spräche das für einen pazifischen Seeverkehr. Verhielte sich das mit der Altersschätzung umgekehrt, müsste man einen Seeverkehr über den Pazifik von Amerika nach Ostasien annehmen. Ausgenommen selbstverständlich älteste Funde; denn dass die Masse der Indianer aus Ostasien nach Amerika einwanderte zu Zeiten, als es im hohen Norden Landbrücken gab, wurde paläontologisch unbezweifelbar gemacht. Dazu verstünde sich der verabsolutierte Transfer-Gesichtspunkt von selbst. Lévi-Strauss beruft sich nun gegen ihn für viel spätere Zeiten auf ein einfaches Argument: Warum sollte bei der festgestellten genetischen Ähnlichkeit aller Jetztmenschen untereinander nicht angenommen werden, dass an verschiedenen Orten der Welt verschiedene Menschen ohne Einflussnahme aufeinander auf Gleiches verfallen seien? Damit unterläuft Lévi-Strauss jede Übersteigerung des Transfergedankens, hat aber wiederum der Transferpotenzialität unter Menschen eine breite anthropologische Basis zugeschrieben, eben in der Ähnlichkeit, ja nahezu Gleichheit aller Menschen untereinander, besonders von den Hirnleistungen her, also auch hinsichtlich Kulturproduktivität. Sie können unbeschränkt transferieren und unbeschränkt kommunizieren, das heißt: sich verständigen; zu betonen ist: sie können. Denn überall liegen in Sozialstruktur, Mythenstruktur, Ritualitäts- und Praxisstruktur, ja auch Denkstruktur nur und allein Transformationen der für alle Menschen durch alle Zeiten geltenden anthropologischen Konstanten vor. Alles nicht auf Transformationen Zurückführbare kulturgeschichtlicher Trennungen, Abspaltungen, Verselbständigungen, also Differenzierungen, die über Identifizierbarkeit des Transformativen hinaustendieren, dränge hingegen hin zu Eigenwert, zu Selbstwert. Dort, wo solche Unterschiede mit Selbstwertcharakter für Lévi-Strauss vielleicht nicht zu leugnen sind, müssten sie sich als marginal und peripher, dennoch gerade höchstens allein als solches vergleichbar (was wegen Marginalität wiederum nicht wichtig, als Nebensache vernachlässigbar) erklären lassen, ohne besonderes wissenschaftliches Interesse, weil ohne rechten wissenschaftlichen Zugang außer der Konstatierung. Freie Bahn des wissenschaftlichen Zugangs hätten dagegen nur die anthropologischen Konstanten, worin sich alle menschlichen Gesellschaften glichen, also das vor allem Transfer schon Transferierte.

EIGENES UND FREMDES So hat Clifford Geertz in einer Attacke auf Lévi-Strauss, insbesondere auf dessen Werk *Traurige Tropen* (Frankfurt am Main 1960/2001), ihm unterstellt, dass er behaupte, in der Suche nach dem Fremden, nach dem Anderen träfe man auch in den so genannt exotischen Gegenden immer nur auf das, was sich untereinander schon von Vorzeit her und auf fernste Weiten hin längst verständigt habe, also aus Transferiertheit vor Transferierung bestehe. Sollte man aber doch an fernsten Grenzen das transferlos, kommunikationslos Fremde in seiner Unvermitteltheit erreichen, dann wäre es das absolut Unverständliche, Unkommunizierbare, Untransferierbare, zu dem man nie und nimmer Zugang gewönne und das einen umgekehrt überhaupt nicht bemerke. Falls dieses Fremde Menschen sind, dann Menschen der Kalten Schulter des Kosmos, Nachtansicht des Menschen wie Nachtansicht der Natur, füge ich, B. S., metaphorisierend hinzu. Daher meint Geertz, Lévi-Strauss habe mit seinem gesamten Lebenswerk, dem die *Traurigen Tropen* nur das Programm gestellt hätten, von Europa aus ein Literaturstück entworfen, das sich an die Seite des Werks von Marcel Proust habe stellen wollen, neben *Auf der Suche nach der verlorenen Zeit* also. Bei Lévi-Strauss würde der geheimgehaltene, aber dem Interpreten offensichtliche Titel „Auf der Suche nach der verlorenen Fremde" daraus. Diese Fremde aber sei unwiederbringlich verloren, betont Geertz in seiner polemischen Schrift *Der künstliche Wilde* (Frankfurt am Main 1993), die auch noch andere Ethnologen wie Malinowski wegen des Fiktionalismus ihrer Werke zu Literaten erklärt.

Für uns ist wichtig, dass es Lévi-Strauss extrem um anthropologische Konstanten geht. So könnte man in Hinblick auf das hier behandelte Transferthema auch noch an Noam Chomskys Sprachtheorie denken, die in ihrer Spätphase die menschliche Sprachlichkeit auf eine genetische Anlage zurückführt, in der strukturell-virtuell die ganze Sprache schon vorgeburtlich in jedem Menschen geradezu vorliege. Der empirisch-lebensgeschichtlichen Didaktik des Einzelnen unterliegt nur, in welcher konkreten, wirklichen Sprache er seine virtuell ihm innewohnende Sprachstruktur dann realisiert. Die empirische Didaktik hat nach Chomsky fast nur anregenden Charakter, möchte man meinen, wenn man manche gegen Ludwig Wittgenstein gerichtete Passage bei ihm liest. So wäre also auch auf der Ebene der Sprache selbst, nicht allein des Denkens, der Mythologie usw. (Lévi-Strauss), die selbstverständliche Transferialität durch anthropologische Konstanten für die ganze Menschheit gesichert. Die babylonische, Transferialität behindernde Sprachverwirrung wäre gegenüber solchen mächtigen Konstanten nur eine nebensächliche Marginalie, was im Deutschen ja so schön Randbemerkung heißt, lauter Vernachlässigbares, wenn man Wichtigeres zu tun hat.

Die hier kurz angerissenen Theorien dazu scheinen auf jeden Fall, werden sie auf anthropologische Konstanz hin gelesen, Gefahren der gegenwärtigen Ideologien zu stützen und zu stärken. Denn sie laufen darauf hinaus, nur dem umstandslos schnell und möglichst unmittelbar zügig zu Transferierenden, das ohnehin schon weltweit vertraut und bekannt ist, noch Wert und Geltung zuzubilligen, so schwierig wie diffizil sich diese im Endeffekt solche Tendenz stützenden Theorien auch selber ausnehmen. Das wäre dann bloß eine Hürde, die noch einmal in Kauf zu nehmen sei, bevor mit der Garantie wissenschaftlicher Berufbarkeit zur Tagesordnung des Popularisierens übergegangen werden kann.

Wie sehr kommen allerdings tatsächlich Lehren von anthropologischen Konstanten und vom Übergewicht der Identifikation heutigen neu-ökonomistischen Ideologien der herrschenden Globalisierung und ihrer Logik

der Einschaltquotenorientiertheit entgegen? Eine solche – von deren Engagement für den kleinsten gemeinsamen Nenner ableitbare – Unterstützung gilt keineswegs für Denker wie Rudolf Arnheim und Noam Chomsky, wenn man sie über kurze Zusammenfassungen von Grundlagen hinaus liest. Sie haben die Konstanten, die zweifellos anthropologisch vorliegen, und sei es im genetischen Programm, nur darum herausgearbeitet, um das sich davon Unterscheidende hervorzukehren. Sie wollten alles andere als kulturgeschichtliche Differenzierungen im Bad der Ursprünge – in dem alles allem ähnelt oder fast alles – ertränken. So arbeitet die Kunst bei Arnheim, so sehr sie phasenweise dem Bewusstmachen der Gestalt-, Figur-, Struktureinsehungen des menschlichen Wahrnehmens in das Außenbild der Welt sich widmet, auf einer anderen Ebene auf solchem Hintergrund gegen das Festschreiben menschlichen Wahrnehmens auf dessen anthropologische Konstanten. Oder Chomsky setzt gerade die Rückführung der Sprache auf eine ihr zugrundeliegende genetische Virtualstruktur ein gegen jenen blanken Pragmatismus des Sprachverständnisses, wie er von der Wirkung Wittgensteins trotz seiner darin merkwürdig störenden Spielkategorie leider ausging. Chomsky war es dem entgegen um ein Spekulatives zu tun in der Sprachfunktion, das den Wertakzent von möglichst umgehend gelingender Verständigung auf die Sprachwandlungsaktivität in der Kunst der Literatur verschiebt, auf der Basis der genetischen Sprachstruktur in allen Menschen. Ihm kommt es also wie Arnheim auf das Differierende an, gegenüber den Konstanten oder vielmehr in der Transformation der Konstanten, so dass man ihre konstant-identischen Ansätze beinahe vergäße. Akzentverschiebungen liegen also vor. Es war Alfred Schmidt, der in seinem Buch über den *Begriff der Natur in der Lehre von Karl Marx* (Hamburg 1962, Frankfurt am Main 1967) auf die ganz große Bedeutsamkeit dieser Denk- wie Darstellungsfunktion des Akzentverschiebens in heutiger Theoriebildung gegen alle Verabsolutierungen verwies. Nicht Leugnen der Konstanten, doch am wenigsten ihr Einsatz dazu, alles von ihnen Abweichende zu marginalisieren als Auftakt zum Verdrängen, im Gegenteil, am Maß von ihnen, den Konstanten, das Gewicht auf das ihnen nicht Entsprechende verlegen, das ist das Anliegen von Arnheim und Chomsky.
Am ehesten lässt sich noch Lévi-Strauss interpretativ darauf bringen, dass er überall die von ihm ermittelten anthropologischen Strukturkonstanten auf eine Weise in den Vordergrund rückt, zu der und durch die alles dazu Unstimmige völlig verblasst, ja in die Unmerklichkeit sich zurückzieht. In den Konflikten um Lévi-Strauss und seine Wirkung, die Hypertrophie der Identifikation, als volles Kontra zur Frankfurter Schule mit ihrem Kampf

gegen die Identifikationsfunktion in der Logik, ist das politisch evident geworden. Bemerkbar wird allerdings immer wieder bei Lévi-Strauss, wie bei Franzosen auch auf höchsten wissenschaftlichen Abstraktionsebenen üblich, bestimmtes politisches Engagement, diesesfalls bei ihm gegen Rassismus und Eurozentrismus. Diesem Engagement soll eben das Herumreiten auf den anthropologischen Konstanten aller menschlichen Gesellschaften dienen und die Hypothese, nach der das zu diesen Konstanten Unstimmige, Unpassende keine wesentliche Bedeutung habe: Gleichheit des Menschen allüberall. Clifford Geertz dagegen hat, als wäre er Angehöriger jener Hyperkritik gemäß dem Geist der Kritischen Theorie der Frankfurter Schule, aus dem durch Lévi-Strauss verkündeten Programm einer Abwendung vom Eurozentrismus auf dessen besonders nachhaltige Eurozentrik geschlossen. Nun gut, ich will hier keine Diskussion um die Interpretation von Lévi-Strauss entfalten. Doch um einen weiteren Hinweis im Folgenden ist es mir gerade für das hier behandelte Thema kultureller Transfers sehr zu tun, dass man von Lévi-Strauss – abweichend von der Kritik an seinem Konzept der Kalten Geschichte, in der das sich Gleichbleibende so viel wichtiger wäre als dessen Transformationen oder Abwandlungen – vor allem auch lesen sollte, was er zu Diachronie ausführt, zu zeitlich ablaufenden Transformationsprozessen des Konstanten, die ja für ihn Voraussetzung bleiben zu Synchronie, sonst gäbe es schließlich nichts zu synchronisieren mehr auf der Welt und in der Welt. Indem Lévi-Strauss sich gerade Musik als Paradigma seiner sprachlichen Darstellungen wählt, zeigt sich ohnehin, dass er der Dialektik nicht entkommen, vielmehr in sie hineinarbeiten will. Denn Musik ist schlechthin das Ineinanderwirken des Gegeneinanderwirkens von Füreinanderwirken – mit Hauptgewicht auf dem, was Variation im Sinn des Paradoxalen von innovativer Wiederholung überhaupt nur zu meinen vermag. Ich möchte also alles andere, als das Werk von Lévi-Strauss in eine Ideologie des Transfers um des Transfers willen eingemeinden, die wie aus der Kommunikation (vgl. Vilém Flusser in *Der Flusser-Reader*, Mannheim 1995) so auch aus Transfers alle Störungen wegrationalisieren möchte, damit der Austausch sich in jedweder Hinsicht beschleunige, so auch zwischen Universitäten, Hochschulen, Akademien für Wissenschafts- wie Kunstproduktion und Wirtschaft.

Das führt zurück zum Ausgangsthema, der Frage nach jenem Expertentum des Wissens- und Kunsttransfers, das, professionell vertraut mit Wirtschaftsinteressen und darin laufend auf dem Laufenden sich haltend, die genannten Institutionen ausrichten soll, um alle Um- wie Querwege dieser Arbeit zu begradigen oder abzuschneiden, damit der Austausch so schnell und so glatt verlaufe wie nur möglich, ohne Reibungsverluste. Der Ruf gegen Orchideenfächer gehört dazu: Wie konnte denn gerade die Orchidee zur Negativmetapher werden?

Man merkt aber jetzt, wie sehr das mit einem großen Globalisierungsthema zusammenhängt, dessen kritischer Part sich durch den Ruf nach kultureller Vielfalt und der Vielfalt von Lebensformen gegen die uniformierende Globalisierung eines internationalen Stils wendet, so sehr Vielfalt nur globalisierend zu erhalten wäre. Ich möchte hier allerdings nicht die Texte eines Engagements für die kulturelle Vielfalt mehren. Es geht mir darum, das Thema aus der Universitäts-, Hochschul-, Akademie-Perspektive anzusteuern, deren Arbeit in Wissenschaft und Kunst heute durch den Neuen Ökonomismus so hoch gefährdet ist und eigentlich absurd gemacht werden soll, indem sich alle Wissenschaft, wo nicht technologisch, in Marketing-Forschung wandelt und alle Kunst in Design (höhere Form: Corporate Design). Höchstens bleibt da noch die Politiktechnik ein ganz klein wenig anderes Gelände, aber auch durchflochten von Alptraum-Absurditäten. Gerade las ich im österreichischen Intelligenzblatt (genauer: Burschenschaftsblatt) *Die Presse* (Wien, 10. 8. 2005) von der Gründung eines Instituts für Islamforschung mit dem einzigen Forschungsthema des Fahndens nach Terrorismusquellen im Islam. Wenn schon eine solche Absurdität, dann doch bitte auch ein Institut für die Erforschung von Terrorismusquellen im Christentum, insbesondere dem katholischen. Schließlich gibt es ja auch IRA und ETA.

Solche Geisterbahnen verlassend, möchte ich in Sachen eines engagierten Schreibens für kulturelle Vielfalt und gegen Internationalen Stil hier an etwas frühere, großartige und nachhaltige Texte erinnern, die für die heutige Diskussionslage keineswegs überholt sind, obwohl ihre Abfassung und Veröffentlichung Jahrzehnte zurückliegt. Einer wäre Ernst Blochs Kapitel in seiner *Tübinger Einleitung in die Philosophie* (Frankfurt am Main 1970) mit dem programmatischen Titel *Differenzierungen im Begriff Fortschritt*, ein anderer sein Kapitel *Viele Kammern im Welthaus* (in *Erbschaft dieser Zeit*, Frankfurt am Main 1962). Im übrigen war meine Sicht auf das Verhältnis unserer Universitäten, Hochschulen, Akademien zu den Tendenzen der Globalisierung wie Internationalisierung nur eine Präambel zum Folgenden, das den weitesten Begriff für Wissens- und Kunsttransfer sichern möchte, indem zu näheren Bestimmungen dessen übergegangen wird.

DISZIPLINEN | DIFFERENZEN | PROJEKTHAFTES Dazu sind zwei Grund-
ansätze wichtig, die für den engen Begriff von Wissens- und Kunsttransfer
so gelten wie für den ganz weit gefassten, und sie sind längst schon, mindestens verdeckt und indirekt, im Vorangegangenen angeklungen. Erstens
können Wissens- und Kunsttransfers nur im Interdisziplinären stattfinden,
auch wenn es sich um Fachwissen handelt. Das Fachwissen wird spätestens
beim Wechsel in ein anderes Feld überschritten. Das lässt sich vergleichen
mit dem Übersetzen normalen Sinns, also dem Übersetzen von Sprach-
texten. Darin wird es notwendig, Sprach- und Literaturwissenschaftlich-
keit durch Bezug auf die Alltagssprache in ihrer riesigen Breite außerhalb
der sparsamen Paradigmen im sprachwissenschaftlichen Lehrgebäude und
außerhalb der Klassifikationen der Literaturwissenschaften zu überschreiten, um fürs treffsicher werdende Übersetzen Möglichkeitsfelder eines experimentellen Spiels bereit zu halten. Bei Transfers interessiert gerade nicht
nur eine fachspezifische Diskussionsgemeinschaft, die sich ihren Transfer
innerhalb ihrer Konstellationen schon selber besorgt. Der zweite Grundan-
satz ergibt sich aus dem Interdisziplinären selbst, insofern es sich um Projektarbeit als dessen wichtigstem Arbeitsmodus handelt, handeln muss.
Denn was können Projekt und Projektarbeit schon meinen, wenn nicht
höhere Komplexitätsgrade der Problemstellung, um die sich die Disziplinen im ersten Schritt jenseits ihrer disziplinären Curricula, bestehend aus
Problemstellungsfolgen wie Problemstellungsreihen, zusammenraufen, zu-
sammenreden, zusammenstreiten, um erst im Zug der Arbeit, am komplexen Problem orientiert, auf spezifisches Fachwissen zurückzugreifen?
Diese Komplexität des Projekthaften, im Fächerübergriff, Fächerdurch-
griff, mit Ansiedlung in den Überschnitten verschiedenster Fächer, wird
durch den Rückgriff auf ein so lange zurückliegendes Projekt von Gottfried Wilhelm Leibniz, ein Windmühlenprojekt für die Bergwerksindus-
trie im Oberharz, sehr schön verdeutlicht, um das hier im Buch das einlei-
tende Gespräch zwischen Alexander Kluge und Claus Philipp kreist. So
wie im einkreisenden Ablauf der Argumentation dazu, wird dabei dessen
Ineinander von Problemstellungen deutlich, die Physik, physikalische Technologie, Geologie, Geographie, Klimatologie (eingeschlossen Kleinstkli-
mata), Psychologie, Soziologie, Sozialhistorie betreffend; heute wäre noch
Gruppendynamik hinzugekommen. Die Vielzahl qualitativ völlig verschiedener Konditionalfaktoren im Projektproblem lässt, was nun in der weiteren Bestimmung des Projekthaften äußerst wichtig ist, „das Projekt" aus
seiner Wortsinnsherkunft des Projizierens her erscheinen, zu deutsch, des
nach Vornehin-Auswerfens, also des nach Vornehin-Ausgeworfenseins, was,

klar, Alexander Kluge, der Filmer, sehr betont; – als Auswerfen eines Netzes wäre für mich das Bild plausibler.

Diese Metapher scheint mir nämlich zutreffender als die von Kluge gewählte des Projektils, weil das Projektil, sozusagen, mit eindimensionalem Handwerkeln zu tun hat, dem das Projekthafte gerade fern liegt. Die Komponente des Aggressiven wiederum, die als Gefahrenseite, als Gefahrenpotential Kluge allem Vorausentwerfen zuschreibt und darum das Wort Projektil einsetzt, bleibt ja im Netz-Bild ebenso erhalten. Wir kennen die Gefährlichkeit der Netze nicht nur vom Überfischen der Ozeane. Auf künstlerisch-wissenschaftlicher Produktionsebene transformiert sich, weil es, auch deutlich gemacht am Leibniz-Projekt, um den wesentlichen Vorschlagscharakter – statt verwalterischen oder gouvernementalischen Verfügungscharakters – geht, die Aggressivität zum Engagement also, welches für das Vorschlagen des Projektiven im Projekt eingesetzt wird, weshalb Kluge zu Recht das Projekt vom Spiel abhebt oder unverwechselbar unterscheidet. Schließlich würde das Netz-Bild, in dem sich die Komplexität spiegelt, auch deshalb viel besser als das Projektil zum anderen Vergleich passen, mit dem Kluge das Projekt näher bestimmen will, zum Vergleich mit dem Projizieren von Filmen. In der Filmprojektion wird schließlich nicht ein Projektil abgeschossen, sondern ein Bildpunkt-Raster, also ein Bildpunkt-Netz ausgeworfen.

Nun weiter: In beiden Angelegenheiten, dem Interdisziplinären wie dem Projekthaften, stecken über ein destruktiv Aggressives hinaus aber auch Verführungen zu Fehlläufen und Sackgassen, mit denen man schon längst bittere Erfahrungen gemacht hat. Weshalb Misstrauen gegen beides unter Künstlern wie Wissenschaftlern mit guten Gründen sehr verbreitet ist, ganz abgesehen von der Gebrauchsinflation in Bezug auf „Projekte", die noch alle bekannt gewordenen Programmschlagwörter stets durchgemacht haben, auf die aber hier nicht weiter eingegangen werden soll.

Interdisziplinäres und Transdisziplinäres haben ja viel längere Traditionen, als die letzten Jahrzehnte der Fusionslüsternheit allerorten. Beides trat zunächst in Wissenschaftsbereichen auf, in denen sich die Informationsmengen derart gemehrt hatten, dass man ihnen mit dem immer stärker verengenden Fächerstolz der Professionalität nicht mehr beikommen konnte. Denn das hat Professionalität einmal bedeutet: sich in einem immer enger werdenden Bereich – dafür aber immer besser – auszukennen. Selbst darin scheinen Platon-Hintergründe auf. In der *Politeia* vertrat dieser antik-griechische Denker die Meinung, es sei besser, in einem ganz kleinen Bereich, für den man Begabung ausgewiesen hätte, sich sehr genau auszukennen und ihn zu beherrschen, als von vielen Bereichen immer nur Oberflächliches und Weniges zu kennen, das man nicht recht unter einen Hut bekommt, das einem durcheinanderpoltert, -schwirrt, -surrt und -flüstert. Klar, dass das auch heute weiterhin ein durchaus einsichtiges Manöver ist, um mit wachsenden Informationsmengen doch noch gründlich und verlässlich zurande zu kommen, indem man sich außerhalb seines eingeschnürten Bereichs in nichts einmengt. Man nennt das mit kritischer Position Fachidiotie, die Fachidiotie antwortet darauf mit dem zum Schimpfwort gewordenen Dilettantismus.

TEAMARBEIT | ÜBERSCHNEIDUNGEN Gerade in den Naturwissenschaften brachte aber die wachsende Information bald die Einsicht hervor, dass viele Phänomene nur dann in Annäherung durchschaut werden könnten, wenn sie unter den verschiedenen Perspektiven der verschiedenen Naturwissenschaften angegangen würden. Ganz besonders traf das auf die Biologie zu, als das Erklärungsprinzip spezifisch eigener Lebenskräfte, anders als die physikalischen und die chemischen, baden ging. Jetzt mussten biologische Problemstellungen mit Physik und Chemie kombiniert werden. In den Humanwissenschaften spiegelt sich diese Durchdringung im Verhältnis von Geschichtswissenschaft, Soziologie und Politologie wider. Kunstgeschichte wurde ein besonders interdisziplinäres Fach, weil jetzt wesentlich gar Religionswissenschaften mit ins Spiel kamen, und fürs Spätere Mathematik, Sozialgeschichte ohnehin und Tiefenpsychologie etc.
Interdisziplinäres ergab sich also gerade aus dem Anwachsen der Informationsmengen, dem man im ersten Schritt mit bornierter Fachidiotie begegnen wollte: Fächerstolz vor Bildungsthronen. In den Naturwissenschaften aber entstand das Organisationsmuster, mit dem man diesem geforderten Interdisziplinären komplex und strategisch gerecht zu werden versuchte, statt der Taktik analytischen Rückzugs in viele genau gebaute Schneckenhäuser: das Team, die Teamarbeit, heute in aller Munde der Arbeits-, Verwaltungs-, Freizeit-, Glaubenswelt, selbst im Mund dieser, die ja sonst im Namen der Religion als Rückverbindung so traditionsgebunden scheinen möchte. Welcher gläubige Christ in Euro-Amerika fühlte sich nicht gelinkt, wenn nicht unter dem Brief seines Priesters stünde: Ihr Pfarrteam! Und wenn er da vorne am Altar verschiedene Personen um das Heilige Abendmahl bemüht sieht, wie könnte er heutzutage nicht daran denken: Welch' tüchtiges (oder auch faules) Abendmahlteam.
Team soll eine Vergesellschaftung sondergleichen verkünden, alles intersubjektiv auf der Basis von Partnerschaftlichkeit. Doch in den Naturwissen-

schaften war es nur die additive Zusammenfassung von ganz engen Fachgebundenheiten, die das Komplexe widerzuspiegeln hatten. Und die Zusammenfassung ist keine Angelegenheit von Partnerschaft mehr, sondern Angelegenheit der Forschungsleitung, höchstens unter beratender Assistenz der vielen Mitarbeiter ohne den rechten Überblick. Indem aber trotz der eingetretenen Wichtigkeit der Überschnittsfelder das Hauptgewicht der Problemstellungen und Analysen auf Fächerperspektiven liegt, aus denen sich die Synthese gemäß gelungener Analyse von selbst ergibt, höchstens die Ökonomisierbarkeit nicht ganz so von selbst, ist solche additive Interdisziplinarität der verschiedenen Hochspezialisationen unserer Erfahrung nach gewiss genügend erfolgreich. Dagegen zu polemisieren wäre schlicht lächerlich.

Für eine in den Humanwissenschaften erforderliche Diskussions-Interdisziplinarität aber, die notwendig ist, weil es überwiegend um Kommunikations- statt Kausalprozesse geht, sind Teams der naturwissenschaftlichen Organisationsweise wegen deren additivem Charakters völlig unzulänglich. Bei den Übertragsversuchen der 70er Jahre des vorigen Jahrhunderts kamen meistens Blödsinn, pure Faulheit und Arbeitsverweigerung heraus. Ich selbst habe das noch in Spätphasen meines Studiums und beginnender Assistentenzeit in den damaligen Selbstreformierungsprozessen des Universitären erfahren. Gruppenreferate, immer nur Gruppenarbeit – das war der Ruf der Studenten, gegen den bösen Individualismus des Vereinsamens, bewirkt durch die Interessen der Bourgeoisie. Was kam dabei heraus? Hatten Referate zuvor, verfasst in der Tat von einem einzigen Autor, zu einer Problemlage deren Erörterung durch mehrere verschieden argumentierende Denker zusammengetragen, um auf Grund dieses Erfahrungsprozesses mit den Überlegungen einer Anzahl anderer zu eigener Problemansicht und eigener Problemlösung zu gelangen, so haben die vergesellschafteten Gruppen nach einer sehr kurzen emphatischen Kollektivphase die Arbeit nur noch auf einzelne Gruppenmitglieder verteilt, so dass jedes bloß einen Autor zur Kenntnis nehmen musste. Die so zustande gekommenen Einzelteile wurden in Gruppenarbeit dann nur noch zusammengeheftet zu einem additiven Konvolut mit Aufzählungen zum Problem: Der hat dazu das gesagt ..., der das ..., der das ..., der das ..., usw. Auswertende Diskussionen fanden kaum noch statt.

So sah die Übernahme des additiven Team-Modells aus den Naturwissenschaften aus: Produktion von lauter Textmüll, weil man Vergleich, Wertung, fragmentierende Komposition als Rekonstruktion im Sinn von Jürgen Habermas hinauswarf, also gerade dasjenige, das notwendigerweise die

Hauptarbeit von Einzelautoren gewesen war. Die Einzelautoren hatten nämlich durch Heranziehen einer Anzahl von Autoren vergesellschaftend gearbeitet und das Vergesellschaftete schlug sich dann in ihrem Produkt nieder. Während die Gruppe bald ihre Funktion darin fand zu entgesellschaften. Und die Produkte, die sie ablieferte, waren zusammengetragene Individualmeinungen oder individuelle Zitationsauswahlen, der gängigen Redewendung nach: Kraut und Rüben. Welche Vergesellschaftungsposition soll man da vorziehen, die sich vollziehende oder die sich in Heftung zersetzende? Oder ist Gruppenbildung an sich selbst schon ein Wert, gleich, was dabei herauskommt? Soviel zur Übernahme des Modells *Team* in das Zusammenwirken anderer Wissenschaften am Beispiel Humanwissenschaften.

Diskussionsinterdisziplinarität muss es anders als additive zu echter Diskussion bringen, wie der Name sagt. Ich betone das Echte, obwohl das immer so beschwörend komisch und hilflos klingt, weil auch im Naturwissenschaftlichen von Diskussion gesprochen wird, etwa von der Diskussion einer Kurve, doch meint dann der Begriff ein exaktifiziertes Beschreiben, sofern Mathematik nicht zur Geisteswissenschaft umfunktioniert wurde. Indirekt trifft das auch dann zu, wenn Diskussion das Vorlegen, Erläutern und Befragen von Organisations- oder Bewertungsweisen, von Beobachtungsdaten oder Experimentalanlagen ausdrücken soll. Das wäre im Sinn des Nicht-Zusammenstoßes, des Ausbleibens von Wechselspiel zwischen Für und Wider, der Eristik also, unechte Diskussion, Auseinanderlegung nämlich statt Auseinandersetzung.

Für echte Diskussion müssen aber die interdisziplinär Zusammenwirkenden eine Vorahnung haben von den anderen Fächern, die mit im Spiel sind, um gegenüber den anderen Fachrichtungen nicht bloß in Additivität zurückfallende Schüler zu sein und in Hinblick auf ihre eigene Fachrichtung bloß ebenso in Additivität zurückfallende Lehrer. Also doch vielfachliche Vielwisserei – im Einzelnen vereint? Dann allerdings wäre man wieder dort, wo Platon die Vielwisserei als schlechten Dilettantismus ablehnte. Schließlich sind wir auch in unserem Denken, unserer Sprache, unserem Gedächtnis endliche Wesen. Daran werden selbst die Computer bei äußerst weit gespannten sience-fictionalen Horizonten nichts ändern, sie werden das Endlichkeitsproblem höchstens ein bisschen verlagern, verrücken. Somit hätten also doch diejenigen das Recht für sich, die dem Interdisziplinären außerhalb der Summenbildungen aus Additivem die schiere Oberflächlichkeit oder das geringe Wissen von Vielerlei vorwerfen oder die Flucht in bloß organisationelles Entwerfen und Entwerfen und Entwerfen und Entwerfen dessen, was alles getan werden müsse, ohne dass es zum Tun kommt, weil das Entwerfen und seine kritische Korrektur schon die Forschungsenergie aufgezehrt haben.

Beim Versuch eines von Manfred Moser an der Universität Klagenfurt zusammengebetenen Kreises, an dem ich teilnahm, stießen wir auf diese Mauer der Argumentation. Es ging uns darum, Kulturwissenschaften dort als Interdisziplin einzuführen, die keiner Nebenfächer mehr bedürfe, weil sie lauter Nebenfachlichkeit enthielte. Kulturwissenschaften wurden dann aus unüberwindlichem Fächerpatriotismus nur marginal additiv statt zentral diskutierend realisiert, sozusagen als Blinddarm statt Dickdarm.

Gegen die Triftigkeit der mauernden Argumentation hilft ausschließlich, was auch bei unserer Klagenfurter Arbeitsgruppe im Hintergrund stand, vielmehr sich bewegte: ein Fragmentalisieren des Spezialistischen in Richtung der jeweils eigenen Fächer und der Fächer der anderen und andererseits der Fächerüberschnitte. Es handelt sich also in der diskutierenden interdisziplinären Arbeit um wechselnd fragmentalisierende oder fraktalisierende Spezialistenfunktionen verschiedener Fächerfraktale und um Spezialistenfunktionen der fraktalen Überschnittsfelder von Fächern auf Zeit für Interdisziplinäres. Das heißt, in interdisziplinärer Arbeit handelt es sich um ein fraktales Spezialistentum, sowohl im Fachlichen selbst wie im Überschnittswesen des Fachlichen, was ja auch immer für jedes Fach, das sich ausdifferenziert hat, weil es sich aus Komplexen ausdifferenziert hat, zu gelten vermochte wie vermag; es entstand selber als Fragment. Mitten in Fragmentarik oder Fraktalität lernt jeder der interdisziplinär Kooperierenden fraktal vom anderen und wird fraktaler Spezialist.

Hierzu lässt sich viel lernen von Marshall McLuhans Aufbruch in fragmentalisierende Theoriebildung mit ihren zurecht aktualisierenden Rückblicken auf das europäische Mittelalter und dessen Denk-, Darstellungs- und Gestaltungsweisen (vgl. *Der McLuhan Reader*, Köln 1996, besonders das Kapitel *Die Gutenberg-Galaxie*), so sehr auch die der Arbeitsteilungsideologie und der Fachprofessionalität Verfallenen diesen Denker aus ernstzunehmender Theorie ausklammern möchten. Schließlich sind doch die sich immer weiter ausdifferenzierenden und damit sich immer enger fassenden Fächer eben selber nur Bruchstücke, obwohl die Ideologie der Fachprofessionalität sie als abschließbar – und dadurch einhängefähig in wissenschaftsbetriebliche Rahmensysteme – zeigen möchte. Darauf gerade verzichtet fragmentalisierende Theoriebildung, indem sie ihr Hauptinteresse auf die verweisenden Abbruchkanten lenkt, also Zeichen und Anzeichen von Abgebrochenem vermittelt, leidenschaftlich aus dem Geist des

„Ich weiß, dass ich nichts weiß" (im Sinn von Sokrates, dem Autoren des weltbekannten Spruchs, der ihn als alles andere denn als agnostisch meinte), was aus Fragmentarik zu Fraktalität überleitet. Fachprofessionalität hingegen eifert unter Abneigung gegenüber dem Sokrates-Satz gegen solche zahllosen Abbruchkanten, um ständig Abschließbarkeit vorzugaukeln, und sie spielt bestenfalls auf zuhöchst abstrakter Ebene mit der Idee eines rein formalistischen Gesamtzusammenhangs – jedoch meist ohne Perspektivenwechsel, ohne Ebenenwechsel, ohne Blickpunktwechsel, um der bloßen Formeln willen. Die sich wieder aktualisierenden Reden von einer *Weltformel* verwundern also nicht, einer Weltformel, aus der sich schließlich bei weiterem Anwachsen des Wissens, beschleunigt durch immer geeignetere Computer, spezifisches menschliches Verhalten in der menschlichen Lebenspraxis bruch- und kantenlos ableiten lassen soll und anderes mehr. (Vgl. Stephen Hawking. Er steht allerdings keineswegs allein, wenn es um neuerlich naturwissenschaftliche Ableitung spezifisch menschlichen Verhaltens ohne Bruch geht.)

Ganz anders ist der Zugang über die fraktale Konzentration auf Abbruchkanten in ihrem höchst differenziellen, das heißt changierenden, wellenden, streuenden Verweisungscharakter. Das hält Möglichkeitsfelder geahnt pluraler und komplexer Zusammenhänge mit Weisungsansatz offen oder eröffnet sie vielmehr mitten im angestrengten Perspektiven-, Ebenen-, Einstellungswechsel, in dem der Beobachter wie der Gestalter wie der Handelnde nicht nur dauernd den Beobachtungsort, den Gestaltungsansatz, die Handlungssituation ändert, sondern zugleich die Qualifikation der Einstellung dazu. Abbruchkanten sind ganz konkrete Verweisungsanstöße, und schließlich: sie selber brechen immer weiter ab in der Erosion ihres Gebrauchs. So ist fraktale Theoriebildung geboten im heutigen durchgängigen Pluralismus mit ihrem Pluralismus der Perspektiven, besser gesagt der Perspektivitäten, weil das kristalliner und bruchstückhafter klingt. Und zugleich zeigt sich ihre Konzentration auf Abbruchkanten als eine Arbeit gegen jenen Pluralismus, der ein verharmlosendes, dämpfendes, entspannendes Nebeneinander der Pluralitäten meint: *Everything goes* wie *Every thing goes* (vgl. bekannt und doch genannt: Paul Feyerabend: *Wider den Methodenzwang*, Frankfurt am Main 1976). Vielmehr hat fraktale Theorie mit Abbruch als Neubruch und Aufbruch zu tun. Und das Ahnen komplexer, in der Einsicht immer komplexer werdender Zusammenhänge findet sich, so sehr es mit ihr arbeitet, mit der Pluralität keineswegs ab, um nämlich nicht einer abstraktiv-rationalen Überdachung einfach widerredelos ausgeliefert zu sein.

PROJEKTE | FRAGMENTE Damit es sich aber nicht tatsächlich bloß um das Auswerfen oder Ausstreuen eines Felds von exakten Bruchstücken handelt, das interdisziplinäre Arbeit herstellen würde, darum drängt diese so wie zu den Abbruchkanten, als eine der ganz wichtigen Voraussetzungen, in Übereinstimmung damit zum *Projekt*. Sie ist nur in der Organisationsweise des Projekts sinnvoll, sonst bliebe ihr Ergebnis schlecht dilettantische Vielwisserei oder Vielkönnerei gestreuter, verstreuter, zerstreuter Art, ein Sack voll unzusammengehöriger Brocken. Was ist nun aber ein Projekt? Eine seiner Bestimmungsmöglichkeiten für Wissenschaft und Kunst lässt sich ausdrücken als eine hoch komplexe Problemstellung, die viele anzugehen hätten – weil diese selbst sich in dieser Problematik befinden und aus ihr beunruhigt werden, auch wenn sie es nicht wissen. Und der hoch komplexen Problemstellung wegen muss auch tatsächlich vieles vielfach verschieden angegangen werden und wegen des Vielen auch das, was die Vielen zur Zeit in der Tat nichts anzugehen scheint. So betrifft ein solches Projekt sowohl die Einsichtsebene, als Mehrung der Einsichten, wie die übliche oder alltägliche Lebenspraxis, das jedoch nicht in einem von mystischen Dialektikern so gerne beschworenen Einheitsatemzug. Es reichen ja mögliche oder virtuelle Praxisfolgen aus, als Vorschläge, die ihrerseits nicht realisiert werden müssen, aber, wie man neudeutsch sagen würde, eine bestimmte Menge von Optionen ständig offen halten. Andererseits braucht die laufende Praxis nicht nach Projekten zu schreien als ihre Nothelfer, ohne dass davon, sofern diese Schreie ausbleiben, die Praxisbedeutung der Projektarbeit getrübt wäre.

Über den dauernden Bezug zur komplexen Problemstellung des Projekts würde die Fragmentarik der Ergebnisse aus gründlicher interdisziplinärer Arbeit in einen – wenn auch komplizierten und vor allem viele Umwege erfordernden, labyrinthisierenden und sich ständig provisorialisierenden – Zusammenhang mit einer sich zumindest einleuchtend machenden Hypothetik gelangen, und das wäre dann entschieden mehr als ein Sammelsurium aus fremdelnden Bruchstücken. Zugleich ist jede fachspezifische Exaktheit in Form von Splittern und Kristallen mitten im Netz eines vorsichtig und zerreißbar gespannten Zusammenhangs zugelassen und erwünscht.

Die Fragmentarik des Spezialistentums in solchen inter- und transdisziplinären Projekten als ein Zusammenwirken fachlich bloß fragmentarisch sattelfester Spezialisten ohne Fachsouveränität misszuverstehen, würde neuerlich den an Platon orientierten Kritikern aus dem Geist der Arbeitsteilung Vorschub leisten. Interdisziplinäre Arbeit im Projekt setzt fachgeschulte, fachsouveräne Mitarbeiter und Mitarbeiterinnen voraus, sonst hätten sie nichts überlegt fachlich Fragmentarisches beizutragen. Denn die Überlegung von Beizutragendem setzt die Fähigkeit voraus, aus dem eigenen Fach heraus die Überschnitte zu anderen Fächern einzuschätzen und abzuwägen, so auch die Überschnitte des eigenen Faches zur komplexen Problemstellung des Projekts.

Nun streift das doch wieder bei einer gewissen dilettantischen Vielwisserei an, die vorher zunächst einmal den Ideologen der Arbeitsteilung als berechtigterweise ablehnenswert eingeräumt wurde. Denn die gerade gemeinten Einschätzungen verlangen ja mindestens auch ein Ahnen der Angelegenheiten und Verfahren anderer Fächer und der zunächst außerhalb des eigenen Faches gelegenen komplexen Problemstellung eines Projekts. Man kommt um eine gewisse vage Bildung des Überblicks über andere Wissenschaften und Künste nicht herum, auch wenn dies fragmentarisch sein darf, so sehr größte Breite wünschenswert wäre und sie die Effizienz erhöhte. Solch vager Überblick einer Gebildetheit war noch immer fruchtbarster Boden für Hypothesengewinnung und erfolgreiche Methodenübertragung, ja Methodenmontage im Übertrag. Hieraus schlägt der Dilettantismus um in seine Brauchbarkeit und er zeigt sich nun als eine Voraussetzung für gelingende interdisziplinäre Projektarbeit – indem die Fächer selber zueinander in Überschnitten stehen und komplexe Problemstellungen als Überschnitte vieler Fächer wahrgenommen werden.

PRAXIS | SCHEITERN Das nun gelaufene Votum für Projektstudium und Projektforschung und Projektgestaltung will aber keineswegs die Gefahren der Angelegenheit unterschlagen. Der Autor hier hatte selbst aufs Widrigste damit zu tun. Die allergrößte Gefahr kam auf, als der erste Begeisterungssturm für Projektarbeit in den 70er Jahren des vorigen Jahrhunderts ausbrach. Erst einmal hatte man gerade den Projektbegriff aus Praxisrufrausch in einen ganz engen und kurzfristigen Praxisbezug gestellt. Es sollte in Projektthemen nur um die Praxis von Tag zu Tag gehen, als gehöre das wesentlich zum Projektbegriff. Und man verabsolutierte den Projektbegriff dermaßen, dass das ganze Studium und die Forschung und die Kunstproduktion nur noch in kollektiven Projekten stattfinden sollten.

Man entwarf etwa die Ideologie, nach der aus Projektlagen alle Motivationen zum Lernen dessen kämen, was sinnvoll wäre. Zu welchem Lernen einen Projekte nicht motivieren würden, solches Lernen wäre auch sinnlos, überflüssig. Nun war Lernen menschlich immer ein verkürztes Heranführen an vielfache menschliche Möglichkeiten noch außerhalb und vor Projektsituationen, das gilt genau so für das Universitäts- oder Akademiestudium. Erst aus langwierigen und ihrerseits Arbeitszeit erfordernden Projekten heraus sich die Motivationen zum Lernen von etwas zu holen und es sich dann im Nebenbei zu laufenden Projektarbeiten anzueignen, bedeutet entweder eine völlige Überforderung – oder das Lernen und damit das Erschließen von Möglichkeiten findet eben nicht statt oder wird nur angedeutet. Zum Beispiel stehe ich nun seit Jahrzehnten in Projektzusammenhängen der Forschung mit Franzosen: genug Motivation zum Lernen der französischen Sprache. Diese sich aber innerhalb der Projektarbeit anzueignen, war von der Arbeit her ganz ausgeschlossen, also blieb doch nur ein davon abgesondertes Lernen übrig, das auch aus ganz anderen Motiven, etwa um endlich Marcel Proust im Original zu lesen, hätte stattfinden können. Für das Projekt selbst war es wegen der hervorragenden deutschen Sprachkompetenz der französischen Partner nicht notwendig. Nicht alles sinnvolle Lernen und Forschen erschließt sich also erst aus Projektarbeit; wenn das aber doch angenommen wurde, wie in den 70er Jahren, dann jedoch verband sich das mit engstem Praxisbezug von Tag zu Tag.

Dagegen Projektarbeit nun hat keineswegs primär diesen kurzfristigen, unnachhaltigen Praxisbezug, wie ihn Vulgär-Kapitalisten, mit Vulgär-Marxisten darin einig, so sehr wünschten und wünschen. Der Praxisbezug kann sich zu weitester Indirektheit ausdehnen. Die Praxisferne des Projekthaften machen auch Kluge und Philipp nicht nur am hier schon kommentierten Leibniz-Projekt durch ein spezifisches Scheitern von Projekten geltend. Leibniz scheiterte ja schließlich an der andernorts gewohnten, von Tag zu Tag eingefahrenen Praxis. Und das scheint so selbstverständlich, weil Leibniz gegenüber Alltagspraxis ein einigermaßen abgehobener Kopf war und daher gewöhnlich sein Arbeiten vor allem auf ein Denken ohne Praxisauftrag richtete, was ihm ja selbst die didaktische Aufklärung übelgenommen hat. Es sei denn, man fasse auch als ein Projekt mit Praxishintergrund etwa Leibniz' Bemühen um eine Wiederzusammenführung der christlichen Richtungen auf, dem im Endpunkt oder der Perspektive sein gesamtes Denken gegolten habe. Schließlich bekam er gerade wegen solcher Fern-Horizonte religiöser Praxis praktisch-diplomatische Aufträge. Aber auch dieses nun geistige, ja geistliche Großprojekt scheiterte bekanntlich. Spezifisch ist das Scheitern von Projekten deshalb, weil mit ihm ein Projekt nicht aus der Welt ist. Seit historischer Sinn aufkam unter den Menschen, landeten gescheiterte Projekte in den Archiven, gewiss also schon seit den antiken Historikern und vor ihnen sicher in Traditionen mündlicher Archive. Leibniz' Windmühlensystem ließ sich Jahrhunderte später noch nachbauen und – funktionierte, wie man im Kluge-Philipp-Gespräch hier erfährt.

Also behalten gescheiterte Projekte nicht nur ihre Dokumentationsspuren, sondern auch eine Potenz. Denn so praxisfern sie sich erwiesen haben mögen an der eingefahren-gängigen Praxis, so vermag ihre Praktikabilität die Praktikabilität der eingefahren-gängigen Praxis weit zu übertreffen. Ja, das Scheitern hat Projekten oft ihren Projektcharakter bewahrt und ihre Potenz erhöht, was eben, wie zuvor schon begründet, im engagierten Vorschlagswesen liegt. Dazu sprechen Kluge und Philipp hier im Buch über ein vieldeutiges Beispiel: Napoleons Ägypten-Projekt. Wäre es, sage ich weniger euphorisch, damals nicht gescheitert, hätte sich wohl auch für Ägypten bloß ein historischer Weg wie jener für Algerien-Tunesien verwirklicht. Nur durchs Scheitern hebt sich das, will man es so nennen, Ägypten-Projekt Napoleons so sehr von seinem imperialen Unternehmen eines Europa von Moskau über Paris bis Madrid ab. Und es leuchtet noch Praktikabilität darin auf, wie Kluge und Philipp es entgegen Napoleons Europa-Unternehmen besprechen.

Der rohe Praxisruf der 70er Jahre hat solche Erschwerungen, Vertiefungen und Durchkreuzungen alle unter den Tisch gekehrt, ohne Sinn dafür, dass Phantasie eben abhebt aus den realen Bedingungen und ihren Nasenspitzenproblemen zu – Abstand. Projekte hängen in der Luft. Im 1968erischen machte der in Frankreich aufgetauchte Ruf noch Sinn: „Seien wir Realisten, verlangen wir das Unmögliche!" Die 70er Jahre duschten das mit ungeduldigem Praxiseifer ab. Kehren wir aus der kalten Dusche dahin zurück!

Doch in Studium, Kunstproduktion und Forschung ist die Projektorganisation nur ein Bein unter mehreren, wenn auch ein äußerst wichtiges. Rein im Interdisziplinären und im Projekthaften zu arbeiten, das wäre gleichsam eine Fachidiotie mit umgekehrten Vorzeichen. Aber wiederum nicht einen Teil seiner künstlerischen wie wissenschaftlichen Arbeit interdisziplinären Projekten zu widmen, hieße schlichtweg Borniertheit. Dass aus Projektarbeit nicht das Motiviertwerden zu allem sinnvoll zu Lernenden hervorgeht, sondern dass man an ihr nur effizient teilnehmen kann, wenn man Ahnungshorizonte eines brauchbaren Dilettantismus mit einzubringen hat, dafür steht unter anderem schon allein der Umstand, dass dem wirklich Unwissenden nichts an Wissen fehlt. Denn er weiß ja nicht, was gewusst werden könnte. Wie könnte ihm dann was fehlen?

Von dieser einfachen Einsicht her lässt sich brauchbarer Dilettantismus auch negativ artikulieren. Hegel schrieb einmal irgendwo, dass, wer die

Grenze als Grenze erfahre, also als Grenze wisse, der habe sie schon über-schritten. Ohne solchen wenigstens negativ formulierbaren Dilettantismus, in vager Bildung eines Ahnens von Nichtgewusstem und wo es vielleicht läge, müssten hinter jedem Unwissenden ständig Lehrer stehen, die ihm mitteilen, was ihm fehlt. Bei Projektarbeiten der 70er Jahre war das ähn-lich, vielleicht ein Zug, in dem sich – wie in vielem anderen – die seit Jahr-zehnten laufende Infantilisierung der Gesellschaft mitangedeutet hat.

Verhielte es sich nicht so, wie vorhin skizziert, hätten eben nochmals alle Kritiker des diskutierend Interdisziplinären und des damit verbundenen Projekthaften der Arbeitsweise das Recht für sich, von schlechtem Dilet-tantismus zu sprechen, der sich der Mühe wie Anstrengung des Begriffs und der Sorgfalt des Gestaltens entziehen möchte. Die Berufung auf das Konzeptuelle solcher Arbeiten liefert für Kritik genügend Angriffsflächen – von unterstellter Faulheit bis zu Bazon Brocks Hohn über das Multikultu-relle, weil es den Menschen überfordern würde, sich auch nur zwei Kultu-ren in seinem dazu zu kurzen Leben anzueignen oder gar in zwei Kulturen zu leben. Zu inhaltsleerer Vielheit bringt folgender Witz einiges auf den Punkt: Dem Papst wird zum Kardinalstaatssekretär (das Amt schließt das Außenministerium des Vatikans mit ein) ein Kandidat vorgeschlagen mit der werbenden Begründung, er könne 40 Sprachen handhaben, vielmehr geisthaben. Der Papst erwiderte, das sei ihm bekannt. Aber ebenso sei ihm bekannt, dass die vorgeschlagene Person in 40 Sprachen nichts zu sagen habe. Allerdings weder Brocks Hohn noch der Vatikan-Witz ändern etwas an dem Umstand einer real existierenden Multikulturalität in Euro-Amerika, die nicht mehr rückgängig zu machen ist und wegen der realisierten Reich-tumsgefälle auch nicht zu verhindern war, außer im Alterswahn eines Altspitzenpolitikers wie Helmut Schmidt, der neulich einmal meinte, es wäre der stärkste politische Fehler gewesen, Gastarbeiter in den florieren-den Teil Europas hereinzuholen. Wenn auch die real-existierende Multi-kulturalität mit ihren vielfach gebrochen verbequemenden Ghettobildun-gen eine Karikatur sein mag, wie zu Recht Naomi Klein betont, um die Realität der Karikatur krass hervorzuheben (vgl. *Der Standard*, Wien 24. 8. 2005), so nimmt sich freilich das diskutierte Heilmittel einer Integration auch wie eine Karikatur aus. Mit dazu erforderlicher totalitärer Sozial-didaktik, sollte sie sich gar nicht einmal einlassen auf Einsätze und Ansätze in der real-existierenden Multikulturalität. Doch selbst dann würde sie wieder in Karikatur sich umspiegeln, falls sie glaubte, durch Sozialdidaktik Multikulturalität im Endeffekt aufheben zu können.

CETERUM CENSEO Man sollte, um dem in der Kritik an multikultureller Ideenwelt umgehenden Plausiblen zu begegnen, seine Vorbilder zu interdisziplinärer Projektarbeit in Fächern suchen, die wegen ihres Gegenstandsbereichs darauf angewiesen sind, entgegen ihrer Ausdifferenzierung von Wissen mit interdisziplinären Projektverfahren zu arbeiten, und als ein Kontra zu kurzfristigem Praxisbezug existieren, diesen also mit ihren Projekten allenfalls nur indirekt erreichten, erreichen und erreichen werden. Gerade weil nicht eigentlich gemeint, würde somit etwas angesteuert, was auf das unheimliche Wort von der *Umwegrentabilität* verweist, ihm freilich dabei radikal erweiterte Bedeutungen zuordnet. Sicher hat die Ötzi-Forschung der touristischen Gastronomie in Tiroler Tälern gedient. Als Beiwerk braucht das der Forschung ja nicht im Weg zu stehen, auch als weltweite Unterhaltung nicht, die, wie ich hörte, eine Anzahl Amerikanerinnen von einer Fertilisierung mit Ötzi träumen ließ und sie veranlasste, gleich per Anfrage-Brief solchen Traum in realisierende Wege zu leiten. In derartigen Fragen verbindet sich Unterhaltung sogar mit unterhaltsamer Enttäuschung. Zurück aus der Touristik, die gewiss stets irgendetwas mit Transfer zu tun hat, zu meiner Conclusio: Entgegen dem vielen, vielen schlechten Dilettantismus des Interdisziplinären werden hier also vor allem die unbezweifelbaren Einsichtserfolge von Archäologie, Ethnologie, Mythologie (Religionswissenschaften) oder Kunsttheorie gemeint, von denen her – oder auch anders herum – man neu ansetzen mag. Gewiss sind die konstatierbaren Erfolge dieser zum Interdisziplinären gezwungenen Wissenschaften von durchschlagender Widerlegungskraft gegenüber der Annahme, Interdisziplinäres und Projekthaftes müssten notwendig auf fragwürdigen Dilettantismus hinauslaufen. So manche Fachidiotie, besonders auf dem Feld der Gutachterei, wo mit akademischen Titeln, Graden, Zertifikaten geblendet werden kann (vgl. Pierre Bourdieu zur Statusfunktion der Zertifikate in Diskussionsgemeinschaften, in *Die feinen Unterschiede*, Paris 1979, Frankfurt am Main 1987), führt bekanntlich permanent zu Ergebnissen, die einem noch so kritikwürdigen Dilettantismus um nichts nachstehen an Vorurteilsstärke.

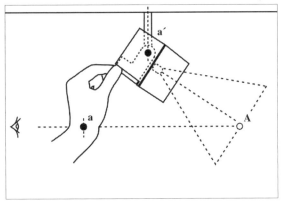

Entwurf für eine Spot-Leuchte, Zumtobel Staff, VIVO scheme
© *EOOS* 2005

„Den Firmennamen haben wir aus Ovids Metamorphosen,
weil wir unsere Arbeit als Erforschen und Erfinden
von Geschichten verstehen. "

„Zwischen verbrennen und verloren gehen spielt sich alles ab. "

EOOS

„Wie eine Rockband arbeiten"

Martin Bergmann, Gernot Bohmann, Harald Gründl von EOOS
im Gespräch mit Christian Reder

CHRISTIAN REDER: Beim Durchgang durch euer Atelier, in dem der Mo-
dellbau sichtlich eine wichtige Rolle spielt, haben wir die von EOOS – wie
ihr euch nennt – entworfene, eben fertig gewordene Leuchte für Zumtobel
Staff gesehen [siehe Entwurfszeichnung links], einen zylindrischen Spot mit
ausgeklügelter Handsteuerung aus nicht-leitendem Material, der also auch
auf einer hohen Leiter, ohne sich die Finger zu verbrennen, bewegt und
fixiert werden kann. Er schaut auch ziemlich cool aus. Wie kommt es zu
einem solchen Auftrag eines großen Konzerns, der selbst bewährte Entwicklungsabteilungen hat?

GERNOT BOHMANN: Den Erstkontakt hatten wir schon als Studenten von
Paolo Piva an der Universität für angewandte Kunst Wien, als jeder von
uns – so das durchaus herausfordernde Programm – selbst finden musste,
was er unter Design versteht. Das ist über zehn Jahre her. Zumtobel Staff
war eine der Firmen, für die wir immer schon gern gearbeitet hätten. Fasziniert hat uns früh, dass sich Ettore Sottsass, der Poet in unserem Berufsfeld, dort ganz grundsätzlich mit Licht beschäftigen konnte und über Jahre
hinweg starken „philosophischen" Einfluss hatte. Unlängst hat sich das
aktualisiert. Um den Auftrag für diesen Spot zu bekommen, haben wir in
kürzester Zeit – in etwa zwei Wochen – dutzende Ideen, Entwürfe, Entwick-
lungsrichtungen skizziert und sie mit ersten Modellen präsentiert. Dieser
intensive, vielfältig weiterverfolgbare Output hat offenbar Eindruck gemacht. Wegen bestimmter Termine wollten alle rasch ein gutes Resultat.
Bei der Umsetzung gab es keinerlei Probleme. Wenn in einem Projekt die
Kommunikation stimmt, sagen wir immer, entstehen plausible Produkte
fast automatisch. „Wir brauchen einen Strahler für Retail", also für Ver-
kaufslokale, war das einzige Briefing, das wir dafür gebraucht haben. Es hat

also auf Anhieb funktioniert. Dabei wissen wir, dass sich das Unternehmen ansonsten eher auf die Kooperation mit hervorragenden Architekten stützt. Sonderbarer Weise ergibt sich die Kontroverse Architekt – Designer auch anderswo, bei Bulthaup, bei Duravit etwa, wo es um Küchen und Badezimmer geht.

MARTIN BERGMANN: Tendenziell wird Design eher abwertend betrachtet, weil fast alle Firmen das Denken von Architekten erwarten. Designern traut man merkwürdiger Weise weniger zu. Bulthaup spricht vom „Lebensraum Küche", meint damit Architektur, nicht Design. Rem Koolhaas wiederum pocht darauf, architektonisches Denken sei überall anzuwenden.

CHRISTIAN REDER: Das könnte vielleicht an Hans Hollein liegen, mit seiner Devise „Alles ist Architektur".

GERNOT BOHMANN: Gegen solche Machtansprüche wehren wir uns schon und geben nicht nach. Sonderbar bleibt es trotzdem, wie getrennt solche komplementären, einander durchdringenden Arbeitsfelder wahrgenommen werden. Häuser scheinen mehr zu interessieren als deren Inhalte.

CHRISTIAN REDER: In unseren Arbeitssphären entwirft und gestaltet fast jeder etwas, das als Design oder als Architektur gesehen werden kann. Man spricht von der Architektur eines Romans, vom Design einer Fabrik, wenn deren Funktionskonzept gemeint ist. Radikalisiert spiegeln sich solche Zuordnungen selbst in der neu angefachten Fundamental-Kontroverse um Evolution kontra „Göttliches Design" wider. Bleiben wir am Boden. Gäbe es nur noch Spezialisten wird Kommunikation fast undenkbar; Generalisten wiederum, die „alles" können, müssen sich auch ein bestimmtes Profil geben. Wie seht ihr euch da, mit eurem ausdrücklich „poetischen" Ansatz?

HARALD GRÜNDL: Wir konzentrieren uns auf zwei Felder. Das eine ist Möbeldesign, wobei wir den Möbelbegriff bis ins Industriedesign ausdehnen. Das andere ist das „Möblieren" von Marken. Im Moment interessiert uns besonders, wie man mit großen Imagegebilden umgehen kann und wie sie sich im realen Raum artikulieren lassen. Das machen wir, und danach werden wir auch gefragt. Wir aber denken sehr wohl immer wieder an Erweiterungen.

GERNOT BOHMANN: In die Anonymität hinein zu arbeiten ist uns wichtig. Es würde anders funktionieren, würde es um die Gestaltung einer Wohnung, also etwas Einmaliges gehen. Vielheit haben wir lieber.

CHRISTIAN REDER: Ich arbeite an einem höchst puristischen Schreibtisch von Jean Nouvel, einer dünnen, von Winkeleisen getragenen metallgrauen Platte, von der wegen des herrschenden Chaos nie etwas zu sehen ist. Lange hat mir ein Schragentisch vom Baumarkt genügt. Es machen einem also selbst simpelste Anschaffungen – Tisch, Sessel, Lampe, Jacke – Probleme. Die Suche scheint im Überangebot einkalkuliert zu sein. Einige der gelungenen Dinge finden sich in jeder Wohnung, die ich kenne – die Klassiker von Marcel Breuer, von Le Corbusier, von Achille Castiglioni, solche von Cassina, Alessi, Artemide. Mehr Freude hat jedoch jeder mit Fundstücken, die nicht überall zu kaufen sind.

HARALD GRÜNDL: Solche Kultur prägende Firmen haben wirklich noch geforscht, mit Gefühl die richtigen Leute einbezogen. Daraus ergaben sich langlebige Produkte. Viele sind gar nicht mehr erhältlich. Inzwischen ist überall die Ruhe weg um noch gründlich nachzudenken. Es muss eben jedes Jahr Neues präsentiert werden.

GERNOT BOHMANN: Die Familie von Rolf Benz, die 1993 Walter Knoll übernommen hatte, ist ganz in unseren Anfangsjahren auf uns zugekommen, hat uns einen Prachtband *125 Jahre Knoll* auf den Tisch geknallt und schlicht gesagt: „Bitte macht uns was". Daraus ist das sehr erfolgreiche Jason-Sofa entstanden. Das ist unser erster wirklicher Industrieauftrag gewesen. Damit konnten wir uns von Wien lösen, aus der Unbekanntheit. Bis das Ding aber tatsächlich im Handel war und Lizenzgebühren überwiesen wurden, vergingen noch zwei, drei Jahre. Das hat uns aber trotzdem enormen Rückhalt gegeben.

MARTIN BERGMANN: Wo noch Eigentümer das Sagen haben, ist oft wirkliches Interesse zu spüren; bei den häufig wechselnden Konzernmanagern geht es – so mein Eindruck – zunehmend um die Straffung der Verfahren und ein schnelles Zukaufen sonst zu aufwendiger Leistungen.

HARALD GRÜNDL: So kann brutaler als intern ein Termindruck ausgeübt werden. Wie beim Sport nimmt die Beschleunigung im Finish zu. Zukaufsbereiche, wie wir es sind, waren in einem solchen Vergleich die Legionäre, die Liberos. Das ist vielleicht auch unsere Chance. Wir sind ja tatsächlich viel schneller, haben andere Zeitbegriffe. Entscheidend dafür, warum – aus Sicht der Firmen – „Außenseiter" wie wir ins Spiel kommen, sind oft die jahrelangen Prozesse für solche Produktentwicklungen. Sobald endlich die Parameter hinlänglich klar sind und ein Messetermin zum Handeln zwingt, kommt der entscheidende Anruf, ob wir das und jenes in vierzehn Tagen liefern könnten. Fast immer passiert das an einem Freitag, meist erst am Abend. Das sagt wohl einiges. Der „Konzept"-Aufwand der Firmen in Vorphasen ist oft völlig irreal, mit dicken Mappen, in denen alles vorausgedacht, begründet, bewiesen erscheint. Nur die endgültige Form scheint noch zu fehlen. Das hat etwas von Phantomfotos an sich, mit denen Verbrecher gesucht werden. Die bräuchten dann nur mehr gefunden zu werden. Ein Entwerfen macht das völlig uninteressant. Angeblich hat die genau ergründete Nachfrage schon alles vorausbestimmt. So wird überall aber bloß Angleichung erzeugt. Forschung, wie wir sie verstehen, mit ihren vielen emotionellen, Erzählweisen einschließenden Bezügen, wird innerhalb solcher Verfahren fast undenkbar.

GERNOT BOHMANN: Im Prinzip funktioniert die Welt völlig verkehrt, wenn wir von EOOS mit unseren paar Leuten ständig *basic research* machen, also die Batterie sind, nach Ritualen, nach Bildern, nach Geschichten forschen. Das begeistert Auftraggeber dann durchaus, offenbar weil es in ihrer internen Kommunikation kaum eine Rolle spielen kann.

HARALD GRÜNDL: Wir forschen eben ohne dass uns jemand explizit damit beauftragt, weil wir kulturell relevante Dienstleistungen erbringen wollen. Im Prinzip ist ja stets ein verkaufbares Produkt gewünscht. Wie wir dazu kommen ist unsere Sache.

CHRISTIAN REDER: Kernbereiche der Wirtschaft erscheinen aus eurer Sicht somit eher als behäbig; den Beschleunigungsbedarf müssen Externe decken, Werbeleute, Consultants, Designer, Architekten, Projektgruppen, Unterlieferanten. Bei Autoren im Medienbereich ist das nicht anders.

MARTIN BERGMANN: Von etablierten Großen ist immer mehr zu hören, keiner könne sich mehr gedanklich neue Wege leisten. Dabei arbeiten wir primär mit Firmen, die ausgebaute Entwicklungsabteilungen haben. Zu unterschätzen ist aber nicht, dass sie Ideen von uns, wenn es funktioniert, sehr massiv weiterentwickeln, also für die Realisierung entscheidende Power liefern. Stimmt der Zugang, also die Unternehmenskultur, wie z.B. bei Matteo Grassi, bei Walter Knoll, bei Zumtobel Staff, ergeben sich daraus sehr ausbaufähige Linien. Die sind selber so stark, dass es oft genügt, wenn wir mit Ideenskizzen kommen.

GERNOT BOHMANN: Indem wir uns in das Gegenüber hineindenken und vieles genau absprechen entsteht dann im Idealfall sowohl „100% Matteo Grassi" als auch „100% EOOS"; wir wissen um unseren Beitrag, es geht uns jedoch nicht darum, ständig mit erkennbar Eigenem zu brillieren. Allein geht bei uns gar nichts; wir produzieren Entworfenes ja nicht selbst. Tragfähige Produkte entstehen immer im Zusammenspiel kompetenter Netzwerke. Auch wir agieren nicht als eine Person sondern als Gruppe. Die Sache um die es geht, steht vom Ansatz bis zur Fertigstellung gleichsam in der Mitte; der Unternehmer, seine Leute und wir umkreisen sie bis sich Lösungen konkretisieren.

CHRISTIAN REDER: Helmut Lang hat mit seinem Minimalismus durchaus Lebenswelten mitgeprägt, das aber nie als Geschlossenheit verstanden, sondern seine Vorschläge explizit als Module für Vermischungen, nachfolgende Veränderungen propagiert. Aus einem publizierten Gespräch mit mir [*Forschende Denkweisen*, Wien-New York 2004] lässt sich fast eine Theorie der Flexibilität herauslesen; an vertraute „Lebenswelten" – für Jürgen Habermas das „Reservoir von Selbstverständlichkeiten oder unerschütterten Überzeugungen, welche die Kommunikationsteilnehmer für kooperative Deutungsprozesse benutzen" [*Moralbewusstsein und kommunikatives Handeln*, Frankfurt am Main 1982, S. 189] – erinnern bloß noch spurenhafte Transformationen. Es geht um Öffnungen, um sich permanent neu bildende Zeichensets. Komplett durchgestaltete Umgebungen, ohne irgendwelche Irritationsmomente, würden das überdrehen. Wer könnte das aushalten? Es entstünden völlig statische Museumssituationen.

MARTIN BERGMANN: Zu im wörtlichen Sinn umfassenden Gestaltungen sind wir bisher noch nicht verführt worden. In dem wir uns auf Einzelprodukte konzentrieren denken wir die Wahlmöglichkeiten mit. Beim neuen A1-Shop in der Mariahilferstraße in Wien ging es einmal darüber hinaus. Wir haben den Wettbewerb gewonnen, sollten der Mobiltelefon-Kultur Ausdruck verleihen. Uferlos; kein leichtes Thema…

HARALD GRÜNDL: … deshalb wollten wir uns experimentell einem Shop der Zukunft annähern. Wie bei jedem komplexen Projekt kreisen wir die Aufgabe mit einer poetischen Analyse, also sprachlich-bildhaft ein: das weltweite Netz, eingefangen in diesen kleinen Geräten – Mobilität – extreme Konzentration von Möglichkeiten – Magisches. Zukunft darzustellen wäre vermessen. Wir haben uns daher von früheren Science Fiction Sequenzen anregen lassen, da landen UFOs in Wäldern, weil das den Unterschied zu Technischem krass demonstriert. Gegenlicht, Nebel, Unschärfen spielen eine Rolle. Der Eingangsbereich ist daher von Licht, Nebel, einem zum leuchtenden Boden gewordenen Himmel geprägt. Nichts weist darauf hin, was einen erwartet. Auf Dinge aus der Zukunft beziehen wir uns mit einem einfachen, über Spiegel funktionierenden Holographiemechanismus, was präsent machen soll, dass es um noch Unausstellbares geht. Nichts lässt sich angreifen. Will man etwas fassen, fährt die Hand ins Leere. Erst im eigentlichen Verkaufsshop geht es um die Produkte.

CHRISTIAN REDER: Zum Thema Zukunft habe ich ein markantes Statement von Hermann Czech in Erinnerung, der 1967, also in recht utopiefreundlichen Zeiten, auf eine Wettbewerbseinladung geantwortet hat: „Der Entschluss der Firma Holzäpfel, Möbel für das Jahr 2000 herzustellen, ist zu begrüßen. Ich halte jedoch einen Entwurfsbeginn im Augenblick nicht für notwendig. Ich würde mich außerordentlich freuen, wenn Herr Christian Holzäpfel oder ein Jurymitglied – vielleicht Herr Max Bill – sich 1997 mit mir in Verbindung setzen würde." [Hermann Czech: *Zur Abwechslung. Ausgewählte Schriften zur Architektur*, Wien 1978, S. 66]

GERNOT BOHMANN (auflachend wie seine beiden Partner): Wer traut sich so was heute noch? Dabei trifft es die Sache wirklich …

HARALD GRÜNDL: … nur geht es inzwischen tatsächlich um völlig neue Dimensionen, um das Umkippen ins Digitale, Virtuelle, den Umgang mit ungeheuren Datenmengen. Was hast du noch in der Hand, was wird unsichtbar wirksam? Eine flirrende Leuchtschrift mit Aktienkursen repräsentiert das Jetzt; in einem Moment kann alles anders sein.

GERNOT BOHMANN: Für den A1-Shop wollten wir Bilder finden, die Zukunft repräsentieren ohne Zukunft darzustellen; deswegen der Ansatz: Licht, Technologie, Nebel. Die Nebelfassade ist bloßes Werkzeug, um ein Bild von Transzendenz aufzubauen. Das könnte, wegen der Virtualität, durchaus von der Unternehmenskultur weiter ausgebaut werden. Wenn ein im Kern sehr konservatives Unternehmen wie Vodafone-Partner A1 sich auf so einen ersten Schritt eingelassen hat, sollte es weiter gehen.

CHRISTIAN REDER: Inwieweit so etwas tatsächlich Wirkung zeigt oder bloßes Fassadenelement bleibt, wird sich von euch nicht beeinflussen lassen. Wie ihr gesagt habt, einige Unternehmen wurden tatsächlich in erfreulichem Sinn zu Kultur prägenden Instanzen. Normal ist aber die Spaltung in „Schönes" und „Gewöhnliches". Das Geld für die Kunstsammlung Essl wird in den bauMax-Märkten – exemplarischen Schauplätzen für nützliche Dinge und undurchdachtes Alltagsdesign – verdient, das für die Sammlung von Hans Dichand mit der *Kronen Zeitung*. Nur Architektur wird da und dort ernster genommen, die Produkte lassen wahrlich viel zu Wünschen übrig …

HARALD GRÜNDL: … gerade um diese Wünsche geht es künftig. An Design fasziniert uns, dass es das Potenzial dazu hat, sehr wohl die Massenproduktion zu beeinflussen.

MARTIN BERGMANN: Unser Sofa für Walter Knoll hat es bis auf die Titelseite der *Bild*-Zeitung geschafft, weil es für das Reichstagsgebäude von Norman Foster in Berlin ausgesucht worden war und sie entdeckt haben, dass es sich zum Bett ausziehen lässt, was fürs erste niemand merkt. Der Titel dazu: „Schlaft schön Politiker".

GERNOT BOHMANN: Weil wir immer mehr mit Firmen in Kontakt kommen, die wirklich einen weltweiten Vertrieb haben, verschieben sich auch unsere Perspektiven. Diese Ausbreitung als Massenware interessiert uns sehr, wenn es um Dinge geht, die das Leben bereichern, zu Verhaltensänderungen stimulieren können. Sie als Hilfsmittel für ein Navigieren zu sehen, für Orientierung, das ist unsere Vorstellung.

CHRISTIAN REDER: Dass über die Auseinandersetzung mit Kunst, mit Gestaltung „inhaltlich" etwas passieren könnte, war ein Traum der frühen Moderne. Letzte Reste davon machen Imageberater unglaubwürdig: Kein TV-Auftritt eines Politikers, bei dem nicht irgendein modernes Bild die Aura von Aufgeschlossenheit vermitteln müsste, egal was gesagt wird. Bruno Kreisky war oft vor einem Hundertwasser-Bild zu sehen, hat sich aber tatsächlich für ein liberales Klima eingesetzt; derzeit geht es in Österreich vor allem um politisch organisierte Kunstaktionen, denen sich signifikante Kräfte verweigern, weil sie nicht benutzt werden wollen.

GERNOT BOHMANN: Um das Bedürfnis nach „Inhaltlichem", nach Zeichensetzung auf unseren Bereich zu übertragen: Bulthaup wäre nicht Bulthaup, hätte nicht Otl Aicher dort so intensiv mitgearbeitet: Identität von Produkt und Image …

CHRISTIAN REDER: … was auf die damalige Architektur keineswegs so positiv zutrifft. Solche Traditionslinien müssten euch in der Konzentration auf eher kleine Dinge eigentlich bestärken.

HARALD GRÜNDL: Auch wir kommen aber ohne Erweiterung des Designbegriffs nicht aus, weil wir Knotenpunkte, Initiativpunkte in einem Netz hochkomplexer Prozesse sind. An der Verwendung unserer Dinge kann sich fortwährend etwas ändern. Damit wird der Konsument wie von selbst Teil des Entwurfsgeschehens.

CHRISTIAN REDER: In diesem Sinn sind für mich auch die Wiener Lokale von Eichinger oder Knechtl, das Café Stein etwa, oder das Kleine Café, das Salzamt, das Immervoll von Hermann Czech Beispiele für eine intelligente Erahnung der Akzeptanz durch – vorerst fiktive – „Konsumenten". Erst diese haben daraus urbane Treffpunkte gemacht. Ein Gefühl dafür zu haben war wichtiger als der einsetzbare Aufwand; oft genügten minimale Eingriffe. Sie wurden erfolgreicher, vor allem aber sozial wirksamer als blöde Haubentempel. Dabei Architektur und Design getrennt zu sehen, wäre absurd.

HARALD GRÜNDL: Trennungen sind auch in anderer Weise hemmend. Für Walter Knoll gab es zwei Vertriebswege: Büro und Wohnung. Wir haben gleich gesagt, das verstehen wir nicht. Ein Sofa, das funktioniert, funktioniert zu Hause genau so wie im Büro.

GERNOT BOHMANN: Duravit wiederum wollte von uns eine Eckbadewanne. Ihr Ansatz war das Nutzen einer Ecke im Raum – unserer jedoch: wie baden zwei Menschen gemeinsam in einer Wanne. Dadurch sind wir zu einer sich keilförmig verengenden Form gekommen. Dazu haben uns übrigens indianische Zeichnungen mit keilförmigen Körpern angeregt. Man liegt nebeneinander, spürt sich, kann sich unterhalten, kann Zeitung lesen, Fernsehen, aus dem Fenster schauen. Mit Ausblicken in Wannen-höhe wird bereits architektonisch reagiert. Der Markt jedenfalls war ver-blüfft, obwohl längst schon von Wellness die Rede war. Zwar sind für jedes Wannenmaß, für jede Materialart die Verkaufspotentiale genau erforscht, aus einem solchen Denken finden diese Art von Experten dann allerdings schwer heraus. Sie würden auch nie einen Kyudo-Meister beiziehen wie wir, dessen Kunst des Bogenschiessens uns für eine biegsame Armlehne viele Anregungen geliefert hat.

HARALD GRÜNDL: Es geht um den anderen Blick. Unter Wellness nur irgendwelche Sprudelmaschinen und Unterwasserbeleuchtungen zu ver-stehen, negiert Verhaltenspotentiale, mögliche Verhaltensänderungen.

CHRISTIAN REDER: Mein Glaube an Beratergruppen – ich war selbst beruflich oft genug involviert – hält sich aber in Grenzen, wenn es in der Politik, in der Wirtschaft oder an Universitäten um entscheidende Erneue-rungen gehen soll. Zu oft stimmen Rückhalt, Personalqualifikation, Ar-beitsprogramme nur höchst unzulänglich überein. Selbst mit stattlichen Budgets ist es nicht so leicht organisierbar, verschiedene Denksphären mit-einander zu verknüpfen und damit wirklich „etwas zusammenzubringen". In unbezahlten Projekten lassen sich Energien oft leichter bündeln, eine Zeitlang zumindest. Wo wird denn Nachdenken, Mitdenken schon geson-dert gefordert und gesondert honoriert?

GERNOT BOHMANN: Vieles davon können auch wir nicht speziell ver-rechnen. Es muss sich irgendwie vom Gesamterlös abdecken lassen. Streng gesehen liefern wir damit unentgeltliche Zusatzleistungen. Im übrigen zei-gen wir immer zuerst Entwürfe, bevor wir über Finanzielles verhandeln, stecken also viel Energie in Vorleistungen.

CHRISTIAN REDER: Ich sollte einmal für die deutsche Maschinenfabrik Schubert & Salzer herausfinden, ob Männer in zwanzig Jahren und danach – also jetzt – in Massen Jersey-Stoffe tragen würden, weil davon enorme Investitionen und lange Entwicklungszeiten abhingen. Es lieb trotz Ko-operation mit der ETH Zürich und diversen Experten offen; wer hätte dazu schon seriös etwas voraussagen können? Den Textilbereich hat das Unternehmen inzwischen aufgegeben, völlig neue Materialien dominieren. Ein anderes Beispiel: Nicolas Hajek hat für swatch zu exquisiten Brainstor-mings geladen, offensichtlich um perspektivisch Emotionsfelder abzutasten;

inwieweit sich daraus das Umschwenken von Uhren auf Kleinautos ergeben hat, entzieht sich allerdings meiner Kenntnis.

MARTIN BERGMANN: Von solchen suchenden Intentionen scheint es ganz wegzugehen. Die Leute wollen fertige Entwürfe. Am *Salon Satellite* in Mailand zum Beispiel, an sich eine gute Sache, präsentieren Nachwuchsdesigner praktisch nur fertige Produkte. Unternehmensvertreter schauen sich das an und können kaufen. Ein solcher Zugang ist uns völlig fremd.

CHRISTIAN REDER: Kalkulieren müsst ihr aber doch „pragmatisch", also mit eurem Zeitaufwand?

GERNOT BOHMANN: Wir schreiben die Stunden mit. Die erzielbaren Preise bestimmen sich aber weitgehend unabhängig davon.

HARALD GRÜNDL: Wir arbeiten zum Beispiel seit fast sechs Jahren an einem Bürodrehstuhl, der demnächst in den USA auf den Markt kommen soll und haben das Gefühl, er könnte die Szene revolutionieren, weil er in wichtigen Punkten ganz anders gedacht ist. Ob sich die langwierigen ergonomische Studien dafür für uns rechnen wird erst der Erfolg zeigen.

MARTIN BERGMANN: Viel Aufwandsrisiko liegt in der Koordination. Wenn zu vieles hin und her läuft, geht das durchwegs zu unseren Lasten. Die Zeiten, in denen die Spitzen von Bulthaup, von Braun, von Erco auf stundenlangen Spaziergängen mit Otl Aicher über Gott und die Welt und neue Produkte philosophiert haben und er dann noch für alle gekocht hat, die dürften endgültig vorbei sein.

CHRISTIAN REDER: Wie wir wissen, hat er sich schließlich eher zurückgezogen und für wichtige Bücher Zeit gefunden, von Hochpolitischem bis zu *Gehen in der Wüste* …

MARTIN BERGMANN: … solche Lebensformen scheinen heute nicht mehr in die Wirtschaftswelt zu passen. Ich wüsste nicht, wer für diese legendäre Intensität der Auseinandersetzung noch Zeit und Energie hätte. Als Studenten haben wir noch geglaubt, so würde es sein. Wenn sich heute mit einem der Bosse ein Termin zerschlägt, dauert es oft viele Monate, bis er wieder zustande kommt. Was das in Wahrheit für Verzögerungen auslöst und somit Geld kostet, scheint niemanden zu kümmern.

GERNOT BOHMANN: Es gibt zwar ständig Meetings, aber keiner hat Zeit. Bei wichtigen Produktentscheidungen geht es durchaus um die Zukunft der Firma, die Zeit ist dennoch immer zu knapp. Wir selbst wiederum stehen genauso unter Druck, bringen ständig Mehrleistungen, weil wir unsere Marke EOOS im Sinn haben, sie festigen wollen. Wir liefern aber auch Zeit, die andere offenbar nicht mehr haben – und das zu kalkulierbaren Kosten.

HARALD GRÜNDL: Angeblich glorreichen Zeiten, was das Zeithaben, was Gründlichkeit betrifft, nachzuweinen bringt nichts. Wir wollen ja dabei sein. Es passiert einfach einiges mit allen, ohne dass sich das steuern ließe.

CHRISTIAN REDER: Und wenn ihr heute an eure Anfangsintentionen denkt, die ja durchaus wohin geführt haben, wie lässt sich das kommentieren?

HARALD GRÜNDL: Untypisch war, dass wir zu dritt angefangen haben, also keiner von uns auf den Solo-Trip aus war. Dafür mussten wir uns Erklärungsmuster zurechtlegen. Eines war das Surrealistenspiel, wo der Erste etwas zeichnet, das Papier umschlägt, der Nächste etwas zeichnet und es verdeckt und so weiter bis man es öffnet und – hoffentlich – vom Ergebnis verblüfft ist, als Schritt zum Nächsten. So haben wir uns assoziatives Designdenken vorgestellt. „Wie eine Rockband arbeiten" war die andere Metapher; man probt und spielt gemeinsam und es entsteht etwas als Reaktion auf die anderen, auf Zeichen, auf Zuhören, weil es eben sehr intensiv zugeht.

GERNOT BOHMANN: Wir haben uns auch vorgestellt, alle drei machen mit schrillen Gitarren klirrende Musik und jeder hört das anders. Den Firmennamen haben wir aus Ovids *Metamorphosen*, weil wir unsere Arbeit als Erforschen und Erfinden von Geschichten verstehen. Eines der vier Pferde, die den durchs Firmament rasenden Sonnenwagen ziehen heißt Eoos. Als der Sohn des Sonnengottes damit zu tief fliegt, verbrennt er weite Teile der Erde, Rettung bringt der vom Vater geschleuderte Blitz. Die Pferde fliegen in alle vier Himmelsrichtungen davon. Zwischen verbrennen und verloren gehen spielt sich alles ab.

CHRISTIAN REDER: Eine dramatische Sicht, die ihr in eurer Arbeit offenbar auch radikal sublimieren könnt, wie beim besprochenen Spot, an dem sich keiner die Finger verbrennen kann. Er soll, wie ihr erwähnt habt, als erstes Verkaufsräume von Porsche erhellen.

osa-Projekt: intact, London 2004
Foto: Trenton Oldfield

„Im temporären Arbeiten sehen wir primär eine Chance,
bestimmte Räume, die wir auch als Rückseiten bezeichnen –
Rückseiten dessen, was wir als unsere Umwelt wahrnehmen,
die selbst aber unbeachtet bleiben, obwohl sie unvermeidlicher
Bestandteil dieser Wirklichkeit sind – überhaupt erst
wieder wahrnehmbar zu machen."

Ulrich Beckefeld

Zunächst gibt es da das Problem des Anfangs, nämlich,
wie wir von da, wo wir uns befinden, was bis jetzt
nirgendwo ist, ans andere Ufer gelangen. Es ist ein
einfaches Überbrückungsproblem, das Problem,
wie man eine Brücke schlägt. Die Leute lösen solche
Probleme jeden Tag. Sie lösen sie, und wenn sie
die Probleme gelöst haben, machen sie weiter.

J.M. Coetzee, Elizabeth Costello

Ulrich Beckefeld

Am Anfang sieht immer alles ganz harmlos aus

Low-Budget-Projekte als selbstfinanzierte Forschung

Es geht immer auch anders! Es gibt wohl keine generelle Wahrheit – in diesem Falle in der Architektur. So wie bei Regisseuren: einer geht mit einer klaren Aussage oder Absicht ins Rennen, ein anderer ‚nur‘ mit einer losen Idee und schaut dabei zu, was Schauspieler, Kamera-, Ton-, Lichtleute … damit machen. In jedem Fall kann etwas Gutes dabei herauskommen oder der größte Mist. Und kein Zuschauer muss sich entscheiden, ob er Filme, Stücke der einen oder anderen Art vorzieht. Warum auch. Ein Regisseur wird sich wohl auch nicht für oder gegen die eine oder andere Art des Arbeitens entscheiden, sondern eher seine Art ‚finden‘. Und nur die wenigsten werden mit diesen unterschiedlichen Zugängen ‚spielen‘ können. Wenn ich hier also über Erfahrungen schreibe, die ich in meinem Arbeitsfeld, der Architektur und der Stadtplanung, gemacht habe, so erheben diese nicht den Anspruch, generalisierbar zu sein.

Ganz im Gegenteil: Allenfalls geht es darum, zu zeigen, wie man mit Fragen umgeht, wenn nichts (mehr?) generalisierbar ist. Womit ich beim Thema wäre: Projekte. Projekte, aus denen nichts mehr ableitbar ist, sondern die, im Idealfall, also auch wieder praktisch nie, die letzte Ableitung *sind*.

Projekte

Ich beschäftige mich mit Architekturprojekten, also Projekten, die sich ihre Wirklichkeit, ihren Platz in der Wirklichkeit, selbst schaffen. Wenn sie gebaut sind, sind sie eben da – und man kann sie nicht wie ein schlechtes Buch beiseite legen. Insofern ist Architektur ein schmutziges Geschäft. Sie muss den Ansprüchen gerecht werden, die die Wirklichkeit stellt. Und diese ist nicht nur äußerst komplex, sondern dazu widerspruchsreich. Die Ansprüche der einen Seite zu erfüllen heißt unweigerlich, sie an anderer Stelle zu verfehlen. Oder, wie einer meiner Lehrer an der Technischen Universität Darmstadt, Max Bächer, sagte, „Architektur ist es, wenn das Dach undicht ist". Was natürlich völlig absurd ist. Subjektiv zu sein ist also eine Grundvoraussetzung für jegliches Tun – dies jedoch möglichst objektiv. Sich wissentlich in diesem faustischen Spannungsverhältnis aufzuhalten erzwingt fast eine Arbeit in Projekten, andernfalls wird es zynisch. Denn ein Projekt behandelt explizit nur einen Ausschnitt einer Fragestellung, einen bestimmten Gesichtspunkt. Es gibt zwangsläufig immer einen höheren Standpunkt, von dem aus die Arbeit an einem konkreten Projekt banal ist. (Unbeantwortet muss hier die Frage bleiben, ob dieser ‚höhere' Standpunkt vielleicht der banalere ist. Bemerkenswerter Weise wird Goethes Faust damit bei der Fertigstellung eines Bauprojekts konfrontiert.)

Projektarbeit sollte somit immer eine unideologische sein. Ihre Ausschnitthaftigkeit verbietet, einen Anspruch auf allgemein gültige Lösungen zu erheben, andernfalls wird sie in eine Sackgasse führen. Ein Bewusstsein dieser Beschränkung erlaubt dafür, ein Projekt als integralen Bestandteil einer komplexen, widersprüchlichen Wirklichkeit zu sehen – eben weil ein Projekt in diesem Sinne ein Versuch, eine Annäherung an eine Fragestellung bleibt und nicht abschließende Lösungen für ein Problem verspricht.

Dies klingt vielleicht merkwürdig. Als Architekt arbeitet man in der Regel ja nicht ‚frei' an Projekten sondern für einen konkreten Auftraggeber, der auch konkrete Ziele damit verbindet. Nur kann ein Architekt diese Probleme nicht lösen, sondern nur einen Rahmen schaffen, in dem es Möglichkeiten zu einem Umgang mit ihnen gibt. In der Regel sind die Ziele eines Auftraggebers ja keine architektonischen oder auch nur baulichen, sondern ergeben sich aus seinem Tun: für ein Unternehmen, das seine Werkstätten erweitern will, ist dies nicht Selbstzweck, sondern es soll sich betrieblich ergebende Veränderungen ermöglichen. Und eine bauliche Maßnahme wird nur ein Aspekt dieser Veränderungen sein – neben dem Einstellen weiterer Mitarbeiter, der Erweiterung der Produktpalette usw. Genauso liegt jedem Auftrag für einen Wohnungsumbau das Ziel zugrunde, sein *Leben* ändern zu wollen, nicht nur die Wohnung selbst. Jedenfalls ist es mir bisher nur so untergekommen. Und umso stärker eine architektonische Planung auf diesen übergeordneten Rahmen eingehen will, umso stärker entzieht sie sich generalisierbaren Ansätzen. Architektur ist dann keine Beschäftigung mit den architektonischen Aspekten umfassenderer Probleme, sondern vielmehr die Beschäftigung mit eben diesen umfassenderen Problemen aus einer architektonisch-planerischen Perspektive.

ZARA – Verein Zivilcourage und Anti-Rassismus-Arbeit, Wien

Die Planung des Umbaus von Büroräumen für den im politischen Bereich aktiven gemeinnützigen Verein *ZARA* (www.zara.or.at) in Wien hat dabei prototypischen Charakter. Für ,Zivilcourage und Anti-Rassismus-Arbeit' gegründet, dokumentiert der Verein rassistische Übergriffe in Österreich, unterhält eine Beratungsstelle für deren Opfer und bietet Kurse mit dem Ziel der Sensibilisierung für diesen Themenkomplex an. Die in einer kleinen Kammer mit einem Schreibtisch arbeitende Gruppe war mit einer dreijährigen Studie im Rahmen des EU-Programms *equal* beauftragt worden und hatte so zehn neue Arbeitsplätze zu schaffen, wofür vormals als Werkstatt genutzte, von der Straße her zugängliche Räume angemietet wurden. Da die Projektfinanzierung nur laufende Kosten wie Gehälter und Miete deckte, mussten Büroumbau und -einrichtung aus Eigenmitteln getragen werden. Dafür stand nur ein verhältnismäßig kleines Budget von ca. 15.000 Euro von einem privaten Spenderpaar zur Verfügung, das damit gegen Fremdenfeindlichkeit auftretende Kräfte stärken will. Konkret ergab das knapp 100 Euro pro Quadratmeter oder gut 1.000 Euro pro Mitarbeiter für die gesamte Ausstattung der Arbeitsplätze. Gefragt nach den Möglichkeiten, die sich in diesem Rahmen bieten würden, versuchte ich zunächst herauszufinden, welche Vorstellungen mit der ,befristeten Erweiterung' verbunden wurden. Neben dem EU- Forschungsprojekt ging es um eine Konsolidierung der eigentlichen Basisarbeit, die überwiegend ehrenamtlich geleistet wurde. In den Diskussionen zeigte sich, dass jedoch gerade die Vergrößerung selbst eine starke Belastung für die Konsolidierungsanstrengungen war. Die alten, auf großem freiwilligen Engagement basierenden Strukturen mussten auf einmal in ,etablierte' Formen mit einer Vielzahl von Angestelltenverträgen, mit Telefonnebenstellenanlage, Computernetzwerk mit Server, Lohnbuchhaltung etc. überführt werden.

Da das zur Verfügung stehende Umbau- und Sanierungsbudget zunächst nur eine minimale Verbesserung der räumlichen Situation zuließ, diskutierten wir die Möglichkeiten von Eigenleistungen der Vereinsmitglieder und -mitarbeiter. Neben einer Reduktion der Lohnkosten für Handwerksarbeiten stand dabei aber schnell im Mittelpunkt, dass damit auch der Transformationsprozess des Vereins gestaltet und für alle Beteiligten sichtbar gemacht werden konnte. Da von vornherein klar war, dass der Umbau und die Einrichtung der Räume auch unter diesen Bedingungen Maximalstandards nicht genügen würden, sollte eine individuelle Akzeptanz und Identifikation der einzelnen Personen mit der Arbeitssituation erreicht werden. Kompromisse bei der Gestaltung und Ausstattung der Räume, und diese waren an praktisch jeder Stelle notwendig, konnten und mussten dadurch sofort und ‚vor Ort‘ diskutiert werden. Jeder war so auf gleiche Art verantwortlich für sein Arbeitsumfeld, unabhängig von beruflicher Qualifikation und Position in der ‚Firma‘. Das freiwillige Engagement, das für die alte ‚Stamm-Mannschaft‘ zentrale Motivation gewesen ist, sollte so von Beginn an auch Bestandteil des erweiterten Vereins werden – und so dessen Zerfallen in eine Gruppe von ‚Pionieren‘ und eine von ‚Nutznießern‘ vorgebeugt werden.

Meine Rolle ging damit natürlich über die des Planers hinaus. Die ‚Neu-Handwerker‘ benötigten eine Vielzahl von Arbeitsanleitungen, die Koordination der Tätigkeiten war nur noch ‚auf Sicht‘ für die nächsten ein, zwei Tage möglich, musste aber auch mit fallweise notwendigen ‚professionellen‘ Handwerkerarbeiten abgestimmt werden. Die Bemühungen um weitere Spenden gingen ebenso weiter, so dass das Budget laufend angepasst werden musste – mit entsprechenden Rückwirkungen auf den Umfang der Baumaßnahmen selbst. Gleichzeitig gab es natürlich einen feststehenden Einzugstermin.

Darüber hinaus sollten die Räume aber auch zukünftigen Ansprüchen genügen. Es sollte eben nicht nur ‚rückwärts‘ eine Identifikation mit den ‚alten‘ Vereinsstrukturen erreicht werden, sondern auch ein ‚Herauswachsen‘ aus ihnen ermöglichen. Eine der größten Herausforderungen war daher, mit ‚handwerklichen Laien‘ eine räumliche und handwerkliche Qualität der Arbeiten zu erreichen, die auch zukünftigen Ansprüchen genügen würde, also auch unter den Bedingungen normaler Mitarbeiterfluktuation, zunehmender Besucherzahlen und Ähnlichem. Für mich war dabei natürlich die außerordentliche Nähe zu allen Abläufen interessant. Zumeist ist man als Planer nicht in die internen Diskussionen des Auftraggebers eingebunden und auch in den Bauablauf selbst nur partiell. Da hier nun alle Prinzipien von Arbeitsteilung und Spezialistentum aufgehoben waren, wenn auch nicht, was zusätzliche Unübersichtlichkeit schuf, die Hierarchien, konnte ich exemplarisch ausloten, welche Möglichkeiten ‚Bauen‘ bietet – im Unterschied zu einem ‚normalen‘ Planungsauftrag, der möglichst schnell eine klare Aufgabendefinition anstrebt und abgrenzt, wurde hier versucht, die Aufgabe laufend ‚größer‘ zu machen und die Bedeutungen jeder Maßnahme möglichst umfassend zu interpretieren.

Darin liegt für mich grundsätzlich der Reiz ungewöhnlicher Aufgaben. Gerade in Bereichen, die normalerweise nicht von Architekten bearbeitet werden – und dies gilt gerade auch für No-/Low-Budget-Projekte aus dem

NGO-Bereich – verschieben sich die üblichen Arbeitsweisen grundsätzlich. Wenn in Architekturdiskussionen bemängelt wird, dass für Experimente, die Erforschung neuer Möglichkeiten, kaum (noch) Interesse bestehe und keine Mittel zur Verfügung stünden, so gestaltet sich das Arbeiten ‚am anderen Ende des Spektrums' umgekehrt: Experimentelles Arbeiten ist die Voraussetzung, um überhaupt mit den vorhandenen Mitteln umgehen zu können. In dem beschrieben Fall war dies auch möglich, da sich das Honorar meiner Planung, bzw. Betreuung, nicht wie üblich aus den Kosten der Baumaßnahmen ableitete. Und natürlich war dieses Arbeiten für mich nicht im herkömmlichen Sinne ‚kostendeckend', sondern nur als eigene ‚Forschungsleistung', aber auch als eigenes privates zivilgesellschaftliches Engagement zu rechtfertigen. Was den Sinn eines solchen Arbeitens meines Erachtens jedoch nicht in Frage stellt: Um Arbeitsweisen weiterentwickeln zu können muss es immer wieder Rahmenbedingungen geben, die nicht dem Anspruch einer unmittelbaren Verwertbarkeit im betriebswirtschaftlichen Sinne entsprechen. Experimente oder Forschung sind immer nur denkbar, wenn auch die Möglichkeit des (teilweisen) Scheiterns akzeptiert wird. Ernst genommen, lässt sich das nur sehr eingeschränkt mit Auftragsplanung und dem gewöhnlichen Bauen verbinden, daher sehe ich eine wesentliche Aufgabe insbesondere einer Branche wie der Architektur, aber auch ähnlich strukturierter Arbeitsfelder darin, sich solche Rahmen zu schaffen.

osa – office for subversive architecture

Eine Möglichkeit hierfür stellt für mich die Arbeit zusammen mit *osa – office for subversive architecture* dar. Diese Gruppe mit heute acht Mitgliedern haben wir noch in unserer gemeinsamen Studienzeit an der TU-Darmstadt gegründet, damals mit der Idee, unsere unterschiedlichen Denk- und Arbeitsweisen zu kombinieren und so Studienarbeiten auf eine komplexere Weise angehen zu können. Für uns selbst überraschend, ist die Gruppe nach dem Studium nicht zerfallen, sondern ein zentraler Punkt unserer jeweiligen Tätigkeiten geblieben. Die einzelnen *osa*-Mitglieder gehen heute an unterschiedlichen Orten unterschiedlichen Tätigkeiten, an Universitäten, freischaffend, angestellt, nach. Daneben werden immer wieder Projekte im Rahmen von *osa* betrieben, in unterschiedlichen Konstellationen, je nach Interessenlage und zeitlichen Möglichkeiten. Überwiegend sind dies selbstbeauftragte Projekte, in deren Rahmen bestimmte Fragen zumeist im Zusammenhang mit dem städtischen Raum aufgegriffen werden. Wir versuchen, neue Methoden der Planung und der konkreten Gestaltung, aber auch der universitären Lehre zu entwickeln. Oft greifen wir dabei auch auf Herangehensweisen aus der Kunstproduktion zurück – ohne dabei aber als Künstler arbeiten zu wollen: Wir verstehen uns immer als Architekten und Raumplaner, unsere Arbeit als Beschäftigung mit Fragen nach den räumlichen wie nicht-räumlichen Dimensionen von Raum. Überwiegend findet diese Arbeit in unserer sogenannten ‚Freizeit' statt und ist selbstfinanziert, fallweise finden wir Sponsoren für einzelne Projekte. Zunehmend gibt es auch beauftragte Arbeiten im Rahmen von Ausstellungen, Lehrprogrammen oder Veranstaltungen.

Wesentlich ist, dass *osa* uns die Möglichkeit bietet, außerhalb unseres Arbeitsalltags Zugänge zu Fragestellungen zu entwickeln, die in dieser Form in einem ‚normalen' Arbeitsumfeld zumeist nicht möglich und für dieses vielleicht auch nicht sinnvoll sind. Die ‚Nützlichkeit' der Arbeit, ihre Verwertbarkeit, steht dabei nicht an erster Stelle. Die gewonnenen Erfahrungen sind insofern gemeinsames Eigentum der Gruppenmitglieder als dass sie individuell auf völlig unterschiedliche Art und Weise in den normalen Alltag des Einzelnen einfließen. *osa* ist damit aber kein Arbeiten im stillen Kämmerlein: eine Öffentlichkeit wird immer angestrebt. Meist sind die Projekte selbst so angelegt, dass sie im öffentlichen Raum die Kommunikation suchen, initiieren, verändern etc. Dabei beschäftigen wir uns gerne mit ‚vergessenen' Räumen, z.B. einer innerstädtischen Fußgängerunterführung (*3ZKB*, Darmstadt), dem Keller ‚unserer' Universität (*... nicht wirklich!*, TU-Darmstadt), ‚zwischenstädtischen' Nicht-Räumen (*Die emotionale Mitte*, Dietzenbach bei Frankfurt am Main) oder auch nur mit der Entwicklung neuer Betrachtungsweisen urbaner Fragen und der Entwicklung entsprechender Kommunikationsformen (*osa on an island*, Bristol; *intact*, London; *Schaulager*, Wien).

Die behandelten Räume werden in einen neuen Bedeutungszusammenhang gestellt, der erlaubt, sie wieder als Handlungsraum, als sozialen Raum zu begreifen. *intact* ging von einem leerstehenden ehemaligen Bahn-Stellwärterhäuschen aus, das im Londoner Eastend auf Stützen über einer Bahntrasse steht. Gestaltet wie ein zu klein geratenes Einfamilienhaus, erschien es dort auf den Stützen wie ein absurder Kommentar auf den absurden Londoner Immobilienmarkt, der das Eastend, eines der seit langer Zeit ärmsten städtischen Quartiere Europas, für seine Spekulationen entdeckt hat. Das Häuschen, weithin sichtbar und doch, auf den Stützen wie auf einem Präsentierteller stehend, nicht betretbar, verbildlicht das Spannungsfeld, in dem sich dort der englische Traum des ‚my home is my castle' befindet. Wir ‚renovierten' das Haus (gemeinsam mit Harald Hugues und

Trenton Oldfield) in einer Über-Nacht-Aktion, strichen die Fassaden, putzten die Fenster, hingen Blumenkästen darunter … und unterstrichen so seine Unmöglichkeit (siehe die diesem Text vorangestellte Abbildung). Denn ganz offensichtlich war es zum Bewohnen viel zu klein und es gab auch weiterhin keinen Zugang. Stattdessen nutzen wir die danebenliegende Wiese für Veranstaltungen, wo im alltäglichen Rahmen z.B. eines Picknicks oder eines Fünf-Uhr-Tees die Situation im Stadtteil und in der Stadt diskutiert werden konnte, aber auch um eine Öffentlichkeit zu schaffen, die bislang zersplittert und unsichtbar war. Tatsächlich konnte sowohl vor Ort wie medial (Zeitungen, TV) eine Öffentlichkeit hergestellt werden, wohl auch dank der unmittelbaren Zerstörung der ‚Installation‘ wahrscheinlich durch den Besitzer des Hauses, eine Bahngesellschaft, was das Konfliktpotential der Situation auch für uns selbst noch einmal deutlich unterstrich.

Eine der frühesten Erfahrungen mit einer solchen ‚Verortung‘ einer latent vorhandenen Diskussion haben wir noch während unseres Studiums gemacht. Konfrontiert mit der Aufgabe, eine ‚Stadtmitte‘ für eine von Verslummung bedrohten Schlafstadt, Dietzenbach bei Frankfurt, zu ‚planen‘, untersuchten wir zunächst die Ansprüche, die hier an ein Zentrum zu stellen wären. Der Ort besteht aus einer bandförmigen Aneinanderreihung unterschiedlich charakterisierter Stadtteile, entstanden aus der Eingemeindung dörflicher Siedlungen und dem massiven Bau von Geschosswohnungen in den 70er Jahren. Er wuchs so innerhalb von zehn Jahren von 3.000 auf 30.000 Einwohner mit einer heute als schwierig zu bezeichnenden sozialen Struktur. Da die einzelnen Ortsteile keinen gemeinsamen identifikatorischen Nenner haben und es keinen unmittelbaren Bedarf zentraler funktionaler Einrichtungen (Einkaufen, Verwaltung) gibt, schlugen wir die Entwicklung einer ‚emotionalen Mitte‘ vor: ein die einzelnen Stadtteile durchquerender Verbindungsweg aus Kunstrasen, der mittels der Aufstellung überdimensionaler Plüschwesen, so genannter *Schlampis* (einem Projekt der Künstlerin Simone van gen Hassend), entlang des linearen Entwicklungsbandes emotional aufgeladen wird. Die inhaltlich-assoziative und funktionale Unbestimmtheit der Maßnahme soll eine an den einzelnen Orten unterschiedliche individuelle Identifikation der Anwohner erlauben.

Im Rahmen einer vierwöchigen Ausstellung realisierten wir das Projekt prototypisch an einzelnen Plätzen und richteten eine Informationsstelle in einem leerstehenden Geschäftslokal eines Einkaufszentrums ein. Dies erzeugte ein unmittelbares Interesse der Bevölkerung: Die Bewohner ‚suchten‘ die unterschiedlichen Standorte unserer Installation, Geschäftsinhaber ‚bewarben‘ sich für einen *Schlampi* oder eine Lage nahe dem Kunstrasenstreifen. Es entstand sofort eine Identifikation mit den Objekten, die bei den unterschiedlichen Bevölkerungsgruppen in gleichem Maße zum Tragen kam und so einen gemeinsamen Diskurs erstmalig ermöglichte. Nach einer Zeit der Stagnation und auch Resignation erzeugte nun die Installation tatsächlich ein breites Interesse für den Ort und die Möglichkeiten seiner Gestaltung. So fanden die öffentlichen Sitzungen des Stadtrats unter Anwesenheit von riesigen *Schlampis* statt und die Stadt bewarb sich (erfolgreich) um die Teilnahme an dem bundesweiten Stadtforschungsprogramm *Stadt 2030*.

Die Methode der atmosphärischen Veränderung eines Ortes durch meist minimale Eingriffe dient so nie nur der Verbildlichung einer von uns im Vorhinein geplanten Absicht oder Bedeutungsveränderung, sondern ist für uns selbst ein Mittel, die Dimensionen eines Raums, einer Situation, einer Aufgabe zu begreifen. Werkzeug und Resultat fallen dabei zusammen. Damit sind die von *osa* ‚realisierten‘ Projekte fast immer temporäre Eingriffe. Im temporären Arbeiten sehen wir primär eine Chance, bestimmte Räume, die wir auch als *Rückseiten* bezeichnen – Rückseiten dessen, was wir als unsere Umwelt wahrnehmen, die selbst aber unbeachtet bleiben, obwohl sie unvermeidlicher Bestandteil dieser Wirklichkeit sind – überhaupt erst wieder wahrnehmbar zu machen.

Dies haben wir beispielhaft an einem Beitrag für die Wanderausstellung *Wonderland* dargestellt. In Fortsetzung des Ausstellungstitels haben wir, zusammen mit dem Photographen Jens Preusse und der Architektin Susanne Schindler, *Through the Looking Glass* eine Reihe von ‚Niemandslanden‘ photographiert und neu benannt, indem wir die Fotos mit einem Planlayout (Rahmen, Plankopf) versehen haben. Aus dem Unterraum einer Hochstraße wurde eine *Diskothek*, aus einer Böschung zwischen einem Wohnhaus und einem Gleisfeld ein *Kräutergarten*, aus einem städtischen Pflanzbeet in einer Fußgängerzone ein *Zen-Garten*. Die Abstraktheit dieser Arbeit ist auch bedingt durch das potenzielle Publikum der Ausstellung, das vornehmlich ein fachspezifisches ist. Dies erlaubte uns ein Arbeiten, das uns selbst zum Publikum macht. Der Aufforderungscharakter des Ausstellungsbeitrags schließt uns selbst gleichwertig mit ein. Wir haben, in Form eines ‚Planes‘, eben nur einen Vorschlag geliefert, eine Realisierung-im-Kopf; die tatsächliche steht damit explizit noch aus und kann auch ganz anders aussehen. Aber mit der ‚Entdeckung‘ der Orte hat ein Aneignungsprozess begonnen: erst daran anschließend kann dann eine (öffentliche) Auseinandersetzung über den Wert, die Bedeutung und gegebenenfalls über die tatsächliche Verwendbarkeit der Orte beginnen. Das solchen Orten – die jeder kennt, aber nie bewusst aufsuchen würde – innewohnende Potenzial zu erschließen benötigt zunächst die ‚Erfindung‘ neuer planerischer Werkzeuge. Ziel ist dabei weniger ihre ‚Verwertung‘ (der sie sich offensichtlich entziehen) als eine Art ‚Raumpflege‘. Vorhanden sind diese Räume ja, nur leiden sie scheinbar unter einer Unverträglichkeit mit ihrer Umgebung. Was oftmals, bei einem Blick in ihre (bewusst gestaltete) Umgebung bedauerlich ist.

Dies gilt, unter entgegengesetzten Vorzeichen, auch für die *Stadt des Kindes* in Wien, mit der wir uns im Rahmen eines kleinen Off-Theater-Festivals beschäftigt haben. Für den zur Zeit leerstehenden Gebäudekomplex, ein ehemaliges Kinderheim der Stadt Wien und ein bedeutender Bau der Nachkriegsmoderne (Architekt: Anton Schweighofer) entwickelte das Stadt Theater Wien ein Programm, welches sich mit dem Begriff ‚Lager‘ auseinandersetzt: Nach der Nutzung als Kinderheim war das Gebäude zeitweise ein Flüchtlingswohnheim, gegenwärtig ist eine (privatisierte) Nutzung durch ‚Single-Haushalte‘ projektiert. Ausgehend von der historischen Bedeutung der Anlage – sie wurde aus Anlass des 50. Jahrestags der Republikgründung als Sozialutopie im Anschluss an den Wiener Wohnungsbau der Zwischenkriegszeit errichtet – transformierten wir sie in ein begehbares Schaulager. Die gegenwärtigen Diskussionen um die zukünftige Funktion sind von einer großen Hilflosigkeit geprägt, die Positionen der einzelnen Interessengruppen (Politik, Denkmalschutz, Architekten, Anwohner, Investoren) offensichtlich nicht (mehr) konsensfähig. Mit der ‚Einlagerung‘ der Gebäude, dem fragmentarischen Verpacken mit z.B. überdimensionalen Styroporecken wie sie normalerweise für Waschmaschinen oder Computer Verwendung finden, sollten sie sowohl einem unmittelbaren Gebrauch entzogen und gleichzeitig ihre Schutzwürdigkeit ausgedrückt werden. Uns ging es dabei vor allem um den ‚historischen‘ utopischen Anspruch, den die *Stadt des Kindes* materialisiert – für den aber gegenwärtig kein Bedarf vorhanden zu sein scheint. Die Art der ‚Einlagerung‘ des Gebäudes, die es betretbar aber nicht benutzbar macht, sollte so einen verorteten Rahmen für eine Auseinandersetzung mit unterschiedlichen, auch denkmalschützerischen Ansätzen schaffen, die, neben Nutzung und bauhistorischer Bedeutung, auch allgemeine gesellschaftliche Aspekte beleuchtet – eben die Notwendigkeit von utopischen Projekten für gesellschaftliche Entwicklungen.

„Am 7. Jänner 1791 wird das französische Patentgesetz erlassen.
Art. 1 lautet: ‚Toute découverte ou nouvelle invention dans tous
les genres d'industrie, est la propriété de son auteur.'
Die französische Nationalversammlung stellt dazu in einer
Grundsatzerklärung im Anschluss an ‚Les droits de l'homme'
von Thomas Paine fest: ‚Es wäre ein Angriff auf
die Menschenrechte würde eine Erfindung nicht
als das Eigentum ihres Schöpfers angesehen.'
Dies gilt selbstverständlich auch für von einer Gruppe
bearbeitete ‚einheitliche' Projekte sowie
die rechtliche Absicherung geschaffener Ergebnisse."

Walter Holzer

Walter Holzer

Geistiges Eigentum ist ein Menschenrecht

Rechtsschutz für Werke angewandter Kunst und andere
Immaterialgüter: Urheberrecht (Copyright), Designschutz
(Geschmacksmusterschutz), Marken-, Patent- und
Gebrauchsmusterschutz

Auch unabhängig agierenden „Freidenkern" und „Freidenkerinnen" bleibt
es im Zeitalter der Inflation von Ideen (*„anything goes"*) und deren globaler Verbreitung durch Mausklick gelegentlich nicht erspart, sich um den
Schutz ihrer Werke zu kümmern. Spätestens wenn sie diese verteidigen
müssen, werden auch die liberalsten Anhänger von *Copy-left*, *Open-source*
oder *No-logo* zu *Eigentümern* ihrer Sache. Umgekehrt können künstlerische
Äußerungen Rechte Dritter an *geistigem Eigentum* nicht ignorieren. Außerdem darf angemerkt werden, dass Urheber zu allen Zeiten bestrebt waren,
ihre *Monopole an geistigem Eigentum* in *Kapital* zu verwandeln.

DIE ÖKONOMISIERUNG ALLER LEBENSBEREICHE? Am zentralen Wiener
Karlsplatz wird im Jahr 2003 ein Container mit dem *Nike*-Logo aufgestellt.
Eine Internetseite für Schuhe wird eingerichtet. Eine Veranstaltungskarte
trägt den Titel *„nikeplatz"* (*formerly Karlsplatz*). Sie enthält außerdem die
Adresse *„nikeground.com"* (*rethinking space*). Zu dem Spektakel bekennt
sich eine Organisation, die die *Ökonomisierung aller Lebensbereiche* zur
Diskussion stellen möchte. Die Firma *Nike* möchte aber nicht diskutieren
und kündigt eine *Unterlassungsklage* an. Dem Gegenargument, kulturelle
Produktion gerate dadurch in die Abhängigkeit von Wirtschaftsinteressen,
liegt offenbar ein Missverständnis zugrunde. Auch künstlerische *Produktion* hört nach der herrschenden Rechtsordnung dann auf, frei zu sein,
wenn der Betrachter/der Konsument den Eindruck erhält, die Firma *Nike*
habe mit der Sache zu tun, beispielsweise als werbender Sponsor.

DIE REVOLUTION Das Konzept des *geistigen Eigentums* ist das Ergebnis von *Revolutionen*, der französischen und der amerikanischen. Geistiges Eigentum als *Menschenrecht*. 1787 wird das Autorenrecht als *wirtschaftlich handelbares* Eigentumsrecht in der Verfassung der USA verankert. 1791 verabschiedet die französische Nationalversammlung ein ähnliches Gesetz, das Grundlage des modernen Urheberrechtes ist. Danach ist der Weg frei für die Gesetze anderer Staaten. 1886 wird in Bern ein *internationales Urheberrechtsübereinkommen* geschlossen. Eigentum als Ergebnis eines Denkprozesses, der auch als zeitlicher Vorgang (Bewegung) gedeutet werden kann. Der Kreis schließt sich, weil *Zeit* tatsächlich das einzige jedem zur Verfügung stehende Kapital ist.

Immaterialgüterrechte sind als *ausschließliche, handelbare* und *transferierbare* Vermögensrechte gesetzlich verankert. „Freidenker", „Freischaffende" werden zu *Unternehmern* und unterliegen den Gesetzen des Marktes. Zu den *Immaterialgüterrechten* zählen das formal *nicht registrierbare* Urheberrecht und *registrierbare* Schutzrechte, wie Patente, Gebrauchsmuster, Geschmacksmuster, Marken. Eine Wandinschrift im Museum Moderner Kunst Nizza bekräftigt: „*Longue vie à l'immatériel*".

VOM SCHAFFENSDRANG Der k.k. Sektionsrat im österr. Handelsministerium Dr. Paul Ritter von Beck-Managetta schreibt 1893: „Den Schaffensdrang durchzieht das Sehnen und Streben nach dauernder und sichtbarer Gestaltung, sowie nach dem Festhalten eines kleinen Theiles der Unsterblichkeit der Seele. Der Schaffensdrang hat nun zwei grundverschiedene Formen: entweder der Schöpfer giebt seinem Werk Form und Inhalt aus dem eigenen Schatze von Gedanken, Phantasien, Empfindungen und Gefühlen: und wir sprechen dann von Genie, Talent, Original, Erfindung, Ursprünglichkeit; oder aber seine Gestaltungskraft holt ihre Macht vornehmlich aus bereits von anderen Personen Geschaffenem, sonach unter Entlehnung fremder Gedanken, und es liegt sodann Reproduction oder Nachahmung vor. Ursprünglichkeit und Nachahmung sind aber beide nur verschiedene Erscheinungsformen des Schaffensdranges, denn beiden liegt ein schöpferischer Gedanke zu Grunde. Nur findet ihn der Urheber des Originalwerkes in sich, der Nachahmer hingegen ausser sich, wenn auch der letztere, damit er ein Eigenwerk schaffe, zum Theil eigene Gedanken- und Körperarbeit hinzufügen muss."

MARCEL DUCHAMP, LUDWIG WITTGENSTEIN & CO UND DIVERSE

SPIELE „Alles dreht sich, alles bewegt sich."

Im folgenden begleitet uns eine relativ einfache Arbeit Marcel Duchamps, die verschiedene Arten von *Immaterialgüterrechten* verkörpert, die ROTO-RELIEFS® (Französische Marke Nr. 241.720). Vom Prinzip der *SPIRALE* zum *RELIEF*, vom *Anémic Cinéma* (gedreht 1926 mit Man Ray und Marc Allegret) zum ROTORELIEF. 1926 und 1935 bemalt Duchamp einen Satz von Drehscheiben aus Pappe mit verschiedenen Motiven. Auf einem Grammofongerät (*Victrola®*) lassen sich mit 35 Umdrehungen („*faire tour-*

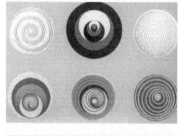

ner à 35 tours par minute") virtuelle dreidimensionale Objekte
erzeugen, z.b. eine *Montgolfiere*
(bemannte Erstfahrt 1783). Die
Drehscheiben genießen seit ihrer
Entstehung als *Werk* der bildenden, genauer gesagt der angewandten Kunst (Duchamp bezeichnet sie als *Spielzeug*) urheberrechtlichen Schutz. Der „*Mar-*
chand du Sel" ist auch Unternehmer. Ihm schwebt ein kommerziell verwertbares *Auflagenobjekt*
vor. Er lässt 500 Scheibensätze
erzeugen. Marie Luise Syring
spricht von der *Demokratisierung*
(der Kunst) durch *Multiplika-*

Marcel Duchamp: *ROTORELIEFS*®

tion, Guillaume Apollinaire (Wilhelm Appolinaris de Kostrowitsky, 1880–1918) von der *Versöhnung von Kunst und Volk*. Auf einem Stand des jähr-lichen *Concours Lépine* in der Abteilung *Art industriels, Articles des Bureau* verkauft Duchamp aber lediglich einen Satz der ROTORELIEF-Scheiben.

DREHSCHEIBEN Ramón Lull (Katalanischer Schriftsteller, 1235–1315) erfindet im 13. Jahrhundert *Drehscheiben* für eine kombinatorische Wahl von *logischen und wahren Sätzen*. 1836 erzeugt Jean-Baptist Madou in Paris einen Satz bemalter Drehscheiben für das *Anorthoskop* (Richtigseher), eine 1828 konzipierte technische Erfindung von Joseph Plateau. Das *ana-morphotisch* verzerrte Bild der Scheibe wird bei Drehung durch eine gegen-sinnig rotierende schwarze Schlitzscheibe entzerrt.

VON DER IDEE, DEM EINFALL, DER EINGEBUNG, DEM GEDANKEN-BLITZ („STREAK OF GENIUS") ZUM GESCHÜTZTEN WERK[1]

Vor der Schöpfung eines *Werkes* kommt die *Idee*, die der *Große Brockhaus* vom *PLATONschen Urbild* her zwar als *Erscheinung, Gestalt, Form* definiert, die aber *als solche* noch kein Werk darstellt und deshalb schutzlos ist. Jeder Mensch hat Ideen, *entwickelt* Ideen (die sozusagen verpackt in ihm schlummern), gute und schlechte, wie man sagt, aber nicht jeder Mensch ist schöpferisch tätig. Wenn Ideen nach *Augustinus* die *unveränderlichen*, der Schöpfung vorausgehenden Gedanken Gottes sind, so *existieren* sie nicht! Marcel Duchamp: „… pour remonter jusqu'aux Idées, jusqu'à l'unité génératrice de toutes choses."[2]

Immanuel Kant: „Denn eine jede Kunst setzt Regeln voraus, durch deren Grundlegung allererst ein Produkt, wenn es künstlich heißen soll, *als möglich vorgestellt* wird."[3]

Robert Moskowitz (Kunsthalle Basel 1981) hat die Idee für ein meditatives „Gemälde", das *stillos* ist und dem Betrachter keine Idee vermitteln soll. Was ist gemeint? Kann der Betrachter die *Idee* des Künstlers nachvollziehen?

James Lee Byars: „There are three favourite stones – *Einstein, Stein and Wittgenstein*".

Ludwig Wittgenstein: *Tractatus Logico-philosophicus*:[4]

1. Die Welt ist alles, was der Fall ist.

2. Was der Fall ist, die Tatsache, ist das Bestehen von Sachverhalten.

3. Das logische Bild der Tatsachen ist der Gedanke.

3.001 „Ein Sachverhalt ist denkbar", heißt: Wir können uns ein Bild von ihm machen.

3.1 Im Satz drückt sich der Gedanke sinnlich wahrnehmbar aus.

4. Der Gedanke ist der sinnvolle Satz.

EINEN FORMALSCHUTZ DER IDEE „AN SICH" GIBT ES NICHT

Man kann eine Idee, einen Gedanken als *Satz* fassen: allerdings, solange der Gedanke im Kopf, also nicht auf irgendeinen Datenträger *transferiert* und konkretisiert ist, ist er im materiellen Sinne wertlos, er kann wieder verlo-

1 Joseph Kosuth: „*Art as Idea as Idea*", Serie von gemalten Lexikonbegriffen, 1966–1968, siehe auch „*Art after Philosophy and After, Collected Writings*", 1966–1990, The MIT Press, Cambridge, MA, 1993
2 Didier Ottinger : *Duchamp sans Fins*, L'ÉCHOPPE 2000
3 Immanuel Kant: *Kritik der Urteilskraft*, Erster Teil, I. Abschnitt, 2. Buch, § 46 / Ditzingen 1986
4 Ludwig Wittgenstein: *Tractatus Logico-philosophicus*, Frankfurt am Main 1963

ren gehen, man vergißt ihn. Vergessen bedeutet Verlust. Er nützt niemandem und kann bei unachtsamer Äußerung auch gestohlen werden. Marcel Duchamp kündigt Katherine S. Dreier die ROTORELIEFS® an: „Bitte sprechen Sie darüber nicht, da einfache Ideen leicht gestohlen werden."

SIND GEDANKEN FREI? „Ich *habe* eine Idee" bedeutet, ich bin *Besitzer* einer Idee, z.B. eines Gedankens zur Lösung einer bestimmten Aufgabe. Aus Angst vor dem Verlust oder dem Diebstahl der Idee entsteht ein *Schutzbedürfnis*.

DER „EINGESCHRIEBENE BRIEF" ODER DIE „HINTERLEGUNG DER IDEE" BEI EINEM NOTAR ... zum Nachweis dafür, *wann* jemand eine Idee für *etwas* hatte, ist lediglich eine Krücke und genügt in der Regel nicht. Der eine Idee enthaltende Brief, – „Ich habe die Idee, Waren über das Internet zu verkaufen" – kann das z.B. urheberrechtlich zu schützende *Werk* nicht ersetzen. Der Brief müsste auch die Umsetzung der Idee, das ausgearbeitete Konzept enthalten. Für den Schutz eines Design als *nicht registriertes* europäisches Geschmacksmuster bedarf es beispielsweise der *Veröffentlichung*. Ist die Idee *patentwürdig*, so wäre die Hinterlegung der Beschreibung bei einem Notar lediglich ein Schritt auf dem Weg zur Erlangung eines so genannten *Vorbenützerrechtes*, nicht mehr. Für den *Rechtsschutz* benötigen wir also ein aus dem Kopf in die Realität überführtes *Werk*, das *urheberrechtlich* oder im Sinne des gewerblichen *Rechtsschutzes* relevant ist.

DIE ERFINDUNG Der Begriff der *Erfindung* wird als Sammelbegriff für verschiedenste geistige Äußerungen verwendet, die aber nicht alle einem Formalschutz zugänglich sind. *Daedalus* stellt sich die *Aufgabe* einen Raum zu schaffen, der nur einen Zugang und keinen Ausgang hat. Er *erfindet* einen Algorithmus, das *Labyrinth. Die Erfindung* ... einer Schrift, einer Sprache, einer *Dadasophie*, einer Religion, einer Mathematik, der mechanischen Mausefalle (die meistpatentierte mechanische Vorrichtung), der Fotografie, des Buchdruckes oder eines *Spiels* (Ausgangsstellung: Weißer K b7, weiße D b5, weißer T h7; schwarzer B f6, schwarzer K g1, schwarzer B h2. 7. ... f5! Wenn 7. ...h1D+?, so 8. b6 f4 9. Kc7 f3. 10. b7 h1D! Falls unbedacht 10. .. f2?, gewinnt 11. Tg7+ Kf1 12. b8D h1D 13. Db1+ elementar. 11. Txh1+ Kxh1 12. b8D f2 Remis. Schachpartie Marcel Duchamps, 1955).

Ludwig Wittgenstein: „Eine *Sprache erfinden*, könnte heißen, auf Grund von Naturgesetzen (oder in Übereinstimmung mit ihnen) *eine Vorrichtung zu bestimmten Zwecken erfinden*; es hat aber auch den anderen Sinn, dem analog, in welchem wir von der *Erfindung eines Spiels* reden. Ich sage hier etwas über die Grammatik des Wortes ‚Sprache‘ aus, indem ich sie mit der Grammatik des Wortes ‚*erfinden*‘ in Verbindung bringe … Kinder spielen dieses Spiel. Sie sagen von einer Kiste z.B., sie ist jetzt ein Haus; und sie wird darauf ganz als ein Haus ausgedeutet. Eine *Erfindung* in sie gewoben.“[5]

Gottfried Honegger schreibt an Marcel Duchamp: „Verehrterster, / In einem Brief erwähnten Sie Ludwig Wittgenstein. Er hat, wie Sie mit Recht feststellten, die wohl radikalste In-Frage-Stellung nicht nur in Sachen Kunst, sondern auch in allen anderen philosophischen Problemen geäußert. Er fragt nicht ‚was ist Kunst‘, sein Denken kreist um die *Theorie des Spiels*. Die Sprache als ein Spiel, das wie jedes andere Spiel durch Regeln bestimmt wird. Bei meiner Frage an Sie ging es mir nicht um das Radikale. Was mich beschäftigt, ist der Einfluß Ihres Werkes auf die junge Kunst von heute. Was für Sie ein Protest, oder sagen wir eine Absage an die ‚art officielle‘ war ist heute die ‚art officielle‘ geworden.“[6] Das *Neue*, die *Erfindung* tritt – wie gezeigt wird – in völlig unterschiedlichen Erscheinungsformen auf, die, sofern bestimmte Voraussetzungen erfüllt sind, verschiedenen Schutzrechtskategorien zugeordnet werden können.

5 Ludwig Wittgenstein: *Philosophische Untersuchungen* Bd. 1, Frankfurt am Main 2001, S. 492

6 Gottfried Honegger: *Erfundenes und Erlebtes. Briefe an… Gottfried Honegger*, Mainz 2002

7 „erfinden, Erfindung“, Ludwig Wittgenstein: *Philosophische Untersuchungen*, in Werkausgabe Bd.1, Frankfurt am Main 2001, S.252

8 §1(1) öUrhG: Werke im Sinne dieses Gesetzes sind eigentümliche geistige Schöpfungen auf den Gebieten der Literatur, der Tonkunst, der bildenden Künste und der Filmkunst. (2) Ein Werk genießt als Ganzes und in seinen Teilen urheberrechtlichen Schutz nach den Vorschriften dieses Gesetzes.
§ 1 dUrhG: Die Urheber von Werken der Literatur, Wissenschaft und Kunst genießen für ihre Werke Schutz nach Maßgabe diese Gesetzes.
§ 2 (1): Zu den geschützten Werken der Literatur, Wissenschaft und Kunst gehören insbesondere: Sprachwerke, wie Schriftwerke, Reden und Computerprogramme; Werke der Musik; pantomimische Werke einschließlich der Werke der Tanzkunst; Werke der bildenden Künste einschließlich der Werke der Baukunst und der angewandten Künste und Entwürfe solcher Werke; Lichtbildwerke einschließlich der Werke, die ähnlich wie Lichtbildwerke geschaffen werden; Filmwerke einschließlich der Werke, die ähnlich wie Filmwerke geschaffen werden; Darstellungen wissenschaftlicher oder technischer Art, wie Zeichnungen, Pläne, Karten, Skizzen, Tabellen und plastische Darstellungen.
§2 (2): Werke im Sinne diese Gesetzes sind nur persönliche geistige Schöpfungen.

9 *Fresh Widow* 1920, The Museum of Modern Art, New York, Katherine S. Dreier Bequest

PHILOSOPHIE UND ERFINDUNG Ludwig Wittgenstein: „Die Philosophie stellt eben alles bloß hin, und erklärt und folgert nichts. – Da alles offen daliegt, ist auch nichts zu erklären. Denn, was etwa verborgen ist, interessiert uns nicht. ‚Philosophie' könnte man auch das nennen, was vor allen *neuen Entdeckungen* und *Erfindungen* möglich ist." [7]

1. Das Urheberrecht (Copyright)

DAS WERK Das Urheberrecht ist wie die anderen Rechte an geistigem Eigentum ein *Ausschließungsrecht*. Es gestattet, die *unverzichtbare* Urheberschaft an einem *Werk* für sich in Anspruch zu nehmen, um seine *geistigen Interessen* zu schützen, wie das Gesetz es ausdrückt. Eine künstlerische Idee, *„schöpferische Imagination"* für ein Werk haben, bedeutet also, eine *Vorstellung* von etwas haben, in Form eines Gedankens / Satzes, und diese Vorstellung *„ins Werk zu setzen"*.
Das Urheberrecht entsteht mit der Schaffung des *Werkes*.[8] Mit seiner Performance „*The perfect thought*" stößt James Lee Byars an die Grenzen des urheberrechtlichen Werkbegriffes. 1914 stellt Marcel Duchamp die urheberrechtlich relevante Frage: „Kann man *Werke* schaffen, die nicht ‚Kunst' sind?" („Peut-on faire des oevres qui ne soient pas ‚d'art'?"). Mit dem Ready-made „*Fresh Widow*" [9] gestaltet Marcel Duchamp im Jahr 1920 ein französisches Fenster, das sich zwar öffnen lässt, dessen Scheiben aber aus schwarzem Leder bestehen. Der Künstler will die Arbeit als sein geistiges Eigentum gegen Kopieren schützen und versieht sie mit dem Copyrightvermerk, der schon aus Abschreckungsgründen auf jeder Hervorbringung künstlerischer oder nicht künstlerischer Natur angebracht werden sollte. Das Copyright-Zeichen, Vor- und Zuname, Jahreszahl. © Rose Sèlavy 1920. An Katherine S. Dreier, die eine Edition von 12 ROTORELIEFS aufbewahrte, schreibt Marcel Duchamp: „Wenn sie es zeigen, dann lassen Sie es niemanden mitnehmen, da ich zuerst dafür das amerikanische *Copyright* haben will." Die EDITION ROTORELIEF© ist ab Dezember 1935 in den USA auch als „Copyright" geschützt. Der Künstler als Unternehmer: „As to the price, I can't sell them any more than $ 1,25 the whole set. Macy's would sell them $ 3 if they took them … They are only typographical prints on cardboard and have no value as originals (which they are evidently not, not even comparable to etchings)."

IST DAS „WERK" SEINER ZEIT VORAUS? Sind Kunstwerke zeitlos? Jedes Werk Marcel Duchamps eröffnet beispielsweise eine Welt (*Transformations-Vielheit, Rhizom*), ist somit in gewisser Weise endlos, aber auch *zeitlos*, weil es sich sowohl in die Vergangenheit wie in die Zukunft erstreckt. Duchamps Arbeiten bewegen sich mit uns in der Zeit. Sie sind präzise, ihre Ausführung ist mit einer Ausnahme nicht dem Zufall überlassen. Natürlich kann man sich nur ihre Oberfläche aneignen. Dann bleibt der schöne Schein. Bei Duchamp ist aber nichts wie es scheint.

Marcel Duchamp: „Quand une pendule est vue de coté (de profil) elle n'indique plus l'heure." André Breton: „Das Kunstwerk hat Wert nur insofern als es von *Reflexen der Zukunft* durchzittert wird." „Mit seiner rotierenden Glasscheibe von 1920/25 und den ROTORELIEFS von 1935 hatte er die Problematik der *Wahrnehmungsphänomenologie* und der *Bewegung* vorweggenommen, die in den sechziger Jahren zum vornehmlichen Thema der geometrischen Künstler wurde." (Um 1968. *Konkrete Utopien in Kunst und Gesellschaft*, Dumont, Ostfildern 1990)

DAS URHEBERRECHT Dieser Rechtstitel beschäftigt sich u.a. mit dem Schutz geistiger Interessen, dem Schutz der Urheberschaft, der Urheberbezeichnung und dem Werkschutz. Es ist zum Beispiel dem Urheber vorbehalten, zu bestimmen, ob und mit welcher *Bezeichnung* das Werk zu versehen ist, z.B. mit seinem *Künstlernamen*. Eine *Bearbeitung* darf mit einer Urheberbezeichnung nicht so versehen werden, dass der Anschein eines Originals entsteht. Auch *Vervielfältigungsstücke* (*Kopien*) dürfen durch die Urheberbezeichnung nicht den Anschein des Urstückes erhalten. Bis zum Beweis des Gegenteils gilt der auf einem Werkstück angegebene Urheber als solcher. Im Klagsfall liegt die Beweislast bei dem, der behauptet, er selbst wäre der Urheber.

Die zu schützenden *Werke* müssen *eigentümliche geistige (unkörperliche) Schöpfungen* auf den Gebieten der Literatur, der Tonkunst, der bildenden Künste und der Filmkunst sein. Die Werke erhalten ihre *Eigentümlichkeit* bzw. *Originalität* aus der *Individualität* ihres Schöpfers.

10 § 3.(1) öUrhG: Zu den Werken der bildenden Künste im Sinne dieses Gesetzes gehören auch die Werke der Lichtbildkunst (Lichtbildwerke), der Baukunst und des Kunstgewerbes (der angewandten Kunst).

11 Deutsche Verwertungsgesellschaft VG BildKunst / Arbeitsgemeinschaft deutscher Kunsthandelsverbände

12 Gespräch Otto Hahn mit Marcel Duchamp (1964), in: Serge Stauffer (Hg): *Marcel Duchamp Ready Made!*, Zürich 1973, S. 147

Der Schutz entsteht *unabhängig* von der körperlichen Festlegung (geistige Schöpfung). Werke der *angewandten Kunst* (des Kunstgewerbes), der Baukunst und der Fotografie (Lichtbildkunst, Lichtbildwerke) sind den Werken der *bildenden Kunst* gleichgestellt.[10] Es spielt dabei keine Rolle, ob diese Werke relativ *einfacher Natur* sind oder nicht, für Design wird allerdings insbesondere von der deutschen Judikatur eine bestimmte Originalität gefordert. Zu den Werken der *Literatur* (Sprachwerken) zählen auch Zeichnungen, Pläne, Karten, Skizzen, plastische Darstellungen, Abbildungen wissenschaftlicher oder technischer Art, die nicht Werke der bildenden Künste sind.

Eine *technische* Erfindung genießt dagegen keinen Urheberrechtsschutz, sie kann nur durch ein Patent oder Gebrauchsmuster geschützt werden (siehe weiter unten). Umgekehrt fallen *Computerprogramme* unter das Urheberrecht. Zumindest in Europa können sie „als solche" nicht durch ein Patent geschützt werden.

DAS AUSSCHLIESSUNGSRECHT Dem Urheber vorbehalten sind beispielsweise: Verwertungsrechte (z.B. an der Verwertung von Bearbeitungen und Übersetzungen), das *Vervielfältigungsrecht*, das *Verbreitungsrecht*, das *Vermieten und Verleihen*, das *Zurverfügungsstellungsrecht*, das *Senderecht …*

ORIGINAL UND KOPIE – DIE ORIGINALKOPIE? *Legaldefinition*: „Werke, die in mehreren Exemplaren hergestellt werden, gelten insoweit als *Originale*, als auch das *Hilfsmittel* der Vervielfältigung (Druckplatten, Gussformen usw.) vom Künstler stammt und die Vervielfältigung entweder von ihm selbst oder unter seiner Aufsicht durch Dritte vorgenommen worden ist; beim vom Künstler signierten Exemplaren wird dies unwiderleglich vermutet."[11]

Otto Hahn: „Sie lehnen es ab, sich zu wiederholen, würden Sie es aber, wie Vasarely, akzeptieren, daß man Ihre Werke in Tausenden von Exemplaren kopiert?" Marcel Duchamp: „Nein. Daß man eine *Auflage* von acht Exemplaren davon macht, wie für meine Ready-mades der gegenwärtigen Ausstellung bei *Schwarz* in Mailand, das ja, einverstanden! Es ist die Seltenheit, die das künstlerische Attest ausstellt."[12]

In der digitalisierten Welt, in der die berechtigte oder unberechtigte Kopie („*Copy-left*") zum Alltag gehört, ist die Frage zu stellen, ob nicht die digital erstellte Kopie der Wirklichkeit angemessener ist als das meist unzugängliche Original. 1968 wird in einer New Yorker Galerie ein „*Xeroxbook*" ausgestellt. Ein Xerox®kopien-Katalog von Arbeiten Lawrence Weiners,

Carl Andres, Joseph Kosuths und anderen. Die Originale werden nicht ausgestellt.

MITURHEBER Das ist nur, wer mit einem anderen gemeinsam ein *einheitliches* Werk geschaffen hat.[13] Ein Miturheberrecht entsteht nicht bei Werken verschiedener Art, also Film und Ton, und auch nicht, wenn ein Universitätsprofessor die Arbeit von Studierenden kritisiert.

Die ROTORELIEFS® werden als *Gemeinschaftsarbeit* von Marcel Duchamp und Henri Pierre Roché herausgestellt. Tatsächlich besorgte Roché das Drucken der 500 Sätze zu je 6 Pappescheiben, jeweils *recto verso*, mit den von Marcel Duchamp gemalten Originalmotiven. Durch Drucken und Erzeugen kommt aber ein Miturheberrecht *nicht* zum Entstehen.

FREIE GRUPPEN? Die „freie Gruppe" ist ein Begriff der Mathematik. Selbst ernannte *freie Gruppen*, *Projektgruppen*, kurz Gruppen von Menschen, die sich freiwillig zusammengeschlossen haben, um gemeinsam an einem Projekt zu arbeiten oder zu einem solchen beizutragen, können eine Gesellschaft nach bürgerlichem Recht, einen Verein usw bilden. Wenn sie „als Gruppe" etwas produzieren, unterliegen sie den gesetzlichen Bestimmungen, die auch für andere Schaffende gelten, beispielsweise dem Urheberrecht. Produziert die Gruppe ein *einheitliches* Werk, wie einen Projektentwurf, können die Mitglieder, die dazu beigetragen haben, Miturheber im Sinne des Gesetzes sein, ansonsten bleibt das Urheberrecht beim Verfasser des Beitrages, der für einen „gemeinsamen" Katalog bestimmt sein kann. Der einzelne Verfasser kann dann sein Nutzungsrecht dem Verlag übertragen. Die Freiheit der Gruppe ist also Fiktion, sie erschöpft sich in der freiwilligen Gruppenzugehörigkeit.

DER STIL Für Christos/Jeanne-Claudes Verpackungs*stil* für sehr große Gegenstände, den Deutschen Reichstag (*„Wrapped Reichstag"*, Köln 1997/ 1999) zum Beispiel, liefert das Urheberrecht keinen effektiven Schutz,

13 §11 (1) öUrhG: Haben mehrere gemeinsam ein Werk geschaffen, bei dem die Ergebnisse ihres Schaffens eine untrennbare Einheit bilden, so steht das Urheberrecht allen Miturhebern gemeinschaftlich zu.
§ 11 (3): Die Verbindung von Werken verschiedener Art begründet an sich keine Miturheberschaft.
§ 8 (1) dUrhG: Haben mehrere ein Werk gemeinsam geschaffen, ohne dass sich ihre Anteile gesondert verwerten lassen, so sind sie Miturheber des Werkes.
14 § 78 UrhG Bildnisschutz
15 *MAN transFORMS*, von Hans Hollein 1976 im New Yorker Cooper-Hewitt Museum konzipierte Ausstellung
16 New York Times, 2005

denn ein *Stil* lässt sich nicht schützen bzw. monopolisieren (jederman kann Musik im *Barockstil* komponieren). Allerdings würde jeder andere Künstler, der in ähnlicher Manier als künstlerischer Packer arbeitet, sich an den auch heute noch sehr wirksamen Pranger stellen und einen Plagiatsvorwurf einhandeln. Im übrigen, sind es nur Christos Ideen oder hat er sie gemeinsam/gleichzeitig mit seiner Partnerin, die dann *Miturheberin* des *ausgeführten Werkes* wäre? Haben beide *dieselben Ideen*? Schon möglich. Die *Vorstellung* allerdings, die Jeanne-Claude von dem Werk hat (das Reichtagsgebäude samt verschnürter Umhüllung) ist sicher eine andere als die Christos. Jeder Mensch *macht sich* ein anderes Bild von der *Wirklichkeit*.

BILDTRANSFER Bilder und nicht die Sprache bestimmen in zunehmendem Maße das Alltagsleben. Ein (wissenschaftlicher) Vortrag ist ohne *Power Point*®-Präsentation kaum mehr vorstellbar. Die Folien sind urheberrechtlich geschützte Bilder. Fotografien und andere Bilder sind digitalisiert an jeden beliebigen Ort übertragbar. Die Verbreitung ist dem Urheber vorbehalten. Das Urheberrecht interessiert sich auch für das Recht am *eigenen Bild*.[14] Das Gesetz verbietet die öffentliche Ausstellung oder Verbreitung dann, wenn „*berechtigte Interessen des Abgebildeten*" verletzt würden. Eva Schlegel projiziert die Negative von zufällig gefundenen anonymen Fotos auf Bleifolie. Die Abgebildeten sind nicht erkennbar und bleiben anonym.

2. Designschutz (Geschmacksmusterschutz)

ALLES IST DESIGN Als Analogie zu Hans Holleins „Alles ist Architektur"-Diktum anlässlich seiner Austellung MAN transFORMS[15] im Jahr 1976, trifft der Slogan „Alles ist Design" heute mehr denn je zu. Nur in einem damals nicht vorhersebaren Ausmaß. Während Hollein feststellte: „Design, the process, and design, the product, encompasses as such practically any aspect of life. Design can be urban design or architectural design or product design or dressmaking, but it can also be cooking or singing or making war or making love. Design can also be the design of design. Therefore, design in itself cannot really change your life style, because your life style already is design." – und zeitgemäßes Webdesign sich noch auf Architektur und den herkömmlichen Designbegriff stützen kann, wird der Designbegriff neuerdings bei jeder sich nur bietenden Gelegenheit strapaziert. So genanntes *genetisches* und *intelligentes* Design wird zu einer sozialen Disput-Metapher. „*Alles ist Design*" soll also auch auf den *Big-Bang* zutreffen. Die These „*Finding design in nature*"[16] im Zusammenhang mit der „kontinuierlichen

Schöpfung", dem Ausdruck der Evolution als „intelligenter Plan", erinnert an die seinerzeitige – und gerade wieder aktualisierte – Diskussion über den Determinismus. Gott, der höhere Designer schlechthin, würfelt bekanntlich nicht. Der Philosoph Robert Spaemann[17] formuliert es so: „Wenn Leben und Vernunft erst spät in der Geschichte auftreten, so kann dieses Auftreten doch nicht als Variationen dessen, was schon vorher da war, verstanden werden. Es ist etwas *Neues*. Wie immer es verstanden sein mag, es hat sich von seinen Entstehungsbedingungen emanzipiert und ist ‚es selbst'. Wenn es überhaupt einen Grund hat, dann kann dieser nur selbst von der Art der Innerlichkeit sein, und das heißt: eine Absicht."[18]

Das Design von aufgeklärten „Freidenkern" ist natürlich profaner. Es lebt von Zufall (*Hasard –> Trois Stoppages Etalon*) und Einfall.

KUNST UND ERFINDUNG | DAS NEUE Marcel Duchamp: „… unsere ganze Welt ist *man made*, von uns selbst gemacht. Doch wir alle tragen in uns eine Menge Lüste und Gefühle und anderes mehr, das wir nicht zu deuten vermögen. Und dies ist es wohl, was uns soweit bringt, uns und unsere Art, die *Wirklichkeit* zu deuten, immer wieder zu verändern. So entsteht *Neues* – und es gibt nichts, das ich mehr bewundere, als jemanden, der wirklich etwas *Neues* macht."[19]

ZUFALLSDESIGN Marcel Duchamp über die „*3 stoppages etalon*"[20]: „If a horizontal thread of one metre length falls from a height of one metre on to a horizontal plane twisting as it pleases and creates a new image of the unit of length." „The shape thus obtained was fixed onto the canvas by drops of varnish." „To imprison and preserve forms obtained by chance."

ABSICHTSDESIGN Raymond Loewy[21] reicht am 13. September 1928 beim Patentamt der Vereinigten Staaten von Amerika eine Musterschutzanmel-

---

17 Deutscher Philosoph, bis 1992 Professor an den Universitäten Heidelberg und München
18 Der Standard, 23./24.7.2005
19 Aus einem Interview mit Ulf Linde, Stockholm 1961, in: Serge Stauffer (Hg): *Marcel Duchamp Ready Made!*, Zürich 1973, S. 127
20 Trois Stoppages Etalon (Three Standard Stoppages), 1913–1914
21 Raymond Loewy, 1893–1986, aus Frankreich 1919 in die U.S.A. emigrierter Industriedesigner, dessen Vater aus Wien stammte, entwarf u.a. den *Studebaker*-Strassenkreuzer, das *Shell*-Logo und die *SPAR*-Zeichen.
22 http://www.patentamt.at
23 http://oami.eu.int/
24 Art. 5 GemMuVo
25 Art. 6 GemMuVo

dung (*Design Patent Application*) für ein Automobil ein, genauer gesagt für einen „Kombinierten Automobilkörper und Haube" – *COMBINED AUTOMOBILE BODY AND HOOD* – Das *Design* wird unter der Nummer Des. 80 844 registriert.

MUSTERSCHUTZ UND URHEBERRECHT Der formale Designschutz für industrielle Erzeugnisse überschneidet sich mit dem Urheberrecht. Der *Urheberrechtsschutz* bedarf keiner Anmeldung, er wird mit der Schaffung des Werkes begründet und dauert 70 Jahre über den Tod des Urhebers hinaus. Der *Musterschutz* erfordert die Hinterlegung beim jeweiligen nationalen *Patentamt* oder beim *Gemeinschaftsmusteramt*, sofern ein mehrjähriger Schutz in Anspruch genommen werden soll, z.B. bis zu 25 Jahren. Als Besonderheit sieht das EU-Geschmacksmuster auch einen *dreijährigen Schutz* für das *nicht registrierte* Muster ab dessen Veröffentlichung vor.

Der Urheberrechtsschutz geht von der *geistigen Schöpfung* aus, die dem Muster als *Erscheinungsform* zugrunde liegt, er fordert *Eigentümlichkeit* und erstreckt sich auch auf *Veränderungen* und *Bearbeitungen*. Anders der Geschmacksmusterschutz. Er ist enger, weil er Bearbeitungen nicht schützt, dafür aber keine aus der gestaltenden Tätigkeit des Musterschöpfers resultierende *Originalität* benötigt. Vielmehr werden *Neuheit* und *Eigenart* gefordert. „Hässlichkeit verkauft sich schlecht" (Autobiographie Raymond Loewy, 1953; Berlin 1992), ist für den Musterschutz kein Kriterium. Ob das Design gut oder schlecht, ästhetisch ansprechend ist oder nicht, spielt für seine Schutzfähigkeit keine Rolle.

Die dem gewerblichen Rechtsschutz zugrunde liegende Forderung nach *Neuheit* wird nur im *Gemeinschaftsmusterrecht* sowie im *Gebrauchsmusterrecht* durch eine *Neuheitsschonfrist* durchbrochen. Letzteres schützt im Gegensatz zum Geschmacksmusterrecht, wie noch gezeigt wird, nicht das Ästhetische sondern den Gebrauchszweck, also auch das *Funktionelle*.

Das Musterschutzgesetz[22] **und die europäische Verordnung für Gemeinschaftsgeschmacksmuster**[23]

NEUHEIT UND EIGENART *Neuheit*[24] bedeutet, dass vor dem Tag der Anmeldung (oder ersten Veröffentlichung des nicht registrierten Gemeinschaftsgeschmacksmusters) der Öffentlichkeit kein identisches Muster zugänglich gemacht worden sein darf. *Eigenart*[25] bedeutet, dass Muster sich in ihrem *Gesamteindruck* bei einem *informierten Benutzer* voneinander unterscheiden müssen, dies vor dem jeweiligen Prioritäts- bzw. Erstveröffentlichungstag.

Ein Muster kann außerdem nicht zweimal geschützt werden. Es gilt das *Doppelschutzverbot. Grundsätzlich können Urheberechts- und Musterschutz gemeinsam in Anspruch genommen werden, wenn die Voraussetzungen gegeben sind.*

Das *registrierte* Muster oder das für drei Jahre *nicht registrierte* EU-Muster schützen die *Erscheinungsform* eines Erzeugnisses oder eines Teils. Diese Form ergibt sich insbesondere aus den Merkmalen der Linien, Konturen, Farben, der Gestalt, Oberflächenstruktur und/oder Werkstoffe des Erzeugnisses selbst oder seiner Verzierung. Die *Erscheinungsform* ist die auf industrielle Produkte *transferierbare* Vorlage. Die Erscheinungsform für ein Auto kann übertragen werden auf ein Spielzeug, auf einen PKW, auf ein Schmuckstück, ein Abziehbild usw. Der Gegenstand ändert sich, das Vorbild (Muster) nicht. Größenverhältnisse spielen dabei keine Rolle. Duchamp überträgt die Erscheinungsform einer *Montgolfiere* in verzerrter Darstellung auf Pappescheiben, nach Art einer *Anamorphose.* Er könnte sie natürlich auch auf eine Schallplatte übertragen. Die Musterregistrierung benötigt deshalb ein Verzeichnis jener Produkte, auf welche das Muster *übertragen* werden soll, das *Warenverzeichnis.*

Wir unterscheiden zwischen *zweidimensionalen* und *dreidimensionalen* Mustern, z.B. sich wiederholenden Flächemustern, typischerweise Stoffmustern, oder körperhaften Formen, wie Sitzgelegenheiten. Für die angewandte Kunst interessant ist, dass der Musterschutz sich auch auf *Schrifttypen* erstreckt. Dazu müssen alle Buchstaben des Alphabets (in Groß- und Kleinschreibung) angegeben werden, ferner alle arabischen Ziffern und fünf Zeilen Text, Schriftgröße 16 Punkt[26].

DIE SERIENPRODUKTION *Design* macht Sinn, wenn man an eine *Serienproduktion* denkt. Die Idee der *Serienproduktion* taucht nicht nur in dem notorischen Werk Walter Benjamins über die technische Reproduzierbarkeit von Kunstwerken auf[27], sondern auch bei Künstlern wie Duchamp oder auch Le Corbusier, der vermutlich ebenfalls aus kommerziellen Erwägungen von der Idee der Serie fasziniert ist:

26 Pierre Fournier, 1712–1871, Standard-Maßeinheit für Typengrößen: der Punkt = 0.0148 Zoll.

27 Walter Benjamin: *Das Kunstwerk im Zeitalter seiner technischen Reproduzierbarkeit*, 1936, z.B. Frankfurt am Main 1963

28 *L' Esprit Nouveau*, 1921

29 österr. Patentblatt 1959,132

30 öPbl 1955,91, öPbl 1954, 65

31 *Tu m'*, 1918, Nachlaß Katherine S. Dreier

32 *Duchamp Notes*, Champs Flammarion, 1980

„Man muß die Geisteseinstellung der *Serie* schaffen: die Geisteseinstellung, Häuser in *Serien* zu bauen, / die Geisteseinstellung, in *Serienhäusern* zu wohnen, / die Geisteseinstellung, *Serienhäuser* zu begreifen und zu entwerfen".[28]

FORMSCHUTZ GEGEN FUNKTIONSSCHUTZ | ERSCHEINUNGSFORM GEGEN GEBRAUCHSFUNKTION Der Grundsatz, daß der Musterschutz nur die Erscheinungsform betrifft, verhindert auch, dass Systemgedanken, Motive, Stile, wissenschaftliche Lehren usw. geschützt werden können. Die Rechtsprechung lässt keinen Zweifel: „Ein Musterrecht kann immer nur in Verbindung mit einem bestimmten Industrieerzeugnis entstehen und existent sein."[29] „Es muß ein in der Außenwelt wahrnehmbares (materialisiertes) Ergebnis der Gestaltung eines bestimmten Vorstellungsinhaltes vorliegen, die körperliche Festlegung." „Funktion und Konstruktion sind nicht Gegenstand des Musterschutzes".[30]

DIE GRENZEN DES MUSTERSCHUTZES: RETINAL | ZEREBRAL Die ROTORELIEFS ® erzeugen beim Betrachter *zerebral dreidimensionale* Muster bzw. Modelle, der Betrachter wird Teil des Werkes, durchaus im Sinne von Duchamp, der auch behauptet der Betrachter schaffe das Werk: Die vollkommenste Aneignung von Kunst, gleich zu halten dem Verzehr eines Kunstwerkes („*eat art*"). Da der wesentlichste Teil des Werkes *virtuell* ist, ist er dem Musterschutz nicht zugänglich. Die virtuellen „Gegenstände" können durch das Scheiben*muster* nicht mitgeschützt werden, weil sie „unkörperlich", also keine *gewerblichen Erzeugnisse* sind. Die resultierenden Gegenstände brauchen im übrigen nicht neu im Sinne des Gesetzes sein.

SPIRALEN UND SCHRAUBEN Marcel Duchamp zu seinen Experimenten mit Optik: „… mit *Spiralen*, die beim Drehen die *Idee* eines Korkenziehers ergeben, die ihnen die *dritte Dimension* verleihen." Was ist das *reale* Bild in Duchamps Werk *Tu m'*,[31] das in der Bibliothek Katherine S. Dreiers hängt? Der eine Schraube – „*to screw*" – bildende Schatten des Korkenziehers in *Tu m'* (*tumescence frz. = Schwellung*)? Der Übergang von der zweiten Dimension entspricht der Intention Duchamps nach *Transformation* als Kunstprinzip. Die dritte Dimension wäre nach Duchamp folgerichtig lediglich eine Projektion der vierten Dimension, wie in der Zeichnung zu ANEMIC CINÉMA: „le coupant d'une lame et le transparence et les Rayons X et la 4e Dim. (croquis)".[32] Anderseits könnte man die *Scheibenmotive* als Projektion der im Gehirn des Betrachters entstehenden virtuellen Objekte deuten.

DER MUSTERSCHUTZ ALS EIGENTUM Wem gehört ein Muster? Grundsätzlich hat der Schöpfer bzw. Entwerfer des Musters oder sein Rechtsnachfolger den mit dessen Schöpfung entstehenden Anspruch auf das Muster. Rechtsnachfolger kann z.B. eine Firma sein. Das von einem Arbeitnehmer geschaffene Muster gehört jedoch von vornherein dem Unternehmen, wenn die Tätigkeit, die zu dem Muster geführt hat, zu den dienstlichen Verpflichtungen des Arbeitnehmers gehört. Analog gehört ein im Angestelltenverhältnis geschriebenes Computerprogramm nach dem Urheberrecht dem Arbeitgeber.

DER MUSTERSCHUTZ ENTFALTET WIRKUNGEN Der Musterinhaber ist *ausschließlich* berechtigt, andere von der betriebsmäßigen Herstellung, dem Inverkehrbringen, dem Anbieten oder Gebrauchen von übereinstimmenden oder verwechselbar ähnlichen Mustern auszuschließen, wenn die *Übertragung* des Musters auf diese Erzeugnisse naheliegt.

SAMMELMUSTER Der rege schöpferische Geist erzeugt meist *Varianten* ein und desselben Werkes. Dem trägt das Gesetz Rechnung, indem mehrere Muster in ein und derselben Klasse in einer *Sammelanmeldung* zusammengefaßt werden können.

3. Die Marke

di:ˈʌngewʌndtə

Universität für angewandte Kunst Wien
University of Applied Arts Vienna

Das Zeichen TRANSFER® ist in Österreich seit März 2003 als Marke u.a. für Druckereierzeugnisse wie die *Edition Transfer* unter der Nr. 208.980 geschützt.

Was ist eine Marke? Marken können alle *Zeichen* sein, die sich *grafisch* darstellen lassen, insbesondere Wörter, einschließlich Personennamen, Abbildungen, Buchstaben, Zahlen und die Form oder Aufmachung der Ware. Diese Zeichen müssen geeignet sein, *Waren* und *Dienstleistungen* eines Unternehmens von denjenigen anderer Unternehmen zu unterscheiden.[33] Markentypen sind *Wortmarken, Bildmarken (Logos), Wortbildmarken.* Neuerdings auch Buchstabenmarken, Klangmarken, Duftmarken usw. Neuheit und Originalität sind *keine* Schutzvoraussetzungen. Ebenso entsteht, außer bei künstlerisch gestalteten grafischen Zeichen, kein Urheberrecht

33 § 1 öMaSchG 1970
34 Naomi Klein, *NO LOGO*, Flamingo, 2001 / München 2005
35 *Get what you deserve*, New York 1997

z.B. an einem Markenwort oder Slogan, einfach deshalb, weil sie zu kurz sind um als literarisches Werk zu gelten. *Jeder*, der Waren oder Dienstleistungen in den Verkehr bringt handelt als *Unternehmer*. Auch der Künstler, die Künstlerin. Von ihnen kann deshalb ein Markenrecht erworben und erforderlichenfalls lizensiert oder übertragen werden.

DIE MARKE IST SPIEGEL DER ALLTAGSKULTUR UND DER KONSUM-GESELLSCHAFT Ein Markenzeichen soll Verwechslungen ausschließen. Was zählt ist die *Differenz*. Dabei wird nach *Herkunft/Originalität/Qualität* gefragt. In der modernen Konsumwelt dient die Marke auch als Wirklichkeitsersatz, Lebenshilfe, Orientierung, als Imageträger zur Unterscheidung von Menschen und als Statussymbol: *Der Porschefahrer*. Die Zugehörigkeit zu weltweit anerkannten Werten schafft offensichtlich Vertrauen und Identität. „Bei bekannten, im Gehirn verankerten Marken übernehmen die Gefühlszentren und Areale für effektives Handeln die Führung", sagt der Neurophysiker Michael Deppe über Versuche, mit Kernspintomografie das markengerechte Funktionieren des Gehirns zu erforschen. *Neuroeconomics* heißt das Stichwort. Die *bekannte* Marke bewirkt zufolge der „kortikalen Entlastung" schnelle Entscheidungen ohne großes Nachdenken. Eine Gefahr für den Konsumenten, der in einen unreflektierten Kaufrausch verfällt?

DIE MACHT DER MARKE Die Marke ist zugleich Ausdruck des *Turbo-Kapitalismus*, in dem globalisierende Unternehmen zunehmend dazu übergehen, ihre Marke statt der Ware zu vermarkten, und damit für bestimmte Gruppen (NO SPACE, NO CHOICE, NO JOBS, NO LOGO[34]) zum Feindbild werden.

DAS LEBEN ALS MARKE – EIGENMARKETING? Jay Levinson/Seth Godin: „Market Yourself! Marketing sounds all well and good for corporations, products, even nonprofit organisations. But why do people need to know about marketing? What do we have to sell, and who are we selling to?"[35]

DER KÜNSTLER UND SEINE MARKE Was benötigen Kunstschaffende am meisten? … *Aufmerksamkeit* … Kunstprodukte und Künstler wollen vermarktet und in Erinnerung behalten werden. Die Informationsgesellschaft benötigt ständig neue Reize, um Aufmerksamkeit zu erregen. Die Selbstinszenierung, das Eigen-Marketing, *Impression-Management* erhöhen den Marktwert. Authentizität und Marktwert gehen Hand in Hand. Was ist das eigentliche *Markenzeichen* von Künstlern? Ihr durchaus im Sinne des Markenschutzes *unverwechselbarer Stil*, für den sie bekannt sind und der sie von anderen Künstlern unterscheidet? Die Übermalungs*manier* von Arnulf Rainer zum Beispiel: ein Markenzeichen, aber keines, das geschützt werden könnte. Wie schon erwähnt kann man einen *Stil* nicht schützen, weder als Muster noch als Marke, noch urheberrechtlich. Es kann also durchaus ein anderer (Künstler) Übermalungen erzeugen, solange er nicht Rainer-Fotos übermalt, weil es dadurch zu Verwechslungen kommen kann. Dann würde sich der Nach-Übermaler dem Plagiatsvorwurf aussetzen. Die Arbeiten vieler Künstler beruhen auf der Faszination der Marke. Salvador Dalí verlegt eine Zeitung *Dali News* und wirbt für *Dalinal* als „Arznei gegen ästhetische Depression, ansteckende Mittelmäßigkeit, Frigidität und Impotenz." Einen ähnlichen Ansatz verfolgen heute bestimmte Getränkemarken

MARKE UND GESELLSCHAFT | VON AUSTROCOLA ZU RED BULL

Marken sind Energie. Ist *Austrocola* in den 50-er Jahren eine harmlose nationalistische Abwandlung des ersten Globalgetränkes *Coca-Cola*, so identifiziert *Red Bull*®[36] in der Zwischenzeit als berühmte österreichische und internationale Marke einen Energydrink. Red Bull verleiht inzwischen fast weltweit, speziell mit Wodka getrunken, sogar Flügel. Ihren Ursprung haben derartige Energydrinks in der „Stadt der Engel", wie Bangkok in Thailand genannt wird. Dort wird der Drink vorwiegend von Arbeitern konsumiert, die damit ihre täglichen Arbeitsstunden verlängern. Der Preis beträgt „natürlich" nur ein Zehntel des europäischen.

36 AT Marke Nr. 224.745
37 http://oami.eu.int/
38 § 4 öMaSchG.
39 AT Nr.224.749
40 Relief: Ce qui fait saillie sur une surface. Oeuvre sculptée dans laquelle le motif se détache en saillie plus ou moins forte sur un fond. (Larousse).
41 M.p. (marque pour) désigner des imprimés, papiers et cartons, papeterie, librairie, articles de bureau, encres à écrire, à emprimer et à tampon, reliure, articles de réclame, instruments pour les sciences, l'optique, la photographie, phonographes, cinématographes, poids et mesures, balances, disques d'optique. (printed matter, papers and cardboards, paper trade, book trade, office material, inks for writing, printing and stamping, bookbinding, advertising material, scientific instruments, optics, photography, phonographs, cinematographs, weights and measures, scales, optical discs).
42 Ludwig Wittgenstein: Philosophische Untersuchungen, in Werkausgabe Bd.1, Frankfurt am Main 2001, S.252
43 § 12 öMaSchG

DIE REGISTRIERUNG Die Marke muß zu ihrem Schutz *registriert* werden: beim nationalen *Patentamt* oder beim *Gemeinschaftsmarkenamt*[37] der EU in Alicante. Nicht alles ist registrierbar. Vom Schutz ausgeschlossen sind u.a. Zeichen mit denen Waren und Dienstleistungen im allgemeinen Sprachgebrauch bezeichnet werden, Zeichen beschreibender Natur, welche die Art, Beschaffenheit, Menge, Wert, geografische Herkunft der Waren oder Dienstleistungen ausdrücken und in dieser Hinsicht täuschende Zeichen usw.[38] Beschreibende Zeichen können nur bei erworbener *Verkehrsgeltung* geschützt werden, z.B. KUNST WIEN[39] für die Organisation von Ausstellungen.

Am 9. Mai 1935 meldet Marcel Duchamp die Marke ROTORELIEFS ®[40] bei der Greffe du Tribunal de Commerce de la Seine zur Registrierung an. Die Eintragung erfolgt unter der Nummer 241 720. Das für jede Markenregistrierung unabdingbare *Warenverzeichnis* enthält u.a. „*disque d'optique*" (d.h. „optischen Scheiben", was immer eine optische Scheibe für eine Ware ist!).[41] Es handelt sich um eine Handelsmarke, im Unterschied zu einer *Dienstleistungsmarke*, die damals noch nicht existierte und heute für viele Künstler interessanter ist als die erstere.

DIE INHABERRECHTE Der Markeninhaber hat das *ausschließliche* Recht, *Dritten* zu verbieten, gleiche oder ähnliche Zeichen für gleiche oder ähnliche Waren und Dienstleistungen zu benutzen, wenn für das Publikum die Gefahr von Verwechslungen besteht.

DER NAME Als Differenzierungszeichen ist ein *Name* einer Marke gleichgestellt. Ludwig Wittgenstein: „Wir *benennen* Dinge und können nun über sie reden. Uns in der Rede auf sie beziehen." – „… Und es gibt auch ein Sprachspiel: Für etwas einen *Namen* erfinden. Also, zu sagen: ‚Das heißt …', und nun den neuen Namen zu verwenden. (So benennen Kinder z.B. ihre Puppen und reden dann von ihnen, und zu ihnen. Dabei bedenke gleich, wie eigenartig der Gebrauch des Personennamens ist, mit welchem wir den Benannten rufen!)".[42]

Niemand darf ohne Zustimmung des Berechtigten den *Namen*, die *Firma* oder die *besondere Bezeichnung* des Unternehmens eines anderen zur Kennzeichnung von Waren oder Dienstleistungen benutzen.[43] Eine Marke gewährt zwar dem Inhaber nicht das Recht, jemandem den Gebrauch seines Namens oder seiner Anschrift zu verbieten, und Name ist *Schall und Rauch*, doch müssen auch zwei Künstler gleichen Namens sich durch einen Zusatz voneinander unterscheiden, um im Kunstbetrieb nicht zu kollidieren: Fallbeispiel *Robert Adrian X / Robert Adrian*.

juliaroberts.com. Marken kollidieren häufig mit Domains. Die Registrierung des Domainnamens *<juliaroberts.com>* durch Dritte wurde von der Schauspielerin vor einem Schiedsgericht bei der *Weltorganisation für geistiges Eigentum WIPO* in Genf angefochten. Die Schauspielerin hat Erfolg. Dem Argument des Domaininhabers, die Schauspielerin habe kein *Markenrecht* auf ihren Namen, wird mit zivilrechtlichem Namensschutz begegnet. Die Entscheidung des Schiedsgerichtes zugunsten der Schauspielerin wurde von dem Domaininhaber vor einem amerikanischen Bundesgericht angefochten. Bei der Weltorganisation für geistiges Eigentum *WIPO* kann man auch *internationale Marken* für eine große Anzahl von Ländern hinterlegen, einzige Voraussetzung ist eine Basismarke, auf welche sich die internationale Marke stützt. Ein interessantes Tätigkeitsgebiet der WIPO ist im Übrigen der Schutz von traditionellem Wissen und Folklore.

4. Der Patent- und Gebrauchsmusterschutz

Zwei Fragen: Welches ist der am öftesten patentierte technische Gegenstand und welches der künstlerische Gegenstand, dessen Urheberrecht am häufigsten verletzt wird? Die Antworten, wie eingangs schon angemerkt: die mechanische Mausefalle und der deutsche Gartenzwerg.

DER SCHUTZ VON TECHNISCHEN ERFINDUNGEN Macht jemand eine Erfindung technischer Natur, so ist er auf den Patent- oder Gebrauchsmusterschutz angewiesen. Geschützt werden soll die schöpferische Tätigkeit des Einzelnen und die wirtschaftliche Tätigkeit des Unternehmens.

---

44 § 3 öPatG
45 Der angebliche Anmeldungstext lautet in Übersetzung: Das Internationale Klein Blau wurde von Yves Klein in den Jahren 1954–55–56–57–58 entwickelt. Die genaue chemische Formel lautet: FIXATIV von I.K.B. 1,2 Kilo / Rhodopas® (zähflüssiges Produkt) M A (Rhone Poulenc) (Vinylchlorid) / 2,2 Kilo Äthylalkohol 95% industriell, denaturiert / 0,6 Kilo Äthylazetat. Eine Gesamtmenge von 4 Kilo. Kalt mischen durch kräftiges Schütteln und niemals unbedeckt erhitzen! Dann kalt das reine Ultramarinblau in Puderform mit dem Bindemittel im Verhältnis zu 50%, wenn man 1/10 der Gesamtmenge mit reinem Azeton vermischt, und zu 40%, wenn man reinen Alkohol hinzufügt, mischen. Mit einer Rolle, einem Pinsel oder einer Spritzpistole auf einen Trägergrund aus Holz oder Hartfaserplatte, auf der Rückseite mit Streifen verstärkt, auftragen. Mit Zellophan abdecken.

Die Erfindungen müssen *neu* und *gewerblich anwendbar* sein sowie auf *erfinderischer Tätigkeit* beruhen. Das Gesetz definiert nicht, *was* eine Erfindung ist, es stellt lediglich deren *Eigenschaften* heraus. Eine Erfindung ist in Fachkreisen eine Anleitung zum technischen Handeln, die *Lösung* einer technischen *Aufgabe* mit technischen Mitteln. Das Patent oder Gebrauchsmuster *berechtigt* den Inhaber u.a., andere davon auszuschließen, den Gegenstand der Erfindung betriebsmäßig herzustellen, in Verkehr zu bringen, feilzuhalten oder zu gebrauchen. Auch im Patentrecht tritt der Urheber in Erscheinung. Nur dieser oder sein Rechtsnachfolger hat Anspruch auf das Patent.[44]

Das deutsche Patent Nr. 1 zur Fabrikation von rothem Ultramarin lautet: „Ultramarinviolet wird auf 130–150 Grad Celsius erhitzt, der Einwirkung von Dämpfen einer mehr oder weniger concentrierten Salpetersäure ausgesetzt. Stark concentrierte Salpetersäure ergiebt eine bis zu lichtem Rosa aufsteigende Farbe, verdünnte Salpetersäure dagegen ein tieferes und dunkleres rothes Ultramarin." Yves Klein erfindet das *Internationale Klein Blau IKB*®. Er meldet das IKB (I.K.B.) angeblich zum Patent an und erhält am 19. Mai 1960 das französische Patent Nr. 63471.[45] (Der Autor konnte im französischen Patentamt einen Nachweis dafür nicht finden, möglicherweise handelte es sich um eine Markenanmeldung für IKB.)

DAS MISSVERSTÄNDNIS Die *Entdeckung* von etwas Vorgefundenem ist natürlich *keine Erfindung*. Der „Big Bang", zum Beispiel. „Eine Entdeckung ist keine Erfindung": Dieser Satz war bis vor wenigen Jahren nicht umstritten. Im Jahr 1995 lokalisiert ein britisches Forscherteam Gene und meldet die *Erfindung* vor der Veröffentlichung in der Zeitschrift *Nature* zum Patent an, um die *Entdeckung* vor der kommerziellen Ausbeutung durch Dritte zu schützen. Ist die *Genomsequenz* des Menschen eine Entdeckung oder eine Erfindung? Die Frage ist seither Thema unzähliger Fachveröffentlichungen.

Traditionell schließt das Patentgesetz von der Patentierung ausdrücklich aus: Entdeckungen, wissenschaftliche Theorien, mathematische Methoden, ästhetische Formschöpfungen, Pläne, Regeln und Verfahren für gedankliche Tätigkeiten, wie Spiele, Programme für Datenverarbeitungsanlagen und die Wiedergabe von Informationen. Marcel Duchamp erfindet, von der Idee der Serie fasziniert, die schon erwähnte, nicht patentfähige *neue Maßeinheit – mètre etalon –* (Standardmeter) oder besser gesagt drei neue Einheiten, *Trois Stoppages Etalon* (1913–1914). Das *Urmeter* war ja schon *erfunden*. Nutzen kann man aus Duchamps Erfindung nur ziehen, wenn man sie, wie Duchamp selbst, als Kunstwerk zur Herstellung weiterer Kunstwerke verwendet, beispielsweise in dem schon angesprochenen Werk *Tu m'*.[46]

DER GEDANKE DES STANDARDS *Standardisierung* bedeutet Macht, die Beherschung ganzer Technikgebiete. Deshalb wird häufig versucht, einen Standard z.B. als Patent zu schützen, um dieses dann in Verhandlungen mit Standard-Konsortiumsmitgliedern einbringen zu können. Le Corbusier: „Das Gitter der Proportionen bringt uns eine außerordentliche Sicherheit in der Dimensionierung der Entwurfsaufgaben. Wir haben damit ein *Flächenelement* geschaffen, ein Gitter, das die Ordnung der Mathematik mit der menschlichen Gestalt verknüpft. Wir verwenden es, sind aber nicht befriedigt: Wir besitzen noch nicht die *Erklärung* unserer Erfindung![47] Es handelt sich um eine mathematische *Fibonacci* Reihe.[48] Corbusier: „Ich bin begierig, das Verhältnisgitter, das vielleicht das Maßwerkzeug der Vorfabrikate sein wird, nach den USA zu bringen."

DAS MONOPOL Alle gewerblichen Schutzrechte sind zeitlich begrenzte *Monopole*. So auch Patente. Für einen Zeitraum von maximal 20 Jahren sind alle Benutzungsarten des Patentgegenstandes dem Patentinhaber vorbehalten. Damit wird er vom Staat dafür belohnt, dass er seine Erfindung der Gesellschaft zur Verfügung gestellt und zur Nachpatentierung bzw. zur Weiterentwicklung der Technik angeregt hat. Ein grundlegender Wesenszug des gewerblichen Rechtsschutzes ist das Veröffentlichungsprinzip. Alle Schutzrechte werden zu einem bestimmten Zeitpunkt der Öffentlichkeit zugänglich gemacht, nichts bleibt im Verborgenen.
Ludwig Wittgenstein wird am 17. August 1911 das britische Patent Nr. 27 087 A.D. 1910 für einen Propeller für eine Luftmaschine (Flugzeug, Helikopter, Ballon) erteilt. Der Patentanspruch der vom Patentanwalt Wittgensteins eingereichten Anmeldung schützt einen Radialmotor, dessen Arme als Schrauben- oder Propellerflügel geformt sind. Die Flügel tragen an ihren Enden je eine Brennkammer, die mit einer Auslaßdüse ausgestat-

46 „Three canvases blue-black on which only a very fine line is made by thread glued down with varnish; on the bottom of each is written the title and date. When I made the panel *Tu m'* I made from the Stoppages Etalon 3 wooden rulers which have the same profile as the thread on the canvas."
47 Le Corbusier: *Modulor*, Faksimile Ausgabe der 2. Auflage 1956, München 3. Auflage 1978; „*Der Modulor: Darstellung eines in Architektur und Technik allgemein anwendbaren harmonischen Maßes im menschlichen Maßstab*"
48 Leonardo Fibonacci oder Leonardo von Pisa, Mathematiker, Erfinder des Goldenen Schnittes, 1170–1230

tet ist. Der Propeller wird also direkt statt über eine mit einem Motor gekuppelte Antriebswelle angetrieben.

Die Ausstellung *Designs für die wirkliche Welt* der Generali Foundation Wien 2002, zeigte u.a. ein „Vehicle-Podium" – „Podium-Fahrzeug" von Krzystof Wodiczko (1977–79). Die Stärke der Stimme des Redners bestimmt die Geschwindigkeit des Fahrzeugs. Das Fahrzeug wird durch einen Elektromotor angetrieben und bewegt sich nur in eine Richtung. Da die „ästhetische" Form des Fahrzeuges beliebig sein kann, könnte dieses *Design* durch ein Muster nicht wirksam geschützt werden. Ein *Gebrauchsmuster- oder Patentschutz* wäre bei technischer Ausführung des Fahrzeuges thereoretisch möglich.

Dean Kamen entwickelte in jahrelanger Arbeit den *Sedgeway*®, einen batteriegetriebenen zweirädrigen Transporter, auf dem der Benützer aufrecht steht und durch einfache Gewichtsverlagerung vorwärts fährt oder bremst. Einfacher geht es nicht. Ein Wunderwerk moderner Technik, *hightech* wie man sagt, aber bisher kein kommerzieller Erfolg.

Dr. Max Fabiani, Architekt und Stadtplaner in Wien, Triest und Laibach, Erbauer der Wiener Urania meldete am 4. August 1911 eine Vorrichtung zur Erleichterung des Bergsteigens beim Österreichischen Patentamt zum Patent an, das unter der Nummer 55.973 erteilt wird. Ein mit den Beinen verbundenes Gestänge wird von einem am Rücken getragenen Benzinmotor angetrieben. Absolut umweltfreundlich! Das Patentrecht ist zwar Fabiani vorbehalten, doch kann jeder Käufer des Gerätes dieses selbstverständlich benützen, ohne dafür Lizenz bezahlen zu müssen. Die vom Erfinder dem Hersteller verrechnete Lizenz ist vermutlich wie bei Microsoft bereits in den Kaufpreis eingerechnet.

DAS RECHT AUS EINEM PATENT ODER GEBRAUCHSMUSTER Das Ausschließungsrecht entsteht erst mit der Erteilung bzw. Registrierung des Schutzrechtes, nicht bereits mit der Anmeldung. Ab dem Anmeldetag besteht nur ein sogenanntes *Prioritätsrecht*. Die Schutzrechte sind Vermögensrechte, vererblich und rechtsgeschäftlich übertragbar. Das *Gebrauchsmuster* wird vielfach als „kleines Patent" bezeichnet, weil es zwar geringere Anforderungen an die *Erfindungshöhe* stellt, aber die gleichen Rechte verleiht wie ein Patent. Diesem gegenüber hat es den Vorteil, daß lediglich eine Formalprüfung und – in Österreich verpflichtend, in Deutschland auf Antrag – eine Recherche zum Stand der Technik erfolgt.

WIE OFT WIRD DER FREISCHWINGER ERFUNDEN? Am 12. Februar 1929
meldet Anton Lorenz (Firma Standard-Möbel Lengyel & Co.) in Deutschland einen *Freischwinger* zum *Gebrauchsmuster* an. Das Gebrauchsmuster
wird unter der Nummer 1 069 697 eingetragen. Der Architekt Mart Stam
räumt mit Vertrag vom 18. Juni 1929 Anton Lorenz das Werknutzungs-
recht an dem *Stam-Stuhl* ein, den er 1925/26 entwirft und 1927 auf dem
Weissenhof ausstellt. 1984 werden in Österreich in einem aufwändigen
Gerichtsverfahren folgende Fragen erörtert: Wer war der erste Urheber des
hinterbeinlosen Stuhls? Mart Stam, Marcel Breuer, Ludwig Mies van der
Rohe oder Gerhard Stüttgen – und handelt es sich bei dem Freischwinger
um ein Werk der angewandten Kunst im Sinne des Urheberrechtes, oder
doch „nur" um einen gebrauchsmusterfähigen Gegenstand? Das Gericht
entscheidet: Der *Mart Stam Stuhl* sei ein Werk der Künste, genieße daher
Urheberrechtsschutz, die künstlerische Form als solche, der *Stil*, die Manier
und die Technik seien nicht schützbar, nur das einzelne Werk, nicht die
Kunstrichtung. An ein und demselben Gebrauchsgegenstand können
Urheberrechtsschutz und Patentschutz nebeneinander bestehen; im
Plagiatsstreit entscheidet allein die Übereinstimmung mit dem Original im
Schöpferischen, also in jenem Teil des Originals, der diesem das Gepräge
der *Einmaligkeit* gibt.[49] Weshalb der Streit? Das Gebrauchsmuster „lebt"
nur 10 Jahre. Das Urheberrecht „überlebt" den Urheber um 70 Jahre.

Geistiges Eigentum, ein Resümee

– Das *System des geistigen Eigentums* überlebt, weil es das Pendant zur
  schöpferischen Imagination darstellt, die unendlich ist.
– Geistiges Eigentum, das mit dem Werk ensteht, wurde zu allen Zeiten
  geachtet. Im 7./6. Jahrhundert v. Chr. erhält ein Haubenkoch in *Sybaris*,
  der bekannt lebensfrohen griechischen Ackerbaukolonie in Süditalien,
  folgendes zeitlich begrenzte Monopol: „Sollte ein Koch oder Chef ein
  erlesenes Originalgericht erfinden, so wird die Verwendung des Rezeptes
  vor Ablauf eines Jahres außer dem Erfinder selbst keinem anderen
  gestattet; deshalb kann nur die erste Person, welche das Gericht erfunden hat, während dieser Zeit daraus Nutzen ziehen; dies dahingehend,

---

49 Entscheidung des öOGH 10.7.1984, *Österreichische Blätter* 1985, S. 24
50 Thomas Payne, amerikanischer Publizist und Politiker, 1737-1809, nimmt an der
   franz. Revolution teil und veröffentlicht 1791–92 *Rights of man* (*Die Rechte des
   Menschen*).

dass andere durch ihre eigene Anstrengung sich davon mit ähnlichen Erfindungen unterscheiden müssen."

In der Gegenwart sind Monopole an geistigem Eigentum vielfach umstritten. Dabei kann im Prinzip jeder mit seinem Eigentum machen, was er will. Er kann es beispielsweise zur Vermeidung eines Schutzes durch Dritte ins Internet (RDISCLOSURE = Research Disclosure-Datenbank) oder der Gesellschaft sonstwie gratis zur Verfügung stellen (LINUX).

– Wenn aber Schöpfer oder Schöpferinnen, deren Urheberrecht *unverzichtbar* ist, das Eigentum für sich in Anspruch nehmen möchten, dann muß der Staat – die Gesellschaft – ihnen die nötigen Instrumente für den Schutz zur Verfügung stellen. Wir erinnern uns: *Geistiges Eigentum* ist ein *Menschenrecht*.

Am 7. Jänner 1791 wird das französische Patentgesetz erlassen. Art.1 lautet: „Toute découverte ou nouvelle invention dans tous les genres d'industrie, est la propriété de son auteur." Die französische Nationalversammlung stellt dazu in einer Grundsatzerklärung im Anschluss an *Les droits de l'homme* von Thomas Paine[50] fest: „Es wäre ein Angriff auf die Menschenrechte würde eine Erfindung nicht als das Eigentum ihres Schöpfers angesehen." Dies gilt selbstverständlich auch für von einer Gruppe bearbeitete „einheitliche" Projekte sowie die rechtliche Absicherung geschaffener Ergebnisse, wie sie hier das primäre Thema sind.

*„Eine Beschäftigung, die für sich betrachtet
kein Geschäft ist, kein Einkommen erzeugt,
existiert – weil ökonomisch nicht relevant –
für unser Steuersystem nicht. Aufwendungen dafür
werden steuerlich nicht anerkannt."*

Gottfried Spitzer

*„Nicht-Gewinn-Orientiertes unterliegt genauso
Verteilungskämpfen und Begehrlichkeiten
möglicher Nutznießer.*

Angelika Schindler

„Relevant ist, was ein Geschäft ist"

Gottfried Spitzer und Angelika Schindler, Deloitte-Auditor Treuhand GmbH Wien, im Gespräch mit Christian Reder

CHRISTIAN REDER: Wenn Peter Sloterdijk in seiner provokanten, Diskussionen anfachenden Art Zustände für denkbar hält, in der Bürger „dafür zahlen, dass sie arbeiten gehen dürfen" und zugleich an die alte „Sehnsucht nach Arbeitsfreiheit", die Arbeitslosigkeit ihre Tristesse nehmen könnte, erinnert, versucht er sichtlich, eingeübte Vorstellungen von Arbeitsleid, Arbeitsfreude, von Arbeit als Broterwerb, als Machtbasis, als Lebenserfüllung durcheinander zu bringen. Denn „erst in der Neuzeit", so argumentiert er, „haben wir ein riesiges Gegenexperiment probiert. Da begriff sich der Mensch als zur Arbeit verdammt, inszenierte sich aber zugleich als Könner seiner eigenen Verdammnis und erschien so als jemand, der will, was er muss. Aus dem Menschen, der zur Arbeit verflucht ist, entstand der Unternehmer. Und aus dem zünftig gefesselten Handwerker wurde der freie Künstler. Vergessen war jene uralte Anthropologie, die besagt, dass der Mensch erst dort beginnt, wo die Arbeit aufhört." [*Die Zeit*, Hamburg, Nr. 24, 9. Juni 2005]

Da sich aus meiner eigenen Praxis ein Arbeitsbegriff ergeben hat, der sich weder mit einem Job-Denken noch mit bezahlter Arbeit deckt, sondern vielfältige Beschäftigungen mit einschließt, „Unbezahlbares" oft zum eigentlichen Kern macht, will ich solche Sachverhalte hier als Ansatz nehmen, um sie mit Ihnen als Steuerexperten und Wirtschaftsprüfern so pragmatisch wie möglich zu diskutieren. Von Kommerziellem abgekoppelte Vorstellungen von Arbeit passen doch genau so wenig in ökonomische Raster wie Sloterdijks Pensionisten-Visionen von sozial halbwegs ausbalancierbarer Freiheit von Arbeit? Einerseits schreitet die Kommerzialisierung rasant voran, andererseits weiten sich – zwangsläufig oder freiwillig – Tätigkeitsfelder aus, in denen es nicht um Geld geht, für die kein Geld vorhanden zu sein scheint. Steuern wir auch in dieser Hinsicht auf aufgespaltene Welten zu?

GOTTFRIED SPITZER: Wir haben es in unserem Beruf eindeutig mit in Geldwerten ausdrückbaren Vorgängen zu tun. Andere Bemessungsgrundlagen sind in Planwirtschaften versucht worden; Marktwirtschaften haben hinlänglich bewiesen, dass sie insgesamt mehr Prosperität hervorbringen. Welche Alternativen sollte es dazu geben? Angebot und Nachfrage regulieren sich über Preise. Politik hat für Rahmenbedingungen zu sorgen. Leistungen, die außerhalb solcher Prozesse erbracht werden, finden – ökonomisch gesehen – sozusagen in einem Niemandsland statt.

CHRISTIAN REDER: Selbst in meinen privilegierten Arbeitssphären kommt es jedoch ständig vor, dass für eine gewünschte Arbeit gezahlt werden muss oder bloß symbolische Entgelte verrechnet werden können. Mir liegt – um ein konkretes Beispiel zu nennen – die Lohnbestätigung eines 60-jährigen Universitätsprofessors vor, die einen Basis-Monatsbezug von 3.215,40 Euro netto ausweist. Mit diversen – oft eher uneinsichtigen Sonderzahlungen – ergibt das ein Bruttoeinkommen von rund 90.000 Euro pro Jahr. Wir haben also einen der 380.000 „Besserverdienenden" der höchsten Steuerklasse in Österreich vor uns, in der 50 Prozent oder annähernd 50 Prozent Einkommensteuer fällig sind [Gesamtdaten aus: *Der Standard*, Wien, 4. Mai 2005; auf das Umfeld bezogen arm sind 460.000 Personen, also knapp 6 % der österreichischen Bevölkerung; *Der Standard*, Wien, 30./31. Juli 2005]. Unabhängig von der Frage, warum solche Mittelstandseinkommen wie jene von Spitzenverdienern behandelt werden und in Diskussion befindliche Steuerreformen daran etwas ändern (in der BRD werden 200.000 oder 500.000 Euro als plausiblere Untergrenze ins Gespräch gebracht), interessiert hier – aus kulturpolitischer Sicht – vor allem die damit festgeschriebene Besteuerung von Zusatzeinkommen, weil das freischaffende Initiativbereiche charakterisiert. Von jedem Honorar für ein Projekt, einen Artikel, für ein Buch, ein Kunstwerk, ein Konzept, ein Beratungspapier geht im geschilderten Fall die Hälfte an den Staat. Solange sich das nicht wirklich summiert, bleiben finanzielle Motive, der angebliche Grundantrieb unserer Gesellschaft, somit völlig sekundär. Das kann einen ärgern, weil es sich nicht lohnt, weil man draufzahlt; es lassen sich darin aber genauso erfreuliche Freiheitsgrade sehen, weil es eben nicht überall um Geld geht. Eine solche Haltung muss man sich allerdings leisten können.

GOTTFRIED SPITZER: Diese Steuerpyramide ist ein Faktum. Sie wird, mit allen kleinen Änderungen, im Parlament beschlossen, ist also Ausdruck eines gewissen Konsenses. Damit müssen wir leben. Da der Spitzensteuersatz mit der Kapitalertragssteuer (für Einkünfte aus Kapitalvermögen, wie z.B. Dividenden) verknüpft ist, geht es bei Anpassungen um so viel Geld, dass nur mit minimalen Korrekturen gerechnet werden kann.

CHRISTIAN REDER: Mein Thema hier ist freischaffendes Arbeiten, Arbeit in Projekten – als Sphäre individueller Möglichkeiten außerhalb von Unternehmen und Institutionen. Den Eindruck, dass solche Aktivitätsfelder am Rand des von Managern, Angestellten, Beamten geprägten Normalgeschehens kaum vorgesehen sind, erhellt vielleicht folgendes Beispiel: Für einen ausführlichen, sich über zwei Seiten erstreckenden Aufsatz in der Wochenendbeilage einer führenden deutschsprachigen Tageszeitung sind unserer Auskunftsperson unlängst 181,77 Euro überwiesen worden (der Beleg liegt vor). Für die inklusive Recherche aufgewendeten 15 Arbeitsstunden, also ein fleißiges Wochenende, ergibt sich daraus ein Netto-Stundenlohn von 6 Euro. Ohne Besteuerung wären es stolze 12 Euro. Steigt der Zeitaufwand wegen Gründlichkeitsansprüchen, fällt der Erlös ins Bodenlose. Würde das in einer Stunde erledigt, wäre er vergleichsweise akzeptabel. Damit es halbwegs ernst zu nehmende Presseorgane überhaupt geben kann, werden sie also von solchen gelegentlichen Mitarbeitern subventioniert. Gegenpol dazu sind sich ausbreitende Kommerz-„Medienpartnerschaften" für vorausgeplante, in aller Regel kritiklose Berichterstattung. Außerhalb eines Profi-Journalismus bildet sich öffentliche Meinung also unter dezidiert „unökonomischen", selbst unausgebildeten Hilfskräften kaum zumutbaren Bedingungen. Für die Mehrheit gründlich erarbeiteter Buchpublikationen gilt das analog. Dem könnte nur mit radikaler Beschleunigung der Arbeitsweisen, organisiertem Mehrfachnutzen oder offensiver Image- und Marktwertbildung begegnet werden – also durch zwei Hauptfaktoren der Moderne, „Rationalisierung und Subjektivierung", wie der Arbeitstheoretiker André Gorz betont [*Arbeit zwischen Misere und Utopie*, Frankfurt am Main 2000, S. 184]. Für gewöhnlich spielt sich das alles jedenfalls in merkwürdigen Nischen ab. Könnten einen wenigstens andere Freigrenzen, andere Bagatellgrenzen von Buchhaltungszwängen für solche Lappalien befreien?

GOTTFRIED SPITZER: Für Kleinunternehmer gibt es durchaus Erleichterungen, allerdings um den Preis, den Vorsteuerabzug zu verlieren. Weitergehende Sonderregelungen würden Ungerechtigkeiten schaffen. Das Steuersystem basiert auf vollständigen Angaben, Ausnahmen davon benachteiligen immer andere. Wichtig ist aber eines: Sich seine Beschäftigung, seinen Beruf frei wählen zu können, halte ich für ein elementares Grundrecht. Gerade in etablierteren Bereichen, von denen wir hier reden, muss sich eben jeder überlegen, ob er auch für 6 Euro pro Stunde eine bestimmte Leistung liefert; er muss es ja nicht tun.

CHRISTIAN REDER: Als vollständiger „homo oeconomicus" lebt ohnedies kaum wer, das sind doch Fiktionen. Trotzdem sind für Steuerbehörden – und damit den regulierende Staat, die Gesellschaft – fast nur solche ökonomische Dimensionen maßgebend. Das schafft zwar eine gewisse Klarheit, blendet aber Wesentliches aus. Unternehmen finden für Verlustgeschäfte durchaus steuerliche Modalitäten, „Einzeltäter", unabhängige Projektgruppen, kleine Ateliers, gerade solche in kulturellen Sphären, sind demgegenüber krass benachteiligt. Unbezahlte Arbeit, etwa im Haushalt, in Sozialbereichen, ist in keiner Weise ein Faktor, für das „Funktionieren" insgesamt aber unerlässlich. Einem Autor, der durch Recherchen, Buchkäufe, Reisen höhere Aufwendungen als Erlöse hat, unterstellen die Finanzbehörden durchwegs bloße „Liebhaberei", solange er durch diese Arbeit nicht tatsächlich als lebensfähige Einheit existiert. Wäre er ein Forscher bei Siemens würde das niemandem einfallen, weil bei Angestellten von internen Instanzen beurteilt wird, ob ihre Arbeit etwas wert ist und welche Sachkosten dafür erforderlich sind.
Solche Systemzusammenhänge zementieren Vorstellungen, die „freies" Arbeiten zum exzentrischen Sonderfall machen, trotz allem Gerede von Flexibilität, lebenslangem Lernen, häufigen Berufswechseln. Überall werden an Universitäten gerade die „freien" Lektoren eingespart und damit auch Verbindungen zu anderen Sphären gekappt. Die Institutionen igeln sich ein. Eine Welt, in der sich möglichst viele Menschen mit dem beschäftigen was sie gern tun, was sie gut können, was sie selbst und andere weiterbringt – eine von so genannter Liebhaberei und unabhängigen Initiativen geprägte Arbeitswelt also – scheint sich nur in marginalisierten Zonen herausbilden zu können. Mir wäre deren Ausweitung sympathisch, als Gegenkraft zum Block der Jobs, die man irgendwie ergattert. André Gorz etwa sieht in einer „Multiaktivitätsgesellschaft" mögliche Parallelwelten zur „Lohngesellschaft", in der sich funktional spezialisierte Arbeit „zugunsten von Aktivitäten verschiebt, die sich der Logik des Marktes und der Systeme entziehen", also „die Einzelnen mehrere gleichwertige Leben führen könnten" [*Arbeit zwischen Misere und Utopie*, Frankfurt am Main 2000, S. 207]. Für die eine Seite stehen die hoch bezahlten Experten der Weltbank, für die andere die freiwilligen Aktivisten von *Attac*, von *Green-*

peace, von *Amnesty International*. Solche Aufspaltungen sind also längst Realität.

GOTTFRIED SPITZER: Eine Beschäftigung, die für sich betrachtet kein Geschäft ist, kein Einkommen erzeugt, existiert – weil ökonomisch nicht relevant – für unser Steuersystem nicht. Aufwendungen dafür werden steuerlich nicht anerkannt. Grundsätzlich halte ich das für sachgerecht weil es klare Bedingungen schafft. Ansonsten würden uferlose Bewertungsfragen auftauchen. Es ist nicht Angelegenheit von Steuerbehörden, irgendetwas zu fördern. Sie vollziehen Gesetze, taxieren Abgabepflichten. Dass Nachdenken nur in entsprechenden Institutionen honoriert wird, oder eben über Publizistik, ist eine Frage der Arbeitsorganisation, die sich herausgebildet hat. Wer völlig „frei" agieren will, muss wissen, dass ihm wenig Halt geboten wird.

CHRISTIAN REDER: Frei zu forschen, und künstlerisches, schreibendes Arbeiten hat für mich viele solche Aspekte, gilt also als Privatsache, solange es sich nicht kommerziell bemerkbar macht. Würde sich das weiter zuspitzen, trocknen angebliche Kulturgesellschaften aus.

GOTTFRIED SPITZER: „Einzeltäter", von denen Sie sprechen, sind eben nicht wie große Unternehmen in Wirtschaftskreisläufe eingebunden. Ist man das, wird vieles möglich, etwa das aufwendige Kunstforum der Bank Austria hier gegenüber unserem Büro. Als Element des Marketingauftritts betrachtet, stellt sich dabei die Frage nach Gewinn und Verlust nur sekundär. Auch noch so teure Geschäftsberichte werden als Betriebsausgaben anerkannt. Firmen entscheiden selbst, wie viel sie in Forschung, in Werbung investieren. In der Gesamtrechnung müssen sich solche Kosten über die Verkaufspreise abdecken lassen. Es bezahlt also der Konsument. Gelingt das nicht, zahlt es der Aktionär über den Unternehmenswert. Einer bezahlt immer dafür …

CHRISTIAN REDER: … schreibende Menschen aber vergleichsweise viel, wie wir gesehen haben.

ANGELIKA SCHINDLER: Ein Problem dabei ist, dass das Steuerrecht nach Perioden trennt. Bei mehrjährigen Arbeiten mit langen Aufwandsphasen und bloß punktuellen Erlöszahlungen kommt die Aufrechnung nur schwer in ein Gleichgewicht. Somit gehen solche Aufwendungen steuerlich verloren, weil ihnen keine direkt zuordenbaren Erträge gegenüberstehen. Das ist in Österreich langsam begriffen worden und brachte etwa für Autoren und Autorinnen gewisse Erleichterungen und das auch nur, weil sich Lobbys gebildet haben. Dennoch: Über Einzelpersonen, die nicht in übliche Raster passen, werden steuerlich oft schwer voraussehbare Entscheidungen getroffen …

CHRISTIAN REDER: … Künstlerfreunden von mir sollte über ihre Holzleisten- und Leinwandankäufe nachgewiesen werden, wie viele Bilder sie ohne offizielle Steuerrechnung verkaufen. Einzelne Buchkäufe werden nicht anerkannt, wenn sie nach Meinung der Finanzverwaltung bzw. derer Organe nicht zum Thema gehören. Selbst bei Bürokosten geht es oft sehr restriktiv zu, trotz vergleichsweise minimaler Beträge.

GOTTFRIED SPITZER: In intellektuellen Bereichen ist aber klar, dass Publikationen, dass Medienwirksamkeit den Marktwert mitbestimmen, vieles also als Eigeninvestition verstanden werden kann.

CHRISTIAN REDER: Gelingt jemandem doch irgendwann der so genannte Durchbruch (das Wort allein bekräftigt, wie marginalisiert die Situation davor ist) oder kommt es, banaler, zur Berufung an eine Universität, können jedoch Investitionen, die den Erwerb solch symbolischen Kapitals ermöglicht haben, steuerlich in keiner Weise geltend gemacht werden. In jeder Werbeagentur wäre das kein Problem.

ANGELIKA SCHINDLER: Da gebe ich Ihnen völlig Recht. Steuerlich geht es dann eben um zwei verschiedene Quellen, das Gehalt fällt in den Lohnsteuerbereich, Nebentätigkeiten, und seien sie noch so wichtig, sind ohne entsprechende Einkünfte nicht mit angefallenen Kosten aufrechenbar. Der „Mehrwert", der damit geschaffen wird, als Imagebildung, als dokumentierte Präsenz in einem Fachgebiet, bleibt steuerlich irrelevant, auch wenn er für bestimmte Positionen unerlässlich ist. Weil das Gesamteinkommen Berechnungsgrundlage ist, bestimmt das Gehalt den Steuersatz für jeden publizierten Artikel, für jede zusätzlich geleistete Arbeit. Jemand ohne oder mit geringem anderwärtigem Einkommen bezahlt keine oder fast keine Steuer dafür.

CHRISTIAN REDER: Dass nur schreibt, wer es – aus welchen Gründen immer – für notwendig hält, würde vielleicht Beiläufiges zurückdrängen;

Gegentendenzen sind aber stärker, weil sich offenbar immer wer findet und das die Preise drückt. Dennoch: Wären für freies Arbeiten aktivierendere Investitions- und Abgabenbedingungen denkbar? Es müssten ja nicht unbedingt Sonderregelungen, wie die Steuerfreiheit für Künstler in Irland sein, obwohl diese, auch klimatisch, einiges bewegt, jedenfalls erfreulicher ist als der fiskalische Magnetismus von Monaco für Tennisstars oder Rennfahrer und die generelle, Finanzmittel und Steuerprivilegien anziehende Radikalisierung von Sport.

GOTTFRIED SPITZER: Leistungsfeindliche Momente sind unübersehbar. Man fragt sich tatsächlich, warum sich das wer antut, wenn Aufwand und Ertrag so häufig überhaupt nicht in Einklang stehen. Ein Investitionsklima wiederum, hängt, wie wir wissen, in seiner Ausrichtung von diffizilen Stimmungsfaktoren ab.

CHRISTIAN REDER: Herausragende Architektur ist nicht mehr gar so selten. Auf immaterielle Wirkungen wird da und dort sichtlich mehr Wert gelegt. Nie einberechnet wird, wie entscheidend andere immaterielle Beiträge sind, jene aus unbezahlter Arbeit nämlich. Die wird von Architekten, die an ihre Gebührenordnung gebunden sind, genauso geleistet, wie von Designern oder Autoren. Für Ausstellungen, also die Chance auf Aufmerksamkeit, sind kostenlose Eigenleistungen der Künstler, der Künstlerinnen, vom Arbeitsaufwand bis zu Katalogen, durchaus die Regel. So qualitätsbewusst und unbestechlich, wie oft getan wird, agieren Museen oder Verlage keineswegs. Gerade Außerordentliches erfordert die sonst gering geschätzte Attitüde der Liebhaberei, des Unbezahlten, des Unbezahlbaren. Da wird etwas zehn mal neu überlegt, selbst wenn es als geldwerte Leistung niemand anerkennt.

GOTTFRIED SPITZER: Solche Mehrleistungen werden überall in der Wirtschaft erwartet; auch bei uns ist das so. Das gehört zu den Normalitäten in jedem Beruf. Wer sich informiert, kennt die Erwartungen. Sie sind weit transparenter als früher. Arbeitsfelder, die Sie thematisieren, haben einfach ein höheres Risiko als jede Tätigkeit mit regulärer zeitlicher Inanspruchnahme. Mit einer extensiven Projektphilosophie wird ein Team vielleicht über Monate extremen Einsatz bringen, dann aber wieder Pausen machen, um das überhaupt durchzuhalten.

CHRISTIAN REDER: Erwartungen, dadurch rasch irgendwelche Gipfel zu erreichen, nehmen angesichts der Realitäten jedoch eher ab. In meinen Gesprächen mit Studierenden geht es daher wieder stärker darum, seine oder ihre Sache voranzutreiben, ohne gleich an Kommerzielles zu denken, und sich den Lebensunterhalt getrennt davon zu sichern. An künstlerischem Arbeiten ist ja signifikant, dass es sich seine Nachfrage selbst schafft. Absehbar kann das nicht so ohne weiteres sein.

GOTTFRIED SPITZER: Solche persönliche Entscheidungen sind mir – angesichts der Wahlmöglichkeiten heute – durchaus plausibel. Das Riskante dabei demonstriert, und das ist sicher ein Aspekt von Faszination, was „dennoch" möglich wird.

CHRISTIAN REDER: Kunstwerke schaffen neue Realitäten. Versuchen wir nun kurz, Alltagsrealitäten zu entkommen. Arbeitslosigkeit, hohe Arbeitskosten, Lohndumping sind so latente Probleme, dass sich schon deswegen die Frage stellt, warum auf lange Sicht Arbeit, also die Tätigkeit selbst, überhaupt besteuert wird. Über Energie-, Konsum-, Verkehrssteuern ließe sich vieles aufkommensneutral verlagern. Andererseits entdecke ich nirgends Phantasien, die angesichts der internationalen Verflechtung noch grundlegende Systemänderungen möglich erscheinen lassen, bis hin zu durchdachter Grundsicherung. Zu tun gäbe es wahrlich genug, nur bezahlt wird es nicht.

GOTTFRIED SPITZER: Steuersysteme sind Ausdruck jahrzehntelanger politischer Prozesse, also sicher nicht leicht wirklich einschneidend zu ändern. Über Absetzbeträge und Steuertarife sind de facto Einkommen bis etwa 1.000 Euro pro Monat steuerfrei. Damit leben zu müssen ist wieder eine andere Sache. Letztlich geht es um Verteilungskämpfe zwischen verschiedenen Gruppen von Steuerzahlern. Höhere Verbrauchssteuern wären tendenziell unsozial, weil sie Ärmere stärker treffen …

ANGELIKA SCHINDLER: … würden Grundnahrungsmittel oder Transporte wesentlich teuer, müsste es zusätzliche soziale Stützungen geben. Dass Steueraufkommen auf Arbeits- und Kapitaleinkünften sowie auf indirekten Abgaben beruhen, mit politischen Tendenzen in die eine oder andere Richtung, darf nicht darüber hinwegtäuschen, dass es sich beim Steuersystem, der Krankenversicherung, der Sozialversicherung und den Pensionssystemen insgesamt um einen hochkomplex verzahnten Bereich handelt, der auch in reichen Ländern um seine Finanzierbarkeit ringt.

CHRISTIAN REDER: Deswegen zwingt man offensichtlich nun auch jedes „freie" Arbeitsverhältnis in Werkverträge mit entsprechender Beitragsnormierung und Mehrfachversicherungen ohne Gegenleistung; die Organisationsgrade nehmen zu, entgegen sonstiger Flexibilisierungsforderungen.

ANGELIKA SCHINDLER: Das belegt, was ich eben gesagt habe.

CHRISTIAN REDER: Wieviel Arbeit, wieviel Erlöse künstlerische, wissenschaftliche Impulse, Werke, Aktivitäten schließlich in den Medien, im Musikgeschäft, bei Verlagen, Druckereien, Grafikern, Lektoren, im Buchhandel, in Kunstgalerien, Museen, im Film, im Fernsehen, in Theatern schaffen, wird zwar neuerdings gerne unter „Kreativwirtschaft" subsumiert, nur heißt das noch lange nicht, dass die eigentlichen Urheber und Urheberinnen dadurch tatsächlich zu gesuchten und entsprechend bezahlten Initiatoren würden. Dafür funktionieren diese Märkte offensichtlich zu bizarr, zu ritualisiert, zu undurchsichtig. Die Produktivitätsbegriffe sind falsch, jedenfalls höchst einseitig. Weltbewegende Leistungen, von Ernst Mach, von Albert Einstein, im Jazz, in der Literatur, sind nicht wegen ihrer Ökonomisierbarkeit entstanden.

GOTTFRIED SPITZER: Verzögerungen in der Anerkennung, in der Nachfrage, in der Honorierung sind eben oft unvermeidlich. Zugleich gibt es Phänomene wie Joanne Rowling, die mit *Harry Potter*-Büchern zu einer der reichsten Frauen Englands wurde.

CHRISTIAN REDER: Erst wer halbwegs regelmäßig 50.000 Stück verkauft, könnte sorglos nur von seinen Büchern leben, obwohl damit jeweils Umsätze jenseits der Million-Euro-Grenze erzeugt werden. Meistens stammt das Haupteinkommen aus Radiobeiträgen, Artikeln, Lesungen. Finanziell interessant wird es erst durch Mehrfachnutzungen im Theater, im Film, im Fernsehen. Das zum Thema Buchprojekte. Würden Buchkäufer realisieren, dass das erworbene „Konsumgut" vielfach das doppelte oder noch mehr kosten müsste, sehr oft erst versteckte Finanzierungen überhaupt ein Erscheinen ermöglichen und sie an mäßig bis gar nicht bezahlter Autorenzeit partizipieren, müssten damit auch Vorstellungen von der „harmonisierenden" Kraft von Angebot und Nachfrage, die unsere Gesellschaften prägt, durcheinander kommen. Derartiges als intellektuell ansprechende Geschenke zu begreifen, wäre nicht systemkonform, erhöht auch keine Umsätze; Qualität als solche übrigens auch nicht unbedingt. Wie verzerrt Märkte funktionieren können, wird gerade an kulturell relevanten Leistungen evident, mit ihrer Bandbreite zwischen Phantasiehonoraren und ärmlichen Sektoren. Finanzbehörden freut „natürlich" Lukratives mehr als Marginales, in seinem wirtschaftlichen Effekt noch Unbestimmbares. Wie würden sie deren Arbeitsbegriff zusammenfassen?

GOTTFRIED SPITZER: Relevant ist, was ein Geschäft ist, also besteuert werden kann.

CHRISTIAN REDER: Vom polarisierenden Merksatz „Geld verdient man nicht durch Arbeit – nur durch Geschäfte" bin ich schon in Jugendzeiten verwirrt worden …

ANGELIKA SCHINDLER: … durch eine Änderung der Steuersysteme aber, das ist meine feste Überzeugung, ließen sich Einstellungen zum Thema Arbeit nicht ändern. Dabei geht es um kulturell vermittelte Haltungen, um Zwänge, um Wahlmöglichkeiten …

CHRISTIAN REDER: … es könnte aber auch darum gehen, Chancen für eine dynamische, Kontinuitäten bietende „Projektkultur" zu erhöhen, die Finanzierbarkeit „schwieriger" Projekte zu erleichtern, jenseits des konventionellen Banksektors – also Interventionen zu ermöglichen, die, trotz aller Divergenzen, tendenziell positiv gesehen werden können. In unseren Breiten leben wir in den reichsten Gesellschaften (und reichsten Erbengesellschaften) die es je gegeben hat. Ich habe mir extra die aktuellen Zahlen notiert: Weltweit werden 77.500 Personen als „Superreiche" mit mehr als 30 Millionen Dollar Vermögen ausgewiesen. In Österreich sollen 63.300 Personen mehr als 1 Million Dollar (817.632 Euro) Privatvermögen besitzen; weltweit werden für diese um 7 Prozent jährlich wachsende Kategorie 8,3 Millionen Personen angegeben [*Der Standard*, Wien, 10. Juni 2005]. Solche Zählungen sind wahrscheinlich viel zu niedrig, schon weil zu Russland, Indien, China, Arabien oder zu Korruptionskapital kaum plausible Daten verfügbar sein dürften.
Derartige Vermögen mit dem wenigstens gelegentlichen Vermögen, von Renditeinteressen abzuweichen, in Verbindung zu bringen, wäre so irreal, wie die Vorstellung, dass Steuern noch offensiv zum Steuern des Geschehens eingesetzt werden könnten. Rare Beispiele für Defizit-Ausgleich in großen Dimensionen: Jan Philipp Reemtsma, die Aga Khan Foundation, die Bill & Melinda Gates Foundation (vor allem für *public health* in armen

Ländern), der philantropische Spekulant George Soros oder Jim Wales, Gründer der freien Wikipeda-Internet-Enzyklopädie. Analoges zeigt sich auch an den 3.000 Stiftungen in Österreich und den (laut Maecenata Datenbank) weit über 10.000 in der Bundesrepublik Deutschland, von denen die allermeisten reine Steuersparmodelle geblieben sind. Ob Geld für Luxusgüter oder Sozialprojekte ausgegeben wird, ist nach österreichischem Stiftungsrecht irrelevant.

GOTTFRIED SPITZER: Einzig maßgeblich dafür, wie solche Vermögen verwendet werden, ist der Wille des Stifters. Manche investieren bekanntlich in Kunst, dem überwiegenden Teil geht es ausschließlich um die Erhaltung des Vermögens, um die Versorgung von Nachkommen. Erst wenn es solche nicht mehr gäbe, wird an andere Widmungen gedacht. Grundsatz ist die freie Disponierbarkeit der Stifter; es wäre gegen diesen liberalistischen Ansatz, ihnen etwas nahe legen oder vorschreiben zu wollen.

CHRISTIAN REDER: Von Stiftungsexperten weiß ich allerdings, dass Frauen eher an einen gewissen Prozentsatz für soziale Zwecke denken, das aber die für gewöhnlich maßgeblichen Männer durchwegs ablehnen. Zugleich saugen zentralisierte Medienaktionen wie *Licht ins Dunkel*, wie *Nachbar in Not* Spendengelder ab, hinein in professionelle „oligarchische" Netzwerke. Die eigentliche Zivilgesellschaft filigran operierender NGOs (also Nicht-Regierungs-Organisationen) wird damit ausgetrocknet. Vor zwanzig Jahren konnten noch mit einigen hunderttausend Euro Projekte wie die Wiener Stadtzeitung *Falter*, an dem ich beteiligt war, ins Laufen gebracht werden, während es mit etwa dem gleichen Betrag an Beraterhonoraren zuvor nicht gelungen war, die defizitäre *Arbeiter Zeitung* in Bruno Kreiskys Sinn zu einem unabhängigen linksliberalen Blatt zu machen, weil die mir, als an diesen Rettungsversuchen Beteiligter, bleibende Eindrücke vermittelnden parteiinternen Blockaden dies nicht zugelassen haben. Fast alle wichtigen Medien des Landes sind – wie die großen Banken – in einem Konzernkonglomerat aufgegangen, was den Gang der Geschichte markant verdeutlicht. Heute wären für selbständige Initiativen ein Vielfaches – jenseits „bürgerlicher" Initiativmöglichkeiten – erforderlich, vor allem wegen wesentlich höherer Start- und Arbeitskosten und gesunkener Bereitschaft zur „Selbstausbeutung", wie das damals geheißen hat. Nur mit Bankfinanzierungen hätte das nie funktioniert.
Dabei ist in wirtschaftlich höchst angespannten Zeiten, in den 1920er Jahren, in der Nachkriegszeit, Geld für großartige Filme aufgebracht worden.

Wer weiß schon, wie Pasolini-Filme möglich wurden? Vielleicht haben Baulöwen mitgewirkt, die Abschreibposten gebraucht haben. Oft sind es große Filmproduzenten gewesen, die sich eben nebenbei Künstlerisches geleistet haben. Es war nicht immer der Staat. Ich nenne das *Adventure Capital* (von dem auch Max Weber, allerdings eingeengt auf „politisch oder spekulativ" orientierte Projekte gesprochen hat), weil es außerhalb klassischer Auffassungen von Ökonomie, von Konsum, eingesetzt wird, statt dem fünften Golfurlaub in dieser Saison zum Beispiel. Das Kästchen „Gutes tun" braucht es dazu gar nicht, Neugier genügt.

Alexander Kluge, selbst Filmmacher, TV-Produzent, Autor und höchst erfolgreicher Manager sagt in diesem Band dazu Signifikantes: „Wenn Menschen mehr Potenzial haben, als von ihnen gebraucht wird, von ihnen genommen wird, dann gibt es Projekte." Auf sein engeres Umfeld bezogen hält sich sein Optimismus wegen des derzeitigen Klimas allerdings in Grenzen: Denn „in der Mitte der Bundesrepublik, da herrscht im Moment sicher ein ängstlicher Fluss, ein Rückzug aus Leben, da scheitern Projekte im Grunde aus Mutlosigkeit. Oder die Not ist nicht groß genug, um die Projekte auszulösen, und überzählige Gefühle hat zur Zeit kaum einer." Solange Derartiges sogar vom Steuerrecht, vom Stiftungsrecht in den Liebhabereisektor abgedrängt wird, bekommt es offensichtlich keine Kraft. Wie sollte es auch, wenn es kein Geschäft ist, kein Geschäft sein dürfte?

GOTTFRIED SPITZER: Als Incentive würde ich Steuerbegünstigungen nicht unterschätzen. So gering der Vorteil wäre, es wird mit ihm gerechnet. Das hätte auch psychologische Wirkungen.

CHRISTIAN REDER: Als peripher in Beratungen des früheren Finanzministers Ferdinand Lacina (SPÖ) einbezogen, ist mir ein damaliges Hauptargument gegen steuerbegünstigtes Sponsoring in Erinnerung: Der Staat solle nicht die teuren „Egon Schieles" reicher Sammler mitfinanzieren. Durch Obergrenzen wäre das limitierbar. Gleichzeitig ist festgelegt worden, dass nur „werbewirksame" Ausgaben für Kunst steuerlich relevant sind; unsinniger kann der Umgang mit Kunst nicht konzipiert werden. Experimentelles, schwer Verständliches wird systematisch ausgegrenzt. Bei physikalischen Forschungen irgendeines Konzerns würde das niemandem einfallen. Außerdem wird mit der Attitüde „fördern" zu sehr auf Karitatives, Schwaches, Bemitleidenswertes Bezug genommen. Sponsoring im Kunstbereich wird ohnedies drastisch überschätzt, schon weil die Interessen beschönigend dargestellt werden, durchwegs retrospektiv sind. Der systemkonforme

Begriff „Investitionen" in Entstehendes wäre mir dafür lieber – was übrigens ganz exemplarisch auch für Bildung gilt.

GOTTFRIED SPITZER: „Werbewirksamkeit" ist sicher ein völlig fiktiver, behelfsmäßiger Maßstab. Zugleich ist die Chance groß, dass eine Kundeneinladung in die Oper aus dem berechtigten Aufwand gestrichen wird. Kunstankäufe werden auch nicht so ohne weiteres als Betriebsausgaben anerkannt …

CHRISTIAN REDER: … wird Kunst bloß gemietet, dann schon. Normalität herrscht da also keineswegs.

ANGELIKA SCHINDLER: Non-Profit-Organisationen können inzwischen allerdings durchaus als GmbH, als Verein, als Stiftung geführt werden. Für gegebenes Kapital, für allfällige Erträge fällt keine Steuer an.

CHRISTIAN REDER: Auch wenn solche Hüllen inzwischen etabliert sind, werden sie nicht offensiv wirksam. Ich bleibe dabei: Zu tun gäbe es genug, gerade in Non-Profit-Bereichen. „Zivilisatorisch" wirken nicht Gefälligkeiten sondern rechtlich Abgesichertes, hinreichend verlässliche Kontinuitäten. Vieles entwickelt sich aber offensichtlich weg davon – auf Grund ominöser Tendenzen aber auch konkreter Ursachen.

ANGELIKA SCHINDLER: Wie die Bedingungen sind, haben wir ja skizziert. Weitere Öffnungen wären sicher begrüßenswert. Nur unterliegt Nicht-Gewinn-Orientiertes genauso Verteilungskämpfen und Begehrlichkeiten möglicher Nutznießer. Damit sind wir wieder am Anfang unserer Debatte.

CHRISTIAN REDER: „Irgendwie" wird dennoch manches möglich, gerade im Vergleich zu anderen Weltgegenden. Für ein aktives Klima aber wären vielfältige Projektformen, die Interesse, Engagement, Fachwissen bündeln und in Arbeitsangebote transformieren eine bereichernde Notwendigkeit. Nicht nur Arbeitslosigkeit, auch das Älterwerden der Menschen machen hinreichend befriedigende Betätigungen zu einer zentralen Frage. Das alles zu Hobbys zu degradieren, ist am herrschenden Arbeitskonzept falsch. Es gehört überdacht und erweitert. Auch die Verteilung entwickelt sich bizarr: Ich habe praktisch nur noch mit exzessiv Überbeschäftigten und Leuten im Grenzbereich von Arbeitslosigkeit zu tun. Unter tatsächlichen Wertschöpfungsprämissen betrachtet, kann Lesen, das Ansehen eines Filmes, kann ein intensives Gespräch als Arbeit verstanden werden, also höchst Produktives auslösen, wenn es einen packt, weiterbringt, herausfordert – ich dadurch also mir und vermittelnd auch anderen etwas in transformierender Weise nutzbar mache.

Mit dem Ausblenden der weiten Felder abseits von Lohnarbeit und Geschäften wird Derartiges negiert, privatisiert, absurd entmischt, völlig konträr zu in Wissensgesellschaften, in Kulturgesellschaften notwendigen Prozessen. Die Ideologisierung von Nichtstun, Beschaulichkeit, Muße als eigentliches Leben wiederum ist mir eine zu irreale, melancholische *Leisure Class Vision*. Das hatten wir doch schon, mit bekannten Ergebnissen. Beschäftigen müsste man sich auch dann mit etwas. Indem Menschen, die nicht unbedingt arbeiten müssen, vorwiegend als Leitfiguren stereotypen Konsumverhaltens präsent werden, verschwinden andere Möglichkeiten im Diffusen. Solche gesellschaftsprägende Tendenzen werden, um die Steuergesetze beim Wort zu nehmen, mit der Deklassierung alles Nichtkommerziellen bestärkt.

GOTTFRIED SPITZER: Scharf pointiert ist das so richtig. Was zählt ist Kommerzielles. Es geht nur um kommerziellen Erfolg. Der ist ja auch Künstlern und Wissenschaftlern zu wünschen.

---

1 Das Stück *Dein Projekt liebt Dich* von Johannes Schrettle hatte am 24. September 2005 auf der Probebühne des Schauspielhauses in Graz Premiere.

2 *Flexible@Art*. Prekarisierungstendenzen des Kunst- und Kulturfeldes am Beispiel der Kunstuniversität Linz und deren AbsolventInnen ist ein Projekt, das im Rahmen des Forschungsprogramms *Transdisziplinäres Forschen* (TRAFO) der Geistes-, Sozial- und Kulturwissenschaften (GSK) vom Österreichischen Bundesministerium für Bildung, Wissenschaft und Kultur finanziert wird. Das Projekt wird von Rainer Zendron und Andre Zogholy geleitet und von Roswitha Kröll organisatorisch koordiniert. KooperationspartnerInnen sind: Institut für Kulturwissenschaften der Universität für künstlerische und industrielle Gestaltung Linz, KUPF – Kulturplattform Oberösterreich, Forum Freunde und AbsolventInnen der Kunstuniversität Linz, FIFTITU%. Frauen in Kunst und Kultur Oberösterreich, LiquA – Linzer Institut für qualitative Analysen, ÖH der Universität für künstlerische und industrielle Gestaltung Linz, Institut für Gesellschafts- und Sozialpolitik der Johannes Kepler Universität Linz und Stabsstelle Wissens- & und Projektmanagement der Universität für angewandte Kunst Wien. Ein Lebenslauf von Rainer Zendron findet sich unter:
http://www.khs-linz.ac.at/portal/DE/orientierung/leitungsgremien/188.html

Eva Blimlinger

Von der Ökonomie der Projektanten und anderer gezähmter Verwandter oder *Dein Projekt liebt Dich*[1]

„Wir haben damals, so vor zwanzig Jahren, zwei, drei Seiten geschrieben, was wir machen wollen und wieviel Geld wir brauchen. Das haben wir dann ins Ministerium oder zu einer anderen Stelle im Land oder in der Stadt geschickt, dann haben wir angerufen und das war's dann, dann hatten wir das Projekt, zumindestens ein bissel was", erzählt Rainer Zendron, mittlerweile Vizerektor für Studien und Lehre der Universität für künstlerische und industrielle Gestaltung in Linz im Rahmen eines Workshops des Projekts *Flexible@Art*.[2] Nicht zuletzt die Akkumulation von kulturellem und symbolischem Kapital hat in seinem Fall dazu geführt, dass aus einer prekarisierten Situation eine verstetigte Karriere wurde. Der Status des Vizerektors führt nun wiederum zu einer Vermehrung des symbolischen und kulturellen Kapitals, jetzt aber auch zur Vermehrung des Privatvermögens. Die meisten Teilnehmer und Teilnehmerinnen an diesem Workshop sind jünger. Eine oder gar zwei Generationen liegen zwischen dem Vizerektor und den Projektmitarbeitern und -mitarbeiterinnen bei *Flexible@Art*. Die Erzählung über die kaum normierten und regulierten Einreichungen für die Finanzierung und Umsetzung von Projekten im Kunst- und Kulturbereich rief bei ihnen gewissermaßen ungläubiges bis mitleidiges, vielleicht auch neidvolles Lächeln hervor. Ein, zwei Seiten, einfach so hingeschrieben? Manchmal noch handschriftlich, besser schon mit Schreibmaschine, Kostenpläne, na ja, wie viel Geld man halt wollte, Steuern? Sozialversicherung?
Angesichts der derzeitigen Vorgaben für Projekte im Feld der Kunst, Kultur und Wissenschaft klingt die Erzählung des zum Zeitzeugen Gewordenen aus den 70er Jahren des vorigen Jahrhunderts tatsächlich wie ein Märchen: Es war einmal … Es gab auch damals Unterschiede zwischen jenen, die vor der schriftlichen Einreichung mit den zuständigen Beamten und Beamtinnen besprochen haben, was geht und was nicht geht, und jenen die nicht über das informell verbreitete Wissen verfügten, wie bei der

„… auch wenn sich jene,
die in ungesicherten Lebensverhältnissen
seit Jahren von Projekt zu Projekt arbeiten,
verständlicherweise und zu Recht danach sehnen,
endlich eine dauerhaftes Anstellungsverhältnis
mit adäquater Entlohnung zu finden,
so führt am Arbeiten in Projekten,
wie ich meine, kein Weg vorbei …"

Eva Blimlinger

Gemurmel.
Das ist ein Schalk – Der's wohl versteht –
Er lügt sich ein – Solang es geht –
Ich weiß schon – Was dahintersteckt –
Und was denn weiter – Ein Projekt –

Mephistopheles.
Wo fehlt's nicht irgendwo auf dieser Welt?
Dem dies, dem das, hier aber fehlt das Geld.
Vom Estrich zwar ist es nicht aufzuraffen;
Doch Weisheit weiß das Tiefste herzuschaffen.
In Bergesadern, Mauergründen
Ist Gold gemünzt und ungemünzt zu finden,
Und fragt ihr mich, wer es zutage schafft:
Begabten Manns Natur- und Geisteskraft.

Johann Wolfgang Goethe:
Faust. Der Tragödie zweiter Teil,
Vers 4885–4896

Antragstellung vorzugehen sei und daher nur allzu oft in die Irre beantragt haben. Aber einfacher war es allemal.

Heute sind seitenlange Formulare auszufüllen, in 11 Punkt, mit 1,5 Zeilenabstand in Times New Roman mit fortlaufender Seitenzahl. Formulare, die so konzipiert sind, dass nur die vorgesehene Zeichenanzahl in das elektronische Feld passt und die Sätze exakt daraufhin geschrieben werden müssen. Abstracts sind deutsch und englisch abzuliefern, maximal 1.500 Zeichen inklusive Leerzeichen. In Kosten- und Finanzierungsplänen müssen Brutto/Nettobeträge inklusive Dienstgeberbeiträge ausgewiesen sein und anteilige Personalkosten prozentuell berechnet werden, Angestellte, freie Dienstnehmerinnen und Dienstnehmer, Selbständige. Jahresabschlüsse oder Bilanzen sind notwendige Anhänge und Beilagen. Keinesfalls dürfen Kosten für die Etablierung von Infrastruktur veranschlagt werden, das soll unter allen Umständen vermieden werden, es ist ja ein Projekt für ein Jahr, zwei Jahre. Maximal Overheadkosten sind denkbar, aber aufgeschlüsselt nach Kostenkategorien. Nur juristische, keine natürliche Personen dürfen beantragen, qualifizierte Projektleiter und -leiterinnen, qualifizierte Projektmitarbeiter und -mitarbeiterinnen, Leistungen von Dritten, Milestones müssen in vorgegeben Farbdiagrammen definiert werden, Controlling, Supervision, begleitende Evaluierung, Coaching, Gender-Mainstreaming, Karriereperspektiven der Projektbeteiligten und nicht zuletzt die unerlässlichen Disseminationsstrategien. Nicht zu vergessen, die gekonnte Verwendung von gegenstandsabhängigen und konjunkturbedingt notwendigen Zauberwörtern in den thematisch und zum Teil methodisch vorgegebenen Ausschreibungen. Je nachdem multi-, inter- oder transdisziplinär, und selbstverständlich muss irgendwas evoziert werden, und besser nicht irgendwas, sondern das, was als spannend oder interessant angesehen wird. Jedenfalls innovativ, methodisch innovativ. Und allen diesen und anderen Begriffen ist selbstverständlich irgendwas inhärent vor allem dann, wenn sie post-... sind und damit ist dann auch irgendwas insinuiert. Alles fertig und bis 12.00 Uhr per Email zu versenden, später eingelangte Anträge können von den Auftraggebern oder Auftraggeberinnen nicht berücksichtigt werden.

Es könnte eingewendet werden – und das wird es auch immer wieder –, dass dieses Procedere nur dazu diene, die Auswahl zu objektivieren, um nach rein sachlichen Kriterien vorgehen zu können. Es könne niemand mehr wie früher durch gute Kontakte zur Bürokratie, zu politischen Gremien, Mandataren/Mandatarinnen und Funktionären/Funktionärinnen ein Projekt durchsetzen und bewilligt bekommen – nur die Qualität sei entscheidend, wird suggeriert. Mitnichten! Selbstverständlich werden in bestimmten Bereichen Finanzierungen zugesprochen nach Maßgabe der Kontakte, die zu wem, wann, wie gegeben sind. Die Entscheidung darüber ist eine politische, ganz unabhängig davon ob die formalen Erfordernisse gegeben sind oder nicht.[3] Umgekehrt dient die übertriebene Formalisierung dazu, jene abzuwehren, die vielleicht die falsche Schriftart oder Schriftgröße gewählt haben, um so von Beginn an die Zahl der Antragsteller und Antragstellerinnen zu minimieren.

Sind in dieser Art von Projekten noch Spuren von Projektemacherei, Projecten-Machern, Projectmachern oder Projektanten der Moderne zu finden, wie sie in der Literatur seit Daniel Defoes *An Essay Upon Projects*[4] beschrieben werden? Wird derzeit der ursprüngliche Begriff – *projectum/proiectum*, das nach vorne Geworfene, *projectus*, hingeworfen, entworfen – durch die genannte Praxis nicht exakt ins Gegenteil verkehrt? Nichts ist mehr entworfen, nichts ist ein Entwurf. Entworfenes und Entwurf, Idee und Vorhaben müssen schon vor Beginn des Projekts den von Institutionen entwickelten Normen, Regeln und Inhalten unterworfen werden, um überhaupt in den nach Objektivität strebenden Auswahlverfahren akzeptiert zu werden. Auch wenn immer wieder in der Literatur betont wird, dass bereits in der Bezeichnung Projekt das Scheitern[5] etymologisch verankert sei[6] – *hinwerfen* im Sinne von beenden, resignieren – so ist dieses Scheitern gewiss ein anderes als die derzeitige Praxis der Ablehnungen von Projekten durch staatliche oder halbstaatliche Institutionen.

3 Es würde bei weitem den Rahmen des Artikels sprengen hier Beispiele zu nennen. Sie sind sowohl im Bereich der Wissenschaft als auch der Kunst und Kultur zahllos.

4 http://etext.library.adelaide.edu.au/d/defoe/daniel/d31es/. Daniel Defoe: *Ein Essay über Projekte*, London 1697; herausgegeben und kommentiert von Christian Reder, in überarbeiteter und erläuterter Übersetzung von Werner Rappl, Wien-New York 2006

5 Hinzuweisen ist in diesem Zusammenhang darauf, dass das Scheitern selbst mittlerweile Gegenstand von Projekten sein kann, wie Helmut Höge unterhaltsam darstellt. Helmut Höge: *Die Projektemacher als postmodernes Massenphänomen*, in: Markus Krajewski (Hg.): *Projektemacher. Zur Produktion von Wissen in der Vorform des Scheiterns*, Berlin 2004, S. 219-243. *Scheitern als Chance* war etwa der Slogan von Christoph Schlingensief für das Projekt *Chance 2000*.

6 Siehe dazu etwa Markus Krajewski: *Über Projektemacherei. Eine Einleitung*, in: Markus Krajewski (Hg.): *Projektemacher. Zur Produktion von Wissen in der Vorform des Scheiterns*, Berlin 2004, S. 7-28

7 Siehe zum Beispiel zur Entwicklung der Cultural Studies in Österreich: Roman Horak: *Prekäre Intellektuelle: Zum zweifelhaften Erfolg der Institutionalisierung von Cultural Studies in Österreich*, in: Karin Harrasser, Sylvia Riedmann, Alan Scott (Hg): *Die Politik der Cultural Studies. Cultural Studies der Politik*, Wien 2006 (in Vorbereitung).

Diese wollen zielsicher jene Projekte auswählen, in denen Scheitern möglichst vermieden, ja ausgeschlossen werden soll, in denen für Scheitern kein Platz ist, in denen *Erfolg*, *Verwertbarkeit* und *Politikrelevanz* oder welche Anwendbarkeit auch immer garantiert ist. Jedenfalls muss es einen *Praxisbezug* geben. Die zur Verfügung gestellten Mittel müssen *effizient* eingesetzt werden. Die Möglichkeiten des Scheiterns, das heißt aber auch des Experiments, des Neuen und eben nicht des *Innovativen*, des Ungewohnten und eben nicht des *Interessanten* werden von Beginn an ausgeschlossen. Keineswegs ist aber andererseits der Umkehrschluss möglich, dass jene Projekte, die nicht bewilligt, nicht finanziert werden, deswegen grundsätzlich experimenteller, neu oder ungewohnt wären. Oft werden schlichtweg die formalen Erfordernisse – hier insbesondere im Bereich der EU-Förderungen – nicht erfüllt. Überdies ist Scheitern in einem laufenden Projekt schon aus ökonomischen Gründen in den meisten Fällen für die Beteiligten nicht möglich und würde da und dort zum Privatkonkurs führen. Und konsequenterweise kann es, wenn es kein Scheitern gibt, auch kein Gelingen mehr geben.

Das Projekt, das Projektemachen war Teil der gesellschaftspolitischen Utopie der 70er Jahre, die durchaus in manchen Bereichen realisiert wurde. Abseits der bestehenden Institutionen, die als konservativ bis reaktionär, als schwerfällig und uninteressant, als parteipolitisch gebunden und hierarchisch galten, wurden Projekte initiiert, die jedenfalls das alles nicht sein sollten. Alle sollten alles machen können, dürfen und müssen, keine Chefs nur Teams, kollegiale Entscheidungen statt monokratische, autonom musste es sein, die Trennung von Arbeit und Freizeit sollte aufgehoben werden, Männer und Frauen sollten gleichberechtigt mit gleichem Lohn und gleicher Position vertreten sein. Die handelnden Personen verstanden sich durchaus als Avantgarde im *Selbstauftrag*. Die Projekte, die in dieser Weise begannen – seien es Stadtzeitungen, Kulturgruppen, Wissenschafter/Wissenschafterinnengruppen[7] – waren entweder bald beendet oder wurden nach und nach zu Institutionen und etablierten sich in den jeweiligen Bereichen. Manche Grundsätze wurden beibehalten, andere wurden manchmal still und leise begraben. Viele dieser Institutionen, die nunmehr seit Jahrzehnten existieren, haben jedoch nach wie vor das unzutreffende Selbstbild ein Projekt zu sein. In den beginnenden 90er Jahren war das Projektemachen schon weit entfernt von den politischen Utopien. Für viele war es ökonomische Notwendigkeit in Projekten zu arbeiten, wurden doch Arbeitsplätze in den bestehenden Institutionen immer rarer. Heute sind jene, die Projekte machen – müssen – einfach Teil eines immer größer werdenden

Segments des gesamten Arbeitsmarkts und von gesellschaftspolitischer Utopie ist dort keine Rede, insbesondere was die Arbeitsverhältnisse betrifft.

Haben jene, die heute Projekte entwerfen, Anträge schreiben, noch Ähnlichkeiten mit den Projektmachern die Windmaschinen, Dampfmaschinen, Sprechmaschinen und Schachtürken[8] entworfen, konstruiert und gebastelt haben? Haben die Projektemacher und heute auch Projektemacherinnen noch etwas von den immer wieder beschriebenen schillernden Figuren der Moderne? Agieren sie noch als Anti-Akademiker, die sich gegen die Institutionen der Wissenschaft und insbesondere die Universität stellen um außerhalb den eigenen Vorstellungen und Ideen nachzugehen? Agieren sie noch gegen die Hegemonie des Kunstmarktes, gegen den herrschenden Geschmack, suchen den eigenständigen Weg zwischen den oder gegen die Institutionen der Kunst? Das explizite Ziel des Projektmachers der Moderne, „für das Wohl der Gemeinschaft neue Pläne oder Erfindungen voranzutreiben", lässt ihn „als Produkt einer Paarung aus Ingenieur und Dilettant, aus Abenteurer und Karrierist, aus Reformer und Glücksspieler" erscheinen.[9] „Seine selbstgewählte Aufgabe besteht darin, das Undenkbare zu behaupten, um das Unmögliche realisierbar zu machen."[10] Vielleicht, da und dort, hie und da, gibt es sie noch, diese Mischungen und Paarungen, jene, die ihren Passionen und Leidenschaften nachgehen. Die Mehrheit jener, die heute vom Projektemachen ihren Lebensunterhalt bestreiten müssen, darf diesen Bildern nicht entsprechen, auch wenn die Selbstbilder zum Beispiel der freien Wissenschafter und Wissenschafterinnen durchaus manchmal in der Tradition der Projektemacher stehen, und

---

8 Siehe dazu zum Beispiel Brigitte Felderer, Ernst Strouhal: *Wolfgang von Kempelen. Zwei Maschinen*, Wien 2004; Ernst Strouhal: *Technische Utopien. Zu den Baukosten von Luftschlössern*, Wien 1991. Näheres auch im Kempelen Archiv Wien (KAW) der Abteilung für Kunst- und Kultursoziologie der Universität für angewandte Kunst. Siehe auch: Ernst Strouhal: *„Es müsste möglich sein …"*. *Arnold Schönberg – Spiele, Konstruktionen, Bricolagen*, in: *Arnold Schönberg – Spiele, Konstruktionen, Bricolagen* Herausgegeben von Christian Meyer. Arnold Schönberg Center Wien 2004.

9 Krajewski, Einleitung S. 22

10 Krajewski, Einleitung S. 24

11 IG Externe LektorInnen und Freie WissenschafterInnen (Hg.): *Zwischen Autonomie und Ausgrenzung? Zur Bedeutung Externer Lehre und Freier Wissenschaft an österreichischen Universitäten und Hochschulen.* Endbericht des Forschungsprojekts, März 2000, Netzveröffentlichung Dezember 2002 (Format PDF, 850k); IG Externe LektorInnen und Freie WissenschafterInnen (Hg.): *Machbarkeitsstudie WissenschafterInnenhaus.* Endbericht, November 2001, Netzveröffentlichung Dezember 2002 (Format PDF, 210k) http://www.univie.ac.at/IG-LektorInnen/

auch wenn Unternehmen oftmals diese Bilder gewissermaßen als Köder nützen.[11]

Jeder Wirtschaftszweig, jedes größere Unternehmen, staatliche Institutionen, NGOs, politische Parteien, sogar Kirchen und Religionsgemeinschaften, alle wurden in den letzten Jahrzehnten zu Projektemachern und -macherinnen, und manche Institutionen bezeichnen sich mittlerweile – in Verkennung der Lage – gar selbst als Projekt. Und es wird nicht mehr lange dauern, bis auch die Schichtarbeit genau genommen Projektarbeit ist. Auch im Privaten nehmen die Projekte zu: Da und dort ist zu lesen, dass die Familie zum Projekt erklärt wird. Auch Partnerschaften sind selbstverständlich zunächst Projekte, in denen dann das Subprojekt Kind oder Kinder geplant wird. Alles ist Projekt, alles hat einen Anfang und ein Ende. Es sind keine *aventuriers* mehr, deren letzte Zuflucht das Projektemachen ist. Oder umgekehrt gefragt, sind mittlerweile alle *aventuriers*, weil sie Projekte machen, ja Projekte machen müssen, auch wenn sie gar nicht wollen? Das Andauernde, das Langfristige, das Beständige, lässt sich fast sagen, ist heute das Abenteuer.

Herkömmliche Laufbahnen, Karrierewege und -entwicklungen sind mittlerweile auf wenige Bereiche der Arbeitswelt beschränkt, sind regelrecht die Ausnahme und werden vor allem von jenen, die diese Laufbahnen hinter sich haben, als veraltet dargestellt, wiewohl sie schlechthin Luxus sind. Diejenigen, die sie noch leben können, gelten zwar in der öffentlichen Diskussion als unflexibel, konservativ, immobil und behäbig, zählen aber andererseits zur Elite. Eine Stufe nach der anderen auf der Karriereleiter lässt sich kaum mehr steigen. Die obersten Sprossen sind entweder dauerhaft besetzt oder diese Leitern sind verräumt, bevor Frauen noch die oberen Sprossen erreichen konnten. Das Ersatzmodell lautet, die aufsteigende Laufbahn für den Mitarbeiter oder die Mitarbeiterin im Unternehmen durch aufeinander folgende Arbeitsprojekte zu ersetzen. Im Projekt können sie sich profilieren, und dort soll ihnen der Erfolg ermöglichen, beim nächsten interessanten Projekt mitzuarbeiten. Es sind nicht Projekte, die von außen an eine Institution herangetragen werden, sondern das Unternehmen, die Institution selbst mutiert zu einer Sammlung von Projekten. Diese Projekte sind Entwicklungseinheiten im Rahmen privatwirtschaftlicher Unternehmen. „Der postindustrielle Karriereweg ist ein stetiges Hasten von einem Projekt zum anderen. Der Wertzuwachs bei jedem einzelnen Projekt ist der Beweis für den eigenen Erfolg. (...) Ein jeder ist viel stärker auf seine eigenen Ressourcen angewiesen als auf die Entwicklung des jeweiligen, ihn beschäftigenden Unternehmens. Wer sich nur auf die Kunst des hierarchischen Aufstiegs versteht, wird schlicht und ergreifend fortgespült. Das Einkommen schwankt. Anstatt in regelmäßigen Abständen zu wachsen, variiert es von Jahr zu Jahr. Risiken und Ungewissheit sind die Regel. Die Produktivität leidet deswegen allerdings noch nicht darunter; sie profitiert von der Berufskompetenz und der Notwendigkeit, sein berufliches Ansehen zu erhöhen, was selbst im Dienst eines einzigen Arbeitgebers zur sichersten Arbeitsplatzgarantie geworden ist. Jeder muss ein Kompetenzkapital anlegen, weil die Unternehmen keine Arbeitsplatzsicherheit mehr bieten."[12]

Dieses hier genannte Kompetenzkapital – oder auch Ausbeutungspotenzial – ist in der Arbeits/Projektwelt der mittlerweile zentral gesetzte Begriff der *employability*. Damit ist zunächst jenes Potenzial bezeichnet, über das die Menschen verfügen müssen, damit sie in Projekten eingebunden werden, an ihnen teilhaben können. Es reicht nicht, einfach die Profession, die man erlernt hat und der man nachgeht zu beherrschen.

Um überhaupt Chancen auf temporäre, das heißt befristete Arbeitsplätze zu haben, muss ein umfassendes Inventar an Fähigkeiten und Fertigkeiten angeboten werden können. Zur *employability* gehören im wesentlichen *knowledge* und *skills*, wobei hier eine ganze Bandbreite gemeint ist: von *e-skills* bis *soft skills*. Was das konkret bedeutet, ist in nahezu jeder Ausschreibung für Projektmanagement, Projektleitung aber auch Projektmitarbeit zu lesen, unabhängig vom Inhalt der Arbeit oder der Branche: sehr gute analytische und konzeptionelle Fähigkeiten, ausgezeichnete Kommunikations- und Überzeugungsfähigkeiten, strukturierte und systematische Arbeitsweise, hohe Ziel-/Ergebnisorientierung, Ausdauer und Hartnäckigkeit, selbstbewusstes und professionelles Auftreten, Teamfähigkeit (*Teamplayer*), Ehrlichkeit, Vertrauen bildendes Auftreten, hohe Einsatzbereitschaft und Belastbarkeit, hohe Eigenverantwortung und Disziplin, hohe Selbständigkeit, Kreativität, Engagement, Lernbereitschaft, Networking Skills. Im einzureichenden Lebenslauf ist es mittlerweile selbstverständlich auch alle Freizeitaktivitäten zu vermerken, auch sie sind *skills*. Da reicht es

12 Rosabeth Moss Kanter: *L'entreprise en éveil*, Paris 1992, zitiert nach Luc Boltanski, Ève Chiapello: *Der neue Geist des Kapitalismus. Klassische und zeitgenössische Texte der französischsprachigen Humanwissenschaften*, édition discours Bd 30, Konstanz 2003, S. 138

13 Corinne Maier: *Die Entdeckung der Faulheit. Von der Kunst, bei der Arbeit möglichst wenig zu tun*, München 2005, S. 151

14 Grundsatzerlass zum Projektunterricht, wiederverlautbarte Fassung, GZ10.077/5-I/4a/2001, http://www.bmbwk.gv.at/ministerium/04/GZ_10.0775-I4a2001_Grund5411.xml

nicht, einfach Rad zu fahren, auch nicht Mountainbike, vielleicht ein Einradfahrer oder gar nicht Rad fahren.

Die Vorteile der Projektstruktur und der damit verbundene Gewinn für das Unternehmen, für die Institution sind klar: Funktionsposten können rasch gewechselt werden, Produktionseinheiten können jederzeit neu gebildet werden, Fixkosten werden dadurch verringert, es werden je nach Auftragslage oder Anforderung Projektteams gebildet. Das bedeutet umgekehrt für die Mitarbeiter und Mitarbeiterinnen geringe bis gar keine Arbeitsplatzsicherheit, generellen ökonomischen Druck bei schwankender, weil ausschließlich leistungsbezogener Bezahlung, wobei die Kriterien für die Leistungsbeurteilung in den meisten Fällen kaum nachvollziehbar sind. In dieser Situation wirkt die Aufforderung von Corinne Maier, die Faulheit zu entdecken und möglichst wenig zu arbeiten, tatsächlich wie eine lang ersehnte Befreiung, eine Befreiung für mittlere Angestellte, die im Unternehmen, in der Institution an Projekten teilnehmen sollen. Selbstverständlich muss man sagen, auf Kosten anderer: „Wenn Sie Leute ‚betreuen‘, die nur vorübergehend im Unternehmen sind (Mitarbeiter mit befristeten Verträgen, Zeitarbeiter, Praktikanten…), behandeln Sie sie herzlich, denn Sie sollten nie vergessen, dass es die Einzigen sind, die wirklich arbeiten."[13]

Projekte machen will auch gelernt sein und so ist es nur nahe liegend ganz gemäß dem Motto „Nicht für die Schule – fürs Leben lernen wir" Projektunterricht in den Lehrplänen zu verankern. „Die Schule muss zunehmend durch entsprechende Unterrichtsmethoden die Entwicklung und Förderung von dynamischen Fähigkeiten und unterschiedlichen Begabungen ermöglichen. Denn nur informierte, kompetente und motivierte Menschen werden den gesellschaftlichen Veränderungen weltoffen und entwicklungsbereit gegenüberstehen."[14] Und die Ziele des Projektunterrichts sind, wie es im Erlass heißt, selbständiges Lernen und Handeln, eigene Fähigkeiten und Bedürfnisse erkennen und weiterentwickeln, Handlungsbereitschaft entwickeln und Verantwortung übernehmen, ein weltoffenes, gesellschaftlich-historisches Problembewusstsein ausbilden, kommunikative und kooperative Kompetenzen sowie Konfliktkultur entwickeln und organisatorische Zusammenhänge begreifen und gestalten. Das liest sich fast wie die oben zusammengefasste Stellenbeschreibung.

Von Künstlern und Künstlerinnen, von Forschern und Forscherinnen lernen heißt also offenbar Siegen lernen, denn die projektorientierten Organisationsmodi der Gruppen aus dem künstlerisch-kulturellen und wissenschaftlichen Feld werden immer wieder als Vorbilder bemüht. Sie werden, wie Marion von Osten es nennt, zu *rolemodels* wirtschaftlicher Privatisierung und einer Ökonomisierung des Sozialen stilisiert.[15] Während die Unternehmen es als notwendig erachten, Unternehmenskultur zu entwickeln, wird die Kultur – und auch die Wissenschaft – zum Unternehmen, die dort Arbeitenden zu *Cultural Entrepreneurs, Culturepreneurs* oder auch kulturellen *Arbeitskraft-Unternehmerinnen und -Unternehmern.* Während die Industrieunternehmen in Europa nach und nach stillgelegt und die Industrieanlagen zu Kultureinrichtungen, Freizeit- und Erlebnisparks umfunktioniert werden, werden zum Beispiel Designer und Designerinnen, Architekten und Architektinnen, bildende Künstler und Künstlerinnen zu Unternehmern und Unternehmerinnen in der *Kreativindustrie* oder den *Creative Industries.* Die Paradoxie daran ist jedoch, dass der Mehrwert nicht – wie klassischerweise – sondern nur in den seltensten Fällen von diesen Unternehmern oder Unternehmerinnen lukriert werden kann. Im klassischen Sinne sind sie eben keine Unternehmer sondern *Neue Selbständige*[16] oder *Freie*[17] *Dienstnehmer und Dienstnehmerinnen,* denn sie verfügen als *Neue Selbständige* eben genau nicht über das notwendige ökonomische Kapital. Das müsste ja sofort eingesetzt werden, um durch die Ausbeutung der Mehrarbeit anderer vermehrt zu werden. Dadurch, dass die *Neuen Selbständigen* selber ausgebeutet werden, vermehren sie das Kapital anderer,

---

15 Marion von Osten, Angela McRobbie: *Einführung,* in: *Atelier Europa.* Symposium/Symposium; Ausstellung/Exhibition; Kongress/Conference, 12. März – 13. Juni 2004 im Kunstverein München, hg. vom Kunstverein München 2004. Siehe dazu auch Andrea Ellmeier: *Prekäre Arbeitsverhältnisse für alle? Kunst, Kultur, Wissenschaft als (negative) Avantgarde (alt-)neuer (Erwerbs)Arbeitsverhältnisse,* in: *Kulturrisse* 01/03; Dies.: *Freie WissenschafterInnen und KünstlerInnen: Avantgarde des flexibilisierten Arbeitsmarktes,* in: *Kulturrisse* 5/05, Dies.: *Cultural Entrepreneurialism. On the changing relationship between the arts, culture and employment,* in: *International Journal of Cultural Policy,* vol. 9, 1 (spring 2003)

16 *Neu* deswegen, weil sie sich von den *alten* Unternehmern dadurch unterscheiden, dass sie keinen Gewerbeschein haben.

17 *Frei* ist hier in dem Sinne zu verstehen, dass sie *frei* etwa von Urlaubsanspruch, 13. und 14. Monatsgehältern, von Arbeitslosenversicherung und von Krankengeld sind.

18 Privilegiert ist hier tatsächlich nur im Gegensatz zu jenen zu verstehen, die in prekären Verhältnissen leben und arbeiten. Denn tatsächlich sollte ökonomische Sicherheit kein Privileg sein und die politische Rhetorik des Privilegierten führt dazu, dass dadurch ein gesellschaftliches Bewusstsein entstehen soll, dass jeder und jede die eine unbefristete Anstellung oder gar ein im öffentlichen Dienst definitiv gestelltes („pragmatisiert") Dienstverhältnis haben als Privilegierte gelten – und Privilegien sollen ja bekanntlich abgebaut werden.

19 Siehe dazu Eva Blimlinger: „... *das geht sich nicht aus, das könnt ihr nicht verlangen, Wahnsinn!" Konzeption und Organisation von Auftragsforschungsprojekten am Beispiel der Historikerkommission,* in *zeitgeschichte,* Heft 5, September/Oktober 2003, 30. Jg., S.281-293.

nicht jedoch ihr eigenes. Denn wer von Projekt zu Projekt arbeitet vereint somit lediglich die Nachteile beider Statuspositionen, jener des selbständig und jener des unselbständig Erwerbstätigen. Gemeint sind hier Projekte, die nicht innerhalb einer Organisation mit vorhandenem Personal durchgeführt werden, sondern jene, die etwa zur Erhaltung einer „schlanken" Struktur (*lean management* oder *lean production*) oder zum Ausgleich fehlender Stellen (Beispiel Universitäten) extern beauftragt werden (*outsourcing*). Durch die Art der Bezahlung der Tätigkeiten (z.B. geringfügige Beschäftigung, Gehälter, Honorare, Leistungsprämien, Autorenrechte usw.) werden nach und nach Unterschiede zwischen Einkünften aus Kapitalbesitz und einem Arbeitseinkommen systematisch eingeebnet, die Einkommensunterschiede durch die Nivellierung jedoch vergrößert. Das symbolische und kulturelle Kapital der Projektemacher und Projektemacherinnen von heute, kann kaum mehr in relativ ökonomische Sicherheit umgewandelt werden, *employability* gerät zur Fehl- oder Überqualifikation und entsprechend den *Patchwork-Familien*, entwickeln sich *Patchwork-Berufsbiographien*. Von Karrieren kann kaum gesprochen werden.

Die Problematik des Projektemachens liegt also vor allem darin, dass überall dort auf das Projekt verwiesen wird, wo Kosten gespart werden sollen, damit das Vorhaben effizient ist, damit evaluiert werden kann, damit, damit … damit jedenfalls sichergestellt ist, dass es keine Projektemacherei mehr gibt, sondern Projekte! Sind auf der einen Seite Projekte für die einen ökonomische Notwendigkeit, so sind auf der anderen Seite Projekte für jene, die in privilegierten[18] ökonomischen Verhältnissen, wie zum Beispiel an Universitäten arbeiten, wo Projekte sinnvoller Weise angestrebt werden könnten, durchaus mit institutionellen Hürden und Barrieren verstellt und oft nur schwer durchführbar. Und dennoch, auch wenn sich jene, die in ungesicherten Lebensverhältnissen seit Jahren von Projekt zu Projekt arbeiten, verständlicherweise und zu Recht danach sehnen, endlich eine dauerhaftes Anstellungsverhältnis mit adäquater Entlohnung zu finden, so führt am Arbeiten in Projekten, wie ich meine, kein Weg vorbei. Die Frage ist letztendlich unter welchen ökonomischen und arbeitsrechtlichen Bedingungen, in welchen Zusammenhängen, mit welchen Institutionen und vor allem mit welchen beruflichen, letztendlich Lebensperspektiven dies stattfindet und stattfinden soll.[19] Ein internationales, interdisziplinäres Projekt, in dem diese Fragen gestellt und vor allem beantwortet werden sollten um dann die entworfenen Modelle politisch umzusetzen, wäre wohl der erste Schritt in diese Richtung.

Patti Smith, 1997   Foto: Chris Toliver

„Die existentielle Wende oder die Politisierung des Lebens
der 70er Jahre mit Feminismus, Alternativbewegung,
Gender- und Schwulenthematik waren daher womöglich
nur erste Vorboten der neuen, vielleicht subtileren
Auseinandersetzungen. Sie sind ,unmittelbarer' als die alten
Klassenkämpfe, weil sich für die Akteure viel drängender
die Frage stellt: Was hat das alles mit mir,
gewissermaßen mit mir persönlich zu tun?"

Robert Misik

1 Joachim Lottmann: *Die Jugend von heute.* Köln 2004
2 Jeremy Rifkin: Access. *Das Verschwinden des Eigentums.* Frankfurt am Main-
   New York 2000
3 Slavoj Zizek: *Kulturkapitalismus.* In. Zizek: *Die Revolution steht bevor.* Frankfurt
   am Main 2002

Robert Misik

Was ist Neo-Existentialismus?

Warum die alte Frage nach dem „richtigen Leben" neuerdings
wieder gestellt wird – und was eine gelingende Existenz unter den
Bedingungen des Kulturkapitalismus ausmachen könnte.

„Ich schlief gerne mit April", berichtet Jolo, der Protagonist aus Joachim
Lottmanns Pop-Roman *Die Jugend von heute* über die sexuelle Routine mit
seiner Freundin, „auch wenn jede Bewegung, jede Geste, jede Sekunde von
der Werbung und von den Medien vereinnahmt war und somit nicht
mehr mir gehörte. Ich lieh diese Stunden von der Werbung, und sie gefielen mir trotzdem."[1] Die Schwierigkeiten, ja die schiere Unmöglichkeit, ein
gelingendes Leben zu leben, ein authentisches Ich zu entwickeln – und
gleichzeitig die hektisch-hysterische Suche nach echten Gefühlen, nach dem
Kick, nach dem essenziellen Erlebnis, das ist das Thema von Lottmanns
Buch. Wünsche und Affekte sind gesellschaftlich produziert – sind Kultur
und Kapital gleichzeitig. Das Kapitalverhältnis frisst sich durch die Subjekte hindurch, richtet sie sich her. Liebe ist Kommerz, Gefühle sind Geschäfte, Sehnsüchte sind Werbebilder.
Kultur ist Kapital. Heute ist schon die Unterscheidung selbst ziemlich nutz-
los. Kaum eine Firma kann es sich noch leisten, ein Produkt einfach so auf
den Markt zu werfen. Das moderne Unternehmen ist ein Kulturunterneh-
men, der zeitgenössische Kapitalismus, nach einem Wort von Jeremy Rifkin,
ein „Kulturkapitalismus".[2] Es würde schon zu kurz greifen, zu formulieren:
Das Image ist so bedeutend wie der Gebrauchswert einer Ware. Denn oft
ist das Image der eigentliche Gebrauchswert. Design ist nicht nur Rekla-
me, die den Verkauf befördern soll, das Design ist das eigentliche Produkt.
„Was wir auf dem Markt kaufen", schreibt Slavoj Zizek, „sind immer weniger Produkte und immer mehr Lebenserfahrungen wie Essen, Kommunikation, Kulturkonsum, Teilhabe an einem bestimmten Lebensstil".[3]
Firmen haben damit begonnen, ihre Produkte mit einem Lebensstil, einem
Lebensgefühl zu verbinden, um sie besser verkaufen zu können – und heute

werden die Produkte längst in erster Linie gekauft, um einen Lebensstil zu erwerben. Der trainierte Körper wirbt nicht mehr für Nike, sondern Nike repräsentiert den trainierten Körper. Wurde Kultur irgendwann in den sechziger Jahren wesentlich für den Kapitalismus, so ist sie im Zeitalter der Postmoderne eigentlich ununterscheidbar von ihm. Das Resultat ist nicht nur eine Verdinglichung der Kultur, wie mancherorts beklagt, sondern eben auch eine Kulturalisierung der Dinge.

Wenn Identitäten eine kulturelle Konstruktion sind, das Kulturelle vom Ökonomischen aber nicht mehr zu trennen ist, hat der Kapitalismus einen viel unmittelbareren und totaleren Zugriff auf Psyche, Affekte, Selbstbild der Menschen. Alles schmeckt nach Werbung, wie ich mich sehe, ist vom kulturellen Kapitalismus affiziert. Das Unternehmen, in dem ich möglicherweise arbeite, wünscht die allseits entwickelte Persönlichkeit. Meine Persönlichkeit macht die Marke zur Markenpersönlichkeit. Arbeite ich auf eigene Rechnung, muss ich mich selbst zur Marke machen. In diesem Zusammenhang am augenfälligsten ist natürlich die Usurpation des öffentlichen Raumes durch die Marken.

Aber der öffentliche Raum ist nicht nur von Marken besetzt, er wird selbst zunehmend zur Marke und keine Nische vermag dem Branding zu widerstehen – weil selbst das Widerstehen als Event nutzbar gemacht werden kann. Noch die Subkultur entkommt dem nicht, sie ist im Stadtmarketing vielmehr als Standortfaktor vorgeschrieben. So wird noch der Rebell nutzbar einverleibt, am besten mit einer kontrollierten Dosis künstlerischer Unruhe[4], er ist für eine pulsierende Metropole mit touristischer Anziehungskraft unverzichtbar. Widerständige Selbstentwürfe sind auch Rollen. Das waren sie zwar immer schon, aber heute ist kaum mehr übersehbar, dass die Dissidenz gewünscht wird – sie sorgt für ein gewisses städtisches Flair. Die Bühne Stadt ist ohne Komparsen mit leichtem Schlag in Richtung Bohéme oder Rebell nicht denkbar. Was ist das MoMa gegen das Cafe Burger, was die Burg gegen Fluc, Flex, EKH und Hundsturm-Theater?

Wenn aber die Produktion über die Ufer des Bereichs tritt, der traditionell als das Ökonomische gilt, wenn immer mehr Gefühle und Affekte und immer weniger Gebrauchswerte verkauft werden, der ökonomisch-kulturelle Komplex Gefühle und Affekte somit kolonisiert, dann provoziert das auch Widerstandshandlungen. Vieles deutet darauf hin, dass die Politisierung der Frage der Identität, ohne die heute keine Debatte auskommt,

4 Siehe: Dietmar Kammerer: *This is my beautiful house.* In: *taz*, 25. Mai 2005.

damit im Zusammenhang steht. Weil der Kapitalismus viel stärker auf das Innere der Subjekte zugreift, rückt die Frage „Was will ich sein?" heute ins Zentrum des Dagegenseins. Die Kulturalisierung des Ökonomischen produziert die Widerständigkeit gleich mit. Doch ist die ohne Chance? Ist die Auflehnung selbst sofort Teil des Arrangements, gegen das sie sich auflehnt? Anders gefragt: Sind die Subjekte nur weiße Flächen, die neu überschrieben werden? Dies zu unterstellen, wäre zu schwarz, um wahr zu sein. Sitzt in ihnen ein Kern an Eigentlichkeit, der bockig der inneren Landnahme widersteht? Eine solche Behauptung würde wiederum einem blauäugigen Essenzialismus auf dem Leim gehen – Subjekte sind immer schon Geschichte und Gesellschaft. Die Wahrheit ist innerhalb dieses Spannungsfeldes zu suchen. Die Frage ist somit: Wogegen wehren sich die Individuen im Kulturkapitalismus und mit welchen Mitteln? Wonach sehnen sie sich? Wovon handeln eigentlich Ausbruchsversuche und Verweigerungsstrategien? In welche Richtung hier zu denken wäre, soll in der Folge lose angedeutet werden.

Heute will jeder ein einzigartiges, unverwechselbares Subjekt sein. Dies hat nichts mit einer gewissermaßen anthropologischen Eigensinnigkeit des Wesens „Mensch" zu tun, sondern ist direkte Folge der neoliberalen Subjektivierung. Denn, für einen Augenblick unterstellt, der Kapitalismus könnte sprechen, was ist es, was der Kapitalismus „sagt"? *Mach' Dein Ding! Sei nicht Mainstream! Sei mutig – sei Du selbst! Sei Dein eigener Herr! Blök nicht mit der Meute! Sei kreativ! Entwickle Deine Potenziale!* Es ist diese universale Botschaft des Kulturkapitalismus, in mächtigen Bildern unter die Leute gebracht, die auch den Widerwillen gegen die Rollen produziert, die er im Angebot hat. Er ist ein großes Freiheitsversprechen und stößt die Subjekte förmlich auf die Frage: „Wer will ich sein"?

Das Bedürfnis nach der Konstruktion einer alternativen Identität tritt natürlich zunächst dann auf, wenn die von der Gesellschaft zugeschriebene Identität als unbefriedigend empfunden wird, oder wenn die Idee der Selbstverwirklichung, einst ein Spleen exaltierter Künstler- oder Intellektuellenexistenzen, heute weitgehend verallgemeinert, von den Subjekten mit ihren realen Lebensumständen nicht in Einklang zu bringen ist. Aber dieses Bedürfnis wächst, recht besehen, schon dann, wenn das Grundgefühl vorherrscht, jede denkbare Identität ist schon im Angebot, steht längst bereit, was „ich" sein könnte, ist bereits vorfabriziert – und wurde auch schon marktförmig verwertet. So flüchten sich die Leute in Spiele zweiter, dritter, vierter Ordnung, experimentieren mit multiplen Identitäten, täglichen Grenzüberschreitungen, panischen Konventionsbrüchen. Sie zerlegen ihr Ich und schrauben es neu zusammen. „Alles was ich bin oder sein möchte, war schon jemand vor mir", schreibt der Grazer Autor Tiz Schaffer in der ersten Ausgabe der neuen Kulturzeitschrift *BOB* (die sich dem Thema „Wer bin ich?" widmete) und erinnert an das Wort des amerikanischen Poptheoretikers Greil Marcus – „Ich bin ein Klischee". Schaffer, mit leise ironischem Heroismus: „Ich sage der Homogenität meiner Persönlichkeitsstruktur ein Lebewohl."

Natürlich geraten die Subjekte sofort in ein Labyrinth ohne Ausweg. Nicht nur, weil der Wunsch, wie Diedrich Diederichsen so schön formulierte, nicht Mainstream sein zu wollen, heute absoluter Mainstream geworden ist [5]; wer wüsste nicht, dass die Sehnsucht nach dem „richtigen Leben" selbst zirkelschlüssig ist? Eine Sehnsucht, die wie jede andere auch, längst von der Warenform infiziert ist. Richtiges Leben? Auch das ist im Supermarkt der Identitäten im Angebot.

Dennoch tun wir wahrscheinlich gut daran, diese Aporien nicht in radikaler, dürrer Konsequenz zu Ende zu denken. Man muss das ja nicht so nennen: aber die Idee, es müsste doch so etwas wie ein richtiges Leben, mit richtigen Gefühlen geben, es müsste doch irgendwo noch eine Subjektivität zu haben sein, die vielleicht nicht vollends rein ist, sich aber doch gegen den Zugriff der verallgemeinerten Warenförmigkeit sperrt, kurzum: irgendwo muss doch „ich" sein, ist ohne Zweifel der stärkste Antrieb für kleinere oder größere Revolten, Ausbruchsversuche und Verweigerungsstrategien unserer Tage. Gerade weil der postmoderne Kapitalismus so deutlich macht, auf welch dünnem Eis sich Konzepte wie die von „Identität" bewegen, dass jedes Ich schon als Konfektionsgröße im Angebot ist, wird die Frage nach dem, was die Soziologen und Gerechtigkeitstheoretiker das „gelingende Leben" nennen, plötzlich wieder virulent.

Man muss nur gelegentlich mit jungen Menschen sprechen, dann begegnet man überall Leuten, die recht zielstrebig, aber gleichzeitig auch locker – und das heißt: nie konsequent – versuchen, nicht mitzutun. „Das trifft genau das, wie ich lebe", sagt etwa eine junge Frau, die ihren Lebensunterhalt mit Jobben in einem neoliberalen Wirtschaftsblatt bestreitet, ihr „Sinnvakuum" aber (wenn man das so nennen darf) damit füllt, dass sie für ein freies Radio arbeitet, das über Sozialbewegungen berichtet. Eine 22-Jährige, die studiert, nebenbei beim Arbeitsamt ein Mädchenprojekt betreut und, wenn dann noch Zeit bleibt, gratis in der Sozialinitiative der Frau Ute Bock afrikanischen Asylbewerbern hilft, sagt, für sie komme „nur ein Beruf

---

5 Diedrich Diederichsen: *Der Mainstream und seine Masken.* In: *Theater heute*, Jahrbuch 2004.

in Frage, in dem ich mich für meine Ideale engagieren kann". Ein erfüllender Beruf „mit begrenztem Einkommen ist mir lieber als ein gut dotierter", bekundet sie. Wer Tiefeninterviews nachliest, die etwa empirische Sozial-forscher machen oder nur kurz aufmerksam im Internet surft, wird eine Unzahl von Menschen finden, die – wie die 15jährige Annika – äußern, sie wollten „sinnvoll leben" und nicht immer nur das tun, „was einem selber nutzt". Da tickt der theoretisch versierte Metropolentwen, der auf schräge Sounds steht, auf der Höhe der Diskurse ist und avancierte Filme guckt nicht sehr viel anders als die H&M-Verkäuferin, die sich unwohl fühlt, weil sie sich als Repräsentationsfigur der Markenpersönlichkeit ihres Unter-nehmens durch ihren Arbeitsalltag strampelt.

Die Redewendung, in der sich diese identitäre Revolte äußert, ist der Satz: „Ich mache mein Ding". Ambivalent ist dies gewiss. Die Rede von „mei-nem Ding" ist die Affirmation des Gegebenen und gleichzeitig der stärkste Einspruch dagegen. Sie annonciert cooles Dagegensein und doch auch die radikale Individualisierung, die unserer Zeit ihr Gepräge gibt. In ihr sitzt die subversive Eigensinnigkeit der Subjekte, die nicht mittun wollen und doch sind die vielen, die „ihr Ding" machen, auch der Motor der Verhält-nisse. Aber das soll uns hier nicht allzu sehr bekümmern: In jedem Fall ist der Siegeszug dieser Redewendung ein Symptom für den Umstand, dass viele offensichtlich der Meinung sind, nur indem sie sich den herrschen-den Imperativen entziehen könnten sie ganz bei sich sein.

Bleiben wir kurz bei diesem Punkt. Die Rasanz, mit der sich die Redewen-dung von „Meinem Ding" durchsetzte, wurde noch nicht ausreichend ge-würdigt. Die Societygöre Ariane Sommer tut es, der Boxer Sven Ottke tut es und der Punk vom nächsten Eck tut es auch: „Ich mach mein Ding". Sie denke sich einfach, sagt das Glamourgirl, „ich bin Ariane Sommer, ich mache mein Ding, egal welches Label mir die Leute aufdrücken". Der alternde Austropopper Wolfgang Ambros verwahrt sich gegen ästhetische Renovierungstendenzen mit den Worten: „Ich mache mein Ding. Und das so gut ich halt kann." Wer unterstreichen will, dass ihm so ziemlich alles um ihn herum egal ist, wie etwa der Komödiant Hugo Egon Balder, der sagt: „Ich mache mein Ding." Wer sich verteidigen muss, sagt, wie der Raper Usher: „Ich bin nicht einfach. Ich mache mein Ding. Doch ich bin ein guter Kerl". Die Tennisspielerin Maria Scharapowa, entnervt, dauernd mit Anna Kurnikowa verglichen zu werden, insistiert: „Ich bin kein Anna-Klon, ich mache mein Ding."

Empirische Sozialwissenschaftler ziehen aus, befragen Teenager über ihr Verhältnis zu ihren Eltern und bringen in Erfahrung: „„Die machen ihr

Ding und ich mache mein Ding', ist seine Lieblingswendung", wie es in einer Studie über einen Youngster heisst, der am liebsten abhängt. Die Wendung annonciert maximale Lässigkeit, wie in der Formulierung der Beastie Boys: „Wir sind hier und machen unser Ding. Liebt uns oder hasst uns – wir sind für euch da."

Wahrscheinlich kann man heute kein Gespräch mit einem Teen oder einem Twentysomething führen, ohne dass die Redewendung fällt – „ich mach mein Ding". Das ist selbst schon den Kirchenleuten aufgefallen, was die natürlich gar nicht freut. „Ist das Leben alleine nicht einfacher? Wäre es nicht viel leichter, ich mache mein Ding für mich und brauche mich um die anderen gar nicht zu kümmern?", wird in einer Publikation des Christlichen Vereins Junger Männer gefragt. Schon kursieren im Internet Vorlagen für Predigten, in denen die demonstrative „Abgrenzung vom Nächsten" schwer in Frage gestellt wird, die in der modischen Wendung zum Ausdruck kommt.

Ursprünglich wohl dem amerikanischen Street Jargon entstammend, hat die Formulierung schnell den Sprung in die (Hoch-)Sprache des Alltags und ins Deutsche genommen. Noch heute ist „I do my thing" die symptomatische Formulierung der Rap-Kultur. Verwandelt zu „do the right thing" (wie im Spike-Lee-Film gleichen Namens) ist sie zum Imperativ geraten. Schon vor Jahrzehnten war die Wendung poetry-tauglich geworden, wie beim in Psychokreisen gern gelesenen Frederick Perls:

> I do my thing and you do your thing
> I am not in this world to
> Live up to your expectations
> and you are not in this world to
> live up to mine.
> You are you
> and I am I
> and if by chance we find each other
> it's beautiful.

Es ist eine Botschaft, die schon die Kleinsten erreicht, noch vor dem Kindergartenalter, etwa in Gestalt des Mira-Lobe-Klassikers vom „kleinen Ich-Bin-Ich", dem legendären kleinen bunten Tier, das keinem anderen gleicht und darüber tieftraurig ist, bis es erkennt und glücklich akzeptiert:

So, jetzt weiß ich,
wer ich bin!
Kennt ihr mich?
ICH BIN ICH!

Wer sein Ding macht, ist weder entfremdet noch unterjocht, sondern ganzer Mensch, frei, lebt das wahre Leben inmitten des falschen. Wer sein Ding macht, ist von Haus aus interessant, egal, ob andere Zugang zu „seinem Ding" finden oder nicht. Vielmehr zeichnet ihn aus, dass es ihm gleichgültig zu sein hat, ob andere „sein Ding" überhaupt verstehen. Er muss konsequent sein, sein Ding durchziehen. Insofern ist er radikal. Er verkörpert aber gleichzeitig die vom Zeitgeist geforderte Mäßigung: die Legitimität anderer, ihr Ding gleichfalls zu machen, kann er nicht in Abrede stellen. „Ich mache mein Ding", ist die zeitgemäßeste Redewendung unserer Zeit, weil sie die Paradoxien zum klingen bringt, von denen diese Zeit randvoll ist.

So ist es durchaus folgerichtig, dass empirische Sozialforscher beim Versuch, konturierte gesellschaftliche Milieus voneinander abzugrenzen, ein Phänomen aufgespürt haben, das sie mit dem Begriff des „Neo-Existentialismus" beschreiben. Im Word-Rap der Sinus-Milieu-Forschung liest sich das so: „Lebensziel: Ungehinderte Entfaltung der eigenen Persönlichkeit. Vielfältige Erfahrungen suchen, herausfinden, was man kann und was zu einem paßt; Zurückweisung von äußeren Zwängen ... Patchwork-Biografien. Lustvoll und intensiv leben: bis hin zu Grenzerfahrungen ... ‚plurale Identitäten': mit unterschiedlichen Lebensstilen experimentieren, in verschiedenen Szenen; ... in Bewegung sein". Es handelt sich um Milieus, denen „soziale Gerechtigkeit" ebenso wichtig ist wie „Selbstverwirklichung, Individualität, Freiräume für sich selbst schaffen (auch gegen alle Sachzwänge)" und die „Ablehnung ‚sinnentleerten' Konsums." Schon werden diese Kreise unter dem Begriff „gesellschaftliche Leitmilieus" verbucht.[6]

Die Identifikation dieses Phänomens mit dem Begriff „Neo-Existentialismus" trifft die Sache wahrscheinlich ziemlich exakt. Tatsächlich grassiert so etwas wie ein Neo-Existentialismus. Vielleicht nicht als ausformulierte Philosophie, aber als Habitus, als Lebensform. Erinnern wir uns kurz an den klassischen Existentialismus, sowohl als Denken wie auch als Mode (die Philosophie-Professoren mögen die Zwanzig-Sekunden-Erklärung verzeihen ...). Dessen Gedankenreihen gingen in etwa so: Der Mensch ist in die Welt geworfen. Er hat kein Wesen, das seiner Existenz vorausgeht. Er muss sich erst selbst erschaffen. „Der Mensch ist nichts anderes als das, wozu er sich macht", formulierte Jean-Paul Sartre.[7] Und, in einer berühmten Wendung: Er „ist dazu verurteilt, frei zu sein". Er muss täglich seine Entscheidungen treffen, um seiner Existenz Sinn zu verleihen – und keine ewigen Werte helfen ihm dabei. „Er existiert nur in dem Maße, in dem er sich verwirklicht." Diese Philosophie ist natürlich auf einen individualistischen Grundton gestimmt: vor dem Abgrund der Existenz ist der Einzelne allein. Aber er kann diese Fragen mit Anderen beantworten, seine Antwort wird zudem einen bestimmten Entwurf für das Zusammenleben mit Anderen beinhalten und seine eigene Antwort ist natürlich auch immer eine Forderung an andere. Wirksam ist ein solches Denken, wenn es zur Mode wird, zur Haltung. Untrennbar ist mit ihm eine gewisse Verachtung für Konventionen und für das banale, vorfabrizierte Meinen verbunden. Als Lebensform entsprechen ihm alle Spielarten des Rebellentums und jeder elementare Lebensrausch. Schnell stößt es auf die Frage: „Wie weit bin ich bereit zu gehen?" Ich entwerfe mich selbst und mache mich selbst zum Einsatz. Der Existenzialist bricht lieber alle Brücken hinter sich ab, als dass er sich aus Feigheit fügt, als dass er mitmarschiert im Gleichschritt.

Wir können das Netz nunmehr zuziehen. Resistenz im Kulturkapitalismus handelt also, wie gezeigt wurde, ganz wesentlich von Identität. Die Objektivierungen, für die früher repressive und ideologische Staatsapparate sorgten, werden heute über den Markt erledigt (nicht allein, gewiss, aber zunehmend). Die existenzielle Wende oder die Politisierung des Lebens der 70er Jahre mit Feminismus, Alternativbewegung, Gender- und Schwulenthematik waren daher womöglich nur erste Vorboten der neuen, vielleicht subtileren Auseinandersetzungen. Sie sind „unmittelbarer" als die alten Klassenkämpfe, weil sich für die Akteure viel drängender die Frage stellt: Was hat das alles mit mir, gewissermaßen mit mir persönlich zu tun? Mit meiner Seele, meinem Körper, meiner Sexualität, dem, was ich sein will. Kollektivistische und individualistische Motive halten sich dabei auf komplizierte Art die Waage. Sie betonen alles, was die Individualität des Individuums ausmacht. Das Recht auf Anderssein wird verteidigt. Aber doch auch die Verbindung des Individuums zu anderen – sei es durch die Betonung kollektiver Identitäten oder sei es durch die gleichzeitige Betonung von Gleichwertigkeit und Differenz („Ich will, dass meine Lebensweise, die anders ist als die anderer, als gleichwertig respektiert wird").

So kehrt die Frage nach dem richtigen, nach dem gelingenden Leben, die lange unter schwerem Kitschverdacht stand, wieder zurück. Als Frage – die

7 Jean-Paul Sartre: *Der Existentialismus ist ein Humanismus und andere philosophische Essays.* Reinbek bei Hamburg 2000

eine Antwort andeutet. Denn die Antwort selbst ist natürlich, dies ist gewissermaßen der Betriebsmodus des Existentialismus, dem Einzelnen abverlangt. Welche Fragen sind das also, die die Jungen im Kopf haben, die sich selbst entwerfen, mit pluralen Identitäten spielen, die sich aus dem Fundus der vorhandenen Rollen-Codes ihren eigenes Puzzle zusammenmixen, die, kurzum: Ihr Ding machen?

Sie lauten in etwa so: Wer will ich sein? Wie will ich mich erfinden? Wie komme ich zu einem authentischen Ich, wie kann ich „echt" sein, ich selbst sein – jenseits aller gesellschaftlicher Imperative und dem Hamsterrad? Wie will ich leben? Was macht eine sinnvolle Existenz aus? Auch wenn die Frage jedem Einzelnen abverlangt ist, so richtet sie sich doch an alle und die Antwort zielt auf alle ab – weil sie, wie das schon Sartre formulierte, „ein Bild des Menschen hervorbringt, wie er unserer Ansicht nach sein soll". Allergisch auf Konventionen, herrschende Imperative, die Objektivierungen von Ideologie, Staat und Markt, die vorgefertigten Imaginationen, die die Subjekte anherrschen, die je existierende Ordnung passiv zu leben, resultiert sie hauptsächlich in Verweigerungshaltungen: oft in einem diffusen Dagegensein. In Emigration, weg vom großen Marktplatz – „Exodus" und „Nomadismus" nennen das Toni Negri und Michael Hardt, die aktuellen Stichwortgeber der avancierteren rebellischen Theorieszenerie. Einige Vorstellungen, was ein richtiges Leben ausmacht, haben heute alle im Kopf: Nicht als Ware behandelt werden und andere nicht als Ware behandeln; noch echte Erlebnisse, echte Leidenschaften haben statt den vorgefertigten Rausch aus der Tube und die kommerziell verabreichten Distraktionen; etwas „Sinnvolles" tun, darin die eigenen Fähigkeiten und Kreativitäten entwickeln statt nur primär Geld zu machen; dies alles für sich und mit anderen. Oft äußert sich das gar nicht in erster Linie politisch, sondern in privaten Ausbruchsversuchen. Doch wenn der Kulturkapitalismus auf das Innere, auf Affekte und Gefühle jedes Einzelnen abzielt, dann ist natürliche auch die private Revolte nie nur privat.

Wir sehen: Der Neo-Existentialismus hat eine große Zukunft. Die Blinden reden vom Utopieverlust.

Konstantin Luser: *Helm*
Mit Intarsien aus Eichen-, Oliven-, Nuss-, Aprikosen-, Zitronenholz
Transferprojekt Damaskus 2001/2003

„Latente Destruktionskräfte, patriarchalische Grundmuster,
die Schlechterstellung von Frauen, pseudo-demokratische
Strukturen, Militarismen, staatlichen Terror,
Rechtlosigkeit, politischen Einfluss des Klerus oder
Aggressionspotenziale von Deklassierten (und Machthabern)
als Überspitzungen von weltweit Ähnlichem zu begreifen,
eröffnet eher Zugänge als jedes Beharren
auf unüberbrückbaren Differenzen."

Christian Reder

Christian Reder

Die fremde Religion war nie ein Problem, was geglaubt wird schon

Sofern sich der angeblich so einheitlich Gesellschaften prägende Islam bei meinen Reisen und Projekten als blockierender Faktor erwiesen hat, dann in von politischer Aussichtslosigkeit angeheizten Situationen

Orientalist oder gar Islamkenner zu werden, ist mir nie in den Sinn gekommen. Ich hatte aber in von solchen Begriffen eingegrenzten, stigmatisierten, aus europäischer Sicht fremden Gegenden über Jahre hinweg immer wieder zu tun, dort sogar durchaus interessante Arbeitsmöglichkeiten gefunden, offensichtlich um möglichst oft „das Weite zu suchen", andere Formen von Intensität, und nicht in Österreichischem zu ertrinken. Aus Schauen, Zuhören, Fragen, Mitleben, Gesprächen, Büchern sind fragmentarische Einsichten geworden; wie diese Sphären einander ergänzen, darüber werde ich mir nie ganz klar werden. Asien habe ich zuerst 1970, zu Beginn meines eigentlichen Berufslebens, von Istanbul aus betreten, von der Fähre über den Bosporus aus. In Nordafrika war die erste Station Tanger, auf einer Autoreise von Wien in die zentrale Sahara drei Jahre später. Der Land- und Seeweg ist dafür wichtig gewesen, als erlebbare Annäherung. Für erste Erfahrungen mit „wirklicher" Fremde hatte ich mir zu Beginn des Studiums (sinniger Weise Staatswissenschaften, damals völlig politikfern) die Sowjetunion ausgesucht, um tatsächlich wo anders hin – nach Kiew, Moskau, Leningrad – zu kommen. Nach dessen Abschluss schien es angebracht, in der Gegenrichtung die USA und Mexiko zu erkunden. Das zur „geopolitischen" Prägung in jungen Jahren. Englischkurse in Bournemouth und Oxford sollten einem das Leben praktikabler machen. Die Bildungsreisen nach Italien, also Lignano, Riccione, Ischia, dazu Venedig, Florenz, Rom, Neapel waren schon in früheren Familienurlauben absolviert worden. Damals schien sich die Welt zu öffnen, ganz konkret, auf Alltägliches bezogen, war es doch kein großes Problem mit dem VW-Bus bis Indien zu kommen oder als Türke in Deutschland Arbeit zu finden, so wie manche von uns im Sommer in Schweden. Wer im Tross von Ibn Saud einen Chauffeursposten ergatterte, wenn dieser zu medizinischen Check-ups nach Wien kam, konnte – so kursierende Stories – mit fürstlichem Lohn und vielleicht sogar einer goldenen Uhr rechnen. Im Rückblick erscheint das alles als irreale Übergangsphase hin zu höchst einseitigen Globalisierungsvorteilen.

Selbst touristisch ist die unmittelbare Umgebung Europas inzwischen nicht mehr so ohne weiteres zugänglich und in umgekehrter Richtung ist längst die Abweisung zum Prinzip geworden. Das befreite Algerien wurde zum riskanten Gebiet, allein dort gab es im Bürgerkrieg annähernd so viele Tote wie bei der Flutwelle in Südostasien. Libyen stand bis vor kurzem auf der Schwarzen Liste. In Ägypten, ältestes Ziel von Orientreisen, wird einem vom Betreten vieler Zonen abgeraten; seit Sadats Ermordung herrscht Ausnahmezustand. Israel, das Westjordanland und der Gaza Streifen (insgesamt kaum größer als Wien, Niederösterreich und das Burgenland, aber mit 10 Millionen Einwohnern drei mal so dicht besiedelt) blieben bekanntlich zentraler Krisenherd der Region. Reste Ex-Jugoslawiens und Albanien werden von der bis ans Schwarze Meer erweiterten EU eingekreist. Zu Russland, Moldawien, der Ukraine erreichen einen hauptsächlich Korruptionsgeschichten und zur Kaukasusregion Kriegsberichte. Im Irak gibt es nach dem „Frieden" mehr Opfer als zuvor, im Iran wartet alles auf einen Generationswechsel. Afghanistan war ein Vierteljahrhundert lang Kriegsschauplatz mit einer Million Getöteten, das Grenzgebiet mit Pakistan wurde zur exemplarischen Basis islamistischer Terroristen aufgebaut. Überall ist eine Massenarmut und der große Anteil von Jugendlichen signifikant.

IRAN | AFGHANISTAN | PAKISTAN | SYRIEN | LIBYEN Einiges von diesen Umbrüchen in der seit der Antike als Mittelmeerkultur betrachteten Region habe ich ziemlich unmittelbar miterlebt. Als Berater der Iranischen Staatsbahnen war ich 1976 in Teheran stationiert; von der damals begonnenen Reform der Deutschen Bundesbahn her kommend sollten Consultants an deren Modernisierung mitwirken. Im misstrauischen Klima der Shah-Endzeit ist nicht allzu viel daraus geworden. Mir schien nach den Erfahrungen dort eine Wende wünschenswert. Was Khomeini und sich radikalisierende

---

1 Christian Reder: *Afghanistan, fragmentarisch.* Edition Transfer, Wien-New York 2004

2 Christian Reder (Hg.): *Sound. A Collection of Poems by Ali M. Zahma, Farsi mit englischer Einführung,* Eigenverlag, Wien 2005

islamistische Fundamentalisten schließlich anrichten würden, war noch nicht absehbar, auch nicht, was die „islamische" Wende 1979/1980 für Folgen haben würde: Sturz von Shah Mohammad Reza Pahlawi, Massaker im Zuge der Besetzung der Moschee in Mekka, sich internationalisierende Mudschaheddin-Bewegung nach der sowjetischen Besetzung Afghanistans, Angriff Saddam Husseins auf den Iran. Im Irak, in den ich nur mit einem fiktiven Geschäftsvisum hatte einreisen dürfen, habe ich wochenlang kaum Europäer, aber wenigstens noch wunderbare, erst in den kommenden Kriegen verwüstete Gebiete im Süden gesehen. Dass im Islam „an sich" etwas Feindseliges verborgen wäre, wie es eine gewisse Art von Kommentatoren nun unverdrossen behauptet, wäre einem damals nie in den Sinn gekommen. Erstaunlich war eher, wie gleichmütig distanziert die Hippie-Invasion und der beginnende Massentourismus als merkwürdiger Ausdruck westlicher Freiheiten wahrgenommen wurde. Gesprächsweise war Politik omnipräsent, zugleich aber etwas Fernes. Alltägliches ist bestimmender gewesen. Solche Erinnerungen an sich noch mit erkennbaren Perspektiven entwickelnde Gesellschaften (auf die in diesem Band auch Zaha Hadid eingeht), problematisieren umso mehr, auf Grund welcher Konstellationen es seither zu vielfach aussichtslos erscheinenden Zuspitzungen kommt.

Auf neuerlichen Reisen in Algerien war bereits zu spüren, dass es nicht „linear" weitergehen würde. Die Stimmung war aggressiver als früher, Frauen waren aus der Öffentlichkeit weitgehend verschwunden, vom Ölreichtum hatten offensichtlich nur wenige profitiert. In Ägypten oder Marokko ließ sich noch ein Echo feudaler Orientromantik erleben; abseits gängiger Routen war auch dort, vor allem in Städten, ein abweisendes Elend unübersehbar. Dennoch konnten andere Lebensrhythmen, die gerühmte Gastfreundschaft, Variationen höflich-würdevollen Verhaltens überall immer wieder so erfahren werden, dass eigene Konventionen höchst blass dagegen wirken. Über meine Mitarbeit im *Österreichischen Hilfskomitee für Afghanistan* (1980–1994) war ich schließlich für Jahre in eine hoffnungslose Kriegs- und Flüchtlingssituation involviert, mit häufigen Aufenthalten in Pakistan und Afghanistan. Eine Reise nach Kabul 2003 war Anlass für die Publikation eines Berichtes über diese Zeit.[1] Diskussionen über höchst notwendige Bücher in Landessprachen haben zur Herausgabe eines Farsi-Gedichtbandes von Ali Mohammed Zahma geführt, eines der wenigen afghanischen Intellektuellen, die den Terror der Rechten und der angeblich Linken überlebt haben. Schließlich war ihm Poesie wichtiger erschienen als zuerst geplante biografische Texte zu politischen Konflikten, zu Gefängnis und Folter.[2] Um Transfers von der Universität für angewandte Kunst aus zu forcieren, bin ich ab 2001 mit Lehrenden und Studierenden wochenlang im mehr oder minder als „Schurkenstaat" gehandelten Syrien gewesen, in einer Phase, als sich kaum Touristen dorthin verirrten. Die deutsch/arabische Publikation über Entstandenes dokumentiert, zu welchen textlich-visuellen Beiträgen dieses freie Arbeiten in fremder Umgebung angeregt hat und wie arabische Positionen einbezogen werden konnten. So kommt der Proust-Übersetzer Jamal Chehayed zu Wort, der Stadtforscher Nazih Kawakibi, der freigeistigste arabische Philosph Sadik J. Al-Azm oder der aus dem Libanon stammende Schriftsteller Amin Maalouf.[3] Dass schließlich in der

Transferprojekt Sahara 2003/2004

Transferprojekt Schwarzes Meer. Phase I Donau 2005

Syria Times und anderen Medien spaltenlang über unser Projekt berichtet wurde, das auf kaum einer Ebene im Land geläufigen Vorstellungen von künstlerisch-wissenschaftlichem Arbeiten entsprochen hat, war ein auffälliges Liberalisierungszeichen. Insgesamt sind über hundert Studierende in Syrien gewesen, viele nutzen weiterhin die dort geschaffenen Kontakte. Über ebenfalls privat finanzierte Startstipendien für syrische Gäste konnte zum

3 Christian Reder / Simonetta Ferfoglia (Hg.): *Transferprojekt Damaskus*, deutsch/ arabisch, *Edition Transfer*, Wien-New York 2003
4 Christian Reder / Elfie Semotan (Hg.): *Sahara. Text- und Bildessays, Edition Transfer*, Wien-New York 2004

Austausch beigetragen werden. Das Folgeprojekt in Libyen zielte primär auf die Erfahrung „Wüste" ab, um sich Nordafrika – dem Raum und der Zeit – gleichsam von Innen her zu nähern und es mit in Europa, dem einzigen Kontinent ohne Wüsten, wirksam gebliebenen jüdischen/christlichen/muslimischen Vorstellungen von solchen Extremen und diversen Orientalismen in Beziehung zu setzen. Fotos von Elfie Semotan und Michael Hoepfner verschieben, so wie manche Texte, vorgeprägte Zugangsweisen. Der Filmmacher Peter Kubelka denkt anhand gefundener Steine über „Ursprünge von Kunst" nach, Burghart Schmidt, Ernst Strouhal (fixe Teilnehmer meiner Projekte) oder Manfred Faßler, Claus Leggewie, Rainer Metzger, Aram Mattioli kommentieren spezielle Positionen.[4] Als Nächstes gilt das Interesse dem europäischen Osten (*Transferprojekt Schwarzes Meer*. Donau, Odessa, Jalta). Wer in einer solchen topografischen Streuung Zusammenhänge zu sehen glaubt, wird sie erkennen. Im Kern geht es um experimentelles Ausprobieren verschiedener Formen von Praxis und gedanklicher Transfers in eher fremden Umgebungen, in unvorhersehbaren Figurationen, mit zu Beginn unplanbaren Resultaten – und darum, Vielstimmiges, Kollektives, aber dennoch Orientierendes immer wieder zu versuchen.

SADIK J. AL-AZM | AMIN MAALOUF Was jedem, der sich mit der Situation beschäftigt, geläufig ist, wird auch in tiefer gehenden Gesprächen in Syrien oder Pakistan hervorgehoben. Alles dreht sich um den ungelösten Konflikt zwischen Israel und den Palästinensern. Er wird für die Blockade positiver Entwicklungen verantwortlich gemacht. Den durchwegs autoritären, von Geheimdiensten abgestützten Regierungen der Region erleichtere das, gewohnte Verfahren und Strukturen beizubehalten und hoch militarisiert zu bleiben. Als zweiter Destruktionsfaktor gilt das reiche, seit langem Radikalisierungen fördernde Saudi-Arabien. Die doppelbödige US-Unterstützung in beiden Fällen, inklusive Missachtung diverser UN-Resolutionen, erschwert jedes Verständnis für westliche Positionen. Dennoch streben, zumindest gedanklich, viele in den Westen, gewohnt an multiple Identitäten. Das Verschwinden des Realsozialismus als zweiter Kraft zwingt offensichtlich viele dazu anderen Halt – und andere Glaubensinhalte – zu finden. Weil alles „Moderne" aus dem Westen stammt, ob Waffen, Telefon, Auto oder Fernsehgerät, sind Unterlegenheitsgefühle latent. Noch vor demokratiepolitischen Änderungen, die angesichts der Verfolgung Oppositioneller nur vorsichtig angesprochen werden, wird von beruflichen Perspektiven geträumt.

Zu durcheinander geratenen Ordnungsvorstellungen gab mir der syrische Philosoph Sadik J. Al-Azm (*Unbehagen in der Moderne. Aufklärung im Islam*, Frankfurt am Main 1993), bezogen auf sich inzwischen einseitig fortsetzende Entwicklungen während des Kalten Krieges lakonisch zu Protokoll: „In der Sowjetunion gibt es eine offizielle Linie, aber keiner nimmt sie ernst, in den USA gibt es keine offizielle Linie, aber jeder glaubt an sie." Weiterhin „bestimmend für die Tendenzen der Berichterstattung ist die inoffizielle offizielle Linie", wie er das nennt.

Unerwünschte, selbst liberale Gegenpositionen kommen medial kaum wo vor. Das Interesse konzentriert sich auf Extreme und wertet sie damit auf. Angesichts krasser Unterschiede bringe es nichts, von islamischen Gesellschaften zu sprechen, schon gar nicht als Gegensatz zu „christlich": „Die europäischen Gesellschaften sind postchristlich, diesen Eindruck habe ich von ihnen. Für Länder des Mittleren Ostens gibt es kein korrektes Wort in diesem Sinn. Ihre vielfältige Realität lässt sich nicht in ein Konzept fassen." Einmal stehe Arabisches im Vordergrund, dann Nationales, oft einfach Geografisches. „Verbindend ist in erster Linie das Gebiet, in dem wir leben. Sicher gibt es dabei auch eine islamische Tradition. In den Ländern, die wir im Auge haben, ist die Mehrheit der Bevölkerung muslimisch und der Islam ist eine wirklich funktionierende Religion mit großer Bedeutung für das Leben der Menschen, für ihr Verhalten, ihre Wertvorstellungen. Bis jetzt jedenfalls ist der Islam noch nicht in Folklore verwandelt worden. Auch die Lebenswelt von Christen, von Juden, von völlig säkularen Menschen ist in dieser Region stark islamisch geprägt. Ich kenne Christen, die sagen, wir sind, kulturell gesehen, zu achtzig Prozent Muslime."[5]

Amin Maalouf (*Mörderische Identitäten*, Paris 1998 / Frankfurt am Main 2000) denkt über solche Zusammenhänge ähnlich offen, wenn er in unseren Gesprächen betont: „Wir schleppen unsere Prägungen mit, die jedem Beruf bestimmte Attribute zuweisen, jede Nation irgendwie charakterisieren, die Geschichte, Kriege, Animositäten zum Teil der Traditionen machen. Langsam aber sollte klar werden, dass wir gerade dabei sind, die Phase, in der Nationen die Weltbilder – und Bilder von Fremden – geprägt haben, zu verlassen."

Als längst in Paris lebender Araber aus christlicher Familie findet er für Diskriminierungen erstaunlich moderate, fast mitleidige Worte: „Aus welchen Gründen werden die kulturelle Prägung einer Person, ihr Aussehen, jedes Zeichen von Herkunft um so viel wichtiger genommen als andere Aspekte?

5 Sadik J. Al-Azm im Gespräch mit Christian Reder, in: *Transferprojekt Damaskus*, deutsch/arabisch, *Edition Transfer*, Wien-New York 2003, S. 23ff.

Die Tendenz, sich auf ein Merkmal zu konzentrieren, ist sicher sehr stark; es ist aber bloß mieses Benehmen, wenn religiöse oder ethnische Zugehörigkeiten als das Dominante gesehen werden." Zentrales Defizit sei die mangelnde Auseinandersetzung mit der Moderne, mit Europäischem also; einiges davon „ist vom Besten, einiges vom Schrecklichsten; aber all das lässt sich nicht umkehren. Für außerhalb stehende Zivilisationen hat das bedeutet, und bedeutet es noch immer, sich der Frage zu stellen, wo sie stehen, was vom Westen übernommen wird und wie die Vergangenheit fortgesetzt werden könnte, ohne ständig auf Europa zu starren. Alle diese Fragen sind nicht beantwortet, am wenigsten in der arabischen Welt selbst." Dazu würde selbstverständlich die Beschäftigung mit Differenzen gehören, also „was gibt es sonst noch, das unser Menschsein bestimmt, das uns in gewisser Weise anders macht, aufgrund der Geschichte, der Art zu leben, der Gefühlswelten? Und wie könnte uns das darin bestärken, in offenen Perspektiven zu denken – über die Welt, über uns selbst?" Dass die Blockaden und Turbulenzen in allen diesen Gesellschaften nach struktureller Neuordnung verlangen, sei unübersehbar. Aber: „Falsch ist es, Derartiges immer mit Religion, als dem Hauptbezug, in Zusammenhang zu bringen. Damit deklarieren sich die Beobachter mehr als ihr Beobachtungsobjekt. Um es klar zu sagen: Ich bin völlig überzeugt davon, dass Religionen keine Antworten dazu liefern können, was wir in nächster Zukunft zu bewältigen haben. Ich glaube auch nicht, dass die islamische Welt derzeit auf irgendeiner Ebene die Kapazität hat, sei es auf politischer, ökonomischer, intellektueller oder moralischer Ebene, Alternativen zur herrschenden westlichen Zivilisation zu offerieren."

Essenzieller Teil des Problems, eine Hauptursache der Rückständigkeit sei, „dass in diesem Teil der Welt die den Frauen zugewiesene Rolle völlig unakzeptabel ist", „das führt zu einer Infantilisierung der Gesellschaft". „Es ist einfach undenkbar, Frauen weiter zu separieren." Zugleich sei es absurd, Kopftuch, Gesichtsschleier, Dschellaba primär als aggressive muslimische Symbole zu betrachten, denn letztlich „repräsentieren sie bloß, wie Römer und frühe Christen ausgesehen haben". Wegen solcher Analogien werden traditionell gekleidete Frauen in Syrien übrigens oft ironisch „Nonnen" genannt; dermaßen ernst wie anderswo wird das Thema nicht genommen. „Von islamischen Gesellschaften zu sprechen," so Amin Maalouf, „ist auf die gleiche Weise falsch wie der Begriff christliche Gesellschaft, selbst wenn damit nur die traditionelle kulturelle Orientierung gemeint ist."

Sich gegenseitig die Geschichte vorzuwerfen, würde für die seit Jahrhunderten machtvollere Seite nicht gerade gut aussehen, bis hin zu Sebrenica, dem jüngsten Massenmord an Muslimen in Europa. Völlig offensichtlich sei jedoch, dass für kulturelles Schaffen, für seriöse Forschung politische Freiheit, Kontakte, Institutionen notwendig sind. Aber: „Die Zahl der Lesekundigen ist vergleichsweise sehr klein. Literatur wird noch immer nicht als große Kunst angesehen. Auf Buchmessen in der arabischen Welt verkaufen sich religiöse Bücher am besten, dann einige politische, etwas Dichtung und erst zuletzt einige Romane." Auch die überall präsente Musik fordere nicht zu Differenzierungen heraus, „die Leute sehen das nicht als ‚Kultur'; es ist Teil ihres täglichen Lebens, des Fernsehprogramms".

Manchen Fremden werden ausdrücklich konstruktive Funktionen zugewiesen, denn „Beobachter von außen sind da oft viel offensiver. Sie suchen nach unseren Absichten, nach unseren Zielen. In unserer Realität aber gibt es keine Absichten, keine Richtungen." „Spezialisten für die Geschichte des Mittleren Ostens finden sich in Europa viel eher als in der Region selbst." Wie auf heimische Sphären passend klingt sein folgendes Statement: „Die Menschen fragen einfach zu wenig, was rundherum vor sich geht. Die wenigen, die es tun oder getan haben, sind immer als unerwünscht angesehen worden; irgendwann schweigen sie oder gehen weg."[6]

AMNESTY | JAQUES DERRIDA | ABDELWAHAB MEDDEB | LORETTA NAPOLEONI | GLORIA STEINEM Zum alles überstrahlenden Thema „Terror" stellt der Jahresbericht 2004 von Amnesty International fest: „Der von den USA ausgerufene ‚Krieg gegen den Terror' führte im nahöstlichen und nordafrikanischen Raum zu einer weiteren Aushöhlung der Menschenrechte." Inwieweit das auch anderswo zutrifft, belegen die Länderrecherchen aus aller Welt. Zugleich „entzündeten sich Diskussionen über Reformen in Politik, Justiz und Gesetzgebung" heißt es weiter trocken, „vor allem Gruppen der Zivilgesellschaft forderten die Wahrung der Rechte auf freie Meinungsäußerung und Vereinigungsfreiheit ein, verlangten eine stärkere Beteiligung an der Regierung und wandten sich gegen frauendiskriminierende Gesetze und Praktiken."[7]

6 Amin Maalouf im Gespräch mit Christian Reder, in: *Transferprojekt Damaskus*, deutsch/arabisch, *Edition Transfer*, Wien-New York 2003, S. 349ff.

7 ai – amnesty international Jahresbericht 2004, Frankfurt am Main 2004, S. 577

8 Jaques Derrida in: Jürgen Habermas / Jaques Derrida: *Philosophie in Zeiten des Terrors. Zwei Gespräche, geführt, eingeleitet und kommentiert von Giovanna Borradori*, Berlin 2004, S. 148-155

9 Abdelwahab Meddeb: *Was ein Krieg bringen kann. Gründe, Motive und Folgen – Chroniken zur Intervention im Irak*, in: Lettre international, Berlin, Nr. 61/2003

10 Loretta Napoleoni: *Die Ökonomie des Terrors. Auf den Spuren der Dollars hinter dem Terrorismus* (London 2003), München 2004, S. 18

Kurz vor seinem Tod hat auch Jaques Derrida, mit jüdischem Familien-
hintergrund in Algerien geboren und aufgewachsen, zur Lage in diesen Ländern Stellung genommen (Jürgen Habermas / Jaques Derrida: *Philosophie
in Zeiten des Terrors*, Chicago 2003 / Berlin 2004) und betont: „Was man
in diesem Kontext die ‚Terroristen‘ nennt, das sind nicht ‚die Anderen‘,
die absolut Anderen, die wir ‚Westlichen‘ nicht mehr verstehen. Vergessen
wir nicht, dass sie oft seit langem auf westliche Art ausgebildet, trainiert
und bewaffnet wurden durch einen Westen, der selbst im Lauf seiner neueren und jüngsten Geschichte das Wort, die Technik und die ‚Politik‘ des
Terrorismus erfunden hat." Auf die Region bezogen sei klar, dass Saudi-
Arabien trotz seiner Allianz mit den USA „alle Nester des Fanatismus, sprich:
des arabisch-islamischen ‚Terrorismus‘, in der Welt versorgt".

Auch Verstöße der USA oder Israels gegen internationale Verpflichtungen
müssten endlich „abschreckenden Sanktionen" unterliegen. Im herrschenden „Durcheinander" ergäbe neben einer Stärkung der UNO und einem
Internationalen Gerichtshof vor allem „ein möglicher Unterschied zwischen
einer neuen Gestalt Europas und den Vereinigten Staaten am meisten Hoffnung". Er setzte explizit auch auf solche „Europäer", die „‚in Europa‘ sein
können, ohne auf dem Territorium eines europäischen Nationalstaates
leben zu müssen".[8] Auch einem Tunesier wie Abdelwahab Meddeb wäre
„die europäische Nuance" die geeignetere Kraft, um „jene beiden Trieb-
kräfte der Welt, das Alte und das Neue, den Orient und den Okzident, zu
schützen und zu bändigen".[9]

Inwieweit die gesamte – keinesfalls nur „islamistische" – „New Economy"
des Terrors (geschätzter Jahresumsatz: 1,5 Billionen Dollar) bereits mit dem
internationalen Wirtschaftssystem verzahnt ist, über Drogen, Waffen,
Schutzgelder, Wegzölle, Geldwäsche bis hin zu „Schattenstaaten", zeigen
die Recherchen von Loretta Napoleoni akribisch auf. Aus dem Hintergrund
mitwirkende kommerziell motivierte „Kräfte in der islamischen Welt", die
sich vom Westen behindert fühlen, spielen eine höchst zwiespältige,
Destabilisierung finanzierende Rolle. Offensichtlich ist dabei „die Religion lediglich ein Werkzeug, um Kämpfer anzuwerben. Die eigentliche
Triebkraft sind wirtschaftliche Interessen."[10]

Eine offensive Autorin wie Gloria Steinem wiederum berichtet aus den USA
so, als ob sie damit ein fundamentalistisches Mullah-Regime meinen würde,
denn die jüngsten Wahlergebnisse seien durch Aktivierung „eines Systems
der Wählerstimmenoptimierung auf dem Nährboden der Kirche", durch
ein „Netzwerk von tausenden christlichen Kirchen und Millionen von selbst
ernannten Evangelikanern" sowie wegen völlig unzureichender Information

durch die Medien ermöglicht worden, „obwohl Meinungsumfragen zeigen, dass die Haltung der Amerikaner in fast allen Punkten liberaler ist als die Bush-Regierung". Essenzielle Staatsgrundlagen, verdeutlicht an Intentionen eines Thomas Jefferson, der geraume Zeit „mit der Bearbeitung des Evangeliums verbrachte, um die antidemokratischen Passagen zu eliminieren", würden negiert. „Die Gründerväter wären entsetzt über Bushs Behauptung, mit Gott Unterredungen im Oval Office zu führen, ganz zu schweigen von den Milliarden Steuerdollars, die er seiner christlichen Basis für ‚Initiativen auf Glaubensbasis' gegeben hat."[11]

MORALISIERENDE MISSVERSTÄNDNISSE Für die USA werden offiziell 140 Millionen Protestanten, 62 Millionen Katholiken, 5 Millionen Juden und 5 Millionen Muslime (überwiegend zum Islam übergetretene Afro-Amerikaner) angegeben; Ungläubige kommen in dieser Aufstellung nicht vor.[12] Die Vergleichsdaten für Wien könnten daran erinnern, dass es schon wesentlich heterogenere Zuwanderungsphasen erlebt hat: 49,2 % römisch-katholisch, 25,6 % ohne Bekenntnis, 7,8 % Muslime, 6,0 % orthodox, 4,7 % evangelisch, 6,7 % andere bzw. keine Angaben.[13] Allein schon der vor allem im Westen minimale Prozentsatz tatsächlich aktiv am Ritus Teilnehmender macht angebliche religiöse Orientierungen ganzer Gesellschaften fragwürdig.

Ohne Bekenntnis zu sein (eine Analogie zu Nichtwählern) wird in Europa zwar in der Regel toleriert, spielt aber politisch nur verhalten eine Rolle; in den USA oder in Ländern mit muslimischer Majorität wird es kaum verstanden. Wenn in den USA 5 Millionen und in der EU annähernd 20 Millionen Menschen als Muslime gelten, macht das – wie viele andere Faktoren – evident, dass nicht mehr von „externen" Einflüssen ausgegangen werden kann.

Solche Gruppen als Identitäten abzugrenzen und ihnen insgesamt ein besonderes, geheimnisvoll geleitetes Verhalten zu unterstellen, ist schon deswegen abwegig, weil damit klerikale Macht politisch inkorporiert, Extremismus aufgewertet und Liberalität marginalisiert werden. Es negiert auch, wie dominant längst ungeordnete, vermischte Formen von religiö-

11 Gloria Steinem: *Zurück zu Adam und Eva*, Der Standard, Wien, 31. Dezember 2004.
12 http://usa.usembassy.de/gesellschaft-religion.htm
13 Die Presse, Wien, 20. August 2004 (Quelle: Kath. Presseagentur)
14 Elias Canetti: *Die Provinz des Menschen. Aufzeichnungen 1942–1972*, München 1973, S. 189f.
15 Franco Cardini: *Europa und der Islam. Geschichte eines Missverständnisses* (Rom 1999), München 2000, S. 111, 107

sem und ideologischem Glauben und zugehörigem Unglauben geworden sind. Im übrigen ist Allah schlicht der arabische Name für Gott.

So sind auch Elias Canetti in seinen Aufzeichnungen aus Marokko eher geistige Querbezüge wichtig gewesen: „Die Religionen stecken einander an. Kaum geht man auf eine ein, wird die andere in einem lebendig." Nichtverstehen bewirkte in ihm mehr als jede Verständlichkeit, denn „für die Engländer, zu denen ich in Marokko sprechen musste, schämte ich mich, bloß weil ich zu ihnen sprach; sie waren mir dort sehr fremd. Noch fremder waren mir die Franzosen, die dort die Herren sind, und zwar Herren im Augenblick, bevor man sie verjagt. Die Anderen aber, die Leute, die immer da gelebt haben und die ich nicht verstand, waren mir wie ich selbst."[14] Eine solche unmittelbare Humanität im Nichtverstehen wäre Voraussetzung für vieles. Dem völlig konträre, immer wieder geschürten Polarisierungen ist Franco Cardini (*Europa und der Islam. Geschichte eines Missverständnisses*, München 2000) in erhellender Weise auf den Grund gegangen, denn er zeigt auf, wie stark seit jeher kolportierte Behauptungen, christliche Ethik sei geradezu das Gegenteil islamischer Ethik, von einem verordneten Erschrecken vor „jeder Art widernatürlicher Ausschweifung" geprägt sind, zu der Muslime angeblich angehalten würden, weil sie die „von Muhammad gewollte sexuelle Freizügigkeit an den Islam gebunden" habe. Erinnert wird auch daran, dass die ersten Muslime, abgesehen von den Beduinen, die Muttergöttinnen verehrten, „großteils christliche Konvertiten gewesen sind".[15] Dass sie nicht zurück gewonnen werden konnten, scheinen ihnen abendländische Kreise bis heute nachzutragen. Analoges gilt für die Aversionen gegen die verloren gegangene Metropole Konstantinopel/Byzanz/Istanbul. Seit sexuelle Freizügigkeit als Vorwurf gegen „die Fremden" nicht mehr zieht, wird ihnen ein ansonsten selbst propagierter puritanisch-patriarchalischer Rigorismus vorgehalten.

Zu Ausgrenzungen findet sich auch bei Hegel einiges: Für die alte Welt (deren ursprüngliche Götter mit Vehemenz vertrieben wurden) sei „das Mittelmeer das Vereinigende und der Mittelpunkt der Weltgeschichte". Amerika ist ihm „das Land der Zukunft", „Europa ist schlechthin das Ende der Weltgeschichte". Der Orient hingegen wäre längst „in die größte Lasterhaftigkeit versunken, die hässlichsten Leidenschaften wurden herrschend, und da der sinnliche Genuss schon in der ersten Gestaltung der mohammedanischen Lehre selbst liegt und als Belohnung im Paradiese aufgestellt wird, so trat nun derselbe an die Stelle des Fanatismus." Von diesem Fanatismus jedoch spricht er mit Respekt, denn der sei „eine Begeisterung für ein Abstraktes, für einen abstrakten Gedanken, der negierend sich zum

Bestehenden verhält. Der Fanatismus ist wesentlich nur dadurch, dass er verwüstend, zerstörend gegen das Konkrete sich verhält; aber der mohammedanische war zugleich aller Erhabenheit fähig, und diese Erhabenheit ist frei von allen kleinlichen Interessen und mit allen Tugenden der Großmut und der Tapferkeit verbunden. *La religion et la terreur* war hier das Prinzip, wie bei Robespierre *la liberté et la terreur.*" Beunruhigt hat ihn das nicht, denn „gegenwärtig [also um 1820/1830] nach Asien und Afrika zurückgedrängt und nur in einem Winkel Europas durch die Eifersucht der christlichen Mächte geduldet, ist der Islam schon längst von dem Boden der Weltgeschichte verschwunden und in orientalische Gemächlichkeit und Ruhe zurückgetreten."[16]

URBANITÄT | ABKOPPELUNG | DESINTEGRATION Nach diesem Stimmengewirr zum Thema Orient, Islam, Bewunderung und Bedrohung, zu dem ich vieles, mit Blick auf Leerstellen der Wissensgesellschaft, in meinem *Sahara-Lexikon* zusammengetragen habe, zurück zu Alltäglichem, wie es sich vor allem über Arbeitsbeziehungen erleben lässt. Als Übersetzer der umfangreichen Texte zum Damaskus-Projekt ins Arabische war mir Nabil Haffar empfohlen worden. Sein exzellentes Deutsch stammt aus der DDR, im Zuge unserer vielen Gespräche deklarierte er sich als Atheist und Sozialist, der aber am Freitag in die Moschee gehe, um Freunde zu treffen und kulturell nicht zu ostentativ abzuweichen. Dass er unsere Schriften zugleich auf politische Verträglichkeit hin kontrollierte war klar und durchaus beabsichtigt, sollte das Buch doch auch in Syrien präsent sein. Beanstandungen gab es keine, weil wir uns daran hielten, dass Kritik an Zuständen in der arabischen Welt kein Problem ist solange das unmittelbar in Frage kommende Land ausgespart bleibt.

Dazu Sadik J. Al-Azm: „Das Muster, gegenüber anderen höchst kritisch zu sein, im eigenen Bereich aber Kritik zu unterdrücken, ist für die meisten Regime und Regierungen der Region charakteristisch. Kritiker zu Agenten irgendwelcher ausländischer Mächte zu stempeln, gehört zum Standardrepertoire." Bei politischen Zuordnungen herrsche jedoch oft Verwirrung, denn „dass jemand wie Herr Haider hier akzeptiert wird, hat einen einfachen Grund, seine antiisraelische Position. Wenn dabei rassistische Haltungen mit ins Spiel kommen, so wird in zynischer Weise übersehen, dass

16 Georg Friedrich Wilhelm Hegel: *Vorlesungen über die Philosophie der Geschichte* (1821-1831), Stuttgart 1961, S. 147, 148, 168, 488, 491
17 Sadik J. Al-Azm im Gespräch mit Christian Reder, in: *Transferprojekt Damaskus*, Edition Transfer, Wien-New York 2004, S. 27

Rassisten sich nicht nur gegen Juden wenden, sondern genauso gegen alle anderen, gegen Araber, gegen Pakistani, gegen Asiaten, gegen Afrikaner und so fort. Araber tappen leicht in die Falle, in der europäischen Rechten den Feind des Feindes zu sehen. Sie glauben, es könnte ihnen nützlich sein. Das ist gefährlich, prinzipienlos, kurzsichtig."[17]

Zugleich konnte aber durchaus offen angesprochen werden, etwa mit Bassam Abo Abdallah, einem hohen Beamten im Wissenschaftsministerium, dass wir als entschieden urbane, gegen Rechtstendenzen eingestellte Gruppierung für die von solchen Kontakten überschattete Politik Syriens, mit entsprechender medialer Resonanz im Ausland, kein Verständnis hatten. Bemerkenswert ist immerhin, dass das wegen der Abwanderung seit der Gründung Israels entleerte jüdische Viertel von Damaskus als „ungeklärter Besitz" gilt – ein signifikanter Unterschied zu europäischen Konfiszierungen und späteren Restitutionsquerelen.

Zuerst hatte es geheißen, ohne staatliche Bewilligung dürften Ausländer kein Haus mieten; wir haben es einfach getan und nichts ist passiert. Tatsächlich in einer Stadt wie Damaskus zu wohnen, einzukaufen, Gäste zu empfangen und länger zu bleiben als dies touristische oder geschäftliche Rhythmen für gewöhnlich zulassen, hat allen Beteiligten sichtlich gut getan. Die sich überlagernden Stadtviertel mit Dutzenden Ethnien und Religionen (oft mit eigenen Rechtssystemen), der gelassene Umgang mit kulturellen Differenzen, die undurchsichtige Dynamik der Neustadt, das Warten auf Erneuerung konnte so immer wieder anders erlebt werden. Allein die fließend-höflichen Bewegungen tausender Menschen in den engen Bazaren würden Passanten westlicher Fußgängerzonen selbst in Trainingskursen nicht erlernen. Indem viele Projekte mit großartigen Handwerkern und hilfsbereiten Händlern entwickelt wurden, Firmen und Behörden einbezogen waren, hat sich die Stadt als ideale Bastelwerkstatt erwiesen. Was lange unmöglich schien, wurde plötzlich möglich.

Die Universität ist eine äußerst großzügige Anlage. Vieles dreht sich um tragfähige Kooperationen, berufliche Perspektiven. Wo die 11. September-Attacken Zustimmung fanden, warnten pragmatische Stimmen hellsichtig, dass es bald für Freude keinen Grund mehr geben werde. Der anfangs polizeilich geführte Kampf gegen Satellitenschüsseln ist aufgegeben worden. Internet-Verbindungen waren lange nur im Beisein von Kontrollorganen erlaubt, inzwischen gibt es Dutzende Internet-Shops. Reisen im Land und in Libanon, das sich wieder zur Schweiz des Mittleren Ostens formieren will – kaum sonst wo sah ich je so viele Luxusautos –, machen greifbar, welche Potenziale es gäbe. In wirtschaftlichem Sinn arm jedenfalls ist diese

Region nie gewesen. Auffallend sind die vielen von Stiftern finanzierten neuen Moscheen. Oft wird eine Lähmung beklagt, stärker sind Ängste vor einer Entfesselung spürbar.

Dass die Abkoppelung von den späteren Wohlstandregionen des Nordens mit dem Vorläufer heutiger Strategien, dem frühen „Freihandels-Imperialismus" eingesetzt hat, ist offenkundig. Denn gerade Ägypten und Syrien sind in der Reformära Mohammed Alis (1769–1849) mit ihren Manufakturen, der Baumwollindustrie, aber auch als Nutznießer von Orientmoden, durchaus auf dem Weg gewesen, ökonomisch mit europäischen Ländern mithalten zu können. So wie in Indien brachten vor allem von britischer Seite erzwungene, nur der mechanisierten europäischen Industrie nützliche massive Zollreduktionen die Wende; „in den darauf folgenden zehn Jahren brach die lokale industriell-gewerbliche Produktion zusammen". Im gesamten, vielfach nur noch lose zusammenhängenden Osmanischen Reich kam es zu einem wirtschaftlichen Niedergang, die Staatseinnahmen gingen radikal zurück, ab 1854 wurde es zum Schuldnerland, mit dem faktischen Staatsbankrott von 1878 kam es finanziell unter Kuratel der Großmächte. Solche sonst oft ausgesparten Zusammenhänge von provozierter Rückständigkeit, von Interessenslagen und Machtmitteln hat vor allem Immanuel Wallerstein (*Das moderne Weltsystem III*, Wien 2004) detailreich herausgearbeitet.[18] Zu erinnern ist auch daran, wie sehr man sich in den nach 1918 neu abgegrenzten, westlichen Interessenssphären zugeordneten Gebieten an Unterdrückung und gebrochene Versprechen (Lawrence of Arabia, Sykes-Picot-Abkommen) gewöhnen musste. 1925 ist die keimende Auflehnung von französischem Militär mit einem schwerem Bombardement von Damaskus erstickt worden; selbst noch 1945, kurz vor Abzug der „Schutztruppen", kam es neuerlich zu drastischen Zerstörungen. Gerade weil nun überall von Integration die Rede ist, bildet die betriebene Desintegration der ölreichen arabischen Welt einen symptomatischen Gegensatz dazu. Latent ist das Gefühl permanenter Demütigung, früher durch europäische Mächte, jetzt vor allem durch die USA und die eigenen, nicht als solche anerkannten Regierungen.

Inzwischen werden in den neuen, zivilen Präsidenten Bashar Al-Assad einige Hoffnungen gesetzt. Einerseits muss er mit dem Militärapparat umgehen können, andererseits soll er islamistische Kräfte in Schach halten. Positiven Erinnerungen steht das Wissen um politische Verfolgungen, mit oft langen Haftstrafen wegen uns marginal erscheinender Delikte gegen-

---

18 Immanuel Wallerstein: *Die große Expansion. Das moderne Weltsystem III. Die Konsolidierung der Weltwirtschaft im langen 18. Jahrhundert*, Wien 2004, S. 256f.

über. Als etwa im Herbst 2004 in Aleppo eine von Issa Touma organisierte Ausstellung stattfinden sollte, mit Beteiligten aus unserem Umfeld, wurde sie plötzlich verboten, nach internationalen Interventionen (darunter meiner) kurz geöffnet, dann doch geschlossen – Alltag in unübersichtlichen Apparatstrukturen. Andererseits bieten sich gerade in für solche Länder schwierigen Zeiten Kontaktnahmen an. Ein zufälliges Zusammentreffen in der menschenleeren, wunderbar gelegenen Ruine des Simeonklosters (Qalaat Seman) in Nordsyrien mit Ettore Sottsass, dem Designerfreund aus Italien, ist eine Bestätigung dafür gewesen. Der dänische Autor und Dichter Jesper Berg, der uns viel geholfen hat, lebt schon Jahre im Land und will bis auf weiteres bleiben.

Transferprojekt Damaskus 2001/2003

WÜSTE | FLÜCHTLINGSLAGER | RADIKALISIERUNG Auf während des nächsten Projektes in Libyen auftauchende Fragen danach, wie die Offiziersfamilie Ghaddafi zu ihrem enormen Reichtum gekommen sei, hieß es stereotyp: *No comment.* Bewunderung für Erfolg, für Macht und Selbstdarstellung spielen mit, wie bei den Phantasiehonoraren für Topmanager. Als Gegenbild zur anlaufenden Westöffnung hängen überall Plakate, die Afrika mit libyschem Herz zeigen, als Zeichen ostentativer Abwendung von arabischen Einheitsideen. Gegen Zuwanderer aus dem Süden gibt es trotz solcher Perspektiven bis zu Unruhen führende Aversionen. Tuareg-Nomaden, deren Untergang früher absehbar schien, konnten sich wenigstens in Libyen halbwegs etablieren. Von der Frauenbefreiung scheint vieles wieder von Traditionen eingefangen worden zu sein. Der (vorerst zumindest) mit Todesurteilen beendete, nun neu aufgerollte Prozess gegen seit fünf

Jahren inhaftierte bulgarische Krankenschwestern und einen palästinensischen Arzt, denen die absichtliche Infizierung libyscher Kinder mit HIV-verseuchtem Blut vorgeworfen wird, führt den manipulierbar-brutalen Stand der Gerichtsbarkeit vor Augen. Dritter-Weg-Strategien früherer Jahre haben sich auch im wegen seines Öls pro Kopf reichsten Land Afrikas offensichtlich auf kommerziell orientierte Machtpragmatik reduziert.

Wenn in Tripolis oder Damaskus meine afghanischen Erlebnisse zur Sprache kamen, bin ich fast durchwegs auf abweisende, erstaunte Reaktionen getroffen. Auch für Informierte schienen Krieg und Krisen dort völlig periphere Probleme von Hinterwäldlern zu sein, ganz im Gegensatz zur Medientendenz im Westen und den Berichten von überall herkommenden, in Afghanistan trainierten, sich nun im Irak versammelnden Kämpfern. Solche Peripherie-Einschätzungen decken sich mit eigenen Erfahrungen, denn nie sonst bin ich in dermaßen ausgesetzten Situationen unterwegs gewesen wie im Sommer 1980 in Nuristan, im gebirgigen Nordosten des Landes.

Nach westlichen Begriffen herrschte totale Anarchie, alle Reste eines Staates waren verschwunden, jedes Dorf sorgte für sich selbst. An den Flussufern lagen zerstörte Panzer, Bombenangriffe hatten ganze Siedlungen vernichtet. Manchmal sind wir, für Hilfsmaßnahmen recherchierend, freundlich, manchmal reserviert empfangen worden. Jede stärkere Gruppe hätte uns, wir waren zu zweit mit drei unmartialischen Beschützern, ausrauben, auch töten können. Aber erst mit der exzessiven Verrohung der folgenden Jahre wäre das wahrscheinlicher geworden. Es ist die Gewöhnung an permanenten Krieg – und an die Kriegsökonomie als einzige Chance –, die ein Umschlagen in Exzesse begünstigt. Mediale Selektion durch Fokussieren auf Gewalt und Aggression erhöht laufend deren Bedeutung, während eigene Potenziale dazu heruntergespielt werden. Das grundsätzlich Böse, absolut Unzivilisierte, das für Hollywood und manche Philosophen wieder zum Thema wurde, ist damals jedenfalls dort trotz der Notlage und überall präsenter Waffen nie aufgetaucht. Als einmal eine der um diese Zeit noch seltenen Gruppen schwerbewaffneter Islamfanatiker zum gemeinsamen Gebet aufforderte, haben meine Begleiter lachend abgelehnt, weil das auf Reisen nicht vorgeschrieben sei. Und das war es dann. Überall sind Dorf-Djirgas, also Ratsversammlungen, für Entscheidungen zuständig gewesen. Die erlebte Wirklichkeit in den Flüchtlingslagern mit jeweils zehntausenden verstörten Bewohnern, in denen wir afghanische Mitarbeiter unterstützten, Gesundheits-, Schul- und Sozialdienste aufzubauen, hat dem *Jahrhundert der Lager* (Joël Kotek / Pierre Rigoulot, Berlin 2001) bedrückend aktualisierte Konturen verliehen. Wegen der Blickrichtung China ist unter Städtern

Maoismus durchaus ein Thema gewesen. Erst nach einigen Jahren hat eine militanter werdender Islam-Wahn eingesetzt, für den – analog zu auch im Westen erfolgreichen Heilslehren – die manipulierbare Trostlosigkeit der Nährboden ist. Gerade die Massen Ausgesonderter lassen sich „spontan" zur Anfachung von diesem und jenem einsetzen.

In der beginnenden Taliban-Phase wurde unsere Position immer unhaltbarer. Wie die sich in demokratischen Organisationen formierenden Ärzte, Lehrer, Techniker, Helfer, darunter viele Frauen, unter denen der so vielfältig interpretierbare Islam nie eine offensive Rolle gespielt hat, von radikalisierten Mörderbanden, die ihre enormen Mittel über Pakistans Geheimdienst primär von den USA und Saudi-Arabien bezogen, als politische Hoffnung überrollt worden sind, habe ich in meinem Afghanistanbuch

skizziert. Heute erst, nach über zwanzig Jahren, werden solche dringend gebrauchten, moderaten, aufbauwilligen Kräfte heftig umworben.

Anwar Amin etwa, als unabhängiger Kommandant wichtiger Gesprächspartner der ersten Zeit, bekam kaum Unterstützung, obwohl er als integer und zivil orientiert nun im Nach-

Kabul 2003   Foto: Christian Reder

hinein heroisiert wird; er wurde 1996 ermordet. Unser nun in Kalifornien tätiger afghanischer Chefarzt Abdul Rahman Zamani überlebte nur knapp ein Attentat. Was die eigentlichen „Gestalter" des Geschehens nicht wahrnehmen wollten, darüber konnten sich sozial Involvierte in wenigen Monaten ein Bild machen. Medien und Geheimdienste ließen sich offensichtlich von standardisierten Vorstellungen leiten. Ali Mohammed Zahma etwa ist seit den 70er Jahren bewusst gewesen: „Die rechten Gruppen, speziell Gulbuddin Hekmatyar" – inzwischen mit El Kaida der Feind Nummer eins, damals Favorit der CIA –, „das waren Terrorgruppen, die ihre Gegner reihenweise umgebracht haben. Wir hingegen verstanden uns als progressive Intellektuelle. Am ehesten könnte man uns als eine intellektuelle Bürgerrechtsbewegung bezeichnen." Zu *important people*, so schließt mein Bericht darüber, sind andere gemacht worden. Die *ordinary people* dürften, so meint er, aufgeklärter und abgeklärter geworden sein.

UNTERSCHIEDE | RESPEKT | QUALITÄTEN Pier Paolo Pasolini hat 1975, auf Italien bezogen, das plötzliche „Verschwinden der Glühwürmchen" zum Anlass genommen, um den Zusammenstoß „einer vielfältigen ‚archaischen' Welt mit der industriellen Nivellierung" und die unaufhaltsame Gleichschaltung „der verschiedenen Sonderkulturen" analytisch zu beschreiben, als „neue Epoche der Menschheitsgeschichte: jener Menschheitsgeschichte, deren Abläufe man in Jahrtausenden zählt".[19] Jemand wie Leopold Weiss alias Muhammad Asad (1900–1992), in jüdischer Familie in Lemberg geboren und in Wien aufgewachsen, versuchte noch, solche kulturellen Unterschiede voll auszuleben; er konvertierte zum ihm ein „wunderbares, unerklärlich kohärent strukturiertes, moralisch-praktisches Lebensprogramm" bietenden Islam, wurde Berater von Abd Al-Aziz Ibn Saud und als Mitbegründer Pakistans dessen erster UNO-Botschafter.[20]

Um solche zeitlich und geografisch weiträumigen Sichtweisen mit heutigen One-World-Perspektiven in Bezug zu setzen, ist schon Herodot eine höchst ergiebige Quelle. Denn er wisse nicht einmal, hat er betont, „warum man eigentlich den Erdteilen, die doch ein zusammenhängendes Land sind, drei Namen gibt, und zwar Frauennamen". Dass die Ägypter die ersten waren, welche „die Unsterblichkeit der Seele lehrten" und „fast alle hellenischen Götternamen aus Ägypten" stammen oder die dort erfundene Geometrie „dann nach Hellas gebracht" worden ist, hat er respektvoll hervorgehoben. Araber schätzte er wegen ihrer Vertragstreue, da von ihnen „ein Bündnis hochheilig gehalten" werde. Die Libyer wiederum, womit alle Nordafrikaner gemeint waren, seien „die gesündesten Menschen, von denen wir wissen", deren südliche Nachbarn „das höchstgewachsene und schönste Volk der Welt". Es zeige sich ständig, „dass alle Völker wirklich ihre Lebensart für die beste halten". Als überaus erfreulich erschien ihm, „dass die äußersten Länder, die die übrigen rings umschließen, Dinge besitzen, die bei uns in höchstem Wert stehen und sehr selten sind." Selbst gegenüber dem

19 Pier Paolo Pasolini: *Von den Glühwürmchen* (1975), in: *Freibeuterschriften. Die Zerstörung der Kultur des Einzelnen durch die Konsumgesellschaft* (Scritti corsari, Mailand 1975), Berlin 1978, S. 69f.
20 Günther Windhager: *Leopold Weiss alias Muhammad Asad. Von Galizien nach Arabien 1900–1927*, Wien 2002, S. 185
21 Herodot: *Historien. Herausgegeben und erläutert von H. W. Haussig, übersetzt von A. Horneffer*, Stuttgart 1971, S. 269, 153, 122, 144, 184, 321, 190, 198, 231, 537, 224, 266.

damaligen Erzfeind, den Persern, wird ambivalent argumentiert, denn viele griechische Gebiete seien „persisch gesinnt", also „asiatisch" beeinflusst gewesen. Zwischen der in Ost und West, in Griechen und Nicht-Griechen eingeteilten Welt werden also konsequent Bezüge hergestellt. Dass von den Indern, „weitaus das größte Volk, das man kennt", „die höchste Steuersumme" überhaupt aufgebracht werde, hielt er für bemerkenswert. Weiter reichten die damaligen Kenntnisse nicht, denn „bis nach Indien ist Asien bewohnt", heißt es bei ihm, jenseits davon „ist das Land wüst, und niemand weiß Näheres über seine Beschaffenheit zu sagen".[21] Aus diesem Nichtwissen über Fremde ist schließlich die Namensübertragung auf Indios und Indianer, auf Westindien, Indonesien, Indochina zustande gekommen.

Für die Welt Herodots rund um Mittelmeer und Schwarzes Meer bis hin zum Indus ergibt sich aus dem aktuellen *UN Development Index*, der Daten zu drei existenziellen Entwicklungsdimensionen – „ein langes und gesundes Leben, Wissen und ,*a decent standard of living*'" – kombiniert, derzeit ein höchst heterogenes Bild. Da damit versucht wird, Lebensbedingungen nicht auf bloße Einkommen zu reduzieren, obwohl bekanntlich in vielen dieser Länder Monatslöhne von 50 Dollar schon ein Glück sind und es gerade dort genug zu tun gäbe, dürften sich in solchen Werten auch Existenzweisen und Qualitäten widerspiegeln, also das, was aus der Gegend rund ums Mittelmeer, Hegels „Mittelpunkt der Weltgeschichte", geworden ist.

UN DEVELOPMENT INDEX Die Zahlen geben die UN-Rangordnung an, Regionen der küstennahen antiken Mittelmeerwelt sind durch Großschreibung hervorgehoben.

Der Norden: (1) Norwegen, (2) Island, (3) Schweden, (4) Australien, (5) Niederlande, (6) Belgien, (7) USA, (8) Kanada, (9) Japan, (10) Schweiz), (11) Dänemark, (12) Irland, (13) Großbritannien, (14) Finnland, (15) Luxemburg, (16) Österreich, (17) FRANKREICH, (18) Deutschland, (19) SPANIEN, (20) Neuseeland, (21) ITALIEN,... (23) PORTUGAL, (24) GRIECHENLAND,... (29) SLOWENIEN,... (47) KROATIEN,... (57) BULGARIEN,... (63) RUSSISCHE FÖDERATION,... (66) BOSNIEN-HERZEGOWINA,... (72) RUMÄNIEN,... (75) UKRAINE,... (95) ALBANIEN,... (108) MOLDAWIEN,...

Der Süden: (22) ISRAEL,… (25) ZYPERN,… (33) MALTA,… (61) LIBYEN,… (83) LIBANON,… (88) GEORGIEN,… (90) JORDANIEN, (91) TUNESIEN,… (96) TÜRKEI,… (98) BESETZTE PALÄSTINENSER GEBIETE,… (100) ARMENIEN,… (110) SYRIEN,… (120) ÄGYPTEN,… (126) MAROKKO,… (144) PAKISTAN,…[22]

Für ganz arme Länder wie den Tschad (Rang 165) werden knapp 40 Prozent des im Norden erreichten qualitativen Basisniveaus ausgewiesen, für Pakistan 50 Prozent (zu Iran, Irak oder Afghanistan werden keine Daten genannt). Die elenden Werte für das westlich orientierte Marokko, für Ägypten, Syrien, für die sich seit geraumer Zeit als europäischer Staat fühlende Türkei deuten statistisch an, wie es dort um „ein langes und gesundes Leben, Wissen und *a decent standard of living*" insgesamt bestellt ist. Unter Heranziehung weiter aufgefächerter Daten, von den Menschenrechten, der Situation der Frauen bis zu Arbeitsmöglichkeiten, Pressefreiheit oder sozialer Sicherheit wären die Divergenzen sicher noch größer – und sind längst ein gemeinsames Problem.

Dass sich im Westen trotz allem Tourismus kaum wer vorstellen kann, wie die meisten Menschen in solchen Ländern überleben, dürfte ein Grund für hochkommende Aversionen gegen als „anders" empfundene Menschen sein. Unterschwellige Ängste vor dem Umsichgreifen solcher Zustände provozieren Abwehrhaltungen, allerdings bei schwach entwickeltem, sich neuerlich auf „natürliche" Unterschiede berufendem Ursachenbewusstsein. Für von solchem Unsinn losgelöste soziale Perspektiven ist „die Zeit" sichtlich nicht günstig.

„Die Suche wird zum Beruf", so beschrieb Pierre Bourdieu die grundlegende Existenzweise aus ihren traditionellen Arbeitsbezügen Herausgerissener. Als Richtungsangabe ist ihm schließlich eine „Ökonomie des Glücks" vorgeschwebt, „die in der Lage ist, allen symbolischen und materiellen Gewinnen und Kosten, die aus menschlichem Verhalten und insbesondere aus Aktivität und Inaktivität entstehen, Rechnung zu tragen."[23]

Angesichts der beschleunigten Gewinner-Verlierer-Dynamik wäre ein Durchschauen, Unterlaufen, Reformieren der Mechanismen, und sei es über

22 http://www.undp.org/hdr2003/indicator/indic_15_1_1.html / Daten für 2001.
23 Pierre Bourdieu: *In Algerien. Zeugnisse einer Entwurzelung*, Hg.: Franz Schultheis / Christine Frisinghelli, Graz 2003, S. 176 / Pierre Bourdieu: *Gegenfeuer. Wortmeldungen im Dienste des Widerstands gegen die neoliberale Invasion*, Konstanz 1998, S. 71.

insulare Projekte, plausibler als jede forcierte „kulturelle" Angleichung, gehören doch ein distanziertes Nebeneinander – also Koexistenz – und ein
Sich-Zurückziehen auch sonst zu durchaus adäquat urbanem Verhalten,
vor allem, sobald ökonomische Grundvoraussetzungen gegeben, bürgerliche Freiheiten halbwegs abgesichert und zivilgesellschaftliche Initiativen
möglich sind.

Nicht zu sehen, wie viele Gruppierungen in westlichen Gesellschaften in
völliger Distanz, wie „ethnisch" abgesondert, aneinander vorbeileben und
zwar zum Teil durchaus aus plausiblen Gründen, unterstellt im eigenen
Umfeld fiktive Harmonien, deren Nichtexistenz anderswo dann rasch zu
überheblichen Mutmaßungen führt. Selbst die Nachfrage nach Feindbil-
dern verschiebt sich derzeit weg von Politischem hin zu Kulturellem, mit
dem Islam, der Religion der Armen (und von ganz Reichen) als vorrangi-
gem Irritationsfaktor. Fremde Codes, Tabus, Vorschriften, Gegenwelten
als Teil genereller, also auch „eigener" Orientierungs- und Disziplinierungs-
prozesse zu sehen, würde Zusammenhänge kenntlich machen. Latente
Destruktionskräfte, patriarchalische Grundmuster, die Schlechterstellung
von Frauen, pseudo-demokratische Strukturen, Militarismen, staatlichen
Terror, Rechtlosigkeit, politischen Einfluss des Klerus oder Aggressionspotenziale von Deklassierten (und Machthabern) als Überspitzungen von
weltweit Ähnlichem zu begreifen, eröffnet eher Zugänge als jedes Beharren
auf unüberbrückbaren Differenzen.

Auch angeblich sozial Determiniertes wie Ehre und Rache, wie Fanatismus
und Attentate sind nichts solitär „Typisches". Solche Behauptungen blenden aus, wie sehr gerade in Europa ganze Gesellschaften von Rache- und
Revanchepolitik geprägt wurden (Antisemitismus …, Sarajewo, Versailles,
Nordirland, Ex-Jugoslawien …). Vieles davon hängt mit blockierten Per-
spektiven, manipulierbaren Hoffnungen und mangelnden rechtsstaatlichen
Konsequenzen zusammen; exzessiv Militantes ist in Afghanistan und
Pakistan nachweisbar durch Förderung von CIA und Saudi Arabien eska-
liert. Paradox ist, dass bei Eskalationen kaum unterschieden werden kann,
inwieweit sie nicht jeweils eher der Gegenseite nützen, also auch diese die
Hand mit ihm Spiel haben könnte. Jedenfalls: Wegen der expansiven
Verstädterung und Migration bleibt trotz aller auf Identität bezogener
Konfliktebenen nichts anderes übrig, als komplizierter werdende
Urbanität zu üben, um möglichst viele, nachhaltig prosperierende liberale
Zonen zu schaffen, die auch den ärmlichen Zwischenzonen etwas bringen.
Verstärkt zum Thema gewordene ethnische oder religiöse Polarisierungen
lenken jedenfalls nur ab – von der eigentlichen ökonomisch-politischen

Polarisierung auf ganz anderer Ebene. Auch deren Proponenten (und weltpolitisch dominierende Kräfte) sind „Gläubige", die von ihrem kulturellen, vielfach nicht mehr an Gebiete gebundenem Umfeld geprägt sind. Von „Kapitalismus als Religion" hat Walter Benjamin schon um 1920 gesprochen.[24] Für Ulrich Beck wäre es nunmehr höchst an der Zeit, dass „an die Stelle der Nation als irdische Religion" endlich „die irdische Religion des Kosmopolitismus" trete – ein die Moderne weiterführendes, sich ständig korrigierendes „Projekt des Kosmopolitismus".[25]

Dass sich unterwegs manchmal freiere Gesprächslinien ergeben, die im um Innensichten kreisenden Strudel lokal gebundener Gedanken kaum Platz haben, naiv wirken würden, hat mir etwa Amin Maalouf bewiesen. „Beispiele für Qualitäten sollten uns immer zum Nachdenken bringen", betonte er mir gegenüber entschieden, so als ob uns gerade eine selbstbewusste Berberin lächelnd ihren Schmuck zeigen würde. Und weiter: „Es genügt nicht, andere Zivilisationen in die Betrachtungen einzubeziehen wie abgesonderte Einheiten. Wir sollten vielmehr dazu fähig sein, die Geschichten zu erzählen, wie es so vielen Menschen gelungen ist, mit unterschiedlichstem kulturellem Hintergrund, verschiedenen Sprachen, abweichenden Verhaltensweisen all die existierenden Sphären der Produktion mitzuprägen. Und das würde bedeuten: der Welt zuhören."[26]

Erstabdruck in: *Wespennest*. Zeitschrift für brauchbare Texte und Bilder, Nr. 138, *Islam*, Wien, März 2005; Themenheft zu *Literatur im März* – hier in einigen Punkten ergänzt.

24 Walter Benjamin in: Dirk Baecker (Hg.): *Kapitalismus als Religion*, Berlin 2003, S. 15ff.
25 Ulrich Beck: *Macht und Gegenmacht im globalen Zeitalter. Neue weltpolitische Ökonomie*, Frankfurt am Main 2002, S. 447f.
26 Amin Maalouf im Gespräch mit Christian Reder, in: *Transferprojekt Damaskus*, *Edition Transfer*, Wien-New York 2004, S. 365.

Erich Klein

Überleben im Jenseits: ein russisches Projekt

Notizen zu miterlebten Transformationen

„Russland grenzt an Gott": Rainer Maria Rilkes Resümee seiner Russland-
reise im Jahre 1899 kennzeichnet in seiner Maximalität die Mehrzahl westlicher Russlandbilder. Die Heilige Rus, Moskau – das Dritte Rom, Sankt
Petersburg als Fenster zum Westen, oder Moskau als Hauptstadt des Welt-
kommunismus und Zentrum der Weltrevolution – alle diese Konzepte
stellen in einem sich im Lauf der Geschichte immer dichter verschränken-
den Spiegelspiel von Fremdwahrnehmung und Selbstbeschreibung, deren
aktuellste Version „Russland – das Unbewusste des Westens" ist, Russland
als ein Phänomen dar, das üblicherweise dem Bereich des Künstlerischen
vorbehalten ist: als das Andere, Gefahrvolle, Geheimnisvolle, Unbekannte.
Im neuerdings erhobenen pathetischen Ton der ästhetischen Reflexion ist
Russland geradezu das Musterbeispiel des Erhabenen, das nach Kant „all
unsere Vorstellungen überragt". Salopp gesagt: Russland grenzt ans Aber-
witzige, Witz im Sinn von Vermögen der Urteilskraft und des Verstandes.
Die von Boris Groys geprägte, weit über das bloß Ästhetische hinausgehende Formel vom „Gesamtkunstwerk Stalin", die auf eine Diffamierung
des alle Verhältnisse künstlerisch umstürzenden Projektes der klassischen
russischen Avantgarde des 20. Jahrhunderts abzielte, bringt allen Witz zum
Verstummen: angesichts der realen Erschütterungen des Bürgerkriegs und
der daraus folgenden Hungersnot sei die von Kasimir Malewitsch anvisier-
te Suprematie des neuen Kunstwerkes, des reinen Nichts in Gestalt des
„Schwarzen Quadrates", geradezu gegenstandslos. Not lehrt nicht mehr
denken, sondern wieder beten. Worüber man nicht sprechen kann, darüber muss man schweigen.
Eines der von Groys und anderen (Wladimir Papernij, Alexander Rappo-
port) immer wieder ins Spiel gebrachten, tatsächlich auch in Angriff ge-
nommenen utopischen Projekte zur Überwindung dieses Nichts ist der zu
Beginn der 1930er Jahre von Stalin in Auftrag gegebene Palast der Sowjets.

Boris Bernasconi: Projekt für den Oktoberplatz in Moskau, 2002

„… die utopischen Projekte zur Überwindung
dieses Nichts …"

„Wenn Russland nicht ‚europäisiert' wird,
droht umgekehrt die ‚Russifizierung' Europas."

Erich Klein

1 Vgl.: Alexander Pjatigorskij: *Philosophie einer Gasse*, Wien 1987

Der auf eine Höhe von vierhundertfünfzig Metern geplante Versammlungsort der Räte, der Volksvertreter sozialistischen Typs, sollte nicht nur Hauptwerk des Sozialistischen Realismus sein, sondern auch den Abschluss eines Ensembles von acht weiteren Hochhäusern bilden, die sich in das Weichbild von Moskau nach dessen städtebaulicher Generalrekonstruktion in Form eines Sowjetsterns einschrieben. Der Betrachter dieses Kunstwerkes war gleichsam im Jenseits, zumindest aber im Weltall angesiedelt, sozusagen *a view from nowhere*.

Der Wettbewerb, aufgrund der Beteiligung von Architekten wie Le Corbusier, Erich Mendelsohn, Bruno Taut, Walter Gropius oder Naum Gabo eines der prestigereichsten Bauvorhaben der 1930er Jahre, wurde schließlich aus ideologischen Gründen zugunsten des Entwurfes der Soz.-Realisten Gelfreich/Jofan entschieden: Krönender Abschluß des Bauwerks in Kremlnähe war eine hundert Meter hohe Leninstatue. Die himmelstürmerische Geste – die man auch als direkte Umsetzung von Wladimir Majakowskis Leningedicht („Dann wuchs über der Welt / Lenins riesiger Kopf empor. / Im Schädel bewegte er um und um / hunderte von Gouvernements, / Trug / Menschen, / fast anderthalb Millionen, / Wog nachts / die Welt …) ansehen könnte, brachte symbolisch die ganze Menschheit zur Vollendung: der Weltgeist war auf seinem Marsch durch die Geschichte in Russland angelangt.

Einem menschlichen Betrachter, dessen Anschauungsvermögen tatsächlich durch ein dynamisch Erhabenes überragt wurde, hätte das letztlich Papierarchitektur gebliebene Vorhaben kaum mehr als sardonisches Lachen entlockt. *Gott auf Erden*, lautete die Devise.[1] Und für weitere Projekte wäre in diesem Sechstel der Erde, wie sich Stalins durch Fünfjahrespläne der Industrialisierung organisierte UdSSR, die sich anschickte, einen neuen Menschen hervorzubringen, gerne titulierte, ohnedies kein Platz gewesen.

Das reale Vorbild jedes einzelnen roten Helden aber, Lenin, lag „eingeschreint im Sarg des Nichts" (Ernst Bloch) im Mausoleum am Roten Platz. Selbst ein systemkritischer Dichter wie Ossip Mandelstam vermochte sich dem totalitären konzeptuellen Ausgriff nicht zu entziehen, wenn er zur Zeit des einsetzenden Großen Terrors, dem er schließlich auch selbst zum Opfer fiel, diesen als einen Ort bezeichnete, an dem die Welt „am rundesten" sei. „Russland ist jenseits" kommentiert denn auch Olga Sedakova, Underground-Autorin der 1980er Jahre Rilkes Russlandstatement. Das reale Leben und die materielle Kultur im vollendeten, fortgeschrittenen, und schließlich stagnierenden Sozialismus, wie sich das kommunistische System in nie endenwollender Lust zur Epochenbildung selbst charakterisierte, das oppositionell als „vegetarische Phase des Kommunismus" bezeichnet wurde, beschreibt Sedakova posthum als einen permanenten Ausnahmezustand des Krieges oder der Kriegsvorbereitung: „Haben Sie all diese Kreationen heimischer Provenienz schon vergessen? Jede Seifenschale glich einem Panzer, der wegen moralischer Überalterung aus dem Arsenal ausgemustert worden war. In der Regel ließen sich diese Gegenstände schwer öffnen oder schließen, man machte sich daran entweder die Hände dreckig oder quetschte sich einen Finger, doch ihren Kampfauftrag erfüllten sie bis zum letzten Atemzug – sie blickten dir mit den Augen der Heimat direkt in die Seele: Hände hoch! Keine Bewegung!"[2]

Dieser Moment des Erstarrens im Anblick der gleichsam radikalisierten Normalität des sowjetischen und postsowjetischen Alltags ist denn auch eines der Prinzipien der folgenden Überlegungen. Die Offenkundigkeit des Gesehenen, dessen Evidenz nur in begrenztem Ausmaß Beweiskraft besitzen mag, ein anderes, wobei versucht werden soll, den radikalen und augenscheinlichen Wandel einer Gesellschaft zu beschreiben, die sich vor allem auch dadurch auszeichnet, Bilder auszuschließen, Anblicke zu verbergen und später unverhohlen zur Schau zu stellen.

Geboten ist ein kleiner Rückblick zu Erfahrungen mit der Realität von individuellen Überlebensprojekten: Die Szene aus dem Jahr 1980, Zeitpunkt einer ersten Reise in die Sowjetunion, spielt in einem Neubauviertel am Stadtrand von Moskau, einem sogenannten *Mikrorayon* mit dreizehnstöckigen Ziegelhäusern. Einer nach dem anderen bekommt seine Stange Wurst in Zeitungspapier gewickelt – das Kind, das sich zum Verkaufspult hinaufstreckt, die mit Taschen schwer bepackte, sichtlich erschöpfte Frau, der Uniformierte, der Bauarbeiter. Die Schlange ist zwanzig Personen lang, sie bewegt sich einigermaßen zügig voran, die Vitrine mit Würsten, die es in zwei Sorten gibt, angefüllt: eine geräucherte Wurst, eine gekochte namens *Doktorskaja*. Alle kaufen dieselbe. Das Geschäft ist sauber, es riecht nach Fischmehl. Man kann auch so leben, denkt der Beobachter, aber jeder europäische Arbeitslose bewegt sich vermutlich auf höherem Lebensniveau als diese russischen Werktätigen, von denen zumindest bekannt ist, dass sie sich in der Hauptstadt in einer privilegierten Lage gegenüber dem Rest des Landes befinden.

Es gab in der Sowjetunion keine Bettler oder Obdachlose, weil deren Existenz der Idee, dass es in einer sozialistischen Gesellschaft keine Armut gebe,

---

2 Olga Sedakowa: *Reise nach Brjansk*, Wien-Bozen 2000

allein durch ihr Vorhandensein widersprach. Die Polizei entfernte sie aus dem Stadtbild der Welthauptstadt des Kommunismus. Den – vergleichsweise hohen, und dennoch nicht ausserordentlichen – Reichtum einer tatsächlich privilegierten Schicht, der so genannten Nomenklatura, zu verbergen, darum kümmerte sich diese selbst.

Ein „mittlerer" Zustand der späten Sowjetunion ließe sich folgendermaßen charakterisieren: Es gab in jeder öffentlichen Mensa, in jedem Lokal Brot zur freien Entnahme – das Optimum des Kommunismus, aber keine Konsumgüter in ausreichendem Ausmaß, die als Jeans oder westliche Schuhe geradezu metaphysische Qualität erlangten. Legendär die Geschenke des in der Schweiz lebenden Wladimir Nabokov an russische Dichterkollegen: den dissidenten Lyriker und späteren Literaturnobelpreisträger Jossif Brodskij ließ er Jeans überbringen, Nadeschda Mandelstam erhielt das praktische Geschenk eines Spannleintuches. Ganze drei Werbetafeln auf Moskaus Hausdächern hatten rein politischen Charakter: Beworben wurden ORWO-Filme aus der DDR, kubanischer Orangensaft und aus unerfindlichen Gründen der staatliche bulgarische Holzhandelstrust.

Zehn Jahre später, in den 1990er-Jahren hat der für das planwirtschaftliche Sowjetsystem unlösbare Defekt, der notorische Mangel an Konsumgütern und Produkten der Leichtindustrie bei gleichzeitigem Verfall der Infrastruktur dramatische Ausmaße angenommen. Es gibt tatsächlich fast nichts mehr, nicht einmal „Defizit". Die Gründe sind allgemein bekannt. In Russland wurde dafür folgender Witz erfunden, der praktisch die soziale Situation umfassend beschreibt: Ein Arbeiter klaut jeden Tag in seiner Fabrik einen Bestandteil; als er diese schließlich zusammenbaut, hält er eine Kalaschnikow anstatt des gewünschten Fleischwolfs in der Hand. Die unheilige Dreifaltigkeit des Homo Sovieticus – Rüstungsindustrie, Diebstahl und Mangel an Konsumgütern (auf welche zu Gunsten militärischer Produktion und Stärke verzichtet wurde) – ließ nicht nur abenteuerliche Formen des Schwarzhandels und der Spekulation entstehen, sondern auch Warteschlangen von ungeheurem Ausmaß. (Dmitrij Prigow beschreibt sie in *Lebt in Moskau!* als eine weltverschlingende Anakonda, die ein zeitliches Ausmaß von vielen Jahren besitzt; Wladimir Sorokin hat die Schlange in seinem Werk *Die Schlange* als Inbegriff des Sowjetlebens inszeniert). In den 1990er Jahren wird der Mangel an Gebrauchsgegenständen zu einem an Grundnahrungsmitteln: Die Aggression zwischen Verkäufern und Kunden in einem *Gastronom*, einem Lebensmittelgeschäft, nimmt eine Heftigkeit an, die fast nur noch mit den Begriffen eines Bürgerkriegs zu beschreiben ist: Schreiduelle, Schlägereien, die an die Grenze des Plünderns führen. Der deutlichste Ausdruck des Niederganges des Systems ist stundenlanges Warten auf Brot, dessen Qualität dem von Futtermitteln entspricht. Schließlich werden in zahlreichen Städten Russlands Lebensmittelkarten eingeführt – und zwar in Friedenszeiten! Schlangen vor Tankstellen mit Wartezeiten von zehn Stunden oder mehr sind nur das großstädtische Symptom des totalen Systemzerfalles: Ernten werden nicht mehr eingeholt, weil es keinen Treibstoff mehr gibt. Es wird von Hungerrevolten gesprochen. Erst sehr spät kommt es zu Streiks. Im Zeichen einer „Liberalisierung" der Gesellschaft tauchen im Straßenbild immer mehr Arme, Bettler, Obdachlose auf und die perspektivlose endzeitliche kommunistische Gesellschaft betäubt sich durch steigenden Alkoholismus.

Die Gorbatschow'sche Antialkoholkampagne ist – nach der die Perestrojka einleitenden und fehlgeschlagenen Losung „Zurück zu Lenin" – ein gleichsam „ästhetischer" Versuch, die Lage in den Griff zu bekommen. Abgesehen von den volkswirtschaftlich plausiblen Gründen dieser Kampagne und den falschen Mitteln macht ein Ausdruck von Alexander Solschenizyn die Dramatik der Situation auf pathetische Weise deutlich: „Jetzt nimmt man uns auch noch den Wodka weg!"

An ihrer Unreformierbarkeit zerbricht die UdSSR schließlich. Eines der merkwürdigen Phänomene dieser Zeit ist der Umstand, dass sich kaum jemand als „arm" versteht. Armut trägt in der Kapitale der ehemaligen zweiten Welt, die schließlich zum „Obervolta mit Atomwaffen" (wie ein politisch nicht korrekter Ausdruck damals lautete) regredierte, den Namen „Indien". Das eigene Land wird trotz seiner Herabgekommenheit als eines von mythischem Reichtum an Rohstoffen angesehen. Demgegenüber scheint der schwarze, surreale Humor eines Erzählers wie Jewgenij Popow, bei dem nachzusesen ist, wie Hunde zu Wurst verarbeitet und als solche verkauft werden, einfach eine realistische Beschreibung russischer Verhältnisse. Die Wurst sieht nicht nur so aus – sie schmeckt in den meisten Fällen auch so. Wohnungen werden in dieser Zeit kaum mehr geheizt. Der Verkauf von Sicherheitstechnik und Alarmanlagen beginnt allmählich zu florieren.

Die Einführung von Demokratie und Marktwirtschaft durch die so genannte Schocktherapie, die Freigabe der bislang staatlich regulierten Preise sowie die spätere Privatisierung der staatseigenen Betriebe zerreißt das löchrige soziale Gefüge vollends: Ganz Russland verwandelt sich in einen „Basar", 150 Millionen Menschen mutieren zu *Businessmeni*, mythologisiert-ironischer Begriff für den Umstand, dass ein Großteil der Bevölkerung um das nackte Überleben kämpfen muss. Kinder werden zu Autowäschern, an jeder Hausecke wird irgendetwas verkauft, vom Brauseschlauch bis zur Schuhsohle, Lebensmittel mit fantastisch vergangenem Ablaufdatum, importierte Billigware aus West und Ost. Der erzwungene unternehmerische Geist kennt keine (legalen) Grenzen – was vor allem auf jene späteren Oligarchen, alte Fabrikdirektoren und junge Komsomolführer, die zu neuen Fabrikbesitzern werden, zutrifft.

Der bezeichnende Held der Stunde ist der kleine Gauner und Schieber Ostap Bender aus Ilja Ilfs und Jewgenij Petrows die Zeit der 1920er Jahre und die Errungenschaften der NEP (Neue Ökonomische Politik) thematisierenden Romanen *Dreizehn Stühle* und *Das Goldene Kalb oder die Jagd nach Millionen*. Es werden auch alle lebensgeschichtlichen, sozialen Barrieren überschritten. Viele der Verkäufer sinnlosen Gerümpels aus Privatbesitz, wie zerbrochene Einmachgläser, geöffnete Konservendosen oder kaputte Glühbirnen (wozu auch immer man sie gebrauchen kann) sind Pensionisten; deren gesetzlich vorgeschriebene Minimalpension reicht gerade dazu, Brot und Milch zu kaufen; ein Umstand, der sich bis heute nicht geändert hat. Ein Bekannter, pensionierter Ökonom, verdient seinen Lebensunterhalt damit, morgens die verschiedenen Wechselkurse der aus dem Boden geschossenen Wechselstuben zu studieren und im Lauf des Tages durch mehrmaliges Umwechseln von Rubel in Dollar einen Gewinn von mehreren Dollars zu machen. (Selbst das Krankenhaus verlässt er im Schlafrock, um seinem Business nachzugehen). Wer eine Wohnung zu tauschen oder zu verkaufen hat, bestreitet davon seinen Lebensunterhalt.

Ein noch aktiverer Teil der Bevölkerung kauft zuerst auf, was in den staatliche Geschäften gerade vorhanden ist, um es in „privatisierter" Form vor demselben Geschäft zu verkaufen – eine Moskauer Vorhut jener Händler, die bald von China bis nach Polen und in die Türkei den ganzen eurasischen Kontinent überziehen. Sechsundvierzig „Einheiten" an karierten Plastiktragtaschen sind das Maximum dessen, was sich an Bohrmaschinen aus Deutschland, Lederjacken aus der Türkei, Kleidungsstücken und Geschirr aus China in einem Zugabteil verstauen lässt. 99 Prozent der zum Beispiel in der sibirische Hauptstadt Novosibirsk verkauften Waren sind geschmuggelt. Dass Beamte durch Bestechung daran ebenso Anteil haben wie die sich rasch etablierenden Mafiastrukturen (die teilweise aus dem einzigen in Sowjetzeiten wirklich „funktionierenden" Zweig der Ökonomie, der Schattenwirtschaft, herrühren) ist ein Umstand, der meist vergessen wird, wenn man von Mafia spricht. Der Staat ist synonym damit – Moskau dessen dynamisches Zentrum.

Moskau heißt es, sei heute nicht wieder zu erkennen. Von Werbung zugepflastert, scheußlich protzende neostalinistische Architektur mit viel Messing und Marmor als neue Visitenkarte, verfügt die 12-Millionen-Kapitale (in der noch immer mehr als eine Million Menschen in *Kommunalkas*, Gemeinschaftswohnungen, wohnt) über eine nie da gewesene Anzahl von Geschäften. Ein Gürtel von Shopping-Cities umgibt die Stadt, die von unzähligen neuen Läden und Kiosken bis in den letzten Keller durchwuchert ist. Das Verkehrschaos, das aus einer Verdreifachung der Autobesitzer resultiert, ist nicht mehr zu bewältigen, auch nicht durch neue Stadtautobahnen – die einst vor metaphysischer Leere gähnenden Prospekte sind den ganzen Tag über verstopft. Reichtum wird zur Schau gestellt. Dass Geld die eigentliche Spiritualität, die vielfach beschworene *Duchownost* der neuen Russen darstellt, ist unübersehbar – das Projektprogramm schlechthin. Die traditionellen Fragen „Wer ist schuld?" und „Was tun?" scheinen durch jene nach dem Preis einer Ware abgelöst. Absolutes Vorrecht im Straßenverkehr besitzen schwer bewaffnete Inkassofahrzeuge der Banken.

Dem äußeren Chaos entspricht die Gesetzlosigkeit seiner Organisation: Wie anders wäre der Umstand zu erklären, dass ein befreundeter Architekt zur Abwicklung seiner Geschäfte einen Karton mit einer halben Million Dollar in bar in die Hand bekommt, um damit die Bauarbeiter zu bezahlen? Auftraggeber ist dabei die Moskauer Stadtverwaltung. Dass keine Steuern bezahlt werden, ist nur logisch – es überrascht auch nicht, dass geschäftliche Interessenskonflikte bei Großprojekten mitunter auf einfach mafiose Art gelöst werden: „Wenn dem Konkurrenten das Leben von Ehefrau und Kind etwas bedeuteten, solle er sich doch einfach aus dem Projekt zurückziehen", lautet die unmissverständliche Formel. Korrumpiert ist der einfache Straßenpolizist genauso wie der hohe Mitarbeiter des Innenministeriums, der aus unerfindlichen Gründen für Genehmigungen von Silberexport zuständig ist, bis hin zu jenen Militärs, die mit der Weiterführung der diversen bewaffneten Konflikte ihren mehr oder weniger aufwändigen Lebensunterhalt verdienen.

Wie Korruption auf „legaler" Basis funktioniert, zeigt das Beispiel jener westlichen Großmolkerei in einem Randbezirk des Moskauer Gebietes, der von der Gebietsadministration der Vorschlag unterbreitet wird, auf kostspielige Filtersysteme zu verzichten, um trotz der von der jeweiligen Umweltbehörde verhängten Strafe Produktionskosten einzusparen. *Delimsja* – „Teilen wir" lautet die bescheiden anmutende Bezeichnung des Verfahrens. Korruption wurde denn auch mit selbstverständlichem Zynismus als der soziale Kitt der sich ausdifferenzierenden postsowjetischen Gesellschaft mit ihrem immer rascheren Auseinanderklaffen von Reichen und Armen bezeichnet: Korruption sei es, die einen drohenden Bürgerkrieg verhindert habe. *Reketyr*, Schutzgelderpresser oder Prostituierte als Traumberufe von Jugendlichen in der ersten Hälfte der 1990er-Jahre wurde mittlerweile durch einen per Umfrage ermittelten anderen gegenwärtigen Berufswunsch abgelöst: Beamter zu werden, oder Mitarbeiterin der Steuerbehörde.

Die ganze Entwicklung kann man auch als folgerichtiges Zutagetreten jener ungeheuren Anarchie begreifen, die unter der Oberfläche des rigorosen Sowjetsystems entstanden war. Merkwürdigerweise scheinen dabei fast alle zufrieden, obschon 40 Prozent der Bevölkerung unter der Armutsgrenze leben. Was die Zahl seiner Millionäre betrifft, so liegt Russland im internationalen Vergleich an vierter Stelle. Der Umfang der Kapitalflucht ist nach wie vor schwer feststellbar, der Wunsch, in den Westen auszuwandern, jedenfalls noch immer weit verbreitet, selbst unter jenen, die mitunter durchaus erfolgreiche (mittelständische) Unternehmen gegründet haben.

Ein Rätsel russischer Augenscheinlichkeiten bleibt dabei trotzdem bestehen: Ein Großteil der sozialen Verlierer des Reformprozesses, Militärs, die als Kartoffelschlepper oder als Wachpersonal in einer immer stärker kriminalisierten Gesellschaft minimale Gehälter bekommen (und mitunter von den seligen Zeiten der Stagnation schwärmen oder der verlorenen Größe Russlands), und Bergarbeiter, Ärzte oder Lehrer, die monatelang gar keine Löhne erhalten – keine der Gruppen revoltiert. Es wird weder gestreikt, noch kam es zu jenen Hungeraufständen, die mit gewisser Regelmäßigkeit beschworen werden. Ein im Zug von Moskau nach Petersburg verfolgtes Gespräch gibt vielleicht eine Erklärung: Als der betrunkene Schaffner zum dritten Mal dieselbe Stadt ankündigt, entsteht eine empörte Diskussion über gegenwärtigen Missstände. „Dass sich hier nie jemand beschwert!" – „Aber es beschwert sich doch auch niemand darüber, dass das ganze Volksvermögen gestohlen wurde!" – „Aber wovon reden Sie denn, wer würde sich denn in diesem Land beschweren. Dann wären wir doch nicht in Russland."

Umfragen zeigen, dass der vielfach beschworene Neidkomplex nicht derart stark ausgeprägt ist, wie immer wieder gesagt wird. Das Ideal der *Intelligenzija*, die Armut, beginnt sich allmählich aufzulösen und es entsteht ein blühender Markt an *Duchownost*, an Spiritualität, der oft nahtlos an den ehedem propagierten Kommunismus anschließt. Neben dem florierenden Markt an Psychotherapie und Esoterik fehlt auch nicht die gesetzlich bevorzugte orthodoxe Kirche mit ganzen Unternehmensketten.

Es wäre nicht Russland, wäre hierbei nicht auch ein anders Phänomen zu beobachten. Der Staat hat nicht das geringste Interesse an der großen An-

zahl von Bettlern, Obdachlosen, die man heute in Moskaus Straßen antrifft.
(Ein im Winter besonders drastisches Bild, wenn diese auf den Lüftungs-
schächten der U-Bahn liegen und von Wolken warmer Luft eingehüllt aussehen, als würden sie auf einem überdimensionalen Rost gebraten.) So ent-
solidarisiert die einst zwangsweise gleichgemachte Gesellschaft auch scheint
(je mehr das Sozialministerium von sozialer Gerechtigkeit spricht, umso
weniger tut es), so wenig allgemeine Gesetze beachtet und jene der eigenen
Gruppe bevorzugt werden, gibt es dennoch jene jungen Neureichen, die
am Eingang eines Supermarktes, in dem mittlerweile ein Teil der Bevölkerung zwanzig verschiedene Sorten Wurst kaufen kann, der Bettlerin
(sofern sie nicht vom Wachdienst verjagt wird) einige Münzen in die Hand
drücken. Und zwar mit einer gewissen Selbstverständlichkeit. Dass es sich
dabei um Almosen handelt, darf nicht vergessen werden. Und es gibt mittlerweile zumindest auch jene raren Beispiele, wo der Zusammenschluss
mehrerer Kirchen zu einem kleinen Netz von Armenausspeisungen geführt
hat. Ein *Businessman* bezahlt Lebensmittel, Einweggeschirr, Desinfektion
der Räumlichkeiten. Mehrere Hundert Moskauer Obdachlose bekommen
tägliche ihre Suppe. Mit einer Politik der Würde[3] hat das nichts zu tun.
Es ist aber der minimale Ansatz einer organisierten Form des Überlebens
in einer Welt, in der das Recht des Stärkeren mit folgender klassischer
Drohformel auf den Punkt gebracht wird: *Tyj menja uwashajesh?* (wörtlich:
„Anerkennst, würdigst du mich?", sinngemäß, mit geballten Fäusten: „Was
willst du von mir?").[4]
Drei Ereignisse der 1990er-Jahre haben Russland auf nachhaltige Weise
geprägt: der Putsch der Altkommunisten 1991, die gewaltsame Niederschlagung eines gewaltsamen Aufstandsversuches im September 1993,
schließlich die Rubelkrise des Jahres 1998.
Obwohl die Verteidiger der jungen Demokratie des Jahres 1991 in ihren
naiven Vorstellungen von Demokratie und Marktwirtschaft enttäuscht
wurden – einer der „Helden", General Lebed, sprach in seinen Memoiren
sarkastisch davon, dass sich der Großteil der Moskauer in jenen Tagen viel
mehr für Makkaroni und Wurst, die über Nacht in die Geschäfte gebracht
worden waren, als für die Freiheit interessierten –, stellte schon der Umstand,
dass sie für die Freiheit gekämpft hatten, einen Ausbruch aus der Geschichte

3 Avishai Margalit: *Politik der Würde. Über Achtung und Verachtung*, Frankfurt am Main 1999
4 Wenedikt Jerofejew verwendet in seinem Poem *Moskau-Petuschki* (Zürich 2005) dafür das auf die beiden ersten russischen Heiligen gemünzte Bild: „Boris haut Gleb eine in die Fresse."

russischer Untertänigkeit dar. 1993 zeigt das für einen Tag in ein Schlachtfeld mit Panzern verwandelte Moskau seine hässliche Fratze: Eine bedrohliche Pogromstimmung erfüllte die Stadt. Die davon betroffenen kaukasischen Händler reagierten mit einer deutlichen Geste – demonstrativ zur Schau gestellte Messer machten klar, dass sie sich wehren und nicht einfach niedermetzeln lassen würden. (Der seit zehn Jahren andauernde Krieg in Tschetschenien ist die große Form dieser Geste.) Und als schließlich der Staat 1998 seine Bürger durch eine groß angelegte Spekulationsaffäre aller Ersparnisse beraubte, machte er diese wiederum zu jenen rechtlosen Untertanen, die das Ideal der Sowjetgesellschaft darstellten.

Eines der Paradoxe Russlands ist der Umstand, dass „das Volk" laut Umfrage einerseits glaubt, selbst in großer Armut zu leben, zugleich aber bei Wahlen für jene stimmt, die zum Beispiel das Rüstungsbudget um 30 Prozent erhöhen. Der Staat soll wieder vergangene Größe zeigen. Und noch deutlicher: Auf die Frage, worin die Ursachen der eigenen Armut zu suchen wären, in der Führung des Landes oder in der Bevölkerung selbst, antworten 57 Prozent: Das Problem der Armut liege in der Mentalität. Daran etwas ändern zu wollen, scheint noch niemand erwogen zu haben. Der von Wladimir Putin wieder aufgenommene, nie erklärte, doch immer wieder für „beendet" erklärte Tschetschenienkrieg, der mittlerweile zu einer hybriden Gestalt einer anti-islamschen „Antiterrorallianz" mutierte, hat mit dem Effekt von zahlreichen, weit über das Kriegsgebiet Tschetschenien hinausgehenden, mittlerweile auch die Zivilbevölkerung betreffenden Terroranschlägen schließlich deutlich gemacht, dass der russische Staat nicht mehr imstande und nicht mehr bereit ist, seine Bürger zu schützen. Ein Umstand, der sich auch durch großrussisches, chauvinistisches Pathos wie jenes des Präsidenten, der einmal erklärte, der „letzte tschetschenische Terrorist würde am Häusl zermalmt werden!", nur mehr notdürftig verbergen läßt.

Dass Dostojewskij (der Prototyp aller heute so erfolgreichen russischen Krimiautoren – während konventionelle Autoren wie Sergej Gandlewskij davon sprechen, dass die gegenwärtige Realität „alle Sinne übersteige" und nicht darstellbar sei) derzeit als einer der aktuellsten Stimmen angesehen wird, erstaunt wenig: Die Frage nach der Verbindung von individueller Freiheit, Moral und Undurchsichtigkeit der Verhältnisse ist im Ausnahmezustand des gegenwärtigen Russland von unüberbietbarer Aktualität. Dostojewskijs messianisches Christentum mag heute ebenso wenig wie Solschenizyns patriarchaler nationaler Gestus als Antwort dienen. Bezeichnenderweise ist der vermutlich erfolgreichste Autor der russischen Gegenwartsliteratur, Boris Akunin, Verfasser von Kriminalromanen. Der Zyklus von mittlerweile zwei Dutzend Büchern, die am Ende des 19. Jahrhunderts angesiedelt sind und in deren Zentrum Ernest Fandorin, Agent der russischen Geheimpolizei und die ebenso detektivisch agierende Nonne Pelagia stehen, stellt eine postmoderne, gleichsam proto-bolschewistische Comedie Humaine am Vorabend der Oktoberrevolution dar und beruft sich explizit auf Dostojewski. Ihr Verfasser bezeichnet das auch in ökonomischer Hinsicht äußerst erfolgreiche Unternehmen trotz der meisterhaften Imitation russischer Erzähltechniken des Realismus explizit nicht mehr als Literatur sondern als „Projekt".

Neben dem schrittweisen Verstummen aller gegenkulturellen Spielarten an Avantgardeliteratur ist Akunin die einzige sich behauptende Form russischen Schreibens, die gleichermassen Systemumbruch und Anknüpfen an die Tradition aus einer eigenständigen russischen Perspektive zu reflektieren imstande ist. Allerdings ist Akunin auch zu attestiert, daß sein internatioanlisiertes und doch auf Sonderstellung beharrendes Russland nur noch mit Schrecken wahrgenommen werden kann, als wäre der für russisches Selbstverständnis zum Glauebnssatz erhobene Vers des Dichters Fjodor Tjutschew „Mit dem Verstand ist Russland nicht zu begreifen – an Russland muss man glauben" tatsächlich noch immer von Gültigkeit.

Dem widerspricht allein die den Klassiker Tjutschew ironisierende Paraphrase des expliziten „Westlers" Timur Kibirow, der als bedeutendster zeitgenössischer Lyriker gilt: „In Rußland kann man leben – man muß sich nur dem Herrn, dem Zar, ergeben." Übersetzt bedeutet das: Die Aneignung von Russlands apokalyptischer Erfahrung des 20. Jahrhunderts stellt mit ihrer Rückkehr aus dem vollendeten Stillstand der Utopie und dem Wiedereintritt in die Geschichte eine fast notwendige Voraussetzung auf dem Weg der Osterweiterung Europas, wovon Russland ein Teil ist, dar; allein schon, um jene im Sturm von Neokonservativismus, Entstaatlichung und Entsolidarisierung aller Bereiche der Gesellschaft erschütterte Stabilität Nachkriegseuropas, die den fast vergessenen Namen „Gleichgewicht des Schreckens" trug, wetterfest zu machen – und sei es allein aus zweckrationalen Gründen. Wenn Russland nicht „europäisiert" wird, droht umgekehrt die „Russifizierung" Europas. Ein derartiger Zustand wäre aber nur noch als schreckliches Gleichgewicht zu verstehen, in dem die Frage nach indivuellen Lebensentwürfen und Lebensprojekten grundlegend anders gestellt werden müsste.

Ernst Strouhal

Umweg nach Buckow

Zwischen den Projekten: Bert Brechts Buckower Elegien
nochmals gelesen

Am 19. Oktober 1983 verschlang die Revolution ihre Kinder. Im Hof
von Fort Rupert auf einem Hügel von St. George's, der Hauptstadt Grenadas, wurde Maurice Bishop erschossen. Mit ihm starben 16 seiner Anhänger und Freunde. Den Schießbefehl hatte Hudson Austin, General der
revolutionären Volksarmee Grenadas (PRA), erteilt. Sechs Tage danach
begann die amerikanische Invasion.
Bishop, der charismatische Redner und Führer der New Jewel Bewegung
(*Joint Endeavor for Welfare, Education and Liberation*) hatte vier Jahre zuvor, am 13. März 1979, in einem Putsch die Macht von Eric Gairy übernommen und die „People's Revolution" verkündet. Gairy, der Gewerkschafts-
führer und Gründer der GULP (*Grenadas United Labour Party*), war seit 1967
Premierminister Grenadas gewesen und hatte die südlichste der Windward-
Inseln 1974 in die Unabhängigkeit von Großbritannien geführt.
Gairys Regime war in den 70-er Jahren ebenso korrupt wie repressiv, seine
Mongoose Gangs, eine paramilitärische Privatarmee nach dem Vorbild
Pinochets und Haitis Papa Doc, terrorisierten die Bevölkerung und schüch-
terten die Opposition ein. Die Arbeitslosigkeit auf Grenada war auf 50 Pro-
zent gestiegen. Weite Teile der Bevölkerung verelendeten, als einzige Mög-
lichkeit blieb für viele Grenadiner die Auswanderung.
Gairys Hauptrivale war der 1944 in Aruba geborene Maurice Bishop.
Bishop hatte in London Jus studiert und war Ende der 60er Jahre nach
Grenada zurückgekehrt. Gemeinsam mit Bernhard Coard organisierte er
die New Jewel Bewegung. New Jewel war ein eklektizistisches politisches
Projekt: Eine Melange aus marxistischer Analytik, basisdemokratischer
Organisation und Black-Panther-Rhetorik. Seine Stärke bezog das Projekt
weniger aus seiner Einheit als aus seinem konkreten Kampf gegen das
Gairy-Regime. In einem Manifest des New Jewel aus 1973 heißt es:

Grenada

Buckow

„Bernhard Coard wurde Ende Oktober 1983 verhaftet und
zum Tode verurteilt. Die Todesstrafe wurde in lebenslange Haft
umgewandelt. Mit einigen seiner Anhänger sitzt er seit 22 Jahren
im Richmond Hill Prison hoch über der Stadt mit Blick auf
die Bucht und auf das gegenüber liegende Fort Rupert."

„Brecht hat ,Böser Morgen' nicht in den Zyklus der ,Buckower
Elegien' aufgenommen, ebenso wenig wie ,Die Lösung', mit seiner
berühmten lakonischen Empfehlung an die DDR-Regierung,
wenn sie nach dem Aufstand des 17. Juni unzufrieden mit
dem Volk sei, es doch der Einfachheit halber aufzulösen
und sich ein anderes zu wählen."

Ernst Strouhal

1 www.spartacus.schoolnet.co.uk/COLDnewjewel.htm (August 2005)

„The people are being cheated and have been cheated for too long
(...) Nobody is asking what the people want. We suffer low wages
and higher cost of living while the politicians get richer, live in bigger houses and drive around in even bigger cars. The government
has no idea how to improve agriculture, how to set up industries,
how to improve housing, health, education and general well-being
of the people. They have no ideas for helping the people. All they
know is how to take the people's money for themselves, while the
people scrape and scrunt for a living. (...) We believe that the main
concern of us all is to (1) prevent the daily rise in prices of all our food
and clothes and other essentials (...) and (2) develop a concrete program for raising the standard of housing, living, education, health,
food and recreation for all the people."[1]

Vielleicht mehr als der Sieg der Revolution wurde am 13. März 1979 der
Sturz Gairys von der großen Mehrheit der Bevölkerung Grenadas gefeiert.
„It was a sunrise," wird sich Kennedy Lawahir noch 25 Jahre danach erinnern, ein von allen begrüßter Sonnenaufgang nach Jahrzehnten des Terrors
und der Stagnation, obwohl man noch nicht so genau wusste, was der Tag
bringen würde.
Nach dem Putsch trafen Gruß- und Solidaritätsadressen von Kuba, der
Sowjetunion, aber auch aus Libyen und aus der DDR in Grenada ein. Die
USA befürchteten ein zweites, diesmal englischsprachiges Kuba. Die Radio-
ansprache Bishops am 13. April, einen Monat nach der Revolution, war
nicht zuletzt an die Adresse der USA gerichtet:

„Sisters and brothers, what we led was an independent process. Our
revolution was definitely a popular revolution, not a coup d'etat,
and was and is in no way a minority movement. (...) We are a small
country, we are a poor country, with a population of largely African
descent, we are a part of the exploited Third World, and we definitely have a stake in seeking the creation of a new international economic order which would assist in ensuring economic justice for the
oppressed and exploited peoples of the world, and in ensuring that
the resources of the sea are used for the benefit of all the people of
the world and not for a tiny minority of profiteers. Though small
and poor, we are proud and determined. We would sooner give up
our lives before we compromise, sell out, or betray our sovereignty,
our independence, our integrity, our manhood, and the right of our

people to national self-determination and social progress. Long live
the revolution! Long live free Grenada!"[2]

Als Ministerpräsident blieben Bishop kaum vier Jahre zur Umsetzung seiner Forderungen und zur Umgestaltung der grenadinischen Gesellschaft
und Wirtschaft. Dennoch gelang es dem People's Revolutionary Government (PRG), rasch die Arbeitslosigkeit zu senken, in allen Teilen der Insel
wurden Krankenstationen eingerichtet. Experten aus der Sowjetunion und
Kuba reisten auf die Insel ebenso wie revolutionshungrige Jugendliche und
Studenten aus Westeuropa.
Eines der wichtigsten Infrastrukturprojekte war der Bau eines Flughafens,
den die Kubaner übernahmen. Castro war mit Maurice Bishop seit den

70-er Jahren eng be-
freundet. Der Flugha-
fen sollte den Touris-
mus ankurbeln, ande-
re vermuten, dass mit
dem Bau militärstra-
tegische Ziele verfolgt
wurden. Im Falle einer
Konterrevolution wä-
ren kubanische Trup-
pen rascher zu einer
Intervention in der La-

Grenada   Foto: Ernst Strouhal

ge gewesen. Heute wird die Piste nicht mehr für den Flugverkehr genützt.
An manchen Wochenenden finden private Autorennen statt, entlang des
Asphaltbandes grasen Schafe.
Bereits zu Beginn der 80er Jahre wuchsen die Spannungen zwischen den
Fraktionen im New Jewel. Während die Leninisten um Bernhard Coard,
dem Stellvertreter Bishops und Vorsitzenden des Zentralkomitees, auf Ver-
staatlichung drängten, setzte Bishop, um die Versorgung zu sichern und
eine außenpolitische Isolation Grenadas zu verhindern, weiterhin auf die
Kooperation mit der Privatwirtschaft. Bis auf den Privatbesitz Gairys – er
war ins Exil in die USA geflüchtet – wurde nichts verstaatlicht.
Ob der Elan der revolutionären Bewegung zu Beginn tatsächlich auf den
gesellschaftspolitischen Reformen oder auf der massiven sowjetischen und
kubanischen Wirtschaftshilfe beruhte, ist eine Frage, die sich heute niemand

2 Maurice Bishop Speaks: *The Grenada Revolution and Its Overthrow 1979–83.*
Pathfinder Press. Atlanta 1983

mehr stellt. Spricht man mit Anhängern Bishops aus dieser Zeit, erntet man ein Achselzucken. Statt einer Antwort wird ein Foto hervorgeholt: Es zeigt junge fröhliche Menschen, die sich auf der Veranda eines Holzhauses versammelt haben. Sie stehen unter einem handgemalten Plakat, auf dem *No solution without revolution* steht, der Schriftzug wird von zwei gezeichneten Maschinengewehren flankiert.

Kurz nach dem Umsturz wurde Radio Grenada in Radio Free Grenada umbenannt. Einer der Beiträge der DDR war die Errichtung eines 120 Meter hohen Radioturms nördlich von St. George's. Auf 15.105 kHz konnten die Sendungen von Radio Free Grenada nun weltweit empfangen werden; auch in Europa wippten viele zu den Reggaesongs von der Karibik-Insel, die man kaum im Atlas fand, und die vom Moderator immer wieder emphatisch mit dem Slogan: *Build up, form revolution* unterbrochen wurden.

1983 war Radio Free Grenada eines der ersten Ziele der amerikanischen Bomben. An die 14 Amerikaner, die beim Angriff auf den Sendeturm und auf die sowjetische Transmitteranlage starben, erinnert heute ein Denkmal nahe des neuen Point Sallines Airport. Ein Denkmal für die Opfer der Invasion existiert nicht und niemand scheint es zu vermissen. 1984 wurde der Sender in „Spice Island Radio" umbenannt.

II

Ich treffe Edwin Frank und Kennedy Lawahir nacheinander. Sie sprechen schon lange nicht mehr miteinander. Beide sind um die fünfzig und beide waren von 1979 bis 1983, wie man sagt, „dabei gewesen". Lawahir war ein „begeisterter Fußsoldat der Revolution", wie er betont, Frank war Sprecher von Radio Free Grenada, seine Stimme war bis zum Oktober 1983 „Voice of the Revolution".

Was genau am 19. Oktober 1983, als Maurice Bishop exekutiert wurde, geschehen ist, lässt sich nur schwer rekonstruieren. Bishop hatte den September in Europa verbracht, um weitere Verbündete für seinen Weg zu finden, und war danach kurz zu seinem engsten Verbündeten, Fidel Castro, gereist. Bishops politischer Kurs war eine innen- und außenpolitische Gratwanderung: Einerseits galt es, das Projekt der Revolution voranzutreiben, in Bildung, Gesundheit und Kooperativen zu investieren und das Land gegenüber dem immer skeptischeren Blick der USA abzusichern. Andererseits bestand Bishop darauf, weiterhin privates Kapital zuzulassen und nur wenige Bereiche zu verstaatlichen.

Die Spannungen innerhalb der PRG und der Partei entluden sich Mitte Oktober. In Abwesenheit Bishops war es den Leninisten um Bernhard Coard gelungen, sich eine Mehrheit im Zentralkomitee zu verschaffen. Bishop und Coard kannten sich seit Kindertagen. In den frühen 60er Jahren gründeten sie gemeinsam Grenadas *Assembly of Youth after Truth* und leiteten die zweimonatigen öffentlichen Debatten am zentralen Marktplatz von St. George's. Coard war ein brillanter Analytiker, hatte in den USA Ökonomie studiert und war in England der Kommunistischen Partei beigetreten. Mit Bishop kämpfte er in der New Jewel, nach dem Putsch machte ihn Bishop zu seinem Finanzminister und Stellvertreter. Der Vorwurf an Bishop lautete Personenkult. Peter David, 1983 Leiter von Radio Free Grenada, erinnerte sich 2003 an den Machtkampf:

„Innerhalb der Partei vertraten 95 Prozent das Prinzip des ‚Joint Leadership‘, sie waren gegen Personenkult, für eine kollektive Führung. Maurice war dagegen, ebenso seine engsten Vertrauten. Ihr Gegenspieler war Bernhard Coard, der stellvertretende Premierminister. Er hatte die Partei auf seiner Seite, Maurice das Volk. Und die Partei entfernte sich von den Massen. Das war das Problem."[3]

„Die Partei" bestand in Wahrheit nur aus etwa 100 Mitgliedern, die Forderung nach einer kollektiven Führung kam de facto einer Entmachtung Bishops gleich. Hinter dem Konflikt verbarg sich ein Flügelkampf innerhalb der New Jewel Bewegung zwischen leninistischer Diktatur und der Suche nach einem dritten Weg zwischen den Blöcken und Ideologien. Coard misstraute Bishops Freundschaft mit Castro, Bishop den Umarmungsversuchen der Sowjetunion.

Als Bishop am 14. Oktober nach Grenada zurückkehrte, bestand er auf einer Volksabstimmung über die Frage der Führung. Er wurde unter Hausarrest gestellt. Nachdem Bishops Festsetzung – im Übrigen im Hause seines Freundes und Nachbarn Coard – bekannt wurde, kam es rasch zu Demonstrationen in ganz Grenada. Vier Minister der Regierung erklärten ihren Rücktritt aus Solidarität mit Bishop, am 18. Oktober besetzten Schüler den Flughafen von Grenada. Sie schwänzten die Schule und sangen: „No Bishop, no school." Das Gerücht (war es bewusst gestreut worden?), dass Bishop ermordet werden sollte, machte die Runde. Am Morgen des

3 Gaby Weber: *Kein zweites Kuba! Die US-Intervention in Grenada 1983*, Deutschland-Radio Berlin, 24.10.2003

19. Oktober formierte sich eine Großdemonstration in St. George's, rund 10.000 Demonstranten (immerhin ein Zehntel der Bevölkerung Grenadas) zogen zu Coards Haus. Bishop wurde aus dem Arrest befreit und nach Fort Rupert – vermeintlich in Sicherheit – gebracht. Eine Ansprache Bishops um 13 Uhr am Marktplatz von St. George's wurde angekündigt. Dazu kam es nicht mehr. Gegen Mittag wurde Bishop mit 16 Anhängern, darunter seine schwangere Lebensgefährtin Jacqueline Creft, exekutiert. Zwar erteilte Hudson Austin den unmittelbaren Befehl, die Verantwortung für den politischen Mord trug jedoch eindeutig Bernhard Coard. Die Leichen wurden nie gefunden.

Radio Free Grenada hatte um 11 Uhr den Sendebetrieb eingestellt. Am Abend verlas Edwin Frank ein Kommuniqué des Militärrates. Der Rat habe zur Verteidigung der Revolution die Macht übernommen. Eine viertägige Ausgangssperre wurde verhängt. Für die blutigen Ereignisse in Fort Rupert wurden Maurice Bishop und seine Anhänger verantwortlich gemacht, die als erste das Feuer auf die ankommenden Armeeeinheit eröffnet hätten.

Für Edwin Frank, der den 19. Oktober in der Radiostation verbrachte, ist vieles an diesem Tag unklar geblieben. Implizit macht er die CIA für den Tod Bishops verantwortlich. Mit der Exekution Bishops am 19. Oktober gelang es der US-Regierung, ihr militärisches Einschreiten zu rechtfertigen, doch Bishop, der Held des Volkes, hätte den Widerstand der Bevölkerung gegen die schon Wochen zuvor in Stellung gebrachten US-Truppen organisiert. Deshalb musste Bishop beseitigt werden. Sechs Tage nach Bishops Tod wurde St. George's von US-Flugzeugen und Kriegsschiffen bombardiert. Nach drei Tagen Bombardement erfolgte die Invasion der Marines und Seals. Der Widerstand auf Grenada war nicht groß und wurde in wenigen Tagen gebrochen. Mehr noch: Die Amerikaner wurden von der großen Mehrzahl der Grenadiner als Befreier von den stalinistischen Putschisten begrüßt. Dass sie auch von Bishops Revolution befreit wurden, störte in diesem Moment offenbar kaum. Aus Sicht der USA hatte sich mit dem Ende der Revolution auf Grenada und dem Scheitern der Sandinisten in Nicaragua die politische Lage in Mittelamerika und in der Karibik beruhigt. Die Zeit politischer Experimente war vorbei. Bei den Wahlen im Dezember 1984 gewann die New National Party (NNP), ein Wahlbündnis von Sozialdemokraten und Liberalen, vierzehn von fünfzehn Parlamentssitzen. Weder der aus dem Exil zurückgekehrte Gairy noch die Nachfolger des New Jewel Movements, die sich im Maurice Bishop Patriotic Movement (MBPM) zusammenfanden, spielten bei den Wahlen noch eine Rolle.

Man hat Frank, der Stimme der Revolution, der seine Stimme auch den Mördern Bishops geliehen hatte, die abendliche Sendung voller Lügen und Rechtfertigungen nicht verziehen. Er verließ den Sender und fand Unterschlupf als kleiner Beamter in Grenadas staatlichem Tourismusbüro. Heute betreut er Journalisten, kümmert sich um die Organisation von Marketingtreffen für die Insel und lässt Broschüren drucken. „Enjoy Spicy Island" steht auf einer. In einer anderen liest man: „Die Menschen der Karibik sind von Natur aus freundlich."

Edwin Frank ist groß, an drei Fingern seiner rechten Hand trägt er Ringe. Er bewegt sich langsam, manchmal lacht er, aber sein Humor ist gallig. Vom 19. Oktober spreche er nicht gern, nicht aus Scham, aber weil er, der diesen Tag so genau studiert hat, nicht bereit sei zu vereinfachen. Als er dann doch spricht, tut er es distanziert und kühl, auch was seine eigene Rolle betrifft. Was er heute denkt? „No more bullets." Was von der Revolution bleibt? „Education." Seit 1983 hat er sich nicht mehr in der Politik engagiert. Er sagt, er sieht sich heute als Beobachter. Und sein Job? Nun ja, er hat zwei Kinder.

Kennedy Lawahir war am 19. Oktober auf der Straße, am Marktplatz in St. George's, am Weg mit Bishop ins Fort Rupert. Seine Erinnerungen überschlagen sich. Er zeigt mir die Stelle, wo er auf der Flucht vor dem Militär seinen Schuh verlor, dann den Ort der Hinrichtung und die Mauer, über die die erschossenen Schulkinder, deren Leichen man später ebenfalls nie gefunden hat, stürzten.

Lawahirs Jahre danach waren konfus und bewegt. Nach dem Ende der Revolution ging er nach Kanada, arbeitete bei der Apfelernte, trank ein paar Jahre viel, begann dann als Journalist zu arbeiten und entdeckte schließlich die Geschichte als sein Betätigungsfeld: Er ging in die Archive, studierte die Geschichte der Arawaks und Kariben, trug Dokumente über die Kolonialgeschichte unter französischer und britischer Herrschaft zusammen, vor allem aber interessiert er sich heute für seine Familiengeschichte. Er fährt mich zu der tief eingeschnittenen Bucht von Black Bay, wo 1851 seine Vorfahren aus Indien an Land gingen. Seine Großeltern hätten noch Hindi gesprochen, er selbst sei leider auf Englisch angewiesen, aber er ist stolz darauf, in fünfter Generation indischstämmiger Grenadiner zu sein. Seine Frau liebt er, aber, wenn er offen ist, er habe sie geheiratet, weil er keine passende Inderin gefunden habe.

Wie Frank arbeitet Lawahir im Tourismus, doch er hat sich selbständig gemacht und organisiert historische Bustouren durch die Insel. Die Bank, freut er sich, hat im letzten Monat endlich seinen Kredit für ein Ausflugsboot für Touristen bewilligt.

Der Tourismus ist heute die Haupteinnahmequelle Grenadas. Die Einkünfte übersteigen jene aus dem Gewürz- und Kakaoanbau und der Fischerei bei weitem. Statt von der Sowjetunion und DDR werden Grenadas Projekte heute von den USA und der Weltbank unterstützt, auch Taiwan und China leisten finanzielle Hilfe: Mit ihrem Geld sichern sie sich abwechselnd die Zustimmung der kleineren karibischen Staaten in der UNO.

Am 7. September 2004 erlitten die Modernisierung und der Aufbau der Tourismusindustrie auf den kleinen Antillen einen Rückschlag. In der Nacht fegte Ivan, ein Hurrikan der Kategorie 4, über die Inseln, die sich fast ein halbes Jahrhundert lang jenseits des Hurrican-Belts in Sicherheit wähnten. In Tobago zerstörte Ivan 90 Prozent der Bananenernte, in Grenada starben 39 Menschen, Dächer flogen wie Drachen durch die Luft, ein Großteil der privaten und öffentlichen Gebäude wurde in wenigen Stunden beschädigt oder zerstört. Was Ivan 2004 übrig ließ, holte sich Hurrikan Emily im Juli 2005. „Die Stürme haben getan, was sie tun mussten," erklärt der Busfahrer lachend, als wir warten müssen, bis die Straße freigeräumt ist, „sie hat ein paar Palmen geknickt und ein paar Leitungen umgelegt. That's it, just bad luck." Über die nächste Fußball-WM in Deutschland weiß er im Übrigen alles. „Die Deutschen brauchen einen Stürmer," belehrt er mich, „Kurányi ist ok, aber das wird gegen Brasilien nicht genügen." Markantestes Zeichen der Verwüstung war, dass der alte, von der DDR errichtete Radioturm geknickt wurde. Man handelte rasch: Das Stahlgerüst wurde in wenigen Tagen zerlegt und abtransportiert.

Ein Rückschlag waren die beiden Stürme vor allem für das, was Anderson McPhee die Etablierung der *fast culture* in der Karibik nennt. Wie Bishop und Coard hat der aus Tobago stammende Hotelmanager vor seiner Rückkehr auch in den USA studiert, aber nicht mehr Soziologie oder politische Ökonomie, McPhees Fach war Tourismus. Er sei „very much headhunted", sagt er entspannt. Für ihn ist der fröhliche Fatalismus, mit dem sich der Busfahrer sein Leben mit den Stürmen (den meteorologischen wie den sozialen) eingerichtet hat, der erklärte Feind. Bob Marleys *Get up, stand up* taugt für ihn im besten Fall noch als Kommando für den Besuch im Fitnesscenter. Er arbeite 24 Stunden am Tag für ein Unternehmen, wenn es sein muss. Das verlange er auch von seinen Mitarbeitern und da gäbe es

nach wie vor Probleme mit der Mentalität der Menschen und mit der
Gewerkschaft. Aber alles soll, muss jetzt schneller gehen, will man dem
Konkurrenzdruck der Resorts in Asien standhalten und die Zahl der amerikanischen und europäischen Gäste weiterhin steigern. Die größte Gefahr
werde von Kuba ausgehen. Nein, McPhee lacht, das meine er nicht mili-
tärisch oder politisch, ganz und gar nicht. In der neuen Zeit nach Castro und
dem Embargo wird Kuba der größte Konkurrent am Tourismusmarkt sein,
weil dann die Amerikaner Kuba als Urlaubsziel wiederentdecken werden.

Auch die Wissenschaft hat bei der Betrachtung der kleinen Antillen das
Paradigma gewechselt. Wo einst Gesellschaft und ihre Analyse auf der
Agenda standen, steht heute Kultur und die Suche nach der Präsenz ihrer
Geschichte. Man sucht genau: In den hintersten Winkeln des privaten
Lebens und in einzelnen Wendungen lokaler Dialekte registrieren emsige
Feldforscher Formen der Kreolisierung, der Méttisage und der Hybridität
und feiern sie als Strategien widerständiger Kultur. In der Karibik würden
neue Konzepte von Identität in ständiger Bewegung, für die wir freilich
keinen Begriff haben, sichtbar.

In St. George's ist davon nichts zu merken. Augenscheinlich ist, dass sich
die englischsprachige Karibik im Zeichen vermehrten Wohlstandes zusehends amerikanisiert. Die meistgesehene Jugendsender sind MTV und
BET (Black Entertainment TV), die rund um die Uhr Videoclips senden.
Das mit Abstand bestbesuchte Lokal der Stadt ist Kentucky Fried Chicken,
auch wenn ein Graffiti in Erinnerung an die Invasion der Reagan-Truppen
KFC wütend mit *Kill our Future Children* buchstabiert. Aus den Autora-
dios dröhnt Rap. Crack – nicht das Wheed der alten, seltsam jugendlich
erschöpften Rastafari – ist ein Problem.

Sowohl die Revolution als auch die britisch-koloniale Vergangenheit scheinen, zumindest auf den ersten Blick, Lichtjahre weit entfernt. Arnos Vale
ist das Gelände einer ehemaligen Zuckerrohrplantage: Ein prächtiger Strand
in einer tief eingeschnittenen Bucht, das Hotel am Hügel ist von herunter-
gekommenem englischen Charme. Der Tee auf der Terrasse kostet 10
Dollar, an Gäste wie an Vögel wird derselbe trockene Kuchen verfüttert.
In ihrer besten Zeit wurden auf der Plantage 70 Tonnen Zuckerrohr ge-
erntet, tausende aus Schwarzafrika verschleppte Sklaven arbeiteten und
starben in Arnos Vale. In Gehweite zum Hotel wurde im Vorjahr ein Fein-
schmeckerrestaurant errichtet. Inmitten der Maschinen und Sklavencamps
dinieren schwarze wie weiße Gäste und genießen den Hummer à la Creole

---

4 Bert Brecht: *Stücke VIII.*, Berlin 1962, S. 197f.

wie das dezent ausgeleuchtete historische Ambiente, ohne mehr einen
Gedanken an die Geschichte des Ortes zu verschwenden.

Bernhard Coard wurde Ende Oktober 1983 verhaftet und zum Tode verurteilt. Die Todesstrafe wurde in lebenslange Haft umgewandelt. Mit einigen seiner Anhänger sitzt er seit 22 Jahren im Richmond Hill Prison hoch
über der Stadt mit Blick auf die Bucht und auf das gegenüber liegende Fort
Rupert. Im Vorjahr ist es Coard überraschend gelungen, sein Verfahren
vor einem internationalen Gericht neu aufzurollen.

Der Fall wird in Grenadas Medien heiß diskutiert und bei allen politischen Divergenzen, die ein Gespräch zwischen den beiden Männern bis
heute verunmöglicht, so stimmen Frank und Lawahir doch überein, dass
Coard und seine Leute jetzt begnadigt werden sollten. Wem sollten sie
noch schaden?

III

„Furchtbar die Enttäuschung, wenn die Menschen erkennen oder
zu erkennen glauben, dass sie einer Illusion zum Opfer gefallen
sind, dass das Alte stärker ist als das Neue, dass die ‚Tatsachen‘ gegen sie und nicht für sie sind, dass ihre Zeit, die neue, noch nicht
gekommen ist. Es ist dann nicht nur so schlecht wie vorher, sondern viel schlechter; denn sie haben allerhand geopfert für ihre
Pläne, was ihnen jetzt fehlt, sie haben sich vorgewagt und werden
jetzt überfallen, das Alte rächt sich an ihnen (...) Der Anstrengung
folgt die Erschöpfung, der vielleicht übertriebenen Hoffnung die
vielleicht übertriebene Hoffnungslosigkeit. Die nicht in Stumpf-
heit und Teilnahmslosigkeit zurückfallen, fallen in schlimmeres;
die die Aktivität für ihre Ideale nicht eingebüßt haben, verwenden
sie nun gegen dieselben! Kein Reaktionär ist unerbittlicher als ein
gescheiterter Neuerer, kein Elefant ein grausamerer Feind der wilden Elefanten als der gezähmte Elefant.

Und doch mögen diese Enttäuschten immer noch in einer neuen
Zeit, Zeit des großen Umsturzes, leben. Sie wissen nur noch nichts
von neuen Zeiten."

Bert Brecht, Anmerkungen zu *Leben des Galilei* [4]

IV

Buckow liegt rund eine Stunde von Berlin entfernt. Man fährt vom Frankfurter Tor auf der A1 kerzengerade Richtung Osten über Herzfelde bis Müncheberg und biegt dann nach links auf die Landstraße ab.

Buckow liegt am Schermützelsee an einer waldigen Hügelkette, seit Fontanes Zeiten ein beliebtes Ausflugsziel der Berliner. Seit 1995 darf sich Buckow staatlich anerkannter Kneippkurort nennen. Man tut, was man kann: Es gibt ein Eisenbahnmuseum und einen Naturpark, eine Beautyfarm und Schiffrundfahrten. Den Bürgermeister stellt seit der Wende die CDU. Buckow sei ein „sauberer Rückzug" in Zeiten des Terrorismus, konstatiert *Die Zeit*, der „gesündeste Ort, um von einer kranken Welt vorübergehend Urlaub zu nehmen."[5]

Der Ort ist schmuck, die Fußwege sind neu gepflastert, die Fassaden der meisten Häuser frisch gestrichen. Auch Buckow scheint zumindest einen kleinen Teil von jenen 1,4 Billionen Euro, die seit 1989 in den Osten überwiesen wurden, abbekommen zu haben. Im Restaurant am See gibt es Zander und Rollbraten, ich könne, erklärt mir die Kellnerin freundlich, auch zwischen verschiedenen Sättigungsbeilagen wählen.

Am 17. Juni 2005 feierte man in Buckow die 40. Rosentage mit Wahl der Rosenkönigin, Umzug und Spielecke für die Kinder. Auf der Wiese neben dem Marktplatz stehen Schatzsuche, Katapult- und Lanzenschießen am Programm, die Delegationen der umliegenden Dörfer haben sich verkleidet und tragen mittelalterliche Tracht. Es ist aber, spürt man, irgendwie kein fröhliches Fest. Ein Organisator, der sich um die Tonanlage und die Würstchen kümmert, trägt ein rotes T-Shirt mit der Aufschrift: „Mir geht's gut!". Etwas kleiner steht daneben: „125 Jahre vorwärts". Es ist schwer zu sagen, ob der Text Optimismus oder Ironie vermitteln soll. Die Mehrheit der Bewohner Brandenburgs ist, wie es im amtlichen Jargon heißt, „in hohem Maße transferabhängig", zwei Millionen haben seit der Wende die neuen Bundesländer auf der Suche nach Arbeit verlassen.

Auch das „Brecht-Weigelhaus" beteiligt sich an diesem Tag am Fest. Im Garten wurde ein Kunstmarkt eingerichtet, an der Rückseite des Hauses gibt ein Männerchor ein Konzert. Die Sänger tragen grüne Anzüge, ihr erstes Lied beginnt mit „Oh, du stiller deutscher Wald".

5 Evelyn Finger: *Sauberer Rückzug*, Die Zeit (15/2003)
6 Brief an Bernhard Reich 1956, zit. Werner Hecht: *Eine „Sphäre der Isolierung"*. In: Margret Brademann (Red.): *Am Wasser des Schermützelsees. Berthold Brecht in Buckow*. Märkisch Oderland, o. J. S. 8

Bert Brecht hat Buckow 1952 für sich und Helene Weigel entdeckt, der Ort und die Villa, die beide erwarben, schienen Brecht „friedlich und langweilig genug für die Arbeit".[6] Heute beherbergt das Haus eine ständige Ausstellung über das Leben von Brecht und Weigel in Buckow.

Brecht war 1949 wenige Monate vor der Gründung der DDR nach Deutschland zurückgekehrt und optierte für Berlin-Ost. Sein Projekt war das Berliner Ensemble, das zunächst im Deutschen Theater, dann im eigenen Haus am Schiffbauerdamm spielte. Dem Aufbau des Ensembles als politisches wie als ästhetisches Experiment widmete Brecht seine ganze Kraft, beim Schreiben, in den täglichen Diskussionen im Kollektiv des Theaters und in der Verteidigung des Projektes nach außen. Bei aller sich langsam einstellenden Anerkennung blieb das Theaterprojekt des parteilosen Brecht im sozialistischen Nachkriegsdeutschland insular. Die Arbeitsbedingungen waren schwierig; ein kleines Objekt im Atelierraum des Buckower Hauses erzählt davon. Um seine Schreibmaschine von Berlin nach Buckow mitnehmen zu dürfen, benötigte Brecht eine

Buckow   Foto: Ernst Strouhal

eigene Bewilligung. In einer „Sondergenehmigung der Leitung des Amtes zur Kontrolle des Warenverkehrs im Ministerium für Außenhandel und Innerdeutschen Handel der Demokratischen Deutschen Republik" wird dem Dichter am 2. September 1952 bestätigt:

„Inhaber dieser Bestätigung, Herr Berthold [sic] Brecht, erhält die Genehmigung, auf seinen Fahrten von Berlin nach Buckow und umgekehrt eine Reiseschreibmaschine Royal A Nr. 1099815 sowie einen Koffer, enthaltend Theatermanuskripte mit sich zu führen und den KPP Hoppegarten zu passieren. Gültigkeitsdauer dieser Sondergenehmigung bis 31. Dezember 1952."

Brecht war sich der Gefahr der Erstarrung des Systems bewusst, im Vorwort zu Turandot schreibt er: „Überzeugt, aber feige, feindlich, aber sich duckend, begannen verknöcherte Beamte wieder gegen die Bevölkerung zu reagieren."[7] Solche klare Sätze, die Brecht auch in Druck gehen ließ, finden sich selten in dieser Zeit. Er spielte mit, trotz der erstickenden Atmosphäre, der er ausgesetzt war, verfasste er heute kaum mehr lesbare Hymnen und Aufbaulieder für den Bauern- und Arbeiterstaat, nahm 1951 den Nationalpreis und 1955 den Stalin-Friedenspreis entgegen.
Erinnerte sich Brecht, in den beschaulichen Stunden in Buckow an seinen Rat im *Lob des Zweifels*, das er Ende der 30er Jahre verfasst hatte?

> Gelobt sei der Zweifel! Ich rate euch, begrüßt mir
> Heiter und mit Achtung den
> Der euer Wort wie einen schlechten Pfennig prüft!
> Ich wollte, ihr wäret weise und gäbt
> Euer Wort nicht allzu zuversichtlich.[8]

Oder war der Ratschlag nach wie vor zugunsten des Kampfes gegen die Gefahr des Faschismus außer Kraft gesetzt? Aber galt nicht Brechts Charakteristik der Unbedenklichen in diesem Gedicht auch und gerade für die vielen „Kopflanger" des Regimes, das doch mit dem Projekt einer neuen Gesellschaft jenseits von Ausbeutung angetreten war und nichts weniger als einen neuen Menschen schaffen wollte, einen, der freundlich umgeht mit sich und den anderen?

> Da sind die Unbedenklichen, die niemals zweifeln.
> Ihre Verdauung ist glänzend, ihr Urteil ist unfehlbar.
> Sie glauben nicht den Fakten, sie glauben nur sich. Im Notfall
> Müssen die Fakten dran glauben. Ihre Geduld mit sich selber
> Ist unbegrenzt. Auf Argumente
> Hören sie mit dem Ohr des Spitzels.[9]

Der lange Spagat, den Brecht zwischen öffentlichem Engagement und privatem Zweifel zog, wurde am 17. Juni 1953 bis an die Grenze des Zerrei-

---

7 ebda, S. 13
8 Bert Brecht: *Ges. Werke in 20 Bänden, Bd. 9*, Werkausgabe Edition Suhrkamp. Frankfurt am Main 1976, S. 626
9 ebda, S. 627
10 20. 8. 1953, zit nach: Jörg W. Joost: *Buckower Elegien.–* In: Jan Knopf (Hg.): *Brecht Handbuch, Bd. 2*, Stuttgart 2001, S. 444

ßens gespannt. Brechts Reaktion auf die Arbeiterdemonstrationen war bekanntlich ambivalent. Als Brecht von den Demonstrationen hört, fährt er von Buckow sofort nach Berlin und bietet die Beteiligung des Ensembles bei einer Radiosendung an. In einem Telegramm an Ulbricht forderte er einerseits „zur großen Aussprache über die allseitig gemachten Fehler" auf, andererseits erklärte Brecht seine „Verbundenheit mit der SED" und kritisierte den Missbrauch der Demonstrationen zu kriegerischen Zwecken. Obwohl sein erstes Schreiben im *Neuen Deutschland* nur entstellend verkürzt publiziert wurde, replizierte Brecht nach Niederschlagung des Aufstandes nicht und vermied eine öffentliche Auseinandersetzung mit der Partei. In sein *Journal* notiert Brecht einen Monat später:

> „Der 17. Juni hat die ganze Existenz verfremdet. In aller ihrer Richtungslosigkeit und jämmerlichen Hilflosigkeit zeigen die Demonstrationen der Arbeiterschaft immer noch, dass hier die aufsteigende Klasse ist. Nicht die Kleinbürger handeln, sondern die Arbeiter, ihre Losungen sind verworren und kraftlos, eingeschleust durch den Klassenfeind, und es zeigt sich keinerlei Kraft der Organisation."

Und doch:

> „Das war der Kontakt. Er kam nicht in der Form der Umarmung, sondern in der Form des Faustschlags, aber es war doch der Kontakt (...) Aber nun, als große Ungelegenheit kam die große Gelegenheit, die Arbeiter zu gewinnen. Deshalb empfand ich den schrecklichen 17. Juni als nicht einfach negativ."[10]

Aus der „großen Gelegenheit" eines „Kontaktes" wurde nichts. Das Engagement des Berliner Ensembles wurde abgelehnt, zum Versuch einer „großen Aussprache" kam es dann erst im Spätsommer 1989. Ein paar Wochen später sang man bereits in Berlin nach dem Mauerfall: „Helmut nimm uns an die Hand, führ uns ins Wirtschaftswunderland". Aber auch daraus ist nichts geworden.

V

Zurück in Buckow schreibt Brecht im Sommer 1953 über den Traum vom „Bösen Morgen":

Böser Morgen

Die Silberpappel, eine ortsbekannte Schönheit
Heute eine alte Vettel. Der See
Eine Lache Abwaschwasser, nicht rühren!
Die Fuchsien unter dem Löwenmaul billig und eitel.
Warum?
Heut nacht im Traum sah ich Finger, auf mich deutend
Wie auf einen Aussätzigen. Sie waren zerarbeitet und
Sie waren gebrochen.

Unwissende! schrie ich
Schuldbewußt.[11]

Brecht hat *Böser Morgen* nicht in den Zyklus der *Buckower Elegien* aufgenommen, ebenso wenig wie *Die Lösung*, mit seiner berühmten lakonischen
Empfehlung an die DDR-Regierung, wenn sie nach dem Aufstand des
17. Juni unzufrieden mit dem Volk sei, es doch der Einfachheit halber aufzulösen und sich ein anderes zu wählen.
Die *Buckower Elegien* waren eine Reaktion auf den Aufstand, aber die meisten der 23 Gedichte ließ Brecht in der Schublade, sie seien „zu innerem
Gebrauch bestimmt"[12], und publizierte nur sechs der politisch unverfäng-
lichsten. Es waren nicht die besten, aber darunter doch *Der Blumengarten*,
der, obwohl ohne Endreim, in den Alliterationen und in seiner vollendeten Rhythmik nicht zufällig an Rilkes *Herbsttag* erinnert:

Der Blumengarten

Am See, tief zwischen Tann und Silberpappel
Beschirmt von Mauer und Gesträuch ein Garten
So weise angelegt mit monatlichen Blumen
Daß er vom März bis zum Oktober blüht.

11 Sämtliche Gedichte aus den *Buckower Elegien* zit. nach der Ausgabe in: *Bertolt Brechts Buckower Elegien. Mit Kommentaren von Jan Knopf.* Frankfurt am Main 1986
12 vgl. Joost (= Anm. 10), S. 440
13 Brecht Versuche 31, Heft 13, Berlin 1954, S. 107
14 Knopf in Joost (= Anm. 10), S. 452
15 Rainer Maria Rilke: *Duineser Elegien. Achte Elegie.* Frankfurt am Main 1975, S. 51

Hier, in der Früh, nicht allzu häufig, sitz ich
Und wünsche mir, auch ich mög allzeit
In den verschiedenen Wettern, guten, schlechten
Dies oder jenes Angenehme zeigen.

Die von Brecht ausgewählten Gedichte erschienen zunächst 1953 in *Sinn und Form* und ein Jahr danach in Heft 13 der *Versuche* im Suhrkamp Verlag Berlin, gemeinsam mit *Der kaukasische Kreidekreis* und seinem Aufsatz *Weite und Vielfalt der realistischen Schreibweise*. Der Aufsatz aus 1938 schließt mit den Worten:

> „Über literarische Formen muß man die Realität befragen, nicht die Ästhetik, auch nicht die des Realismus. Die Wahrheit kann auf viele Arten verschwiegen und auf viele Arten gesagt werden. Wir leiten unsere Ästhetik, wie unsere Sittlichkeit, von den Bedürfnissen unseres Kampfes ab."[13]

Aber was waren die „Bedürfnisse des Kampfes", die das ästhetische und das sittliche Handeln des Dichters bestimmen sollten, im Sommer 1953 für Brecht? Und umgekehrt: Wie sollte die Ästhetik eines Autors, der an den „Zuständen" und der „neuen Zeit" vielleicht nicht nur zweifelt sondern verzweifelt, aussehen? Wie konnte man „dies oder jenes Angenehme" zeigen?

Vollständig und in der von Brecht vorgesehenen Reihenfolge wurden die Gedichte erst Mitte der 80-er Jahre von Jan Knopf herausgegeben. Man hat die *Buckower Elegien* mehrfach als klassizistische Naturgedichte oder Alterslyrik (Brecht war 55 Jahre alt!) abgetan. Hingewiesen wurde auch auf die Verspätung der Elegien: Sie haben im Moment ihrer Publikation ihre Brisanz verloren.[14] Das mag stimmen, brisant sind diese Gedichte nicht, aber es könnte sein, dass sie gerade durch die historische Verspätung, mit der sie erschienen sind, heute aktueller sind, als alles andere, was Brecht geschrieben hat.

Der Titel des Zyklus spielt auf Vergils *Bucolica* an wie auf Rilkes *Duineser Elegien* aus 1912. Brechts Gedichte sind einfach, sein Buckow ist weder ein antikes Bukolien noch das aristokratische Schloss Duino. Brecht meidet den feierlich-dunklen Ton Rilkes, dennoch steht Brecht nach dem 17. Juni zumindest einen Sommer lang Rilkes „so leben wir und nehmen immer Abschied"[15] vielleicht ein wenig näher als man denkt.

Brechts Elegien beschreiben einen Zwischenraum zwischen der alten und
der neuen Zeit, in dem sich ein lyrisches Ich bewegt, zwar nicht weltabge-
wandt wie in Rilkes Klagen, aber ohne die Gewissheit mehr, über die Gesetze der Geschichte und die Zukunft Bescheid zu wissen. *Der Radwechsel*
dauert bis heute:

> Der Radwechsel
>
> Ich sitze am Straßenhang.
> Der Fahrer wechselt das Rad.
> Ich bin nicht gern, wo ich herkomme.
> Ich bin nicht gern, wo ich hinfahre.
> Warum sehe ich den Radwechsel
> Mit Ungeduld?

Im Motto, das Brecht den *Buckower Elegien* voranstellt, herrscht Windstille:

> Ginge da ein Wind
> Könnte ich ein Segel stellen.
> Wäre da kein Segel
> Machte ich eines aus Stecken und Plane.

Brecht hat in diesem Sommer Horaz gelesen, das Bild vom „Segel stellen"
nimmt den antiken Topos des Dichtens auf. Die politische Windstille, die
Brecht im Sommer 1953 erlebte, kann man 2005 ebenso wie die Situation
des Wartens beim *Radwechsel* überall auf dieser Welt von Grenada bis
Buckow erleben.

Dennoch formulieren Brechts Gedichte keine desillusionistische Haltung
des Posthistoire. Wenn in seinen Elegien über etwas geklagt wird, dann nicht
über das Ende der Geschichte, sondern über das Ende einer bestimmten
Form von Geschichtsphilosophie, die sich dazu aufschwang, den Lauf der
Zukunft bestimmen zu wollen. Die Geschichte selbst geht freilich weiter:
Das „Segel" könnte gebaut werden, und sei es aus einfachen Materialien,
wenn Wind aufkommt; das Warten wird „mit Ungeduld" erlebt, auch
wenn man der Bestimmbarkeit des Ziels der Reise fortan skeptisch begegnen muss. Dass aber eine *neue Zeit* (siehe III) nicht erst zu kommen
braucht, sondern immer schon da ist, darüber lässt Brecht keinen Zweifel.

16 Jan Knopf in Bertolt Brechts Buckower Elegien (= Anm. 11), S. 37
17 Bert Brecht: *An die Nachgeborenen*, Ges. Werke, Bd. 9 (= Anm. 8), S. 725
18 Bert Brecht: *Ges. Werke, Bd. 10* (= Anm. 8), S. 1022.

Seine Klage bleibt produktiv, denn beide Gedichte widersprechen sich in wunderbarer Weise. Dass bei Windstille nicht gedichtet werden kann, sagt Brecht *dichterisch* [16]; auch der Grund, warum das lyrische Ich den Radwechsel mit Ungeduld erlebt, lässt sich erschließen: Es kann, will *zumindest dieses eine Gedicht* schreiben. Was dann kommt, bleibt offen.

In der Zwischenzeit kann man kämpfen, sich engagieren, doch im Bewusstsein der Unbestimmtheit des Weges. Und man könnte selbst *freundlich* sein, ein Sehnsuchtswort, das einem immer wieder bei Brecht begegnet. 1938, als er seinen Bericht über die finstren Zeiten verfasste und die Nachgeborenen um Nachsicht bat, war „Freundlichkeit" noch nicht möglich:

> Dabei wissen wir doch:
> Auch der Haß gegen die Niedrigkeit
> Verzerrt die Züge.
> Auch der Zorn über das Unrecht
> Macht die Stimme heiser. Ach, wir
> Die wir den Boden bereiten wollten für Freundlichkeit
> Konnten selber nicht freundlich sein. [17]

Konnte er offenbar dann doch. 1954, zwei Jahre vor seinem Tod, schreibt Brecht über seinen Tag in Buckow:

> Vergnügungen
>
> Der erste Blick aus dem Fester am Morgen
> Das wiedergefundene alte Buch
> Begeisterte Gesichter
> Schnee, der Wechsel der Jahreszeiten
> Die Zeitung
> Der Hund
> Die Dialektik
> Duschen, Schwimmen
> Alte Musik
> Bequeme Schuhe
> Begreifen
> Neue Musik
> Schreiben, Pflanzen
> Reisen
> Singen
> Freundlich sein. [18]

Kein schlechtes Programm – bei guten wie bei schlechten Wettern.
Ein Projekt wäre:
Man könnte eine Übersetzung des Gedichts herstellen und es Bernhard Coard im Fall seiner Entlassung senden. Es wäre nicht ohne Interesse, ihn beim Lesen zu betrachten.

Christian Reder

„Ein Plan, den man zu verwirklichen beabsichtigt …"

Editorisches Nachwort

INTENTION Um Vorstellungen davon, was alles „Projekt", also Wünschenswertes, durch Kräftekonzentration greifbar Werdendes sein könnte, aus üblich gewordenen technisch-administrativen Umklammerungen zu befreien und erweiterte Dimensionen von Außerordentlichem, von Routine Abweichendem, ins Blickfeld zu rücken, stehen in diesem Band künstlerische Positionen und freischaffendes Arbeiten im Vordergrund. Alle Beiträge sind 2005 entstanden, Redaktionsschluss war Ende Februar 2006. Diskutiert wurden Existenzformen und Denkweisen, die von Projektarbeit geprägt sind sowie Vorhaben, die nicht zwingend in wirtschaftlichen Sphären Anschluss suchen müssen, um eine Realisierung zu erreichen, um Teil der Wirklichkeit zu werden – aber kulturelle und soziale Voraussetzung für vieles sind.

Es wurde versucht, Arbeitswelten und Möglichkeiten vom Künstlerischen, Gestalterischen, Analytischen her zu denken, ohne daraus primär Kunstdebatten zu machen; dokumentarisch, diskutierend, Interpretationsmöglichkeiten offen lassend. Ansatzpunkte lieferte die jeweilige Praxis mit vielen Bezügen zu Alltäglichem. Um im vorliegenden, inhaltlich nur lose planbaren „Reader on Projects" vorläufig zu einem Ende zu kommen, werden hier manche der enthaltenen Feststellungen neu gemischt nochmals aufgegriffen, nicht um vorschnell zu resümieren, sondern um weiterführende Vernetzungslinien zu bestärken. Was wie ein Sammelsurium fragmentierter Gedankensplitter wirken mag, lässt sich schon deswegen als Realitätsebene begreifen, weil es exponierte Aktivisten und Aktivistinnen beschäftigt, die nicht in Routinebahnen agieren und durchwegs von Spezialisierungen aus auf Transfers, auf Transdisziplinäres hin orientiert sind – und dadurch Sichtweisen beeinflussen.

Schwarzmarkt für nützliches Wissen und Nicht-Wissen, Berlin 2005
Foto: Christian Reder

„Die Art von Projekten, ihre Positionsbestimmungen, Resultate
und Überraschungsmomente, sind eine im Positiven, im
Diffusen, im Negativen vieles prägende Ebene,
auf der sich zeigt, was Klima und Rahmenbedingungen auch
abseits unmittelbarer ökonomischer Effekte im Großen
und im Kleinen zulassen – wie es also tatsächlich um
offen bleibende Möglichkeitsräume steht.“

Christian Reder

„PROJEKT (Moral) Ein Plan, den man zu verwirklichen
beabsichtigt; doch es ist ein weiter Weg vom Projekt zur
Ausführung & ein noch weiterer Weg von der Ausführung
zum Erfolg. Wie oft verfällt der Mensch
auf unsinnige Unternehmungen!“

Denis Diderot / Jean d'Alembert (Hg.): *Encyclopédie ou Dictionaire*
raisonné de Sciences des Arts et des Métiers, 28 Bände, Paris 1751–1772.
Zit nach: Philipp Blom: *Das vernünftige Ungeheuer. Diderot, d'Alembert,*
de Jaucourt und die Grosse Enzyklopädie (London 2004),
Frankfurt am Main 2005, S. 73

NACH-GESELLSCHAFTLICHE PROJEKTWELTEN Die Skepsis Projektarbeit gegenüber, die in Institutionen – ob Unternehmen oder Universitäten
– eingebetteter Kontinuität und Sicherheit nachtrauert, verweigert sich vielfach der stattfindenden „grundlegenden Verwandlung der Welt des Handelns" und der „Modi der Wissensproduktion", so Manfred Faßler in seinem
Beitrag, denn „ökonomische, wissenschaftliche, soziale oder künstlerische
Muster informationellen Handelns führen derzeit fast selbstverständlich zu
einer Neufassung von lernendem Handeln in Projekten" und „die programmatische Sprache der digitalen Kulturen ist die der Projekte". Die sich
darin ausdrückende „Krise der Institutionen", die zugleich eine „Krise der
strukturellen Kopplung zwischen Sozialsystem und Individuum" ist, lässt
„Communities of Projects, die an keinen Gesellschaftstyp und keine Topografie gebunden sind", als nach-gesellschaftliche Aktionsfelder entstehen.
Weder nationale, territoriale oder institutionalisierte Zugehörigkeiten würden somit noch eingrenzende, dauerhaft stützende Bezugsrahmen bieten.
Institutionen verschwinden nicht, überleben aber vor allem als Trägerorga-
nisationen für Projekte, als Machtrefugien, als Stabilisierungsinstanzen, als
Speicher und Archive. „Wer nicht kooperiert, der verliert", ließe sich vereinfacht sagen; „und das Verbindungsmuster hierfür ist ‚Projekt' – eine
befristete Klein-Föderation." Sich offensiv darauf einzustellen, wird mitbestimmen, inwieweit es gelingt, derartige Verlagerungen als Chancen zu
nutzen. Unter aktivierenden Bedingungen könnte das durchaus kooperativ angelegte Verhaltensweisen bestärken und sich abschließende
Individualität in Richtung kooperierende Individualität öffnen. Die anthropologische Konstante Learning-by-doing wird durch technologische und
mediale Transformationen ohnehin so wichtig wie kaum jemals zuvor.

SELBSTÄNDIGKEIT Zur sarkastischen Tatsachenfeststellung, bewundert
werde, wer sich nimmt, was er braucht und sich halbwegs gekonnt als erfolgreich darstellt, versucht selbst das – in diesem Band mehrfach angesprochene – berühmt-berüchtigte Konzept der ICH AG von Tom Peters inhaltliche Gegenpole zu lancieren. Die Oberflächen dominierende Tendenz
zur One-Man-Show soll dadurch Bodenhaftung bekommen. Denn darin
heißt es dezidiert, wer darauf aus sei, wie ein Abhängigkeiten mitgestalten-
der Selbständiger zu operieren, „fragt regelmäßig: WER BIN ICH? / WAS
WILL ICH SEIN?", „beschäftigt sich mit Arbeit, die Sinn macht", „... konzentriert sich 100-prozentig auf ... D-A-S P-R-O-J-E-K-T!", „ist ‚erneuerungswütig' / kultiviert Neugier / ergreift jede Gelegenheit, e-t-w-a-s Neues
zu lernen!" Eine solche ICH AG „macht Arbeit, die ihr Geld wert ist" und

„ist Adressbuch-/Netzwerkfanatiker". Die sich nicht an lineare Karriere-
muster haltende Konklusion: „Ich bin meine Projekte".

Tom Peters: *Top 50. Selbstmanagement. Machen Sie aus sich die ICH AG*, München 1999

VORBILD: KÜNSTLERISCHES ARBEITEN Solche Anweisungen könnten,
abgesehen vom deutlichen Vorrang für Finanzielles, aus der Kunstausbildung, der Filmbranche oder aus avancierten Architekturbüros stammen.
In einem Sammelband zur *Geschichte und Zukunft der Arbeit* wird deshalb
in Analogie dazu ausdrücklich „im Arbeitsmarkt der Künstler und Publizisten" eine „verallgemeinerungsfähige Lösung" gesehen. Denn die Selbstän-
digenquote betrage bei diesen bereits 35 Prozent „gegenüber 9 Prozent bei
allen Erwerbstätigen". Ein Durcheinanderlaufen von bezahlter und unbezahlter produktiver Tätigkeit sei dabei längst etwas Normales. Angebote
würden sich auf einem auf Projekte ausgerichteten „Netzwerksarbeitsmarkt"
ergeben. Deshalb erscheine die Prognose „nicht allzu gewagt, dass die
Arbeitsplätze der Zukunft zunehmend ‚künstlerisch' geprägt sein werden:
mehr selbstbestimmt, kompetitiv, wechselhaft in Art und Umfang des Be-
schäftigungsverhältnisses, in stärkerem Maße projekt- oder teamorientiert,
zunehmend in Netzwerke und weniger in Betriebe integriert, mit vielfältigen
und wechselnden Arbeitsaufgaben, schwankender Entlohnung oder Vergü-
tung und kombiniert mit anderen Einkommensquellen oder unbezahlter
Eigenarbeit" (Günther Schmid).
Weitergedacht könnte das heißen, dass für die sich abzeichnende Offenheit und Unsicherheit der Lebensgestaltung Kunststudien jeder Business Administration Ausbildung gleichwertig, vielleicht sogar überlegen wären,
sofern sie dezidiert auf Projektarbeit, selbstorganisatorische Aspekte, den
Umgang mit unübersichtlichen Situationen und sich ständig verändern-
den Betriebssystemen ausgerichtet sind. Dass solche Umkehrungen land-
läufiger Auffassungen in Richtung „jeder ist Künstler", viele arbeiten wie
Künstler, zur tatsächlichen Anreicherung von Kulturgesellschaften führen,
ist damit keineswegs gesagt. Es zeigt sich eher, wie sehr Vorstellungen von
freiem Arbeiten zu Behelfslösungen tendieren und Klischees von Unkonven-
tionellem als Perspektiven herhalten müssen. Peter Sellars stellt sich in seinem
Beitrag dieser Problematik und plädiert für Vielfalt, indem er Studierenden
empfiehlt, „sich auf viele verschiedene Arten nützlich zu machen", bevor sie
daran denken, Kunst zu machen, um sich so eine breitere Erfahrungsbasis
zu schaffen. Wolf D. Prix wiederum sieht im Projektmanager, „der nicht
nur organisiert, sondern mitdenkt, mehrdimensionale Ziele verfolgt und sich

nicht so leicht unterkriegen lässt" Schlüsselfunktionen, zu denen gerade eine strategisch-konzeptive Architekturausbildung befähigen kann.

Günther Schmid: *Arbeitsplätze der Zukunft: Von standardisierten zu variablen Arbeitsverhältnissen*, in: Jürgen Kocka, Claus Offe (Hg.): *Geschichte und Zukunft der Arbeit*, Frankfurt am Main 2000, S. 283f.

SYMBOLANALYSTEN Solche Entgrenzungstendenzen ändern vorerst nichts daran, dass Erwerbsarbeit und Lohn-Leistungs-Komponenten zentrale, auf das knapp werdende und dadurch wertvolle Gut „adäquat bezahlte Arbeit" konzentrierte, gesellschaftliche und subjektive Faktoren bleiben. Sich dazu abzeichnende Umbrüche werden den Arbeitsbegriff verändern, teilweise von Lohnarbeit abkoppeln, Mischfinanzierungen ausweiten. An der Abnahme betrieblicher Bindungen, der Dominanz von Jobs für verwendbare „flexible Menschen" (Richard Sennett), der Neuentdeckung des Sozialen und Kulturellen als mehr oder minder ehrenamtliche Beschäftigungstherapie zeigt sich, in welche Richtungen es gehen dürfte. Um für interessante Projekte frei zu sein, braucht es sehr spezifische, weiterhin nur insular existierende Konstellationen. Im Idealfall bieten sie die Chance, eng gefasster Formatierung des Agierens und sich summierenden beruflichen Zynismen zu entkommen.

Neben abnehmender Bedeutung von Routinearbeit und Expansionsmöglichkeiten für persönliche Dienstleistungen betont Dirk Baecker unter Berufung auf Robert Reich – der den Begriff „Zweidrittelgesellschaft" forcierte – vor allem Wachstumspotentiale für alles „was mit der Manipulation von Daten und Symbolen zu tun hat", ob es sich nun um den Computersektor selbst oder um Filmregisseure, Schauspieler, Finanzberater, Ingenieure, Werbeexperten, Architekten, Schriftsteller oder Wissenschaftler handelt. Verbindend wäre, dass es immer wieder um das Finden „unbekannter Probleme zu möglichen Lösungen" ginge und solche Arbeitsweisen „Organisationsformen und Lebensstile" realisierbar machen, „die fast alle Gewohnheiten sprengen werden". Derartige „Symbolanalysten haben keine Bosse und Untergebenen, sondern Partner in verschiedenen Abhängigkeitsverhältnissen voneinander."

Dirk Baecker: *Postheroisches Management. Ein Vademecum*, Berlin 1994, S. 90f.

MÖGLICHKEITSRÄUME Gewohnheiten will auch Ulrich Beck sprengen, wenn er in *Die Erfindung des Politischen* konstatiert: „Intellektuell und sozialwissenschaftlich haben wir es überall mit einem Denken zu tun, das

Handeln zur Aussichtslosigkeit verdammt", also „der größtmögliche Ge-
gensatz" dazu, „Handeln ist möglich und chancenreich", die eigentliche
Herausforderung sei. Auch deshalb sind Projekte, als Möglichkeitsräume,
Thema dieses Buches. Sie können zu einer plausiblen Bündelung von
Überlegungen und Maßnahmen führen, um so die eigenen intellektuellen
Fähigkeiten zu organisieren und auf Themen konzentrierte Initiativen in
Gang zu setzen – sofern die Bedingungen es halbwegs erlauben und die
individualistische Frage, was versucht werden könnte, um aus sich etwas zu
machen, also durch Projekte zur ausgeprägten Person zu werden, nicht völlig irrelevant wird.
„Der Mensch ist zuerst ein Entwurf, der sich subjektiv lebt", sein eigenes
Projekt also. Seine Präsenz sollte an Künftigem orientiert, von Erstrebens-
wertem her zurückprojiziert an Kontur gewinnen. Er „ist voll und ganz
verantwortlich", er ist das, „wozu er sich macht", hieß es zur Bekräftigung
dessen in Sartres viele andere Überlegungen dazu komprimierenden Grundsätzen des Existenzialismus. Wie eine solche mental nachwirkende, rebelli-
sche Programmatik wird etwa auch Hannah Arendts Entwicklungsvor-
stellung – Arbeit, Herstellen, gemeinsames, politisches Handeln – von der
Vita activa-Ökonomisierung fast völlig aufgesogen. Arendts nicht nur für
politisches, künstlerisches, wissenschaftliches Arbeiten motivierendes
„Denken des Anfangs", welches das wenig beachtete „rätselhafte Vermögen, etwas überhaupt neu beginnen zu können", zum Ansatz nimmt, ver-
weist jedoch, als Reflexionen zum „etwas In-Bewegung-Setzen" in vielen
Aspekten auf Voraussetzungen für couragierte Projektarbeit.
Bei Vilém Flusser heißt eine Devise markant: „Vom Subjekt zum Projekt".
Sein uneingegrenztes Denken über das Entwerfen von Städten, Häusern,
Familien, des Körpers, von Sex, Kindern, Technik, Arbeit mündet in die
Vorstellung, „sich aus einem Subjekt in ein Projekt zu entwerfen". Faszi-
niert hat ihn in seinen letzten Schriften vor allem die technisch erreichbare
Entlastung des Menschen von Arbeit, „denn nicht Wirklichkeit, sondern
Möglichkeit ist das Feld der Freiheit".

Ulrich Beck: Die Erfindung des Politischen. Zu einer Theorie reflexiver Modernisierung, Frankfurt am Main 1993, S. 33 / Jean-Paul Sartre: Ist der Existentialismus ein Humanismus?, in: *Drei Essays*, Frankfurt am Main 1960, S. 11f. / Hannah
Arendt: *Vita activa oder Vom tätigen Leben*, München 1981 / Oliver Marchart: *Neu
beginnen. Hannah Arendt, die Revolution und die Globalisierung*, Wien 2005,
S. 17, 77 / Vilém Flusser: *Vom Subjekt zum Projekt. Menschwerdung*, Bensheim-
Düsseldorf 1994, S. 275, 151.

BEFREIUNG IN DER ARBEIT | BEFREIUNG VON DER ARBEIT In einem markanten aktuellen Buch zu dieser Thematik konstatiert Wolfgang Engler: „Befreiung in der Arbeit, das ist, politisch konkretisiert, der Kampf für eine Arbeitsorganisation und für Arbeitsbedingungen, die möglichst vielen Menschen Handlungs- und Entscheidungsspielräume in ihrer Arbeit eröffnet, ist täglicher Widerspruch und Widerstand gegen den vermeintlichen Determinismus technisch-technologischer Abläufe. – Befreiung von der Arbeit, in der ‚konservativen' Variante (arbeiten, aber nicht allzu lange), das impliziert politisch den Kampf für die Verkürzung der Arbeitszeit, Widerstand gegen die Umkehr dieses Prozesses, gegen die grassierende Einverleibung menschlicher Zeitmaße in den Verwertungstakt. – Befreiung von der Arbeit, als radikales Projekt konzipiert, das ist der Kampf für arbeitsfreie Existenz, für ein berechenbares, auskömmliches, und in diesem Sinne gutes Leben auch ohne oder mit wenig, nur episodisch ansetzender Arbeit." Diese radikale Perspektive zielt auf ein „bedingungsloses Grundeinkommen" ab; „das Kapital selbst wird seiner bedürfen", so die dezidiert vertretene Auffassung, „sollte es sein globales Projekt jemals vollenden; eher früher, auf dem Weg dorthin." Voraussetzung sei „ein Bildungssystem, das sich von seiner monokausalen Abhängigkeit vom Erwerbsleben als einzig legitimer Existenzform des Menschen löst."

Wolfgang Engler: *Bürger, ohne Arbeit. Für eine radikale Neugestaltung der Gesellschaft*, Berlin 2005, S. 86, 351, 150.

PROJEKTBASIERTE POLIS „Der neue Geist des Kapitalismus", so Luc Boltanski und Éve Chiapello in einem anderen Ansatz, ist durch „die Entstehung der projektbasierten Polis" geprägt, einer zunehmend das Geschehen überlagernden und es prägenden losen „Ansammlung aktiver Kontakte, aus denen Formen entstehen", was weit über die in den letzten Jahren gebräuchlich gewordene „Projekt-Rhetorik" hinausgehe. Das sei eine Reaktion darauf, dass „eine kaleidoskopartige Wahrnehmung des Geschäftslebens und der Formeln erfolgreichen Wirtschaftshandelns" längst nicht mehr reiche. Der hohe Aktivitätsstatus von Projekten hingegen ermögliche „die Produktion und die Akkumulation in einer Welt, die, wenn sie lediglich aus Konnexionen bestünde, ohne Halt, ohne Zusammenschlüsse und ohne feste Formen ständig in Fluss befindlich wäre." Da auch die neuen sozialen Bewegungen sich „der Netz- und Projektthematik bedienen und dadurch auf Tuchfühlung zu der neuen Welt sind", ergäbe das, sofern es gelingt, dass die sich zur Festigung dieses Fließens bildenden Strukturen

„die Kräfteverhältnisse in der Netzwelt legitimieren und beschränken", durchaus, allerdings von zahllosen Einflüssen gefährdete Perspektiven. Markant an den extensiven Ausführungen dazu ist die Wertschätzung künstlerischen Argumentierens: „Wie anderthalb Jahrhunderte Kapitalismuskritik gezeigt haben, widersprechen die beiden Formen der Sozial- und Künstlerkritik einander in vielen Punkten. Andererseits sind sie aber auch untrennbar miteinander verbunden, insofern sie unterschiedliche Aspekte der Lebenswirklichkeit betonen und sich dadurch ausgleichen und wechselseitig bestärken. Solange beide am Leben erhalten werden, besteht die Hoffnung, dass den vom Kapitalismus ausgelösten Verwerfungen begegnet werden kann".

Luc Boltanski, Éve Chiapello: *Der neue Geist des Kapitalismus* (Paris 1999), Konstanz 2003, S. 147ff., 149, 150, 417, 575.

PERFORMANCE UND RELEVANZ Sofern projektorientierte Arbeitsweisen von Künstlern, Publizisten, Symbolanalysten zum sich ausweitenden Modell werden, machen sich wie im professionellen, nicht ohne ausgebaute Betreuungsapparate auskommenden Sport, dem radikalisierten Leistungsvorbild, zwei von André Gorz betonte Hauptfaktoren der Moderne, „Rationalisierung und Subjektivierung", bemerkbar – also neben unerlässlicher Spezialisierung und Organisierbarkeit vor allem individuelle Bedeutungs- und Markenbildung, Selbstmanagement, Beurteilung der „Performance". Letzteres ist die längste Zeit Künstlern und Künstlerinnen vorbehalten gewesen. Eine solche Kulturalisierung des Geschehens verdeckt unter anderem, dass jenen in der Regel auch vorbehalten bleibt, problematisches Muster für Selbstvorsorge am Rande des Sozialstaates zu sein, wo Misserfolge als selbst verschuldet gelten. Nur Stars der A-Liga haben es eben geschafft; zur Beruhigung gibt es gelegentlich Preise für Nebenrollen. Dass auch bewunderte Werke der Architektur wegen der Honorarregeln und Drucksituationen für die Urheber mit Verlusten enden oder großartige Filme die Kosten nicht hereinspielen, ist so alltäglich, dass es längst als „selbstverständliche" Konsequenz unzureichender Vermittlung und Nachfrage gilt. Gelegentlich korrigierend einzugreifen soll genügen. Überraschungen werden so seltener. Energien verlagern sich vom Produzieren auf ein Verkaufen. Die Nachfrage als letzte Instanz ist ein Paradigmenwechsel an den sich alle erst gewöhnen müssen, ohne dass absehbar würde, was das langfristig für Konsequenzen hat.

„Kultur" wird als anscheinend integrierender Gesamtzusammenhang vorgeschoben, obgleich Kulturelles und Künstlerisches streng genommen erst

dann zum Teil der Gesellschaften prägenden, Geldströme leitenden Ökonomie werden, „wenn es um Zahlungen/Finanzierungen geht oder um
die marketability of arts, cultural events etc. (‚cultural industries‘)". Ob nun
Wissensvorrat, Sinnbildung, Orientierung, Weltsicht, Experiment, Ge-
dächtnisfunktionen oder Repräsentation Priorität bekommen, ist zur Kenntnis zu nehmen, so Birger P. Priddat, „dass die Frage danach, was relevant
ist, nicht ökonomisch entschieden wird, sondern durch den gesellschaftlichen Diskurs, der die Kultur festlegt – wenn auch oft nur für kurze Zeit".
Diese „Sinnkonkurrenz" zwischen ökonomischer und nicht-ökonomischer
Bestimmung sollte, so die Konsens erstrebende, sich auf Märkte verlassen-
de Annahme, zu Übereinstimmung tendieren; „was aber, wenn nicht?",
lautet die offen bleibende, für die jeweilige „Projektkultur" prekäre Frage.

André Gorz: *Arbeit zwischen Misere und Utopie*, Frankfurt am Main 2000, S. 184
/ Birger P. Priddat: *Kultur als Hintergrund/Vordergrund der Ökonomie*, in: Birger
P. Priddat (Hg.): *Kapitalismus, Krisen, Kultur*, Marburg 2000, S. 189ff., 194, 218.

POTENZIALE Für Alexander Kluge lassen sich ernst zu nehmende Projekte
weiterhin als „die Fortbewegungsform von Selbstbewusstsein bei den Menschen" denken, schon weil das problematische Übergänge von Denken zum
Handeln, von Konzept zur Realisierung unter den jeweiligen, nur selten
wirklich günstigen Bedingungen evident macht. Er sieht in ihnen „im
Grunde Vorgriffe, Ausbrüche in die Ferne" und ein Symptom für gesellschaftliche Zustände, denn „wenn Menschen mehr Potenzial haben, als
von ihnen gebraucht wird, von ihnen genommen wird, dann gibt es
Projekte."

SKLAVEN | MEGACITIES Die in diesem Band angesprochenen, hier in Er-
innerung gerufenen Themen verknüpfen berufliche Einordnungen, weil sich
von den Arbeitsweisen her latente Überlagerungen ergeben, selbst wenn es
inhaltlich um völlig verschiedene Dinge geht. Dem viel zitierten Machba-
ren werden zusätzliche Dimensionen erschlossen. Die erwähnten Beispiele
für Projektwelten reichen von den Windmühlen, die Leibniz konzipiert
hat, über Robinson Crusoes Projektarbeit auf seiner Insel bis zu für künftige Wesen verständlichen Warntafeln in Tschernobyl (Alexander Kluge)
oder vom wieder zu aktualisierenden Anti-Slavery-Movement zu Arbeitsauf-
fassungen in Indien oder Bali, was Peter Sellars anspricht, der „Beispiele
statt Leerformeln" fordert und weltweit „zu entdeckende Reichtümer"
zum Schwerpunkt künftiger Projekte machen will. An Kunst sind ihm *primary experience* und *primary research* besonders wichtig. Auf Erwerbsarbeit

beschränkt, liegen essenzielle Dimensionen des Menschseins brach. Daher gehe es darum, „für sich ein Gebilde aus Arbeitsmöglichkeiten zu schaffen, das ein lebenslanges Engagement zulässt, als Beteiligung an ernsthafter Problembearbeitung". Gelinge das, könne auch etwas weitergegeben werden. Fundamentale indische Kulturkritik oder arabische Einflüsse auf Urbanität und architektonisches Entwerfen (Zaha Hadid) werden ebenso evident, wie die antikapitalistische Geldvernichtung in den *Sieben Himmelspalästen* von Anselm Kiefer oder die strukturelle Notwendigkeit von Zeichensetzungen in Megacities, die Wolf D. Prix für notwendig hält, um zu Strategien zu gelangen, „wie das sehr wohl steuerbar würde, sonst drohen ungeahnte soziale Konflikte und Desaster".

ORIENTIERUNG Erfahrungen mit Kooperationen zwischen medialer Kunst und Architektur (Brigitte Kowanz) lassen sich mit Orientierungsdesign in unübersichtlichen Situationen (Fons Hickmann) in Bezug setzen. Im Selbstverständnis von Brigitte Kowanz ist die Anschlussfähigkeit von Projekten, die Dirk Baecker als Objektivierungs- und Akzeptanzmoment betont, ein zentraler, bei ihr dezidiert subjektiver, auf das Transformieren wissenschaftlicher Erkenntnisse und technologischer Möglichkeiten ausgerichteter Punkt: „Im Fertigwerden werden sie zur Basis für das Folgende". Ein Hinarbeiten auf packende Augenblicke im Theater (Bernhard Kleber) korreliert mit Intensitäten bei der Porträtfotografie (Elfie Semotan). Dass Christoph Schlingensiefs Experimentieren mit Chaos, Symbolen und Aufforderungen, „endlich in den eigenen Film einzutreten", in traditionellen Institutionen Belebung und sogar Nachfrage nach obstinater Unternehmensberatung erzeugt, erhellt, wie empfänglich bestimmte Mechanismen für verjüngende Irritationen sind, wie leicht sich Medien kurzfristig gleichschalten lassen und auf welche Art von Projekten und welche Formen von Scheitern sie reagieren. Relikte seiner Arbeit will er irgendwann genau an jener Erdspalte in Island versammeln, wo sich Europa tektonisch von Amerika wegbewegt.

INSTITUTIONEN UND PROJEKTE Von anderen Trennungen spricht Manfred Faßler: „Es wird immer deutlicher, dass wissensbildende Informationen und die Fähigkeiten, Wissen zu erzeugen, längst nicht mehr vorrangig in den klassischen Universitäten zu finden sind. Der kulturevolutionäre Wettstreit zwischen Institutionen und Projekten ist in den Netzwerken globaler digitaler Kulturen schon im Gange." Ein Durchdenken solcher Transfersituationen mache evident, wie projektorientiert das Geschehen längst verläuft: „Knowledge follows Project" / „Form follows Project". Dirk Baecker konstatiert ein erst spät einsetzendes wissenschaftliches Interesse an solchen Entwicklungen und problematisiert damit angewandte Wissenschaft; denn längst hätte man „in diesen im Grunde illusionistischen Apparaten verstärkt Lebenswelten fördern, Projektbedingungen viel komplexer begreifen können". Letztlich handle es sich nicht um getrennte Welten, denn „Projekte leben von Institutionen und Netzwerken, die Netzwerke und Institutionen leben davon, dass gewisse Dinge in Projektform realisiert werden". Seine Kommentare dazu lassen sich zur Schilderung der Arbeitsweise von *Ärzte ohne Grenzen* und zum Spektrum medizinischer Hilfe in Nicaragua, Pakistan, Afghanistan, Ruanda, Mosambik oder Bolivien (Reinhard Dörflinger), der Forschungspolitik der EU und ihrer Funktion als Trägerorganisation für Projekte (Barbara Rhode) oder den Überlegungen zu „Projektuniversitäten" gegenlesen, wie sie Gerald Bast von seiner Position als Rektor aus präzisiert, beharrend darauf, dass sich Universitäten als Schaltstellen für „die Produktion von Veränderung", für „das Schaffen neuer Realitäten" behaupten müssen.

TRANSFORMATION In welcher Vielschichtigkeit Martha Rosler in *Bringing the War Home* Rechercheprojekte zu den Folterungen der US-Army im Irak als „Deutung von Wirklichkeit und Wahrheit" künstlerisch transformiert (Gabriele Werner), konterkariert akademische Blockaden für Transdisziplinäres, wie sie Burghart Schmidt am Beispiel der Natur- und Geisteswissenschaften analysiert. Er leitet von den Projekterfahrungen der „harten" Wissenschaften plausible Kooperationsmuster ab, da dort zuerst bewusst wurde, „dass viele Phänomene nur dann in Annäherung durchschaut werden könnten, wenn sie unter den verschiedenen Perspektiven der verschiedenen Naturwissenschaften angegangen würden". Erst im Weiteren habe sich Interdisziplinäres „aus dem Anwachsen der Informationsmengen, dem man im ersten Schritt mit bornierter Fachidiotie begegnen wollte" ergeben. „Nicht einen Teil seiner künstlerischen wie wissenschaftlichen Arbeit interdisziplinären Projekten zu widmen, hieße schlichtweg Borniertheit", meint er dazu lakonisch.

MAXIMALISMUS | ALLTAG Kommentare zu Arbeitsweisen junger Designer- und Architektengruppen (*EOOS, osa*), sowie deren Strategien, öffentliche Räume zurückzugewinnen, solche zu Rechtsfragen für Gestalterisches (Walter Holzer), zur finanztechnischen Ausgrenzung von Nicht-Kommerziellem als bloße Liebhaberei (Deloitte Auditor), zu bürokratischer werdenden

Verfahren (Eva Blimlinger) problematisieren die Bedingungen für forschendes, künstlerisches Arbeiten und die Marginalisierung jedes Interesses an nicht-kommerzialisierbaren Komponenten. Die Beschreibung neo-existenzialistischer Jugendkulturen verdeutlicht Sehnsüchte nach eigensinnigen Projektleben: „Ich mache mein Ding" (Robert Misik). Essayistische Abschnitte zu Projektarbeiten in islamisch orientierten Ländern (Christian Reder), zu Maximalismus- und Alltagsprojekten in Russland (Erich Klein) und zum letzten dezidiert linken Revolutionsversuch vor Ende des Kalten Krieges, jenem auf der Karibikinsel Grenada, mit Rückbezügen zur Projektwelt von Bertolt Brecht (Ernst Strouhal) haben globale politisch-geografisch-kulturelle Perspektiven im Blick. „Im Bewusstsein der Unbestimmtheit des Weges" geht es weiter, wenn möglich widersprüchlich, also produktiv, heißt es dort.

EXEMPLARISCHE NORMALITÄT Vieles an den Argumentationen aller Mitautoren und Mitautorinnen – für die sich ein Durchschnittsalter von 50 Jahren ergibt – korreliert mit inzwischen überblickbaren Lebenswegen der jüngeren Generation, die bei einem (tendenziell generalistischen, aber fachlich spezialisierten) Kunststudium ansetzten, was durchaus Vergleichsmöglichkeiten mit anderen Sparten ergibt. Von einer problem- und projektorientierten Vermittlungs- und Beobachtungsposition aus, wie dem Zentrum für Kunst- und Wissenstransfer an der Universität für angewandte Kunst Wien, zeigt sich das für noch nicht Etabliertes, in Bewegung Befindliches vielleicht markanter, als wenn konventionelle Fachlaufbahnen verfolgt würden. Eine aktuelle Broschüre der Hochschülerschaft fasst diese Funktion, etwas dramatisiert, als *Die Projektuniversität in der Universität* zusammen. Empirisch-analytische Bezugsfelder sind kulturpolitische und systemanalytische Beratungen, persönliche Projekterfahrungen sowie Diskurse, wie sie in diesem Band vertreten sind. Im Kern geht es um Selbstorganisation, um ungewöhnliche Erfahrungsräume, um ein Agieren ohne Limitierung durch abgrenzbare Disziplinen. Manches davon kann Defizite universitärer Angebote verdeutlichen, gerade was transdisziplinäre Projektchancen betrifft, die auch in medizinischer, juristischer oder ökonomischer Ausbildung angebracht wären. Denn erkennbar ist längst, dass sich aus explizitem Interesse für Fachkombinationen und selbst gestaltbare Transfers eigenwillige Lebenswege ergeben können, die durchaus auch ökonomisch in Balance zu halten sind, ob nun innerhalb, am Rand oder außerhalb der Sphäre „Kunst" operiert wird.

Von mir langjährig verfolgbare Beispiele für solche von einem Transfer-denken geprägte Positionen, von denen im Folgenden einige herausgegriffen werden, bestätigen für sich erst formierende Biografien, was in vielen Beiträgen als ständig stattfindendes Überschreiten konventioneller Zuordnungen und als Erschließen noch unabsehbarer Aktivitätsfelder angesprochen wird.

DAS AUGE BETREFFEND So ist etwa im Dezember 2005 im MAK (Österreichisches Museum für angewandte Kunst, Wien) in einem großen, abgedunkelten Raum mit drei Großprojektionen eine Situation erzeugt worden, die eine Art Metasprache eines wissenschaftlichen Labors und darin ablaufender Prozesse präsent machte. Eindringliche menschenleere Sequenzen versetzten einen in Sichtweisen, wie monoton operierende Schüttelapparate die Welt wahrnehmen könnten. Diese Transformation von Wissenschaft in Bildwelten ergab sich aus einer langjährigen Kooperation der Ophthalmologischen Abteilung (ophthalmologisch: „das Auge betreffend") von IBILI, des Institute of Biochemical Research in Light and Image an der Universität Coimbra/Portugal mit Herwig Turk, der sich nach einem Kunststudium in Wien nun seit Jahren auf solche Visualisierungsexperimente konzentriert (*BLINDDATE*, Co-Autoren: Günter Stöger, Paulo Pereira). „Von Kunst- und Wissenstransfer", so sein E-Mail-Statement, habe er entscheidende Impulse bezogen, weil „konsequente Denkfreiheit und Methodenwahl praktiziert wurde. Spannend war, dass der Projektgedanke (damals noch eher originär) als schnelle und flexible Einheit promotet wurde und Netzwerken (noch ohne www) das um und auf war." Jede Projektbesprechung habe dazu ermuntert, „an eine Situation offen heranzugehen und nicht nur in den geläufigen Konstellationen von Personen und Institutionen zu denken."

MULTITUDE Nach einem Keramikstudium (Diplom 1990) ist Uli Aigner, die nach einer Gastprofessur in München nun auch an der autonomen *ghostAkademie* und als Kuratorin wirkt, zur uneingegrenzt arbeitenden, viele Medien einbeziehenden erfolgreichen Künstlerin geworden. Im aktuellen Werkbuch zu ihrer Ausstellung im Lentos Kunstmuseum Linz erinnert sie an die Ausbildungsjahre: „Kunst- und Wissenstransfer" und „die wilden Vorträge des Peter Weibel waren zentrale Orientierungspunkte für mein Denken und Tun". Mit Richard Jochum ergaben sich seit seinem Philosophie- und Kunststudium Kooperationen bei von ihm konzipierten Veranstaltungen und in Publikationen, bevor er, als Künstler, Theoretiker und Lehrender tätig, nach Berlin und New York weiter gezogen ist. Friedemann Derschmidt, ein anderes Beispiel für transferorientierte „Multitude", hat über Jahre hinweg mit seinem *Permanent Breakfast*-Programm zur Grenzauflösung, das entlang des aufgegebenen Eisernen Vorhangs und an öffentlichen Plätzen inhaltlich offen bleibende Gesprächssituationen initiierte, bis in die USA reichende Schneeballeffekte und weltweite Medienwirksamkeit erzielt. Seine sorgsamen Filme über den jüdischen Tänzer Rudolf Schmitz alias Menachem Rudyn und aussterbendes Handwerk oder das Engagement für Roma- und Sinti-Musiker demonstrieren, wohin ein Architekturstudium führen kann. Ein solches hat auch Robert Temel nicht auf die Baubranche eingeengt; er konzentriert sich auf urbanistische Studien, Diskussionsveranstaltungen und Projektentwicklungen und ist Kolumnist von *Architektur aktuell* für den Netzbereich. Genauso unabsehbar war, dass der Bildhauer Thomas Kosma einmal das lebensgroße Mammut vor dem Urzeitmuseum in Nussdorf ob der Traisen in Niederösterreich, das von Profis aus Disneyland stammen könnte, in Beton gießen würde; es waren seine archäologischen Interessen, die ihn zum Spezialisten für solche Aufträge machten. Die weiter verfügbare Gussform würde Duplikate ermöglichen, mit denen sich, wo immer es passt, eine Eiszeitstimmung bestärken ließe.

Werkbuch Uli Aigner 2004–1984, Linz 2005, S. 238 / Richard Jochum: *Komplexitätsbewältigungsstrategien in der neueren Philosophie: Michel Serres*, Wien 1998 / Bernhard Schneider, Richard Jochum (Hg): *Erinnerungen an das Töten. Genozid reflexiv*, Wien 1999 / www.richardjochum.net / www.permanentbreakfast.org / Peter Döllmann, Robert Temel: *Lebenslandschaften. Zukünftiges Wohnen im Schnittpunkt von privat und öffentlich*, Frankfurt am Main 2002.

TEXT UND BILD Entstanden sind solche anhaltenden Kontakte aus beidseitigem hochschulpolitischem Engagement, vor allem aber durch Projektkooperationen, etwa zur Problematisierung von Gedenk- und Dokumentationsstätten für das KZ Gusen, weil Studierende nicht einfach Erwartbares zu einem Wettbewerb beitragen wollten. War dabei ein Zeithistoriker wie Bertrand Perz einbezogen, ist es ein andermal der Balkanexperte Jaques Le Rider. Die Erforschung der weiteren Berufswege unserer Absolventen hat Elisabeth Al Chihade nach ihrem Kunstpädagogik-Studium zum Thema ihrer viele Vorurteile entkräftenden Dissertation gemacht; eine „selbst gewählte Mischung aus Philosophie und Soziologie", so der Co-Betreuer Roland Girtler. Sie liefert damit systematisierte Einblicke in künstlerischkulturelle Arbeitssituationen, wie sie im allgemeinen Starkult kaum beachtet werden und lehrt inzwischen an der Graphischen Lehr- und Versuchsan-

stalt und der Modeschule der Stadt Wien (Schwerpunkt: Entwurfstechni-
ken, Computergrafik, Medien, Design). Nikolaus Gansterer, ein Teilnehmer des *Transferprojekt Damaskus* ist mit seiner künstlerischen Arbeit zuletzt
in Ausstellungen in London, New York oder Warschau präsent gewesen und
mit dem 1. Wiener Gemüseorchester, das nur Gemüse als Instrumente
benutzt, bis nach Rom, Moskau und Schanghai unterwegs. Konstantin
Luser, dessen intarsierter *Helm* in diesem Band abgebildet ist (Seite 394),
setzt, etwa in Graz, ganze Hochhausfassaden für interaktive Kom-
munikationsmöglichkeiten ein, wobei Lichtpunkte in Blindenschrift ein
wichtiges Element sind. Für Angelika Mathis, die als Grafikerin ein mehrfach ausgezeichnetes arabisch-deutsches Kalenderbuch für Schüler entwickelte, oder für Stefanie Wuschitz, die Erfahrungen in libanesischen Palästi-
nenserlagern zeichnend, filmend, schreibend aufgearbeitet hat, haben sich
aus der in Damaskus initiierten Beschäftigung mit der arabischen Welt
markante Folgearbeiten ergeben. Projekte und Dissertationen konzentrieren sich vielfach auf zu entwickelnde Korrelationen zwischen Text und
Bild – denn wer kann schon ohne Bilder (und Klangbilder) denken. Die
Gruppe um Christoph Steinbrener wiederum kann als Beispiel dafür dienen, dass sich auch mit nicht direkt in die Universität eingebundenen
Gruppierungen Kontinuitäten – und „Anschlussfähigkeiten" – ergeben, weil
inhaltlich offene Beratungsleistungen in Anspruch genommen werden
(*Unternehmen Capricorn; Operation Figurini. Eine soziale Skulptur; DELE-
TE!*; Wien 2001–2005). Auch Doris Rothauer gehört zu diesem Umfeld;
nach einem Studium der Handelswissenschaft war sie Generalsekretärin
der Wiener Secession, Direktorin des Künstlerhauses und betreibt nun
mit Martin Sirlinger eine eigene Beratungs- und Projektmanage-
mentagentur, das „Büro für Transfer", ausgerichtet auf den „Wissenstransfer zwischen weicher Kreativität und harter Wirtschaftlichkeit".

Elisabeth Al Chihade: *Die Hochschule für angewandte Kunst in Wien und ihre
Absolventen von 1970 bis 1995*, Wien 1999 / www.gansterer.org /
www.gemueseorchester.org / steinbrener.net / www.steinbrener-dempf.com /
www.dorisrothauer.at / www.buerofuertransfer.at

SPEZIALISIERTE GENERALISTEN Solche von der ursprünglichen Ausbildung abweichende Wege skizzieren, wie unvorhersehbar sich gerade generalistisch angelegte, selbst gefundene und erfundene Arbeitsfelder entwickeln.
Das macht permanent erfahrbar, welche Potenziale angesichts der Einschränkungen normaler Universitätsroutine aktivierbar sind, gerade wenn fach-
übergreifende Projekte das Angebot bereichern und solche Initiativen durch

Beratungsleistungen zu Konzepterstellung, Präsentation, Finanzierung, Rechtsfragen bestärkt werden. Im Archiv aus den Anfangsjahren solcher Ausbildungserweiterungen findet sich dazu folgendes Statement von Bazon Brock: „Generalistisches Arbeiten heißt nicht unbedarfte Einmischung in alles und jedes; generalistisches Arbeiten verlangt vielmehr nach dem leidenschaftlichen Einsatz für übergeordnete Gesichtspunkte, die allgemein gelten." Das im Einzelfall zu vermitteln, sollte vieles unter motivierender, teilnehmender und objektivierender Beobachtung aber auch einfach geschehen lassen.

Bazon Brock: *Ästhetik gegen erzwungene Unmittelbarkeit*, Köln 1986, S. 355.

MIKROPROJEKTE Die Kleinteiligkeit – vielfach auch Kargheit – solcher im erster Eindruck immer desperat wirkenden Projektszenerien ist Ausdruck gesellschaftlicher Realitäten auf Small-Budget-Ebenen, auf denen eingeführte Markt- und Finanzierungsmechanismen in aller Regel nicht greifen, gerade wenn Experimentelles, Forschendes wichtiger genommen wird als unmittelbar Verkaufbares. Mischfinanzierungen sind die Regel. Dazu Harald Gründl von EOOS: „Wir forschen eben ohne dass uns jemand explizit damit beauftragt, weil wir kulturell relevante Dienstleistungen erbringen wollen". Auch Ulrich Beckefeld engagiert sich in Low-Budget-Projekten mit der Begründung „selbstfinanzierte Forschung". Fons Hickmann wiederum nimmt Social Design und Aufträge für Hilfsorganisationen wichtig, nicht zuletzt, um gegen die Brutalisierung „beim Umgang mit Künstlern, beim Kürzen von Texten, in der Zahlungsmoral" Freiräume zu verteidigen. Entscheidendes entsteht unter meta-ökonomischen Bedingungen, abgespalten von der Wirtschaftswelt. Das oft irreale, zunehmend schematisierte Verhältnis von Beantragungsaufwand und tatsächlichen Förderungschancen wird sowohl für die EU-Ebene (Barbara Rhode) als auch für akademische Bereiche (Eva Blimlinger) kommentiert. Letztlich hat es „Großes" eher leichter. Konträre Beispiele liefern sonderbarer Weise die ärmsten Weltgegenden, wo sich wenigstens sektoral manchmal die Regel, mit viel Geld wenig zu bewirken, zur Chance, mit wenig Geld viel zu erreichen verdreht.

STAATENLOS Werden in wohlhabenden Gesellschaften Projekte vor allem als Bauvorhaben oder umstrittene Interventionen wahrgenommen, sind sie in sozial und ökonomisch devastierten Zonen vielfach das Einzige, was Bewegung signalisiert. So haben sich in Kabul, heißt es in meinem Bericht über die dortige Situation (*Afghanistan, fragmentarisch*; 2004), „Hunderte

Hilfsorganisationen niedergelassen, sozusagen als Zellen, von denen Dynamik ausgehen soll. Ihre überall sichtbaren Schilder vermitteln den Eindruck einer hochaktiven Projektkultur, wie sie unter geordneteren Verhältnissen kaum denkbar ist. Aktivismus, vor allem auch dessen Privatisierung, wird von den Ansätzen her öffentlich sichtbar. Vorrang scheint sozial Relevantes zu haben, das Notwendigste, das Drängendste, handelt es sich doch primär um uneigennützige, Solidarität behauptende Non-Profit-Organisationen. Aus aller Welt angereiste Experten haben begonnen, für Frauen, für Kinder, für Schulen, für Waisen, für das Gesundheitswesen, für den Wiederaufbau etwas zu tun; zumindest kündigen das die Aufschriften an. Offensichtlich wird das, was in reichen Ländern überall stark reduziert wird, in einer solchen Situation für besonders wichtig gehalten." Welche Grade von Selbstorganisation der lokalen Bevölkerung damit verbunden sind, vom Nahverkehr über Schulen bis zur Armenfürsorge oder privaten Sicherheitsdiensten, lässt vieles an solchen vom Staat verlassenen Stadtsituationen wie eine Vision von generell Möglichem erscheinen.

Christian Reder: *Afghanistan, fragmentarisch, Edition Transfer*, Wien-New York 2004, S. 16 / Christian Reder in: Manfred Faßler, Cyrill Gutsch, Claudius Terkowsky (Hg.): *Urban Fictions. Die Zukunft des Städtischen*, München 2006.

MIKROFINANZIERUNG Auf solche Realitäten reagiert hat etwa der in den USA ausgebildete Ökonomieprofessor Muhammad Yunus, der zum Pionier für eine ausgebaute Förderung von Mikroprojekten wurde. In seinem Herkunftsland Bangladesch begann er – als Exempel angewandter Wissenschaft – 1979 damit, durch günstige Kleinkredite, vor allem auch an Frauen, eine bessere Absicherung von Selbständigkeit zu ermöglichen. Daraus entwickelte sich ein Millionen erreichender Mikrofinanzsektor mit verschiedenen Anbietern. Trotz aller denkbaren problematischen Begleiterscheinungen werden so Dinge in Bewegung gesetzt, zu denen sich traditionelle Institutionen nicht in der Lage fühlen. Es verdeutlicht auch, wie wenig unter westlichen Bedingungen mit 50 oder 5.000 Euro angefangen werden kann und wie vergleichsweise schwer selbst bescheidene Mittel ohne Sicherheiten und nachweisbare Einkünfte auf marktwirtschaftliche Weise beschaffbar sind. Solche Divergenzen könnten es nicht nur für Konzerne, sondern auch auf Normalebene interessant machen, außerhalb der sich einmauernden westlichen Hochlohnländer mit ihrem analog hohen Lebenskostenniveau ohne die früheren Attitüden „etwas zu unternehmen", wenn daheim mit geringem Startkapital keine Chancen gesehen werden.

Jahrhunderte lang sind Europäer überall hingegangen; jetzt erschreckt sie der Gegenverkehr. In einer Analyse der Situation auf dem Balkan heißt es dazu: „Ohne abzuwarten, dass auf politischer Ebene die theoretischen, die gesetzlichen Voraussetzungen geschaffen wurden, hätten vergleichsweise minimale Investitionen maximale – nicht zuletzt psychologische – Effekte bringen können. Für solche Projekte gibt es lange Listen, die niemanden interessiert haben."

Inzwischen scheint die skizzierte Kreditkonzeption auch in Europa mit Blick auf arme Gesellschaften zu greifen – etwa im Investmentfond *Vision Microfinance* der Vienna Portfolio Management AG (Leopold Seiler) –, um auf dem Markt „Gutes zu tun" Anlagemöglichkeiten zu offerieren und in fast aussichtslos erscheinenden Armutssituationen, ohne die lokal meist üblichen Wucherzinsen ein Realisieren von Projekten zu ermöglichen; überdies liegen die Ausfallsraten weit unter jenen westlicher Länder. Die deutsche „Bewegungsstiftung" (Motto: „Anstöße für soziale Bewegungen") oder die „Bürgerstiftung Hamburg" sind Beispiele, dass Kleinteiligkeit gerade von wenig betuchten Investorengruppen wichtig genommen wird. Auf Wohlstandsregionen bezogen unterstreichen solche Vergleiche, welche Signifikanz Private-Public-Projektfinanzierungen gerade in Small-Budget-Bereichen haben, ob es nun um handelbare Waren geht oder nicht, und wie es um Startchancen in „Kulturgesellschaften" – die vieles ermöglichen sollten – bestellt ist.

Muhammad Yunus: *GRAMEEN. Eine Bank für die Armen der Welt*, Bergisch-Gladbach 1998 / Wolfgang Libal, Christine von Kohl: *Der Balkan. Stabilität oder Chaos in Europa*, Wien 2000, S. 99 / Vision Microfinance: www.vpm.at / www.bewegungsstiftung.de / www.buergerstiftung-hamburg.de

NÜTZLICHES WISSEN UND NICHT-WISSEN Welche analogen, nicht zwingend in Finanzierungskreisläufe eingebundene Projektwelten existieren, führt einem etwa die *Mobile Akademie Berlin* vor Augen, „eine mobile Institution auf Zeit, die immer wieder ihren Standort verlagert". Getragen von einem Team um Hannah Hurtzig werden einmal fortgeschrittene Studierende, junge Künstler und Künstlerinnen „mit Projekterfahrung" zu „Konstruktion und Erfindungen urbaner Folklore" eingeladen, 2005 wiederum ist, mit Stationen in Berlin (siehe Bild Seite 450) und Warschau, der *Schwarzmarkt für nützliches Wissen und Nicht-Wissen* veranstaltet worden. Während unserer Gespräche für dieses Buch konnten wir davon profitieren und mehrere Termine mit dort präsenten Experten wahrnehmen; Kosten für eine halbe Stunde: jeweils 1 Euro. An der Ticket-Börse entstand

ein reger Handel, alles zu zivilen Preisen, aber streng nach Angebot und Nachfrage. 120 Experten und Expertinnen standen zur Verfügung, Zuschauer konnten im abgedunkelten Saal von erhöhten Sitzreihen aus das Geschehen an langen Reihen von Zweiertischen und auf Videoschirmen verfolgen. Harun Farocki stand zu „Erinnerung, schweig!", Dirk Baecker zur Turing-Maschine zur Verfügung. Dutzende Arbeitsfelder, von „Aktivismus, politisch" über „Arbeit", „Architektur", „Dichtung", „Dilemma", „Kartografie", „Kommunikation", „Medien", „Musik, Lärm/Geräusch", „Orientierung", „Raum", „Sex", „Sprache", „Technik, künstlerisch", „Theater", bis „Übersetzung" oder „Urbanismus" waren vertreten. Immer wieder kamen konkrete Projekterfahrungen zur Sprache, ob nun nutzbare Lücken von Bauvorschriften, „gefühltes Wissen" als sozialer Planungszugang oder die temporäre Besiedlung leer stehender Plattenbauten zur Diskussion standen. Der konzentrierte, am Gegenüber Interesse zeigende Gedankenaustausch lief in erstaunlich respektvoller Atmosphäre ab, gerade weil sich alle fremd waren, sie gleichrangig miteinander umgingen und Wissenshierarchien vorübergehend außer Kraft gesetzt gewesen sind – als Beispiel zu Manfred Faßlers Frage „Welche Zukunft für welche Wissenswerkstatt?"
Dass neben oft illusionären, machtpolitischen Megaprojekten und der Projektorientierung vieler Arbeitsweisen solche ungebunden-informellen Projektszenerien wesentliche Bewegungsmomente sind, lässt sich prägnanter vermitteln, wenn hier auch noch Interpretationen des Projektbegriffs und zugehörige Orientierungsmuster knapp kommentiert werden.

Mobile Akademie Berlin: www.mobileacademy-berlin.com

DANIEL DEFOE Es fällt in die Zeit von Frühaufklärung und Frühliberalismus, dass Daniel Defoe in seinem Welterfolg *Robinson Crusoe* (1719) einem Projektleben Form gegeben hat – „... my head began to be full of projects and undertakings beyond my reach ..." –, das in vielen Aspekten prägend werdende Vorstellungen und Verhaltensweisen stilisiert, von unternehmerischer Initiative bis hin zur Überlebenskunst nach Katastrophen. Die Person des Robinson Crusoe blieb Inbegriff für „the complicity between evangelizing Christianity and economic colonization", was ihr, reflektierend gelesen, eine wiederkehrende Aktualität bewahrt. Do-it-Yourself ist nur eine Facette des angesprochenen Spektrums. Defoe selbst, dieser exemplarische „citizen of the modern world" (so sein Biograf John Robert Moore) war es auch, der als erster den Projektbegriff in reformerischem Kontext lanciert hat, als er in *An Essay Upon Projects* (1697) konkrete

Verbesserungsvorschläge präsentierte, die auch heute noch zum Verständnis aufgeklärter Pragmatik und anglo-amerikanischer Denktraditionen beitragen können. Um solche historische Dimensionen präsent zu machen, liegt dieses Erstlingswerk Defoes als Parallelband zum *Lesebuch Projekte* in kommentierter deutschsprachiger Neuausgabe vor, einschließlich kompakter Nachforschungen zu Etappen und Wandlungen von Projektvorstellungen, die hier knapp resümiert werden.

> Daniel Defoe: *Ein Essay über Projekte*, herausgegeben und kommentiert von Christian Reder, *Edition Transfer*, Wien-New York 2006 / Hans Turley: *Protestant evangelicalism, British imperialism, and Crusonian identity*, in: Kathleen Wilson (Hg.): *A New Imperial History. Culture, Identity and Modernity in Britain and the Empire 1660–1840*, Cambridge 2004, S. 192f. / John Robert Moore: *Daniel Defoe. Citizen of the Modern World* (1958), Chicago-London 1970.

PROJECTING AGE Von Daniel Defoe wird der Anfang des *Projecting Age* mit 1680 datiert, denn ihm zufolge begann damals „the art and mystery of projecting to creep into the world". Im Spekulationsfieber der frühen Kolonialzeit hatten sich Szenerien von Projektanten gebildet, die für ihre Ideen Geldgeber und die Gunst von Fürsten suchten. „Verkannte Erfinder, die Romantiker der Tat, die unruhigen und fein organisierten Gehirne" waren genauso darunter, so Werner Sombart, wie Bankrotteure oder „Bohemiens, die aus der Bourgeoisie entwischt sind und nun gern wieder hinein möchten, kühne und auskunftsreiche Leute".

England ist in dieser Phase weithin als Vorbild erreichbarer Freiheiten angesehen worden. Die dortigen, von den liberalen Niederlanden aus beeinflussten Umwälzungen haben, so Reinhart Koselleck, weithin ausgestrahlt, denn „der Verlauf der Französischen Revolution von 1787 bis 1815 gleicht in vieler Hinsicht, nicht nur im Prozess gegen den König, der zu seiner Hinrichtung führte, dem Ablauf der Englischen Revolution von 1640 bis 1660/88. Und so kann es nicht verwundern, dass die Voraussagen der Französischen Revolution immer wieder auf das Beispiel der Englischen zurückgriffen und dass die Diagnosen im Verlauf der Französischen Revolution immer wieder von Analogieschlüssen aus der englischen Parallele zehrten, um glaubwürdig zu sein." In England Begonnenes hatte Folgen jenseits des Atlantiks und am Kontinent: „Seit der Amerikanischen und der Französischen Revolution stehen alle politischen Handlungseinheiten im Zugzwang, sich zu demokratisieren."

> Werner Sombart: *Der Bourgeois. Zur Geistesgeschichte des modernen Wirtschaftsmenschen* (1913), Berlin 1987, S. 52f. / Reinhart Koselleck: *Zeitschichten. Studien zur Historik*, Frankfurt am Main 2000, S. 209, 229.

PRAGMATIK Defoes Projektvorschläge, ob er nun Steuerbefreiung, Mindestunterhalt und kostenlosen Gesundheitsdienst für Arme, gleiche Ausbildungschancen für Frauen, die Bekämpfung von Steuerhinterziehung, ein reformiertes Bank- und Börsenwesen, Sparkassen, ein neues Konkursrecht, leistungsfähige Handelsgerichte, die Privatisierung öffentlicher Aufgaben und des Straßenbaus oder – wegen „unserer eigenen Verrücktheit" – die würdige Betreuung von Geisteskranken fordert, lesen sich im Abstand von dreihundert Jahren wie ein Katalog weiter bestehender Defizite, stellenweise auch wie eine Persiflage auf geläufige Politikkonzepte, Weltbankprogramme oder Consultant-Gutachten. Seine Popularisierung der Ideen von John Locke macht Korrelationen von Anfangs- und Akutphasen kapitalistischer Entwicklungen und den sich von damaligen Aufbruchsphasen herleitenden Pragmatismus anschaulich.

SHAKESPEARE | DESCARTES Die früheste im Rahmen der Recherchen dazu entdeckte Literaturstelle findet sich bei Shakespeare 1600/1601. Von ihm wird der geplante Mord an Hamlet ausdrücklich als Projekt bezeichnet, also ausgerechnet ein Mord an jemandem, der aus heutiger Sicht, „frei, abhängig und blind zugleich", ständig auf der „Suche nach dem System, in dem er eine Rolle spielen kann", gewesen ist. In *The Tempest*, zehn Jahre danach, gibt die als Projekt verstandene Lebensplanung des zentralen Protagonisten dem Begriff eine markant ausgeweitete, konstruktivere Bedeutung. René Descartes verwendet ihn 1637 im *Discourse de la Méthode* für sein Erkenntnisstreben; ursprünglich war ihm „das Projekt einer universalen Wissenschaft" vorgeschwebt.

Erst hundert Jahre nach dem ausgerufenen Projektzeitalter war der Begriff „Projekt" im Deutschen gebräuchlich geworden. In Goethes *Faust* schließlich geht es zentral um Projekte, bis hin zum Neuen Menschen: „Ein herrlich Werk ist gleich zustand gebracht / (…) Es wird ein Mensch gemacht."

Beschreibung Hamlets von Dirk Baecker, in: Dirk Baecker, Alexander Kluge: *Vom Nutzen ungelöster Probleme*, Berlin 2003, S.130.

DEFINITION A + B In der hier eingangs zitierten großen Enzyklopädie der Aufklärung wird unter „Projekt" schlicht „ein Plan, den man zu verwirklichen beabsichtigt" verstanden, einschließlich diverser „unsinniger Unternehmungen". Von einer Einengung auf wirtschaftlich Relevantes ist somit nicht die Rede. Auch heute noch definiert das Deutsche Institut für Normung e. V. den Terminus „Projekt" erstaunlich weit gefasst als „ein Vorhaben, das im Wesentlichen durch eine Einmaligkeit der Bedingungen in ihrer Gesamtheit gekennzeichnet ist" (DIN 69901). „Projektkultur" wird als die „Gesamtheit der von Wissen, Erfahrung und Tradition beeinflussten Verhaltensweisen der Projektbeteiligten und deren generelle Einschätzung durch das Projektumfeld" beschrieben (DIN 69905).

ETWAS UNTERNEHMEN Werner Sombart, der 1913, kurz vor dem Auseinanderbrechen der bürgerlichen Welt, ausführlich auf Defoe als Projektdenker und einen „der besten Sachkenner der damaligen Zeit" eingegangen ist, hat den Übergang von Projekten zu Unternehmen detailreich kommentiert und sich dabei nicht auf Ökonomie eingrenzen lassen. Unter der stabilisierten Form des Projektes, der Unternehmung (im weitesten Sinn), versteht er „jede Verwirklichung eines weitsichtigen Planes, zu dessen Durchführung es des andauernden Zusammenwirkens mehrerer Personen unter einem einheitlichen Willen bedarf." Und „das Gebiet der Unternehmung ist so weit wie das Feld der menschlichen Tätigkeit überhaupt. Der Begriff ist also keineswegs auf das Wirtschaftliche beschränkt. Die wirtschaftliche Unternehmung ist vielmehr eine Unterart der Unternehmung überhaupt, die kapitalistische Unternehmung eine Unterart der wirtschaftlichen Unternehmung." Er scheidet zwar aus dieser Definition „alles künstlerische sowie alles rein handwerkliche Schaffen" aus, weil es in der Regel „nur einer" ausführe, hat dabei aber sichtlich noch nicht die verzahnten und abhängiger gewordenen künstlerischen und wissenschaftlichen späteren Produktionsbedingungen vor Augen.

Werner Sombart: *Der Bourgeois. Zur Geistesgeschichte des modernen Wirtschaftsmenschen* (1913), Berlin 1987, S. 59, 60f.

RUDIMENTÄR BÜRGERLICH Wie es um den – sichtlich als Rarität – oft nur noch flehentlich angesprochenen „bürgerlichen", also auch „kultivierten" und „kultivierenden" Initiativgeist inzwischen steht, kommentiert Alexander Kluge in diesem Band, indem er das ursprüngliche *Projecting Age* in Erinnerung ruft: „Bürgerlich meine ich hier positiv, mit bürgerlich meine ich stürmisch, ‚ich will mich realisieren'". Das gelte genauso für den Projektemacher, „der ja als Patriot des Eigenwillens den bürgerlichen Instinkt in sich hat. Das hat's vorher nicht gegeben im Feudalismus. Und das gibt es heute natürlich immer seltener, weil die bürgerliche Gesellschaft nicht wirklich präsent ist, sie setzt sich nicht fort. Das, was wir heute sehen, sind alles sozusagen Embryonen von Bürgern, die leben und sterben. Wir

kommen gar nicht bis zum Ich, bis zur ICH AG. Dieses Ich ist aber eine
ganz zerstörerische Potenz." Auch global betrachtet sind die schmalen
Mittelschichten weiterhin nur sehr bedingt Stützen positiver Entwicklungen, als die sie ständig apostrophiert werden. Ein in seinen UNO-Funktio-
nen damit konfrontierter Aktivist wie Jean Ziegler sieht in ihnen fast
durchwegs eine „,gekaufte' Bourgeoisie", weil in aller Regel die Interessen
korrupter Regime und der Konzerne, „dieser neuen Feudalherren", vertreten
werden. Deren Möglichkeiten, Steuerzahlungen zu entkommen, erinnern
an frühere Privilegien von Adel und Klerus.

Jean Ziegler: *Das Imperium der Schande. Der Kampf gegen Armut und Unterdrückung* (Paris 2005), München 2005, S. 71.

RESTGRÖSSE: LIBERALES KLIMA Das allseits betriebene Umschwenken
aus sozialstaatlich liberalen in privatisierend neoliberale Richtungen – im
Kern schlicht die vieles ruinierende Radikalisierung von Profitmaximierung
– hat zwangsläufig markante Auswirkungen auf jedes Projektklima. Wie
selbstreflexiv das vor sich geht, prägt sich erst seit dem Ende der System-
konkurrenz deutlicher aus. Neue Gegner müssen für Zusammenhalt sorgen;
davon finden sich selbst in den eigenen Reihen genügend. Dazu konstatiert
Richard Rorty, unbeirrbarer Vertreter des Liberalismus amerikanischer
Prägung und einer kritisch gebliebenen US-Öffentlichkeit, dass in den
Vereinigten Staaten nun schon seit längerem „die ‚Liberalen' – das heißt
alle, die auch nur über die Verteilung von Reichtum, Einkommen und Chan-
cengleichheit nachzudenken beginnen", als „verrückt" und „unmoralisch"
hingestellt werden. Kein Politiker, der gewählt werden will, könne sich
noch als „liberal" bezeichnen, wobei sich ohnedies nahezu niemand mehr
„um Wahlen kümmert, ausgenommen die Mittelklasse der Suburbs" und
sogar die Armen kaum dazu gebracht werden, „für ihre eigenen Interessen
zu stimmen". Für ein Projektdenken heiße das, „dass es jetzt an Europa
liegt, die Welt zu einem besseren Ort zu machen." Von dessen skeptischen
Haltungen verspricht er sich offenbar mehr als von der propagierten Sie-
gesgewissheit im eigenen Land mit ihrem unverblümten, auch anderswo
grassierenden Zurückdrängen kritischer Stimmen.
Mit dieser Beschwörung und Verteidigung eines liberalen Klimas trifft er
sich mit Jürgen Habermas, der in *Philosophie in Zeiten des Terrors* (2003)
die Wichtigkeit reziproker Bemühungen um „die Öffnung einer Mentalität" betont und das laufe generell eher über „die Liberalisierung der Verhältnisse, über eine objektive Entlastung von Druck und Angst".

Richard Rorty: *Europa sollte auf sich selbst bauen*, in: *Europa oder Amerika? Zur Zukunft des Westens*, Sonderheft *Merkur*, Deutsche Zeitschrift für europäisches Denken, Heft 9/10 Berlin 2000 (darin vertritt Rorty übrigens auch eine Auffassung, die trotz weiterer Zuspitzungen im Berlusconi-Italien aus dem europäischen Common Sense wieder verschwunden ist: „Es ist für mich eine große Ermutigung, dass die Regierungschefs Europas sich entschlossen haben, Österreich zu boỹkottieren, ohne zuvor Washington zu konsultieren ...") / Jürgen Habermas in: Jürgen Habermas, Jaques Derrida: *Philosophie in Zeiten des Terrors*. Zwei Gespräche, geführt, eingeleitet und kommentiert von Giovanna Borradori (Chicago 2003), Berlin 2004, S. 61.

HERRSCHAFTSLOGIK Einer solchen defensiv-reformerischen Pragmatik können Radikaloppositionelle wie Michael Hardt und Antonio Negri kaum etwas abgewinnen, denn Souveränität habe als „Empire", in dem „überall Korruption" herrsche, längst „eine neue Form angenommen" – „die eine einzige Herrschaftslogik eint". Wenn überhaupt, so ergäben sich Perspektiven somit nicht mehr aus dem Anspruch repräsentativen Handelns sondern allein durch kontrapunktische „konstituierende Tätigkeit" – also tatsächlich bei der desperaten Situation der Ärmsten und einem Blick „von unten" ansetzende Projekten und Strategien. Alles bloß Karitative würde nur systemstützend wirken.

Dass „die *entstaatlichte* Bürgergesellschaft die uns zugedachte Zukunft ist", also überall Selbsthilfe greifen soll, als „Lückenbüßer eines säumigen, pflichtvergessenen Staates", so auch Wolfgang Engler, sei Konsequenz des gewendeten Reformdenkens. „Reform" wird vom „,Fortschritt' in seiner eingebürgerten Bedeutung, vom Glücksanspruch der Mehrheit, von der Förderung der Schwachen" entkoppelt; „,richtige' Reformen sind nunmehr schmerzhaft, tun weh, sie gehorchen dem Zwang zum Weniger, nicht den Verlockungen des Mehr und Immermehr, sie bringen Einschränkungen mit sich, Belastungen, Enttäuschungen". Dabei ginge es vor allem darum, „die Handlungs- und Tätigkeitsimpulse von Menschen zu bewahren, ja zu bekräftigen, die der Arbeitsprozess ausscheidet – das ist die alles Wesentliche einschließende Kurzfassung der neuen kulturellen Weltformel und umreißt zugleich den nächsten Schritt, den *unsere* Gemeinwesen gehen müssten, sollen nicht ungezählte Menschen in Selbstzweifel und Apathie verharren".

Michael Hardt, Antonio Negri: *Empire. Die neue Weltordnung* (2000), Frankfurt am Main 2002, S. 10, 396, 419 / Wolfgang Engler: *Bürger, ohne Arbeit. Für eine radikale Neugestaltung der Gesellschaft*, Berlin 2005, S. 243, 58, 236, 146.

UNVOLLENDETE MODERNE „Die Welt zu einem besseren Ort zu machen", mit ausgeweiteten Chancen, „eine neue, verschiedene Art von Person zu werden, die andere Dinge wünscht als zuvor", also „neue, synkretistische und umfassende Arten zu leben zuwegebringt", wie es etwa Richard Rorty unverdrossen fordert, verweist auf anderes als neoliberale Modernisierungen, auf das – nach Jürgen Habermas bekanntlich latent „unvollendete" – „Projekt der Moderne", also auf zwangsläufig unübersichtliche, widersprüchliche, oft kontraproduktive Intentionen und Richtungsangaben der Aufklärung, die von der „durch die moderne Wissenschaft inspirierten Vorstellung vom unendlichen Fortschritt der Erkenntnis und eines Fortschreitens zum gesellschaftlich und moralisch Besseren" geprägt sind. Selbst in seinen Grundzügen keinesfalls allgemein geläufig, geschweige denn akzeptiert, ist es zwar durch die strukturelle Gliederung von Verfassungsstaaten und essenzielle Elemente der Rechtsordnungen, ansonsten aber bestenfalls rhetorisch zum Common Sense geworden.

Das nicht in Erinnerung zu rufen, würde ausblenden, welche Orientierungsrahmen und Kriterien für Projekte Anwendung finden könnten (oder – und sei es als Provokation – eben nicht), auch wenn keine selbsttätige Geschichtsautomatik behauptet wird. Es gelte, so Habermas in ursprünglichen, vieles inzwischen als wichtig Erkanntes ausgrenzenden, vor allem auf Organisation setzenden Formulierungen, „die objektivierenden Wissenschaften, die universalistischen Grundlagen von Moral und Recht und die autonome Kunst unbeirrt in ihrem jeweiligen Eigensinn zu entwickeln, aber gleichzeitig auch die kognitiven Potenziale, die sich so ansammeln, aus ihren esoterischen Hochformen zu entbinden und für die Praxis, d.h. für eine vernünftige Gestaltung der Lebensverhältnisse zu nützen", wozu es notwendig sei, „die gesellschaftliche Modernisierung in andere nichtkapitalistische Bahnen" zu lenken.

In aktualisierten Versionen wird aus der Hoffnung auf Anderes ein Plädoyer für Zähmung: Allein durch die „Revision des Selbstbildes könnte beispielsweise der Westen lernen, was sich an seiner Politik ändern müsste, wenn er als eine zivilisierende Gestaltungsmacht wahrgenommen werden möchte. Ohne eine politische Zähmung des entgrenzten Kapitalismus lässt sich der verheerenden Stratifikation der Weltgesellschaft nicht beikommen. Die disparitäre Entwicklungsdynamik der Weltgesellschaft müsste in ihren destruktivsten Folgen – ich denke an die Depravierung und Verelendung ganzer Regionen und ganzer Kontinente – wenigstens ausbalanciert werden." Mechanismen dafür könne nur eine differenzierte Organisiertheit liefern, „wenn sich eines Tages die großen kontinentalen Regime wie

473

EU, NAFTA [North American Free Trade Agreement] und ASEAN [Association of South East Asian Nations] zu handlungsfähigen Aktoren entwickelt haben, um dann transnationale Vereinbarungen zu treffen und für ein immer dichteres transnationales Geflecht von Organisationen, Konferenzen und Praktiken Verantwortung zu übernehmen". Trotz latent erlebbarer Formen „kommunikativen Handelns" – etwa in privilegierten Situationen an Universitäten –, die Konsequenzlosigkeit und manipulierbare Entscheidungsfindung kaum einschränken können, wird auf immer dichtere Verflechtungen gesetzt. Als Gegengewicht ließe sich auf lokaler Ebene oder als transkulturelle Brückenbildung die Ausbaufähigkeit von Projektkulturen forcieren.

Richard Rorty: *Truth and Progress*, Cambridge 1998, S. 186ff., zit. nach: Birger P. Priddat (Hg.): *Kapitalismus, Krisen, Kultur*, Marburg 2000, S. 213f. / Jürgen Habermas: *Die Moderne – ein unvollendetes Projekt* (1980), in: *Die Moderne – ein unvollendetes Projekt*. Leipzig 1990, S. 32ff. / Jürgen Habermas in: *Jürgen Habermas, Jaques Derrida: Philosophie in Zeiten des Terrors*. Berlin 2004, S. 61f., 66.

ZWEITE MODERNE Das trifft sich mit dem Denken von Ulrich Beck, bekanntlich Exponent eines „Projekts des Kosmopolitismus" im Rahmen einer offenen und ambivalenten „Zweiten Moderne", die nicht mehr Nationalstaatliches zur Basis hat. Er betont, dass „die radikale Offenheit" grundlegendes „Wesensmerkmal des Europäischen Projektes und sein eigentliches Erfolgsgeheimnis" sei, denn „wer das christliche Abendland neu erfindet, um Europa abzugrenzen, macht aus Europa eine Religion, beinahe eine Rasse und stellt das Vorhaben der europäischen Aufklärung auf den Kopf." Klar müsse eines sein: „Das kosmopolitische Europa ist ein Projekt des Widerstandes", da es „nach dem Zweiten Weltkrieg politisch bewusst als Antithese zum nationalistischen Europa und seiner moralischen und physischen Verwüstung" begründet worden ist. Präzisierend spricht er vom „Projekt einer anderen Globalisierung, einer anderen Moderne" und meint damit „ein Projekt, das von einer den ganzen Erdball einbeziehenden Vision einer ‚kosmopolitischen Vernunft' getragen wird" unter selbstkritischer „Anerkennung der Andersheit der Anderen". Dabei seien alle „auf Koalitionen angewiesen, um ihre Ziele zu verwirklichen". Es ginge um ein neues, strukturell stabilisiertes Verständnis von „citizen of the modern world" und um ausgeweitete Handlungsfreiräume für möglichst viele, mit „Westlichem" als selektiv Adaptierbarem.
Zum „Projekt Europa" finden sich übrigens bereits 1693 bei William Penn, einem Freund Defoes, grundsätzliche Gedanken; vor allem, dass „the Turks

and Muscovites" ebenfalls hereingenommen werden müssten („are taken in"). Inwieweit ethnische, religiöse, nationalstaatliche Gebundenheit tatsächlich in kosmopolitische Konstellationen übergehen könnte, Europa nicht bloß ein Staatenverbund bliebe und ein „Zweites Projekt der Moderne" somit Chancen als Orientierungsrahmen habe, halten Skeptiker allerorts – wie täglich erkennbar – angesichts der Gegenkräfte für weitgehend illusionär. Selbst auf künstlerischen, also universellen Feldern ergibt sich ohne nationale Basis kaum eine Bestärkung, es sei denn als Vorzeigeflüchtling oder nach bereits Erreichtem. Auf individuell beeinflussbaren Projektebenen selbst lässt sich dennoch in solche Richtungen arbeiten. Anordnungen braucht es dazu nicht.

Ulrich Beck: *Der kosmopolitische Blick oder: Krieg ist Frieden*, Frankfurt am Main 2004, S. 250, 248, 252 / Ulrich Beck: *Macht und Gegenmacht im globalen Zeitalter. Neue weltpolitische Ökonomie*, Frankfurt am Main 2002, S. 447, 315, 412, 419 / William Penn: *An Essay Towards the Present and Future Peace of Europe by the Establishment of an European Dyet, Parliament or Estates* (London 1693), Hildesheim-Zürich-New York 1983.

EREIGNISSE UND STRUKTUREN Reinhart Koselleck hält den „Prozesscharakter der neuzeitlichen Geschichte" für „nicht anders erfassbar als durch die wechselseitige Erklärung von Ereignissen durch Strukturen und umgekehrt". Die „Unendlichkeit des Geschehens" erfordere die Beobachtung und das Greifbarmachen, wie sich „eine Summe von Begebenheiten zu einem Ereignis zusammenfügt". Werden in diesem Sinn „Projekte" als spezielle Form von Ereignissen aufgefasst, weil Absichten, Pläne, Resultate, Abgrenzungen erkennbar sind, spricht einiges dafür, sich die Welt oder Ausschnitte von ihr als undurchsichtiges Gebilde vorzustellen, in dem vor allem Projekte gewisse Anhaltspunkte liefern, weil sie Intentionen und Ergebnisse anschaulicher machen als Dahinfließendes. Wird somit Geschichte auf ihren verschiedenen Ebenen als Ineinandergreifen von Projekten, von projektähnlichen Vorhaben gesehen, als Schauplatz für Erzählungen von Projekten, um dadurch die oft scheiternden Versuche, neu zu beginnen, Neues zu beginnen – sowie die Irrwege dabei – bewusster zu machen, ließe das die eigentlich dynamisch-perspektivischen Faktoren, wie auch die Bedingungen für ein Gelingen und Misslingen, deutlicher hervortreten. Solche Sichtweisen erhöhen auch die Chance, Gewichtungen anders wahrzunehmen, Reales, Mediales, Fiktives in Abhängigkeit von einander zu sehen.

Reinhart Koselleck: *Vergangene Zukunft. Zur Semantik geschichtlicher Zeiten* (1979), Frankfurt am Main 1989, S. 150, 144, 145.

EINGRENZEN | BEWERTEN Derartige Vereinfachungen sind immer bis zu einem gewissen Grad Konstruktion, Stilisierung. Von einer Überschaubarkeit, fragmentarische Synthesen suchenden *déformation professionelle* wird das bestärkt. Die Gegenposition wäre, nur große, allerdings genauso abgegrenzte Einheiten wahrzunehmen, in denen eben dieses oder jenes passiert. Beim Blick auf Projekte bleibt es somit notwendig, das von Strukturen bestimmte, das dazwischen und im Hintergrund Ablaufende, die Machtverhältnisse oder die Eigendynamik von Institutionen bis hin zur Strukturen stärkenden Akzeptanz von Über- und Unterordnung nicht zu vernachlässigen. Nur Inseln zu sehen, würde ein Fokussieren auf Besonderes, auf Auffallendes, auf ansonsten kaum leistbare Energiekonzentrationen bedeuten. Das macht die Einbeziehung von Vernetzungen und Wechselbeziehungen wichtig, vor allem aber Wertungsfragen. Schon Daniel Defoe („Projekte wie die, von denen ich handle, sind zweifellos im Allgemeinen von öffentlichem Nutzen …") hat angesprochen, was Alexander Kluge in diesem Band so formuliert: „Es gibt vertrauenswürdige Projektemacher und nicht vertrauenswürdige, das Unterscheidungsvermögen dafür ist elementar notwendig. Und diese Vertrauens- oder Glaubwürdigkeitsfrage, das ist die Kernfrage". Von Peter Sellars wird anhand von Beispielen erläutert, um welche Richtungen es ginge, denn „ein Projektaktivismus bringt nur etwas, wenn er auf langfristig erzielbare Veränderungen ausgerichtet ist. Schnell Mögliches kann genauso schnell wieder zurückgedreht werden." In einer Welt ohne Projekte würde alles diffus erscheinen, sich einfach ergeben und es müssten andere Orientierungsmuster gesucht werden.

PROGRAMMIERTES SCHEITERN Markanter als die Beschäftigung damit machen sich aber Auffassungen bemerkbar, nach denen Projekte, vor allem kühnere, zwangsläufig scheitern oder versanden müssen. Dabei werden selbst aus dem Verschwinden einst strahlender Unternehmen, abgesehen von üblicher Besserwisserei, kaum tatsächlich analytische Lehren gezogen. Dirk Baeckers Reflexionen dazu haben Heiner Müller angeregt, in solchen Szenarien des großen Scheiterns Stoff künftiger Tragödien, künftiger Dramen zu sehen.

Irritierend ist aber genauso, wie flächendeckend ein Mißlingen vorausgesetzt wird. Schon im Titel eines aktuellen, Historisches einbeziehenden Buches dazu wird das deutlich: Markus Krajewski (Hg.): *Projektemacher. Zur Produktion von Wissen in der Vorform des Scheiterns* (2004). „Entscheidend bleibt", heißt es bereits in der die Begriffsentwicklung kommentierenden Einleitung, „dass die Vorhaben im Moment des Erfolgs ihren

Projektstatus verlassen und zum ‚Werk‘, zur ‚Errungenschaft‘, zum ‚Unternehmen‘ geraten. Es greift eine weitreichende Umwidmung der zuvor noch ungewissen Tätigkeiten. Was kurz davor noch Projekt heißt, wird durch das Gelingen zum Produkt, zur glänzenden Leistung, zur gelobten Erfindung, zum funktionierenden Geschäft promoviert. Allein das, was scheitert, muss weiterhin ‚Projekt‘ heißen." Ambivalenz wird angesprochen, weil auch auf das „Modewort Scheitern", also die Gewöhnung an Krisenerscheinungen und ein Versagen sowie das damit zusammenhängende Anwachsen „von Projektemachern, die sich kollektiv organisieren", eingegangen wird. An destabilisierenden Schwarzhandelsnetzen oder Schlepperbanden bestätige sich jedoch, „dass inzwischen jede unvollkommene Überlegung längst als Projekt deklariert wird", und es – so die ironische Forderung – „Inseln der Integrität" brauche, wo, offenbar wegen des zunehmend subversiven Charakters, „jede Projektemacherei" untersagt sei (Helmut Höge).

Zugleich ist eine solche Skepsis auf „die eigenartige und mithin rätselhafte Figur des Projektemachers" fixiert, die im „Übergang zwischen kritischer Zwangslage und einer noch unentschiedenen, zu gestaltenden Zukunft" agiert und darauf beharrt, „das Undenkbare zu behaupten, um das Unmögliche realisierbar zu machen". Weil mit solchen Ansprüchen kaum etwas gelingen könne, liege vielleicht „in der Niederlage die optimale Erkenntnisposition" (Markus Krajewski).

Zu Heiner Müller: Dirk Baecker, Alexander Kluge: *Vom Nutzen ungelöster Probleme*, Berlin 2003, S. 39 / Markus Krajewski (Hg.): *Projektemacher. Zur Produktion von Wissen in der Vorform des Scheiterns*, Berlin 2004, darin: Markus Krajewski, S. 23, 24; Helmut Höge: *Der Projektemacher als postmodernes Massenphänomen*, S. 219ff., 236, 243.

AKZEPTANZ UND SKEPSIS Kein Architekt, der mit seinem Team ein Projekt nach dem anderen ausarbeitet, würde sich – zumindest *a priori* – solchen kategorisch-defensivemen Sichtweisen anschließen, noch dazu, wo vielfach gerade unrealisiert gebliebene Projekte Architekturgeschichte geschrieben haben. „Die Arbeit in und an Projekten", so Wolf D. Prix in diesem Band, „ist sicher zentral für ein wirklich aufmerksames Berufsverständnis" und eine der „wesentlichen Funktionen um Neues anzufangen ist die des Projektmanagers", der „auf Überwindung des Überwindbaren" aus ist. Umgangssprachlich ist es gerade in künstlerischen und gestalterischen Berufsfeldern, die hier im Vordergrund stehen, absolut üblich, „Werke" auch nach Fertigstellung als „Projekte" zu bezeichnen. Analoges gilt für weiterlaufende Projekte wie das der Moderne oder das „Projekt Europa". Daniel Barenboim und Edward W. Said haben das von ihnen gegründete, aus Mitgliedern jüdischer und muslimischer Herkunft gebildete *West-Eastern Divan Orchestra* immer wieder als „ihr wichtigstes Projekt" bezeichnet. Am 21. August 2005 konnte es sich endlich auch in Ramallah präsentieren. Jedes Chirurgenteam muss, abgesehen von Routinefällen, permanent entscheiden, welche Projektleistungen es im Einzelfall benötigt, jeder größere Feuerwehreinsatz benötigt eingespielte Projektstrukturen. Komplexe Realisierungen im Schiffs- und Flugzeugbau gelten als Projekte. Bauunternehmen ohne Auftragsprojekte, Museen ohne Ausstellungsprojekte würden Regierungen gleichen, die nicht einmal behaupten etwas vorzuhaben.

MEGAPROJEKTE Selbst das *Manhattan Project* zur Entwicklung der Atombombe heißt weiter „Projekt", obwohl es bekanntlich nicht gescheitert ist und bei offensivem Einsatz der von ihm abstammenden Produkte alle zivilisatorischen Errungenschaften endgültig scheitern würden. Mitzudenken ist, dass auf Abschließbares angelegte Vorhaben zum Inbegriff des Grauens geworden sind, zur kategorischen Erschütterung eines Glaubens an Fortschritt. Dem aus den Fundamentalkatastrophen des 20. Jahrhunderts ableitbaren Verlust an Entwicklungsoptimismus mit Megaprojekten entgegenzuwirken, gelang und gelingt bestenfalls phasenweise.
Exemplarisches Beispiel für eine solche mobilisierende Politik ist die inzwischen in Projektketten übergeleitete Raumfahrt. Auf sowjetische Erfolge mussten die USA reagieren: Sputnik, 1957; Juri Gagarin – am 12. April 1961 der erste Mensch im Weltraum; Leiter des Raumfahrtprogramms: der frühere Gulag-Häftling Sergej Pawlowitsch Koroljow. Deshalb hatte John F. Kennedy am 25. Mai 1961 verkündet, das *space project* der Mondlandung noch in der laufenden Dekade zu realisieren: „First, I believe that this nation should commit itself to achieving the goal, before this decade is out, of landing a man on the Moon and returning him safely to the Earth." Eine damit angefachte, den Kalten Krieg als Hintergrund brauchende Aufbruchsstimmung ist wegen ständiger Kriegs- und Rüstungsprojekte, der Risiken massiv durchgezogener Vorhaben der Atomwirtschaft, Katastrophen wie Tschernobyl, Bhopal oder Challenger im Weiteren wieder latent in Misskredit geraten. Das gilt bis zum Yangtse-Staudamm. Maßgebliche „Dynamik" geht weiterhin vom viel zitierten, alles durchdringenden „militärisch-industriellen Komplex" aus (© US-Präsident Dwight D. Eisenhower, 1961). Selbst Projektanstrengungen des New Deal unter Franklin D. Roosevelt mit seiner *Works Progress Administration* (*WPA*), dem *Federal Art Project*, dem *Tennessee Valley Project* lassen sich als Parallelen zu primär „zivilen" Megaprojekten Stalins (Eismeerkanal, Elektrifizierung, Industriekombinate,

Stadtgründungen), Hitlers (Autobahn, Volkswagen) oder Mussolinis (Trockenlegung der Pontinischen Sümpfe, „Musterstädte" wie Littoria) problematisieren, was im Detail bei Wolfgang Schivelbusch nachzulesen ist.

Die großen Eisenbahnprojekte, der Suezkanal, der Panamakanal, der Eiffelturm hatten noch ungebrochene Fortschrittsgläubigkeit repräsentiert, mit Eisen und Kohle als Epochematerial; dem Atomzeitalter werden die Vorteile friedlicher Nutzung längst nicht mehr so eindeutig geglaubt. *Der Palast der Projekte* von Ilya und Emilia Kabakov (Essen, 2001) ironisiert den Maximalismus der Moderne, den in diesem Band Erich Klein für Russland und Ernst Strouhal am Beispiel des Revolutionsversuchs in Grenada kommentieren.

Wolfgang Schivelbusch: *Entfernte Verwandtschaft. Faschismus, Nationalsozialismus*, New Deal 1933–1939, München 2005 / Ilya Kabakov, Emilia Kabakov: *Der Palast der Projekte*, Düsseldorf 2001.

UNENDLICHKEIT Auch auf wissenschaftlicher Ebene hat die von einem Machbarkeitswahn provozierte Skepsis dauerhafte Auswirkungen. So lehnte etwa Niklas Luhmann die „zeitlimitierten Ordnungen" von Projekten als organisationstechnische Einengung eines nicht in Abschnitte zu gliedernden, vielfach ziellosen Forschens ab. Denn mit bloßen „Ausschnitten aus Problem/Problemzusammenhängen" gäbe es kein Weiterkommen. Sein beabsichtigtes Lebenswerk beschrieb er anfangs knapp als „Theorie der Gesellschaft, Laufzeit: 30 Jahre, Kosten: keine". Gelegentlich hat er es dennoch als Projekt bezeichnet, blieb aber einem Etappendenken gegenüber reserviert, „denn Gesellschaftstheorie ist nun beim besten Willen kein Projekt, sondern das Anliegen der Disziplin schlechthin. Es würde sich mithin lohnen, ein Projekt zur Erforschung der Selektivität von Projektforschung zu beantragen".

Niklas Luhmann: www.humboldtgesellschaft.de / Niklas Luhmann: *Die Wissenschaft der Gesellschaft* (1990), Frankfurt am Main 1992, S. 338, 427, 339.

CONSULTING Skepsis und Abwehr setzen sich gegenüber einem exemplarischen Projektbereich, dem boomenden kommerziellen Consulting, das vielfach sonst Undurchsetzbares begutachten, konzipieren und voranbringen soll, fort. Eigene solche, wegen der interessanten Projektangebote gewählte, von Zürich aus organisierte Berufsphasen fallen in Reformzeiten der 70er Jahre, als etwa der österreichische Bundeskanzler Bruno Kreisky zu seinen viel zitierten 1.400 Experten auch Managementkonsulenten aus der Schweiz, wie uns, hinzuholte (Motto: „Wir wollen ein modernes Österreich"). Wegen der von Entwicklung zu Einsparungen übergehenden Wende ist es mir schließlich plausibler gewesen, ein solches Arbeiten in Sozial- und Kulturbereiche umzulenken. Weil Organisationen kaum darauf eingestellt sind, die von Beratern übernehmbare Funktion wahrzunehmen, quer durch die Hierarchien Mitarbeiter und Mitarbeiterinnen auf ihre Problemsicht hin zu befragen, Kooperationsbarrieren zu lokalisieren und mit distanzierterem, systemanalytischen Blick Perspektiven durchzudenken, können solche Projekte durchaus greifbare Resultate bringen. Dabei tauchen jede Menge innerbetriebliche Widerstände auf. Die Art der Leistungen und Produkte oder das Personalsystem lassen sich überdenken. Systemkritische Möglichkeiten halten sich in Grenzen.

Auf Grund dieser Erfahrungen erscheint die Stilisierung von McKinsey & Co zum Inbegriff neoliberaler Motorik und Destruktion, was vom üblich gewordenen Berufsverständnis her viel für sich hat, als eher plakativ (vgl. etwa Werner Rügemer [Hg.]: *Die Berater. Ihr Wirken in Staat und Gesellschaft*, Bielefeld 2004). Denn es wäre auch zu fragen, woher beratungsbereite Politiker, Politikerinnen, Institutionen, Unternehmen solche Leistungen und Gutachten sonst beziehen könnten. Offensichtlich wird weder in der Bürokratie noch in Parteiapparaten, Gewerkschaften, Betrieben oder Universitäten ein ausreichendes Reservoir gesehen, eben weil Projektorientierung strukturell kaum vorgesehen ist. Braintrusts mysteriöser politisch ausgerichteter Stiftungen sind vor allem in den USA als Hinterland längst wichtiger. Unterstützende Instrumentarien der Parlamente selbst sind sehr limitiert, Rechnungshöfe in aller Regel bloß folgenlose Berichte liefernde, buchhalterisch-administrativ agierende Zentralinstanzen. Gerade Privatisierungsoffensiven und Firmenübernahmen machen zugehörige Projekte zu Seilschaftsangelegenheiten und zum Eldorado mitverdienenden Consultings. Solche Einengungen demonstrieren, wie es um professionalisiertes Mitgestalten von Entwicklungen bestellt ist. Es wird zwar „Unabhängigkeit" eingekauft, nur ist der Spielraum für Abweichungen letztlich sehr eng – alles dreht sich um Anpassungen an nicht mehr hinterfragbare Zwänge.

AUSWEITUNG Selbst ein Spekulationsgewinnen die Spitze nehmendes Projekt wie die nach dem Ökonomieprofessor James Tobin benannte Devisenumsatzsteuer, die Tobin Tax, ist durch anhaltendes Propagieren von „außen" lanciert worden, bevor es in abgeschnittenen „Innenwelten" Gehör fand. Die Art entstehender Projektkulturen ist jedenfalls als expansiver

Sektor durchaus gesellschaftsprägend, tendiert immer wieder zu einem „Projektsumpf" und müsste kontinuierlich analysiert werden, was wegen der üblichen Vertraulichkeiten ein undurchsichtiges Feld bleibt.

„Radikale Außenseiter im Management", heißt es dazu optimistisch zum Thema Innovation, „orientieren sich immer an Leuten, die ihre Andersartigkeit bestärken. Sie lernen von denen, die andere Unterscheidungen verwenden als sie selbst …" (Winfried Weber). Es könnte also auch anders laufen, auf Entwicklung hin orientiert, wird aber von Kostenmanagement, Flexibilisierung oder Gefälligkeitsprojekten völlig überschattet – systemkonform überschattet. Manche in diesem Band angesprochene Ansatzpunkte haben Event-Charakter, wie Christoph Schlingensiefs Irritationsfunktion beim Energiekonzern E.ON. Für Fons Hickmann wiederum wäre die Ausweitung beratender Dienstleistungen noch ein weites Feld, denn „allein schon bei Funktionen wie einem Designmanagement, der Architektur oder zur Evaluierung des Betriebsklimas, der Personalsysteme, des Medienauftritts könnte ein kontinuierliches Zusammenwirken in ungewöhnlich konstituierten Gruppen einiges bewirken. Probleme ließen sich so deutlicher lokalisieren und artikulieren." Auch in Hinblick auf urbane Entwicklungen plädiert Wolf D. Prix für „Projektgruppen mit Experten und Denkern, komplexe Netzwerke, die Strategien für lebbare Städte, für Stadtviertel, für Stadtstrukturen entwickeln und begleiten".

Winfried Weber: *Innovation durch Injunktion. Warum man Innovation nicht planen (lassen) kann*, Göttingen 2005, S. 219.

INFLATION UND PRIORITÄTEN Mit der Tendenz „Alles ist Projekt" wird Prozesshaftes betont bzw. überbetont. Es können damit radikale Reformprogramme gemeint sein, ein Sprung nach vorn oder ins Nichts. Institutionellem wird das Misstrauen ausgedrückt. Neues soll entstehen indem sich Kräfte auf Essenzielles konzentrieren. Bewegung ist alles, Veränderung das Thema. Rhetorisch tauchen solche Ansprüche zwar weiterhin auf, wegen der evidenten Konsequenzen von Maximalismen und limitierter Reformierbarkeit jedoch transformiert zur Politik der kleinen Schritte. Da dramatische Systembrüche insgesamt als kaum noch vorstellbar gelten, verlagern sich die Phantasien auf vom sich selbst organisierenden Kapitalismus geduldete Freiräume. Banalisiert wird es vor allem um flexibel gegliederte, an Zielen orientierte Gruppenarbeit gehen, um Dinge, die im Normalfall links liegen bleiben, für die Routine nicht ausreicht. Wer sich nicht in Projekten bewährt, wird in der „projektbasierten Polis" kaum Chancen haben.

Wer nicht an EU-Forschungsgeldern partizipiert, wird, so Barbara Rhodes Insider-Sicht, in seiner *scientific community* an Ansehen verlieren. Mit der konträren Tendenz *Projekte gehören abgeschafft* (so ein provokanter Buchtitel der Managementliteratur) wird einerseits die Beliebigkeit angefangener, verschleppter, unzureichend unterstützter, zuwenig vernetzter, bloß Symptomen nachlaufender, ergebnislos bleibender, nur als Beschäftigungstherapie betriebener Projekte angegriffen, andererseits die künstliche Abzirkelung von Problemfeldern in Frage gestellt.

Solche Ansätze stecken Themenstellungen ab, an denen es, wenn Organisierbarkeit und Intensität gemeint sind, gilt konzeptiv und intervenierend weiterzuarbeiten, sofern Arbeitswelten und Vernetzungen nicht völlig als sich letztlich selbst organisierend betrachtet werden.

Die Internetsuchmaschine Google weist derzeit unter dem Suchwort „Projekt" etwa 38 Millionen, für das französische *projet* 45 Millionen, das spanische *proyecto* 27 Millionen und in der englischen Version *project* 1,5 Milliarden Eintragungen aus. Für deutsch-, französisch- und spanischsprachige Bücher zu diesem Stichwort liefert Amazon jeweils etwa 1.500 Nennungen, für englischsprachige fast 10.000. Dass die absolute Mehrzahl davon Versionen von Projektmanagement behandelt, ist sichtlich Ausdruck dafür, dass weiter gefasste Konzeptionen nur eine marginalisierte Rolle spielen oder sich auf mehr oder minder dramatische Handlungsappelle konzentrieren – auf notwendige, überfällige, groß angelegte Reformprojekte, wie sie vom *Brandt Report* (1981), dem *Global Report 2000* bis hin zu Jean Ziegler, Joseph Stiglitz, Amartya Sen, Jeffrey Sachs oder selbst Kofi Annan vor allem in Reden und Büchern gefordert werden. An einer „Geschichte alternativer Projekte", wie sie noch um 1980 publizistisch ein das Geschehen offensiv begleitendes Thema war, wird zwar weitergearbeitet, und alternative Nobelpreise unterstützen das, wie die Linien und Erfolgsmöglichkeiten dabei tatsächlich verlaufen, wird angesichts der globalen Vielfalt zivilgesellschaftlicher Initiativen und latenter Gegenkräfte erst mit Abstand übersichtlicher. Das Weltwirtschaftsforum oder diverse Weltwirtschaftsgipfel machen mit ihrer Anziehungskraft für Oppositionskräfte aus aller Welt anschaulich, wie viele Intentionen sich in den organisierten Abläufen nicht mehr vertreten fühlen aber Mitwirkung beanspruchen, indem strukturbildende, Strukturen verändernde Projekte eingefordert werden.

Adrian W. Fröhlich: *Mythos Projekt. Projekte gehören abgeschafft. Ein Plädoyer*, Bonn 2002 / *Das Überleben sichern. Der Brandt-Report. Bericht der Nord-Süd-Kommission*, Frankfurt am Main 1981 / Global 2000. *Der Bericht an den Präsi-*

denten, Frankfurt am Main 1980 / Jean Ziegler: *Das Imperium der Schande. Der Kampf gegen Armut und Unterdrückung* (Paris 2005), München 2005 / Joseph Stiglitz: *Die Schatten der Globalisierung* (*Globalization and its Discontents*, New York 2002), München 2004 / Amartya Sen: *Ökonomie für den Menschen. Wege zu Gerechtigkeit und Solidarität in der Marktwirtschaft* (*Development as Freedom*, New York 1999), München 2000 / Jan Peters (Hg.): *Die Geschichte alternativer Projekte von 1800 bis 1975*, Berlin 1980 / Rolf Schwendter: *Zur Zeitgeschichte der Zukunft*, 2 Bände, Frankfurt am Main 1982/1984.

SYSTEMTHEORIE Selbst in ihrer Breite und Tiefe pragmatischer gewordene Forderungskonzeptionen führen stets wieder zu Situationen, die Dirk Baecker und Alexander Kluge mit „Systeme sind die Wand, gegen die wir spielen" umschreiben. Letztere sind durchwegs „einer partiellen Blindheit" ausgeliefert, bestehen „aus Gerede", „können nur Gerede an Gerede anschließen", haben somit auch „die größten Schwierigkeiten, eine sich allmählich anschleichende Katastrophe zu erkennen". Denn Systemen und Organisationen geht es „um die Einhaltung von Routinen", prägend sei „die Fähigkeit, sich wechselseitig in einer Situation dadurch zu orientieren, dass man sich daran orientiert, wie andere sich an ihr orientieren". Bei solchen Einschätzungen verwundert es nicht, wenn etwa Pierre Bourdieu, wie schon angesprochen, nur noch von NGO-Netzwerken und sich ständig neu formierenden Gruppierungen etwas erwartet hat, wobei auch dabei für Situationen gilt „dass man sich daran orientiert, wie andere sich an ihr orientieren".

Der sich auf diese Weise bildende Mainstream – dessen träge Richtungsänderungen über Börsenkurse, Wahlergebnisse, Budgetumschichtungen, Einschaltquoten, Bestsellerlisten, Themenlancierung erkennbar werden – lässt Zuflüsse und Nebenstränge in sich verschwinden. In der Flussmitte, so die Annahme, kann am wenigsten passieren, obwohl sich fast jeder einbildet, zu ihr Distanz zu halten, als Rest von Besonderheit. Minoritäten unter sich, abgegrenzt durch Vorlieben und Aversionen. Für Minoritäten und an sehr Speziellem zu arbeiten, also ohne breite Akzeptanz, wird dennoch permanent desavouiert, sofern sich nicht potenzielle Nachfrage- und Anwendungsfelder abzeichnen. Die ständige Rede von zunehmender Differenzierung der Märkte meint bloß kommerzialisierbare Produkte und Dienstleistungen, als ob damit alles abdeckbar wäre. Auf Projekte bezogen wird es somit wichtig bleiben, sich von solchen Sogwirkungen fernzuhalten und Insulares zu behaupten. Was unmittelbar brauchbar ist, wird einem ohnedies abgenommen. Vielleicht liegen in solchen Diskrepanzen Erklärungen dafür, dass *Robinson Crusoe* das anhaltend populärste Begleitbuch der Moderne geblieben ist, mit der Einsamkeit der Insel, dem Distanzgewinn, den abzirkelbaren Vorhaben als für Neuinterpretationen offener Grundsituation. Ein Projektdenken braucht die Fiktion der Insel, genauso aber das Interesse an Besuchern und am Fortkommen.

Dirk Baecker, Alexander Kluge: *Vom Nutzen ungelöster Probleme*, Berlin 2003, S. 121ff., 67, 37, 19.

HARD PROBLEMS Heinz von Foerster, dem „es immer wichtiger war, mit Leuten zu arbeiten als Texte zu schreiben" – geschrieben hat er vor allem „wenn ein Forschungsprojekt abgeschlossen war" –, argumentiert zum Thema „ein gemeinsames Problem lösen" fundamental, denn er empfiehlt, sich zu fragen: „Was ist denn mit ‚Lösen' gemeint, mit ‚gemeinsam', mit ‚Problem'?". Auf forschendes Handeln bezogen lautet sein Theorem Nr. 1: „Je tiefer das Problem, das ignoriert wird, desto größer sind die Chancen, Ruhm und Erfolg einzuheimsen." Das Theorem Nr. 2 dazu hat den Wortlaut: „Die ‚hard sciences' sind erfolgreich, weil sie sich mit den ‚soft problems' beschäftigen; die ‚soft sciences' haben zu kämpfen, denn sie haben es mit den ‚hard problems' zu tun."

Dirk Baecker, Alexander Kluge: *Vom Nutzen ungenutzter Probleme*, Berlin 2003, S. 95 / Heinz von Foerster: *Wissen und Gewissen. Versuch einer Brücke*, Frankfurt am Main 1993, S. 261, 337.

TANSPARENZBLOCKADEN Sich die Welt oder Ausschnitte von ihr – wie bereits betont – als undurchsichtiges Gebilde vorzustellen, in dem vor allem Projekte und projektartige Versuche gewisse Anhaltspunkte und Perspektiven liefern, kann deutlicher vor Augen führen, wie sehr uneingelöste Erwartungen mit einem Überdenken von Grundstrukturen für problem- und projektorientiertes Arbeiten zusammenhängen, das von der Ausgestaltung von Rahmenbedingungen über demokratische Verfahren, ein Implementieren ihrerseits strukturbildender Projekte bis zur Vorbereitung auf Unvorhergesehenes reicht. Auf Alltags-, Firmen-, Institutionen-, Regierungs-, EU- oder UNO-Ebene würde so greifbarer, was zustande gebracht werden kann oder eben nicht gelingt und inwieweit veränderbare Behinderungen lokalisierbar sind.

Gegen eine solche Transparenz wirken auf jeder Ebene auftretende Macht-, Verbergungs- und Manipulationsinteressen. Latent vernachlässigte Chancen, für Projektprogramme, also erreichte und erreichbare Veränderungen etwa unbestreitbare Sozialindikatoren heranzuziehen, um Lebensqualität, Lebensstandard, soziale Ungleichheit, die Frauensituation, Armut, Ausbildung oder Migration periodisch fassbar und bewusst zu machen, bestärken eine emotionalisierte Politik, selbst innerhalb von Institutionen. Auf Systematik, auf Statistik wird kaum reagiert und wenn, dann um vorgefasste Meinungen zu beweisen. Selbst „neutralen" Instanzen gelingt es kaum, Daten in Denkmuster einfließen zu lassen, da Geldwerte der alles dominierende Faktor sind. Vermittlungsvorgänge funktionieren völlig abgehoben von kontroversiellen Veränderungs- und Aufklärungsintentionen. Genauso paradox bleibt, wie wenig Resonanz sozial und kulturell signifikante Projektwelten und tatsächlich oppositionelle Positionen in den Medien haben und dass selbst eine offensivere Berichterstattung dazu bloß wieder nur medial Passendes verbreiten würde. Der Glaube daran, dass nur „wirklich" ist, was auch medial stattfindet, provoziert, Fragen nach Abseitigem permanent neu zu stellen.

AUFWANDSHIERARCHIEN Erst größere Katastrophen machen weithin ersichtlich, wie schwerfällig Apparate, vielfach aber auch dafür eingerichtete Projektorganisationen darauf reagieren. Durch die Sturmflut von New Orleans wurde evident, wie inferior die mächtigste Nation auf solche Notfälle vorbereitet ist, trotz riesigem Department of Homeland Security und der Spezialorganisation FEMA (Federal Emergency Management Agency). An Aufwandshierarchien zeigt sich, was wichtig genommen wird. Jede staatliche Budgetstruktur spiegelt das wider, vom Militär bis zur Bildung. Wenn Geschäftsschädigendes eintritt und internationale Vorschriften Ursachenforschung obligat machen, spielen Kosten plötzlich keine Rolle. Um etwa die Absturzursache der Swissair-Maschine SR-111, die am 3. September 1998 vor Kanada ins Meer gestürzt war, zu klären, mussten Millionen Einzelteile mit Saugapparaturen vom Meeresboden geborgen und in einem Hangar neu zusammengesetzt werden, damit sich nach jahrelanger Projektarbeit hochspezialisierter Experten anhand eines winzigen verschmorten Drahtstücks feststellen ließ, dass ein Kurzschluss in der nachträglich eingebauten Unterhaltungselektronik als Auslöser für nicht unter Kontrolle zu bringende Kabelbrände und Rauchentwicklungen anzunehmen ist. Routine-Checks der für ihre Sicherheit berühmten Swissair (1931–2001) hatten das Unglück nicht verhindern können. Erst nach von einer Katastrophe erzwungenem Eingreifen in Projektform konnten Sicherheitsbestimmungen entsprechend revidiert werden.

Auch wenn dahingestellt bleibt, in welchen Fällen – von sorgfältigen Sozialinitiativen über kontrollierte Sprengungen zur Erneuerung von Städten bis zur Aufklärung von Wirtschaftskriminalität – solche Präzisionsgrade angebracht und realistisch wären, verdeutlicht dies, wie vielfältig auf Makro-

und Mikroebenen die Orientierung von Arbeitsweisen zwischen Routine und Sonderfällen pendelt und von Krisenbewältigung bis Innovation Entscheidendes auf Projektdenken, Projektfinanzierung und Projektstrukturen angewiesen ist, ob in etablierten Bereichen der Institutionen und Unternehmen oder – als korrigierender Ausgleich zu Automatismen – auf zivilgesellschaftlichen, informellen Ebenen.

www.worldwatch.org / Homeland Security: www.dhs.gov/dhspublic / Swissair: arte-Themenabend, 23. August 2005

TRADITIONEN Wie im Gespräch zu *Ärzte ohne Grenzen* angemerkt, sind signifikante Projektorganisationen irisch-englische (*Amnesty* 1961), kanadische (*Greenpeace* 1971), Schweizer (*Internationales Komitee vom Roten Kreuz* 1863) oder französische (*Médecins Sans Frontiéres* 1971, *Attac* 1998) Gründungen. Das ergibt zivilisatorische Profile, die einiges über durchgehaltenes Engagement und etablierbare Netzwerke aussagen. Als älteste bestehende Menschenrechtsorganisation gilt *Anti-Slavery-International* in London (gegründet 1839). In den staatsskeptischen, aber auf ihre Weise sendungsbewussten Vereinigten Staaten hingegen sind große NGOs wie das *American Relief Committee*, das *International Rescue Committee* oder *CARE* fast durchwegs als „humanitärer Arm offizieller antisowjetischer Strategien" etabliert worden, *USAID* „was often a front for CIA". Von Nicht-Regierungsorganisationen kann somit nicht die Rede sein, es musste und muss „eingebettet" agiert werden. Unabhängigeren europäischen Initiativen wird von solcher Seite permanent Linkslastigkeit vorgeworfen. Nicht-westliche Organisationen, die Defizite öffentlicher Leistungen ausgleichen, gelten fast generell als dubios. Ein Humanitarian Business passt besser ins Bild; insgesamt unterscheiden sich die Zustände auf zivilgesellschaftlichen Ebenen trotz mancher Lichtblicke sichtlich nur partiell von Gewohntem. Was Gegenkräfte für notwendig halten, verdeutlichen etwa das US-amerikanische *Innocence Project*, das durch DNA-Analysen laufend unschuldig Verurteilte freibekommt, die Aufklärung zu den US-Geheimgefängnissen liefernden Menschenrechtsorganisationen oder das *ZARA*-Projekt in Wien mit seinem konsequenten Auftreten gegen rassistische Übergriffe. „Wir sind also bereits so weit, dass es notwendig wird", so Peter Sellars in diesem Band, „offensivere Prozesse zu entwickeln, um sich abzeichnende Verluste an Rechtssicherheit, an einklagbarer sozialer Gerechtigkeit wenigstens ansatzweise auszugleichen."

David Rieff: *A Bed for the Night. Humanitarianism in Crisis*, New York 2002, S. 79, 115 / www.innocenceproject.org / www.zara.or.at

UN MILLENIUM PROJECT Als rudimentärer Teilaspekt des ursprünglichen Versprechens globaler Demokratie wird mit dem *Millenium Project* der UNO versucht, ihrer gesteuerten Unreformierbarkeit zu entkommen, indem ein neues Projektzeitalter ausgerufen wird. Dazu Kofi Annan in einer Rede vor der UN-Vollversammlung am 14. September 2005: „To help you, the Member States, chart a more hopeful course, I appointed the High-level Panel, and commissioned the *Millennium Project* ...". Es ist, als ob vernünftiges Handeln einen Aufschwung erfahren würde, in dramatischer Weise kühner und auf tatsächliche Grundprobleme orientiert, als zu den Zeiten ab 1680, die erstmals ausdrücklich als *Projecting Age* bezeichnet worden sind. Entgegen der grassierenden Tendenz, öffentliche Aufgaben zu reduzieren und Projekte als unverbindliche Beschäftigungstherapie zu betrachten, soll das *Millenium Project* bis 2015 weltweit die extremste Armut und den Hunger als Massenerscheinung halbieren, überall einen Grundschulzugang ermöglichen, die Situation von Frauen verbessern, die Sterblichkeit von Kindern und Gebärenden um zwei Drittel senken, HIV/Aids, Malaria und andere Massenkrankheiten entschieden bekämpfen, Umweltschäden durch Nachhaltigkeitsprogramme, Trinkwasserzugang und Slum-Sanierungen stabilisieren. Eine auszubauende *Global Partnership for Development* soll Diskriminierungen im Handels- und Finanzsystem beseitigen, Good-Governance-Regeln für Unternehmen durchsetzen, Regierungen armer Länder Schulden erlassen, sich an Programmen zur Armutsreduktion beteiligen, Arbeitsplätze für Jugendliche schaffen oder in armen Ländern erschwingliche Pharmaprodukte und Informations- und Kommunikationstechnologien bereit stellen. Am Beispiel des Marshall-Plans wird argumentiert, dass dadurch sehr wohl eine die schlimmsten Benachteiligungen beseitigende Dynamik in Gang gesetzt werden könnte. Gegliedert ist dieses Programm in 8 Ziele mit 18 spezifizierten Untergruppen:

Goal 1: Eradicate extreme poverty and hunger
Goal 2: Achieve universal primary education
Goal 3: Promote gender equality and empower women
Goal 4: Reduce child mortality
Goal 5: Improve maternal health
Goal 6: Combat HIV / aids, malaria and other deseases
Goal 7: Ensure enviromental substainability
Goal 8: Develop a global partnership for development.

In zehn Jahren wird erkennbar sein, inwieweit solche Globalanstrengungen zu sozialem Defizitabbau tatsächlich gelingen können, also eine „Theorie des Scheiterns" entkräftet wird, weil mehr oder minder blühende – und nicht zunehmend desaströse – Projektwelten entstehen.

www.unmillenniumproject.org/goals/index.htm

INFRASTRUKTUR + HUMANKAPITAL + MARKT Wie Jeffrey Sachs, der Leiter dieses Megaprojektes, in *The End of Poverty* (mit einem Vorwort des irischen Popmusikers Bono) ausführt, waren Kofi Annan und ihm klar, „that the United Nations system is much better at articulating goals than actually fulfilling them". Es müssten, abgesehen von der Budgetfrage, also leistungsfähige Projektstrukturen etabliert werden, damit die von 250 Experten aus aller Welt festgelegten Ziele halbwegs Chancen auf Umsetzung bekämen. Bestimmt ist alles von der Auffassung, „when the preconditions of basic infrastructure (roads, power, and ports) and human capital (health and education) are in place, markets are powerful engines of development". Von Menschenrechten, Demokratie, Liberalisierung politischer Systeme ist – als offenbar unlösbare Einmischung – kaum die Rede. Das alles soll sich aus wirtschaftlichem Aufschwung ergeben, zu dem „the security of private property" im Sinn John Lockes die Voraussetzung ist. Über weite Strecken lesen sich die geplanten Maßnahmen wie das Programm eines weltumspannenden Baukonzerns, für den Bemühungen um soziale Verankerung Begleiterscheinungen sind, die ihn überfordern würden. Qualitäten, etwa von Architektur, von Planungen, von Schulmodellen, von strukturierter Urbanisierung spielen sichtlich kaum eine Rolle, also werden wiederum eher einschlägig vorgeprägte Kräfte angezogen. Das macht jetzt schon erkennbar, wo die inhaltlichen und die Umsetzung betreffenden Mängel liegen und dass selbst so ausgebaute Organisationen wie die UNO vom Balanceinstrument einer neuen Weltordnung zum Inbegriff kaum reformierbarer, in wichtigen Fragen hilfloser – dennoch nicht wegzudenkender – Apparate geworden sind.

Jeffrey D. Sachs: *The End of Poverty. How We Can Make it Happen in Our Lifetime*, London 2005, S. 210ff., 222, 3, 321

UNTEN UND OBEN Allein als „principal organs" der UNO werden fast 100 Einrichtungen ausgewiesen, vom Sicherheitsrat, der Generalversammlung, diversen als Sekretariate bezeichneten Koordinierungsinstanzen, über Programme und Fonds (UNCTAD, UNICEF, UNDP, UNHCR, WFP etc.), Forschungs- und Trainingsinstitute, die Kommissionen des „Economic and Social Council", den International Court of Justice, spezialisierte Agenturen (etwa ILO, FAO, UNESCO, WHO, Weltbank, IMF, UNIDO) bis zu „related organizations" wie WTO, IAEA.

Sich die komplex verflochtene UNO und in der Grundorientierung auch die EU, staatliche Dienstleistungsbürokratien oder andere Organisationen als zumindest tendenziell demokratisch verfasste, möglichst flach gegliederte Holding-Strukturen für Rahmenbedingungen, Daueraufgaben und Projekte vorzustellen, versimplifiziert zwar neuerlich, unterstützt aber das Verstehen diffuser Vorgänge und macht vielleicht deutlich, dass es auf vielen Ebenen um variantenreich ausgestaltbare Muster für Projektarbeit ginge – die, trotz aller inhaltlichen Trennungen, in autonomen Sphären Analogien haben. Partiell kommt es durchaus zu Koalitionen, wie im Bericht zu *Ärzte ohne Grenzen* nachzulesen ist. Das müsste sich auf viele Partizipationsebenen ausweiten. Wenn Reorganisationen signifikante Projekte erleichtern und die Personalselektion daraufhin orientieren, kann das durchaus Inhaltliches positiv beeinflussen. Entscheidend wäre, die bei näheren Kontakten gerade in internationalen Organisationen fast überall erkennbare Dominanz von Substanzlosigkeit verbreitenden Quotenmenschen, abgeschobenen Politikern, Günstlingen und *mission junkies* zurückzudrängen. Was sich auf solchen Ebenen luxuriöser herausgebildet hat, kontrastiert die laufende Demotivierung und Demontage öffentlicher Dienste und nationale Systeme parteipolitischer Postenbesetzung. Zu tun gäbe es wahrlich genug – gerade in öffentlichem Interesse. Dass aber reformierte Strukturen bereits „Lösungen" implizieren, würde Administratives krass überschätzen, denn – so Dirk Baecker in unserem Gespräch – „für den sich selbst organisierenden Kapitalismus sind Projekte nur eine interessante Alternative unter vielen anderen möglichen Organisationsformen". „Das Spannende an solchen überall greifenden Netzwerkstrukturen" sind für ihn, im günstigsten Fall, ihre inhaltliche Offenheit, die flachen Hierarchien, andere Arten von Austausch, mit Signalen, die „inhaltlich unspezifiziert sein können" aber dennoch etwas bewirken.

Negativ-Variationen zu erstarrenden Verflechtungen sind durchaus greifbar: etwa verkommene Megacities, in denen wechselnde Gruppen durch medial verzerrte Wahlen, oder auch ohne solche, die Macht ergreifen und, als zentrales Projekt, für sich herausholen, was noch herauszuholen ist, während alle anderen Arten von Projekten in Nischen gedrängt oder verhindert werden. Für weite Teile der Welt trifft das durchaus zu. Mehr oder minder verdeckt und temperiert bewegt sich vieles in solche Richtungen. Allzu krass verdrehte Phantasien braucht es nicht, um sich irrwitzige Projektszenerien, vom Terrorismus über Biotechnologie, exzessive Korruption bis zu radikalisiertem Entertainment und völligem Verfall demokratischer Mechanismen vorzustellen. Aus langjähriger Vertrautheit mit der Situation in Moskau konstatiert Erich Klein in diesem Band zu solchen Perspektiven: „Wenn Russland nicht ‚europäisiert' wird, droht umgekehrt die ‚Russifizierung' Europas."

UNO: http://www.un.org/aboutun/chart.html

RETTENDE PROJEKTE Aber auch unter moderat-zivilen Umständen ist offenkundig, dass sich Koalitionsregierungen auf ein Programm und zu realisierende Projekte einigen. Die EU basiert auf langwieriger Projektarbeit, ob Binnenmarkt, Euro oder Schengen-Abkommen. Zur Tonlage der EU-Konferenz *The Sound of Europe* hieß es in den ORF-Nachrichten vom 27. Jänner 2006: „Konkrete Projekte müssen Europa aus der Krise führen". Die UNO selbst ist von den Gründungsintentionen her Projekt geblieben und mit vielen Projekten gescheitert. Jedenfalls: Ob lokale, regionale, globale „Projektkulturen" sich in eher heller oder eher düsterer Atmosphäre entwickeln können, charakterisiert, wie es jeweils um ein liberales Klima, freisetzbare Initiative, Ausbalancierung der krassesten Ungerechtigkeiten und partiell umlenkbare Geldströme steht. Wobei klar ist, dass Liberalität allein bestenfalls Empfindungswelten tangiert. Alexander Kluge ist sich sicher, „wenn es Projektemacher in unserer Gegenwart um uns herum gibt, dann sehen wir sie meist nicht."

Erkennbar wird, was Selektionen hinter sich hat, auf Aufmerksamkeitsebenen vordringen kann. Was Präsentationsforen und Trägerstrukturen für künstlerische Projekte – Medien, Documenta, Biennale Venedig, Architekturbiennalen, Filmfestivals, Theaterfestivals, Konzerte, Buchmessen, Ausstellungen, Preisverleihungen – bewusst machen, repräsentiert, wie in bestimmten Sektoren die Dinge liegen, die Dinge gesehen werden, wie sich ein Spürsinn für Relevantes artikuliert und wie künstlerisch agiert und reagiert wird. Die Akzeptanz dessen oder eine Unzufriedenheit damit sind bereits Ansätze für auf Prozesse eingehende Projektanalysen, für Orientierungsversuche, trotz aller Schwierigkeiten, zwischen speziellen Energiefeldern – um die es letztlich geht – überzeugende Verbindungen herzustellen. Gerade weil vieles davon sehr bildhaft und emotional funktioniert, stellen sich damit immer Fragen nach blinden Flecken. Vielfach gehe es um ein Erkennen,

„wo unsere eigenen Blindheiten liegen" (Peter Sellars). „Man kommt um
eine gewisse vage Bildung des Überblicks über andere Wissenschaften und
Künste nicht herum, auch wenn dies fragmentarisch sein darf, so sehr
größte Breite wünschenswert wäre und sie die Effizienz erhöhte", so Burghart Schmidt in Bezug auf Spezialisierung und auf für Kooperation offenes
Projektdenken. In der Dynamik der Realität und von ihr erzeugten Perso-
nalkonstellationen bekommt das kaum Rückhalt. Gesellschaft bietet vielfach „kein Formenarchiv für Zukunft (mehr)", konstatiert Manfred Faßler;
„Menschen sind weltweit dabei zu lernen, ihre Absichten und Fähigkeiten
in kurzfristige, ereignishafte Vorhaben einzubringen". Mit solcher Offenheit umzugehen, dafür nachhaltige Initiativmöglichkeiten zu erschließen, wäre die eigentlich herausfordernde Globalisierungsperspektive.
Analog dazu plädiert etwa Amartya Sen dafür, gleichsam Ansprüche an
künstlerisches Arbeiten extrapolierend, „Entwicklung als Ausweitung sub-
stanzieller Freiheiten aufzufassen" und „Freiheit als Triebkraft für rapiden
Strukturwandel" zu sehen (*Ökonomie für den Menschen*, New York 1999 /
München 2000, S. 352).

OPEN END Sofern Anstrengungen zur Selbstorganisation wenigstens gewisse Chancen haben, sich zu summieren, lässt sich durchaus auf Projektkonstellationen setzen – auch weil sie als Rückhalt einen gewissen Selbst-
schutz bieten können, sogar temporäre Souveränitätsgefühle und sie das
Durcheinander von Gedanken und Ideen in (eine) Form bringen. Vorge-
gebene enge Spielräume sind oft nur durch Selbstbeauftragung zu erweitern. Was es neben Projekten sonst noch alles geben kann, also zeitweilig
auch einmal nichts vorzuhaben, bekommt Halt, sofern es solche Wahlmöglichkeiten überhaupt gibt – als zu findende Balance zwischen *vita activa*
und *vita contemplativa*, zwischen Anspannung und Entspannung, zwischen Kontinuität und Speziellem.
Auf individuelle Möglichkeitsräume bezogen ginge es darum, was interessante Projekte aus einem hervorholen, inwieweit dabei Elan für die Gegenwart freigesetzt, inwieweit Wahrnehmungs- und Unterscheidungsfähigkeit
sensibilisiert werden. Entwurfsdenken, neues Zusammenhangsdenken,
Forschungssituationen, künstlerische Entwicklungen, tatsächlich ein-
bringbare Präsenz wären dafür erschließbare Dimensionen. Aus Insula-
rem, aus kleinen Schritten da und dort, kann mehr werden als aus voreili-
ger Eingliederung in Netze, in Betriebssysteme. Ob etwas Projekt genannt
wird, ist nicht der Punkt. So Bezeichenbares geschieht auch ohne ausdrück-
liche Organisation, wird oft erst rückblickend erkennbar. Es könnten auch

andere, neuerlich revidierbare Bezeichnungen für Wünschenswertes, für unter günstigen oder schwierigen Bedingungen erreichbar Erscheinendes geläufig werden. Denn jede inflationäre Verwendung löst Konturen auf.

Strukturprägend ist jeweils, inwiefern analoge Bewegungsmomente Chancen haben, welche Projektnetzwerke und Orientierungsmuster sich durchsetzen und ob sich ausgleichende Finanzierungsformen und Rechtssicherheiten ausbilden, damit Arbeitsflexibilisierung nicht fortwährend fundamentale Anrechtsstrukturen des Sozialstaats – die es global auszudehnen gälte – unterminiert. Nur ein Teil davon ist lenkbar; vieles müsste sozusagen von selbst entstehen, braucht aber adäquate Bedingungen.

„Es immer mehr Menschen zu ermöglichen, ihr Leben, selbst wenn es in ‚lineare', kontinuierliche Aufgaben eingebunden ist, als sich anreichernde Kontinuität interessanter Projekte zu realisieren, wäre eine plausible Richtungsangabe", so Peter Sellars Vorstellung von ergebnisoffenem Handeln, die wie ein unabgesprochener Leitfaden auch in vielen anderen Beiträgen dieses Bandes thematisiert wird. Permanent erfahrbar ist, wie konträr sich vieles entwickelt und wie abweisend „die Systeme" und Strukturen Projektinitiativen behandeln, weil es primär darum geht, drinnen oder draußen zu sein und Energien gleichzuschalten oder aus ablaufenden Mainstream-Prozessen auszusondern. Denn erst wenn Menschen, so Alexander Kluge, „mehr Potenzial haben, als von ihnen gebraucht wird, von ihnen genommen wird, dann gibt es Projekte." Nicht die propagierte Ich-Bezogenheit, sondern „Selbstvergessenheit" könne entscheidend sein: „Ein Projekt wird nicht besser durch Absicht sondern durch Hingabefähigkeit. Projekt heißt Hingabefähigkeit auf der Basis von Gegenseitigkeit." – „Wenn Erfahrung sich etwas traut, dann nimmt sie die Form des Projektes an."

Daniel Defoe, der sich sein Leben lang von Projekt zu Projekt retten musste, retten konnte, hat in seinem Projektessay von 1697 bloß einen Versuch gesehen, „den jeder nach Belieben fortführen mag" und „unsinnige Unternehmungen" sind selbst Aufklärern wie Diderot & Co plausibel gewesen, offenbar aus der Ahnung heraus, dass die ausschließliche Fixierung auf vermeintlich sinnvolle – oder lukrative – Projekte einem Nützlichkeitsdenken totalitäre Züge verleiht, weil das Sinninstanzen und abgeschlossene Weltbilder voraussetzt, die vieles ausschließen. Gerade deswegen sind die Art von Projekten, ihre Positionsbestimmungen, Resultate und Überraschungsmomente, eine im Positiven, im Diffusen, im Negativen vieles prägende Ebene, auf der sich zeigt, was Klima und Rahmenbedingungen auch abseits unmittelbarer ökonomischer Effekte im Großen und im Kleinen zulassen – wie es also tatsächlich um offen bleibende Möglichkeitsräume steht.

Dank an die Mitautorinnen und Mitautoren, selbstverständlich inklusive jener, die zum Fragenstellen zu gewinnen waren, für Engagement und Zeit, für die diskutierende Mitwirkung an Konzeption und Fertigstellung insbesondere an Ingrid Reder und Claus Philipp, für Präzisierungen an Rudolf Siegle, Burghart Schmidt, Manfred Faßler, Werner Korn – sowie posthum an Daniel Defoe, durch den bestimmte, sich ausweitende anglo-amerikanische Auffassungen nachvollziehbarer und reflektierbarer werden.

„... wenn wir von der Kunst ausgehen und nicht vom Nutzen ..."

„Nehmen wir einmal an, die Idee der Kunst könnte dahin erweitert werden, dass sie alle von Menschen geschaffenen Dinge umfasste, einschließlich aller Werkzeuge und alles Geschriebenen, das zu den nutzlosen, den schönen und poetischen Dingen der Welt hinzukäme. Unter diesem Blickwinkel würde das Universum der von Menschen geschaffenen Dinge ganz einfach mit der Geschichte der Kunst identisch sein. Es bestünde dann das dringende Bedürfnis, bessere Möglichkeiten auszubilden, um das von Menschen Geschaffene zu beurteilen. Dies werden wir eher erreichen, wenn wir von der Kunst ausgehen und nicht vom Nutzen, denn wenn wir zunächst nach dem Nutzen fragen, werden wir über alle nutzlosen Dinge hinwegsehen. Wenn wir aber als Ausgangspunkt die Frage nehmen, wie begehrenswert die Dinge sind, dann werden doch die nützlichen Gegenstände hauptsächlich als die Dinge angesehen, die wir mehr oder weniger hoch schätzen."

George Kubler: *The Shape of Time. Remarks on the History of Things* (New Haven 1962); *Die Form der Zeit. Anmerkungen zur Geschichte der Dinge*, Frankfurt am Main 1982, S. 32

„Wie anderthalb Jahrhunderte Kapitalismuskritik gezeigt haben, widersprechen die beiden Formen der Sozial- und Künstlerkritik einander in vielen Punkten. Andererseits sind sie aber auch untrennbar miteinander verbunden, insofern sie unterschiedliche Aspekte der Lebenswirklichkeit betonen und sich dadurch ausgleichen und wechselseitig bestärken. Solange beide am Leben erhalten werden, besteht die Hoffnung, dass den vom Kapitalismus ausgelösten Verwerfungen begegnet werden kann".

Luc Boltanski, Éve Chiapello: *Der neue Geist des Kapitalismus* (Paris 1999), Konstanz 2003, S. 575

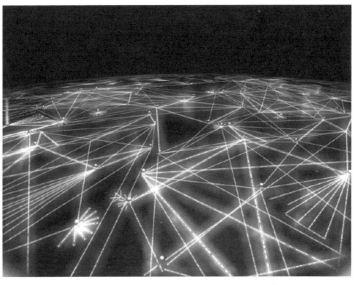

www.cybergeography.org

„Beispiele für Qualitäten sollten uns immer zum Nachdenken
bringen. Es genügt nicht, andere Zivilisationen in die
Betrachtungen einzubeziehen wie abgesonderte Einheiten.
Wir sollten vielmehr dazu fähig sein, die Geschichten
zu erzählen, wie es so vielen Menschen gelungen ist,
mit unterschiedlichstem kulturellem Hintergrund, verschiedenen
Sprachen, abweichenden Verhaltensweisen all die existierenden
Sphären der Produktion mitzuprägen.
Und das würde bedeuten: der Welt zuhören. "

Amin Maalouf im Gespräch mit Christian Reder
Transferprojekt Damaskus, Wien-New York 2003, S. 365

Literatur

Adler, Alfred: *Der Sinn des Lebens* (1933), Frankfurt am Main 1981
Agamben, Giorgio: *Ausnahmezustand (Stato di eccezione*, Turin 2003), Frankfurt am Main 2004
ai – amnesty international Jahresbericht 2004, Frankfurt am Main 2004
Aicher, Otl: *Gehen in der Wüste*, Frankfurt am Main 1982
Aigner, Uli: *Werkbuch 2004–1984*, Linz 2005
Al Chihade, Elisabeth: *Die Hochschule für angewandte Kunst in Wien und ihre Absolventen von 1970 bis 1995*, Wien 1999
Arendt, Hannah: *Vita activa oder Vom tätigen Leben* (1958), München 1981
Arnheim, Rudolf: *Anschauliches Denken*, Köln-Ostfildern 1972 / 2001
Al-Azm, Sadik J.: *Unbehagen in der Moderne. Aufklärung im Islam*, Frankfurt am Main 1993
Axelrod, Robert: *Die Evolution der Kooperation*, München 1991
Baecker, Dirk / Alexander Kluge: *Vom Nutzen ungelöster Probleme*, Berlin 2003
Baecker, Dirk (Hg.): *Kapitalismus als Religion*, Berlin 2003
Baecker, Dirk: *Form und Formen der Kommunikation*, Frankfurt am Main 2005
Baecker, Dirk: *Wozu Soziologie?*, Berlin 2004
Baecker, Dirk: *Organisation und Management*, Frankfurt am Main 2003
Baecker, Dirk: *Wozu Kultur?*, Berlin 2003
Baecker, Dirk: *Wozu Systeme?*, Berlin 2002
Baecker, Dirk: *Postheroisches Management. Ein Vademecum*, Berlin 1994
Baecker, Dirk: *Die Form des Unternehmens*, Frankfurt am Main 1993
Baeyer, Hans Christian von: *Das informative Universum. Das neue Weltbild der Physik*, München 2005
Barabási, Albert-Laszlo: *Linked: The new science of networks*, Cambridge, Mass. 2002
Barenboim, Daniel / Edward W. Said: *Parallelen und Paradoxien. Über Musik und Gesellschaft* (New York 2002), Berlin 2004
Bast, Gerald: *Universitätsgesetz 2002*, Wien 2003
Baudrillard, Jean / Jean Nouvel: *Einzigartige Objekte. Architektur und Philosophie*, Wien 2004
Baumann, Zygmunt: *Verworfenes Leben. Die Ausgegrenzten der Moderne (Wasted Lives. Modernity and its Outcasts*, 2004), Hamburg 2005
Baumol, William J.: *The Free-Market Innovation Machine: Analyzing the Growth Miracle of Capitalism*, Princeton 2004
Beck, Ulrich: *Der kosmopolitische Blick oder: Krieg ist Frieden*, Frankfurt am Main 2004
Beck, Ulrich: *Macht und Gegenmacht im globalen Zeitalter. Neue weltpolitische Ökonomie*, Frankfurt am Main 2002
Beck, Ulrich: *Die Erfindung des Politischen. Zu einer Theorie reflexiver Modernisierung*, Frankfurt am Main 1993
Beck, Ulrich: *Risikogesellschaft. Auf dem Weg in eine andere Moderne*, Frankfurt am Main 1986
Beckefeld, Ulrich / osa-office for subversive architecture, in: *Find the Gap*, Ausstellungskatalog *Galerie aedes*, Berlin 2005
Bender, Gerd: *mode 2 – Wissenserzeugung in globalen Netzwerken?*, in: Matthiesen, Ulf (Hg.): *Stadtregion und Wissen. Analysen und Plädoyers für eine wissensbasierte Stadtpolitik*, Berlin 2004
Benjamin, Walter: *Das Kunstwerk im Zeitalter seiner technischen Reproduzierbarkeit* (1936), Frankfurt am Main 1963
Bergmann, Frithjof: *Neue Arbeit. Neue Kultur*, Freiamt 2004
Bishop, Maurice: *Maurice Bishop Speaks: The Grenada Revolution and Its Overthrow 1979–83*, Atlanta 1983

Blaas-Pratscher, Katharina (Hg.): *Veröffentlichte Kunst, Kunst im öffentlichen Raum Niederösterreich*, Wien-New York 1999–2004

Blimlinger, Eva: *Vermögensentzug – Rückstellung – Entschädigung. Österreich 1938/1945 –2005* (mit Brigitte Bailer-Galanda), Innsbruck-Wien-Bozen 2005

Bloch, Ernst: *Erbschaft dieser Zeit*, Frankfurt am Main 1962

Bloch, Ernst: *Tübinger Einleitung in die Philosophie*, Frankfurt am Main 1970

Blumenberg, Hans: *Die Lesbarkeit der Welt*, Frankfurt am Main 1986

Boehm, Gottfried (Hg.): *Was ist ein Bild?*, München 1994

Boehm, Gottfried: *Jenseits der Sprache? Anmerkungen zur Logik der Bilder*, in: Christa Maar, Hubert Burda (Hg.): *Iconic Turn. Die neue Macht der Bilder*, Köln 2004

Boehm, Gottfried: *Zuwachs an Sein. Hermeneutische Reflexion und bildende Kunst*, in: Hans-Georg Gadamer (Hg.): *Die Moderne und die Grenzen der Vergegenständlichung*, München 1996

Bohrer, Karl Heinz: *Die Ästhetik des Schreckens. Die pessimistische Romantik und Ernst Jüngers Frühwerk*, München 1978

Boltanski, Luc / Éve Chiapello: *Der neue Geist des Kapitalismus* (Paris 1999), Konstanz 2003

Bolz, Norbert: *Die Welt als Chaos und als Simulation*, München 1992

Bornstein, David: *How to Change the World. Social Entrepreneurs and the Power of New Ideas*, Oxford 2004 (mit Link-Liste zu *Social Entrepreneurs*)

Bourdieu, Pierre: *In Algerien. Zeugnisse einer Entwurzelung*, Hg.: Franz Schultheis und Christine Frisinghelli, Graz 2003

Bourdieu, Pierre: *Die zwei Gesichter der Arbeit. Interdependenzen von Zeit- und Wirtschaftsstrukturen am Beispiel einer Ethnologie der algerischen Übergangsgesellschaft*, Konstanz 2000

Bourdieu, Pierre: *Gegenfeuer. Wortmeldungen im Dienste des Widerstands gegen die neoliberale Invasion*, Konstanz 1998

Bourdieu, Pierre: *Die feinen Unterschiede* (Paris 1979), Frankfurt am Main 1987

Bourgeois, Louise: *Destruction of the Father – Reconstruction of the Father. Schriften und Intervies 1923–2000*, Zürich 2001

Brademann, Margret (Red.): *Am Wasser des Schermützelsees. Berthold Brecht in Buckow*, Märkisch Oderland o. J.

Brandt, Reinhard: *Bilderfahrung – Von der Wahrnehmung zum Bild*, in: Christa Maar, Hubert Burda (Hg.): *Iconic Turn. Die neue Macht der Bilder*, Köln 2004

Brandt, Reinhard: *Die Wirklichkeit der Bilder. Sehen und Erkennen – Vom Spiegel zum Kunstbild*, München-Wien 1999

Braudel, Fernand: *Die Dynamik des Kapitalismus* (Paris 1985), Stuttgart 1986

Brecht, Bert: *Bertolt Brechts Buckower Elegien*. Mit Kommentaren von Jan Knopf, Frankfurt am Main 1986

Brecht, Bert: *Gesammelte Werke in 20 Bänden*, Frankfurt am Main 1976

Brecht, Bert: *Stücke*, Berlin 1962

Bredekamp, Horst / Gabriele Werner [Hg.]: *Bildwelten des Wissens. Kunsthistorisches Jahrbuch für Bildkritik*, Band 2.1, 2.2, Berlin 2004

Bredekamp, Horst: *Darwins Korallen. Frühe Evolutionsmodelle und die Tradition der Naturgeschichte*, Berlin 2005

Brix, Emil / Gottfried Mangerl (Hg.): *Weltbilder in der Wissenschaft. Wissenschaft. Bildung. Politik*, Band 8 (herausgegeben von der Österreichischen Forschungsgemeinschaft), Wien-Köln-Weimar 2005

Brock, Bazon: *Ästhetik gegen erzwungene Unmittelbarkeit*, Köln 1986

Bröckling, Ulrich: *Projektwelten. Anatomie einer Vergesellschaftungsform*, in: *Leviathan*, Zeitschrift für Sozialwissenschaft, Heft 3, September 2005

Calvino, Italo: *Sechs Vorschläge für das nächste Jahrtausend* (1988), München-Wien 1991

Canetti, Elias: *Die Provinz des Menschen. Aufzeichnungen 1942–1972*, München 1973

Cardini, Franco: *Europa und der Islam. Geschichte eines Missverständnisses,*
München 2000

Cassirer, Ernst: *Philosophie der symbolischen Formen* (1931, Darmstadt 1954),
Hamburg 2001

Castel, Robert: *Die Metamorphosen der sozialen Frage. Eine Chronik der Lohnarbeit*
(Paris 1995), Konstanz 2000

Castells, Manuel: *Die Internet-Galaxie. Internet, Wirtschaft und Gesellschaft,*
Heidelberg 2005

Certau, Michel de: *Kunst des Handelns* (Paris 1980), Berlin 1988

Chomsky, Noam: *Neue Weltordnungen. Vom Kolonialismus bis zum Big Mac* (1994),
Leipzig 2004

Christo / Jeanne-Claude: *Verhüllter Reichstag, Berlin 1971–1995.* Aktualisierte Version,
Wrapped Reichstag, Köln 1999

Collin, Hans: *Innovations-Handbuch unter besonderer Berücksichtigung der
Diensterfindungen und des Vorschlagswesens,* Wien 1985

Coomaraswamy, Ananda K.: *Der Hinduismus – eine indoarische Tradition,*
Straelen 2005

Coomaraswamy, Rama P. (Hg.): *The Essential Ananda K. Coomaraswamy,*
Bloomington, Indiana 2004

Czech Hermann: *Zur Abwechslung. Ausgewählte Schriften zur Architektur,* Wien 1978

Das Überleben sichern. Der Brandt-Report. Bericht der Nord-Süd-Kommission,
Frankfurt am Main 1981

Davis, Mike: *Planet of Slums,* London 2006

Defoe, Daniel: *Ein Essay über Projekte* (London 1697), herausgegeben und
kommentiert von Christian Reder, Wien-New York 2006

Defoe, Daniel: *Robinson Crusoe* (London 1719), edited and with an Introduction by
Angus Ross, London 1988

Deistler, Manfred: *Wirtschaftswissenschaften zwischen Empirismus und
Dogmatismus,* in: Emil Brix / Gottfried Mangerl (Hg.): *Weltbilder in der
Wissenschaft. Wissenschaft. Bildung. Politik,* Band 8 (herausgegeben von der
Österreichischen Forschungsgemeinschaft), Wien-Köln-Weimar 2005

Dennis, Alan R. / Joseph S. Valacich: *Rethinking Media Richness: Towards a Theory of
Media Synchronicity,* in: *Proceedings of the 32nd Hawaii International Conference on
System Sciences (HICSS),* 1999

Der „vermessene" Mensch. Anthropometrie in Kunst und Wissenschaft, München 1973

Deutschbauer, Julius / Gerhard Spring: *Politisch für Künstler. Der Lehrgang zum
erfolgreichen politischen Künstler in 12 Lektionen,* Wien 2003

Diderot, Denis / Jean d'Alembert (Hg.): *Encyclopédie ou Dictionnaire raisonné de
Sciences des Arts et des Métiers,* 28 Bände, Paris 1751–1772 / verschiedene
deutsche Ausgaben in Auszügen

Die Erbengesellschaft. Kursbuch Heft 135, Berlin 1999

Döllmann, Peter / Robert Temel: *Lebenslandschaften. Zukünftiges Wohnen im
Schnittpunkt von privat und öffentlich,* Frankfurt am Main 2002

Dretske, Fred I.: *Knowledge and the Flow of Information,* Cambridge, Mass. 1981

Engler, Wolfgang: *Bürger, ohne Arbeit. Für eine radikale Neugestaltung der
Gesellschaft,* Berlin 2005

Entgrenzung der Arbeit? WestEnd. Neue Zeitschrift für Sozialforschung, Heft 2,
Frankfurt am Main 2005

Erben, Tino: *So oder auch anders. Tino Erben Grafik-Design,* Wien 2001

Erickson, Thomas / Wendy A. Kellog: *Knowledge Communities: Online Environments
for Supporting Knowledge Management and its Social Context,* in: Ackermann, Mark
et.al. (ed.): *Sharing Expertise: Beyond Knowledge Management,* Cambridge, Mass. 2003

Erni, Peter / Martin Hutwiler / Christophe Marchand: *transfer. Erkennen und bewirken,*
Baden CH 1999

Etzkowitz, Henry / Loet Leydesdorff: *The endless transition: A „triple helix" of university-industry-government relations*, in: *Minerva* 36, ´03 -208, Dordrecht 1998

Europa oder Amerika? Zur Zukunft des Westens, Sonderheft *Merkur*, Deutsche Zeitschrift für europäisches Denken, Hg.: Karl Heinz Bohrer / Kurt Scheel, Heft 9/10, Berlin 2000

Faßler, Manfred / Cyrill Gutsch / Claudius Terkowsky (Hg.): *Urban Fictions. Die Zukunft des Städtischen*, München 2006

Faßler, Manfred: *Erdachte Welten. Die mediale Evolution globaler Kulturen, Edition Transfer*, Wien-New York 2005

Faßler, Manfred: *Netzwerke*, München 2001

Faulkner, Robert R.: *Music on Demand. Composers and Careers in the Hollywood Film Industry*, Somerset NJ 1983

Favre-Bulle, Bernard: *Information und Zusammenhang. Informationsfluss in Prozessen der Wahrnehmung, des Denkens und der Kommunikation*, Wien-New York 2001

Felderer, Brigitte / Ernst Strouhal: *Wolfgang von Kempelen – Zwei Maschinen*, Wien 2004

Felderer, Brigitte: *Höflichkeit. Aktualität und Genese von Umgangsformen* (Hg., mit Thomas Macho), München 2002

Felderer, Brigitte: *Phonorama. Eine Kulturgeschichte der Stimme als Medium*, ZKM Karlsruhe, Berlin 2004

Feyerabend, Paul: *Wider den Methodenzwang*, Frankfurt am Main 1976

Fidler, Roger: *MediaMorphosis. Understanding New Media*, Thousand Oaks, London-New Delhi 1997

Finster, Reinhard / Gerd van den Heuvel: *Gottfried Wilhelm Leibniz*, Reinbek bei Hamburg 2005

Flusser, Vilém: *Die Revolution der Bilder. Der Flusser-Reader zu Kommunikation, Medien und Design*, Mannheim 1995

Flusser, Vilém: *Vom Subjekt zum Projekt. Menschwerdung*, Bensheim-Düsseldorf 1994

Foerster, Heinz von: *KybernEthik*, Berlin 1993

Foerster, Heinz von: *Wissen und Gewissen. Versuch einer Brücke*, Frankfurt am Main 1993

Fohrbeck, Karla: *Renaissance der Mäzene? Interessensvielfalt in der privaten Kulturfinanzierung*, Köln 1989

Foucault, Michel: *Archäologie des Wissens*, Frankfurt am Main 1986

Foucault, Michel: *Die Ordnung der Dinge* (Paris 1966), Frankfurt am Main 1974

Franck, Georg: *Mentaler Kapitalismus. Eine politische Ökonomie des Geistes*, München 2005

Friedrich, Annegret / Birgit Haehnel / Viktoria Schmidt-Linsenhoff / Christina Threuter (Hg.): *Projektionen. Rassismus und Sexismus in der Visuellen Kultur*, Marburg 1997

Fröhlich, Adrian W.: *Mythos Projekt. Projekte gehören abgeschafft. Ein Plädoyer*, Bonn 2002

Fülberth, Georg: *G Strich – Kleine Geschichte des Kapitalismus*, Köln 2005

Gadamer, Hans-Georg (Hg.): *Die Moderne und die Grenzen der Vergegenständlichung*, München 1996

Geertz, Clifford: *Der künstliche Wilde*, Frankfurt am Main 1993

Gerken, Gerd: *Multimedia. Das Ende der Information*, Düsseldorf-München 1996

Gibbons, M. / C. Limoges / H. Nowotny / S. Schwartzman / P. Scott / M. Trow: *The new production of knowledge – The dynamics of science and research in contemporary societies*, London, Thousand Oaks, New Delhi 2000

Giddens, Anthony: *Jenseits von Links und Rechts. Die Zukunft radikaler Demokratie* (1994), Frankfurt am Main 1999

Global 2000. Der Bericht an den Präsidenten, herausgegeben vom Council on Environmental Quality und dem US-Außenministerium, Frankfurt am Main 1980

Goethe, Johann Wolfgang: *Faust. Erster und zweiter Teil*, München 1997

Goettle, Gabriele: *Experten*, Frankfurt am Main 2003

Goffman, Erving: *Frame Analysis. An Essay on the Organization of Experience*, Cambridge Mass. 1976

Goodman, Nelson: *Sprachen der Kunst. Entwurf einer Symboltheorie (Languages of Art. An Approach to a Theory of Symbols*, Indianapolis 1976), Frankfurt am Main 1997

Gorz, André: *Arbeit zwischen Misere und Utopie* (Paris 1997), Frankfurt am Main 2000

Grabher, Gernot: *Die Nachbarschaft, die Stadt und der Club*, in: Ulf Matthiesen (Hg.): *Stadtregion und Wissen. Analysen und Plädoyers für eine wissensbasierte Stadtpolitik*, Berlin 2004

Greenberg, Karen J. / Joshua L. Dratel (Ed.): *The Torture Papers. The Road to Abu Ghraib*, Cambridge University Press 2005

Grossmann, Ralph (Hg.): *Wie wird Wissen wirksam?* Wien 1997

Habermas, Jürgen / Jaques Derrida: *Philosophie in Zeiten des Terrors* (Chicago 2003), Berlin 2004

Habermas, Jürgen: *Die Moderne – ein unvollendetes Projekt. Philosophisch-politische Aufsätze 1977–1990*, Leipzig 1990

Habermas, Jürgen: *Moralbewusstsein und kommunikatives Handeln*, Frankfurt am Main 1982

Hadid, Zaha: *Architektur*, MAK Wien, Ostfildern-Ruit 2003

Hardt, Michael / Antonio Negri: *Empire. Die neue Weltordnung* (Cambridge Mass., 2000), Frankfurt am Main 2002

Hegel, Georg Friedrich Wilhelm: *Vorlesungen über die Philosophie der Geschichte (1821–1831)*, Stuttgart 1961

Heid, Klaus / Ruediger John: *TRANSFER. Kunst, Wirtschaft, Wissenschaft*, Baden-Baden 2003

Heins, Volker: *Weltbürger und Lokalpatrioten. Eine Einführung in das Thema Nichtregierungsorganisationen*, Opladen 2002

Heintel, Peter / Ewald E. Krainz: *Projektmanagement. Eine Antwort auf die Hierarchiekrise?* (1988), Wiesbaden 2001

Herodot: *Historien.* Herausgegeben und erläutert von H. W. Haussig, übersetzt von A. Horneffer, Stuttgart 1971

Heuser, Uwe J.: *Tausend Welten. Die Auflösung der Gesellschaft im digitalen Zeitalter*, Berlin 1996

Hickmann, Fons (Hg.): *Fons Hickmann & Students*, Beijing 2005

Hickmann, Fons: *Touch Me There*, Berlin 2005

Hill, Wilhelm / Raymond Fehlbaum / Peter Ulrich: *Organisationslehre I*, Bern-Stuttgart 1981

Hilscher, Gottfried Hg.): *Geniale Außenseiter. Unbekannte Erfinder von heute und ihre erstaunlichen Projekte*, München1982

Historisches Museum der Stadt Wien (Wien Museum): *Das ungebaute Wien 1800–2000. Projekte für die Metropole*, Wien 2000

Hobbes, Thomas: *Leviathan* (1651), Stuttgart 1979

Hobsbawm, Eric: *Das Zeitalter der Extreme. Weltgeschichte des 20. Jahrhunderts* (London 1994), München 2003

Hobsbawm, Eric: *Gefährliche Zeiten* (London 2002), München 2003

Hoffmann, Hilmar (Hg.): *Kultur und Wirtschaft. Knappe Kassen – Neue Allianzen*, Köln 2001

Hoffmann-Curtius, Kathrin: *Orientalisierung von Gewalt: Delacroix' „Tod des Sardanapal"*, in: Annegret Friedrich / Birgit Haehnel / Viktoria Schmidt-Linsenhoff / Christina Threuter (Hg.): *Projektionen. Rassismus und Sexismus in der Visuellen Kultur*, Marburg 1997

Holzer, Walter: *Die Grenzen der Patentsprache*, Köln 2005

Holzhey, Helmut (Hg.): *interdisziplinär*, Basel-Stuttgart 1974

Honegger, Gottfried: *Erfundenes und Erlebtes*, Main 2002

Hopkins, A. G. (Hg.): *Globalization in World History*, London 2002

Huber, Hans Dieter: *Bild. Beobachter. Milieu. Entwurf einer allgemeinen Bildwissenschaft*, Ostfildern-Ruit 2004

Huffman, William (Hg.): *Robert Fludd*, Berkeley, Ca. 2001

Illich, Ivan; *Die Nemesis der Medizin. Von den Grenzen des Gesundheitswesens*,
Reinbek bei Hamburg 1975

Jean, François / Jean-Christophe Rufin (Hg.): *Ökonomie der Bürgerkriege* (Paris 1996),
Hamburg 1999

Jerofejew, Wenedikt: *Moskau-Petuschki*, Zürich 2005

Jochum, Richard: *Komplexitätsbewältigungsstrategien in der neueren Philosophie:
Michel Serres*, Wien 1998

Kabakov, Ilya / Emilia Kabakov: *Der Palast der Projekte*, Düsseldorf 2001

Kant, Immanuel: *Was ist Aufklärung?* Ausgewählte kleine Schriften, Einführung: Ernst
Cassirer; Herausgegeben von Horst G. Brandt, Hamburg 1999

Kant, Immanuel: *Kritik der Urteilskraft*, Ditzingen 1986

Kanter, Rosabeth Moss: *L'entreprise en éveil*, Paris 1992

Kastner, Jens: *Was sind Bildpolitiken? Eine kurze Einführung*, in: *Bildpunkte.
Zeitschrift der IG Bildende Kunst*, Herbst 2005

Kidron, Michael / Ronald Segal: *Der politische Weltatlas*, Bonn 1992

Kiefer, Anselm: *Anselm Kiefer für Chlebnikov*, London 2005

Kiefer, Anselm: *... über euren Städten wird Gras wachsen*, München 1999

Kleber, Bernhard: *1607 oder die Erfindung der Oper*, Universität für angewandte Kunst
Wien, 2003

Klein, Erich (Hg.): *Die Russen in Wien. Die Befreiung Österreichs. Wien 1945.
Augenzeugenberichte*, Wien 2002

Klein, Naomi: *No Logo!*, München 2005

Kluge, Alexander: *Die Kunst, Unterschiede zu machen*, Frankfurt am Main 2003

Kluge, Alexander: *Die Lücke, die der Teufel lässt. Im Umfeld des neuen Jahrhunderts*,
Frankfurt am Main 2003

Kluge, Alexander: *Chronik der Gefühle, Band I, Basisgeschichten*,
Frankfurt am Main 2000

Kluge, Alexander / Oskar Negt: *Geschichte und Eigensinn*, Frankfurt am Main 1981

Knopf, Jan (Hg.): *Brecht Handbuch*, Stuttgart 2001

Kocka, Jürgen (Hg.): *Interdisziplinarität. Praxis – Herausforderung – Ideologie*,
Frankfurt am Main 1987

Kocka, Jürgen / Claus Offe (Hg.): *Geschichte und Zukunft der Arbeit*,
Frankfurt am Main 2000

Kondylis, Panajotis: *Der Niedergang der bürgerlichen Denk- und Lebensform. Die
liberale Moderne und die massendemokratische Postmoderne*, Weinheim 1991

Koselleck, Reinhart: *Zeitschichten. Studien zur Historik*, Frankfurt am Main 2000

Koselleck, Reinhart: *Vergangene Zukunft. Zur Semantik geschichtlicher Zeiten* (1979),
Frankfurt am Main 1989

Kosko, Bart: *Die Zukunft ist fuzzy. Unscharfe Logik verändert die Welt*,
München-Zürich 2001

Kosuth, Joseph / Gabriele Guercio (Hg.): *Art After Philosophy and After: Collected
Writings, 1966–1990*, Cambridge, Mass. 1993

Kotek, Joël / Pierre Rigoulot: *Das Jahrhundert der Lager*, Berlin 2001

Kowanz, Brigitte: *Zeitlich. Lichtraum*, Ostfildern-Ruit 2001

Krajewski, Markus (Hg.): *Projektemacher. Zur Produktion von Wissen in der Vorform
des Scheiterns*, Berlin 2004

Kubler, George: *The Shape of Time. Remarks on the History of Things* (New Haven
1962); *Die Form der Zeit. Anmerkungen zur Geschichte der Dinge*,
Frankfurt am Main 1982

Kuhn, Thomas S.: *Die Struktur wissenschaftlicher Revolutionen* (Chicago 1962, 1970),
Frankfurt am Main 1976

Kunz-Koch, Christina Maria: *Geniale Projekte – Schritt für Schritt entwickeln*,
Zürich 1999

Laak, Dirk van: *Weisse Elefanten. Anspruch und Scheitern technischer Großprojekte im 20. Jahrhundert*, Stuttgart 1999

Landes, David: *Wohlstand und Armut der Nationen. Warum die einen reich und die anderen arm sind* (New York 1998), Berlin 1999

Landschaft des Wissens (Hg.): *Strategien des Handwerks. Sieben Porträts außergewöhnlicher Projekte in Europa*, Bern 2005

Latour, Bruno: *Wir sind nie modern gewesen. Versuch einer symmetrischen Anthropologie*, Frankfurt am Main 1998

Le Corbusier: *Modulor*, Faksimile Ausgabe der 2. Auflage 1956, München 1978

Leibniz, G. W. : *Monadologie*, Stuttgart 1998

Lenz, Werner / Christian Brünner (Hg.): *Universitäre Lernkultur. Lehrerbildung – Hochschullehrerfortbildung – Weiterbildung*, Wien 1990

Lepenies, Wolf: *Aufstieg und Fall der Intellektuellen in Europa*, Frankfurt am Main 1992

Lepenies, Wolf: *Die drei Kulturem. Soziologie zwischen Literatur und Wissenschaft*, Reinbek bei Hamburg 1988

Lévinas, Emmanuel: *Die Spur des Anderen. Untersuchungen zur Phänomenologie und Sozialphilosophie*, Freiburg 1998

Levine, Rick / Christopher Locke / Doc Searis / David Weinberger: *The Cluetrain Manifesto. The End of Business as usual*, Cambridge Mass. 2000

Lévi-Strauss, Claude: *Strukturale Anthropologie*, Frankfurt am Main 1978

Lévi-Strauss, Claude: *Traurige Tropen* (1960), Frankfurt am Main 2001

Libal, Wolfgang / Christine von Kohl: *Der Balkan. Stabilität oder Chaos in Europa*, Wien 2000

Lilienthal, Matthias / Claus Philipp: *Schlingensiefs ,Ausländer raus'*, Frankfurt am Main 2000

Loewy, Raimond: *Hässlichkeit verkauft sich schlecht* (1953), Berlin 1992

Lorey, Isabell: *Ekel – Die Wiederkehr des Verdrängten. Zu den ersten Reaktionen auf die Folterbilder aus Abu Ghraib*, in: *Genderzine* WS 2004/2005: *OFF-Scene*, http://www.gender.udk-berlin.de

Lottmann, Joachim: *Die Jugend von heute*, Köln 2004

Luhmann, Niklas: *Beobachtungen der Moderne*, Opladen 1992

Luhmann, Niklas: *Die Wissenschaft der Gesellschaft* (1990), Frankfurt am Main 1992

Luhmann, Niklas: *Universität als Milieu*, Bielefeld 1992

Maalouf, Amin, im Gespräch mit Christian Reder, in: *Transferprojekt Damaskus* (mit Simonetta Ferfoglia, Hg.), *Edition Transfer*, Wien-New York 2003

Maalouf, Amin: *Mörderische Identitäten* (Paris 1998), Frankfurt am Main 2000

Maar, Christa / Hubert Burda (Hg.): *Iconic Turn. Die neue Macht der Bilder*, Köln 2004

Maier, Corinne: *Die Entdeckung der Faulheit. Von der Kunst, bei der Arbeit möglichst wenig zu tun*, München 2005

Mandela, Nelson: *Der lange Weg zur Freiheit*, Frankfurt am Main 1997

Manguel, Alberto / Gianni Guadalupi (Hg.): *The Dictionary of Imaginary Places*, San Diego 2000

Manner, Boris: *Homerische Landschaften* (mit Beatríx Sunkovsky), Wien 2005

Mannitz, Sabine: *Kollateralschaden. Menschenwürde? Wider die Bagatellisierung von Menschenrechtsverletzungen durch demokratische Sicherheitskräfte*, in: *HSFK Standpunkte*. Beiträge zum demokratischen Frieden, Nr. 5/2005

Marchart, Oliver: *Neu beginnen. Hannah Arendt, die Revolution und die Globalisierung*, Wien 2005

Marcus, Greil: *Lipstick Traces. A Secret History of the 20th Century*, Cambridge, Mass. 1989

Margalit, Avishai: *Politik der Würde. Über Achtung und Verachtung*, Frankfurt am Main 1999

Matthiesen, Ulf (Hg.): *Stadtregion und Wissen. Analysen und Plädoyers für eine wissensbasierte Stadtpolitik*, Berlin 2004

McLuhan, Marshall: *Medien verstehen. Der McLuhan Reader*, Hg. Herbert Marshall
McLuhan / Martin Baltes / Fritz Böhler / Rainer Höltschl, Köln1996

Meyer, Christian (Hg.): *Arnold Schönberg – Spiele, Konstruktionen, Bricollagen*, Arnold
Schönberg Center, Wien 2004

Misik, Robert: *Genial dagegen. Kritisches Denken von Marx bis Michael Moore*,
Berlin 2005

Misik, Robert: *Marx für Eilige. Was Kapitalisten über das „Kapital" wissen sollten*,
Berlin 2003

Misik, Robert: *Marx für Manager*, Frankfurt am Main 2002

Mittelstraß, Jürgen: *Die Häuser des Wissens. Wissenschaftstheoretische Studien*,
Frankfurt am Main 1998

Moore, John Robert: *Daniel Defoe. Citizen of the Modern World* (1958),
Chicago-London 1970

Moser, Johannes: *Jeder, der will, kann arbeiten. Die kulturelle Bedeutung von Arbeit
und Arbeitslosigkeit*, Wien 1993

Musil, Robert: *Der Mann ohne Eigenschaften*, Hamburg 1952

Mutius, Bernhard v.: *Die Verwandlung der Welt. Ein Dialog mit der Zukunft*,
Stuttgart 2000

Napoleoni, Loretta: *Die Ökonomie des Terrors. Auf den Spuren der Dollars hinter dem
Terrorismus* (London 2003), München 2004

Novotny. Helga / Peter Scott / Michael Gibbons: *Re-Thinking Science. Knowledge and
the Public in an Age of Uncertainty*, Cambridge UK 2002

Obrist, Hans Ulrich: *Interviews*. Volume I, Mailand 2003

Ottinger, Didier: *Duchamp sans Fins*, Paris 2000

Panati, Charles: *Universalgeschichte der ganz gewöhnlichen Dinge*,
Frankfurt am Main 1994

Parthey, Heinrich / Klaus Schreiber (Hg.): *Interdisziplinarität in der Forschung.
Analysen und Fallstudien*, Berlin 1983

Pasolini, Pier Paolo: *Freibeuterschriften. Die Zerstörung der Kultur des Einzelnen
durch die Konsumgesellschaft* (*Scritti corsari*, Mailand 1975), Berlin 1978

Penn, William: *An Essay Towards the Present and Future Peace of Europe by the
Establishment of an European Dyet, Parliament or Estates* (London 1693),
Hildesheim-Zürich-New York 1983

Peter, Carsten: *Projektbasierte Kooperation zwischen Wissenschaft und Wirtschaft*,
(Diplomarbeit, J.W. Goethe-Universität Frankfurt), Frankfurt am Main 2004

Peters, Jan (Hg.): *Die Geschichte alternativer Projekte von 1800 bis 1975*, Berlin 1980

Peters, Tom: *Top 50. Selbstmanagement. Machen Sie aus sich die ICH AG*,
München 1999

Peters, Thomas J. / Nancy Austin: *Leistung aus Leidenschaft. Über Management und
Führung* (*A Passion for Excellence*, New York 1985), Hamburg 1986

Peters, Thomas J. / Robert H. Waterman jun.: *Auf der Suche nach Spitzenleistungen.
Was man von den bestgeführten US-Unternehmen lernen kann* (*In Search of
Excellence*, New York 1982), Landsberg 1984

Philipp, Claus / Christiane Zinzen (Hg.): *Richard Reichensperger: rire. Literaturkritik /
Kulturkritik, Edition Transfer*, Wien-New York 2005

Philipp, Claus / Matthias Lilienthal: *Schlingensiefs ‚Ausländer raus'*,
Frankfurt am Main 2000

Pick, John: *The Arts in a State. A study of Government Arts Policies from Ancient
Greece to the Present*, Bristol 1988

Piore, Michael J. / Charles F. Sabel: *Das Ende der Massenproduktion*, Berlin 1985

Pjatigorskij, Alexander: *Philosophie einer Gasse*, Wien 1987

Popper, Karl R.: *Alles Leben ist Problemlösen. Über Erkenntnis, Geschichte und
Politik* (1994), München 2005

Postman, Neil: *Die zweite Aufklärung. Vom 18. ins 21. Jahrhundert* (New York 1999),
Berlin 1999

Priddat, Birger P.: *Theoriegeschichte der Wirtschaft. oeconomia / economics*, München 2002

Priddat, Birger P. (Hg.): *Kapitalismus, Krisen, Kultur*, Marburg 2000

Prix, Wolf D. / Coop Himmelb(l)au: *Get OFF my cloud. Texte 1968–2005*, Herausgeber: Martina Kandeler-Fritsch / Thomas Kramer, Ostfildern-Ruit 2005

Prix, Wolf D. (Hg.): *Prinz Eisenbeton 5: techo en mexico / the mexican roof. 96° 13´ W, 16° 33´ N*, Wien-New York 2005

Projekt Migration (2002–2006), initiiert von der Kulturstiftung des Bundes, Köln 2005

Putnam, Robert D. (Hg.): *Gesellschaft und Gemeinsinn. Sozialkapital im internationalen Vergleich*, Gütersloh 2001

Ransmayr, Christoph: *Der Ungeborene oder Die Himmelsareale des Anselm Kiefer*, Frankfurt am Main 2002

Reder, Christian (Hg.): *Daniel Defoe: Ein Essay über Projekte* (London 1697), *Edition Transfer*, Wien-New York 2006

Reder, Christian: *Sahara. Text- und Bildessays* (mit Elfie Semotan, Hg.), *Edition Transfer*, Wien-New York 2004

Reder, Christian: *Transferprojekt Damaskus* (mit Simonetta Ferfoglia, Hg.), *Edition Transfer*, Wien-New York 2003

Reder, Christian: *Forschende Denkweisen. Essays zu künstlerischem Arbeiten*, *Edition Transfer*, Wien-New York 2004

Reder, Christian: *Afghanistan, fragmentarisch*, *Edition Transfer*, Wien-New York 2004

Reder, Christian: *Wörter und Zahlen. Das Alphabet als Code*, Wien-New York 2000

Reder, Christian: *Neue Sammlungspolitik und neue Arbeitsstruktur. Ein Museum im Aufbruch*. Manuskripte des MAK 3. MAK - Österreichisches Museum für angewandte Kunst, Wien 1991

Reder, Christian: *Wiener Museumsgespräche. Über den Umgang mit Kunst und Museen*, Wien 1988

Reder, Christian: *Interne Strukturanalyse und Entwurf einer projektorientierten Organisation*, in: Oswald Oberhuber / M. Wagner / G. Figlhuber / F. Kadrnoska / Ch. Reder (Hg.): *Neuorientierung von Kunsthochschulen*, Wien 1985

Reder, Christian: *Organisationsentwicklung in der öffentlichen Verwaltung. Verantwortung, Resultate, Strukturen*, Bern-Stuttgart 1977

Rehberg, Karl-Siegbert: *Weltrepräsentanz und Verkörperung*, in: *Institutionalität und Symbolisierung. Verstetigung kultureller Ordnungsmuster in Vergangenheit und Gegenwart*, Köln-Weimar-Wien 2004

Ridderstrale, Jonas / Kjell A. Nordström: *Funky Business. Wie kluge Köpfe das Kapital zum Tanzen bringen*, London 2000

Rieff, David: *A Bed for the Night. Humanitarianism in Crisis*, New York 2002

Rifkin, Jeremy: *Access. Das Verschwinden des Eigentums*, Frankfurt am Main-New York 2000

Rilke, Rainer Maria: *Duineser Elegien*, Frankfurt am Main 1975

Rippl, Daniela / Eva Ruhnau (Hg.): *Wissen im 21. Jahrhundert. Komplexität und Reduktion*, München 2002

Rorty, Richard: *Europa sollte auf sich selbst bauen*, in: *Europa oder Amerika? Zur Zukunft des Westens*, Sonderheft *Merkur*, Deutsche Zeitschrift für europäisches Denken, Hg.: Karl Heinz Bohrer / Kurt Scheel, Heft 9/10, Berlin 2000

Rorty, Richard: *Wahrheit und Fortschritt (Truth and Progress*, Cambridge 1998), Frankfurt am Main 2000

Rothauer, Doris: Kreativität & Kapital. Kunst und Wirtschaft im Umbruch, Wien 2005

Rudofsky, Bernard: *Architecture Without Architects*, New York 1965

Rufin, Jean-Christophe: *Das Reich und die Neuen Barbaren*, Berlin 1993

Rügemer, Werner (Hg.): *Die Berater. Ihr Wirken in Staat und Gesellschaft*, Bielefeld 2004

Sachs, Jeffrey: *The End of Poverty. How We Can Make it Happen in Our Lifetime*, London 2005

Sachs-Hombach, Klaus (Hg.): *Bildwissenschaft. Disziplinen, Themen, Methoden*, Frankfurt am Main 2005

Sartre, Jean-Paul: *Der Existentialismus ist ein Humanismus und andere philosophische Essays* (Frankfurt am Main 1960), Reinbek bei Hamburg 2000

Schamp, Eike W.: *Vernetzte Produktion*, Darmstadt 2000

Schivelbusch, Wolfgang: *Entfernte Verwandtschaft. Faschismus, Nationalsozialismus, New Deal 1933–1939*, München 2005

Schivelbusch, Wolfgang: *Lichtblicke. Zur Geschichte der künstlichen Helligkeit im 19. Jahrhundert*, Frankfurt am Main 2004

Schleef, Einar: *Droge Faust Parsifal*, Frankfurt am Main 1997

Schlingensief, Christoph: *AC: Christoph Schlingensief*, Church of Fear, Köln 2005

Schmale, Wolfgang (Hg.): *Kulturtransfer. Kulturelle Praxis im 16. Jahrhundert*, Innsbruck 2003

Schmid, Günther: *Arbeitsplätze der Zukunft: Von standardisierten zu variablen Arbeitsverhältnissen*, in: Jürgen Kocka / Claus Offe (Hg.): *Geschichte und Zukunft der Arbeit*, Frankfurt am Main 2000

Schmidt, Alfred: *Der Begriff der Natur in der Lehre von Karl Marx* (Hamburg 1962), Frankfurt am Main 1967

Schmidt, Burghart: *Postmoderne – Strategien des Vergessens*, Frankfurt am Main 1994

Schmidt, Burghart: *Kritik der reinen Utopie. Eine sozialphilosophische Untersuchung*, Stuttgart 1988

Schmitt, Carl: *Land und Meer. Eine weltgeschichtliche Betrachtung*, Köln 1981

Schneider, Bernhard / Richard Jochum (Hg.): *Erinnerungen an das Töten. Genozid reflexiv*, Wien 1999

Scholem, Gershom: *Die jüdische Mystik in ihren Hauptströmungen* (Jerusalem 1941), Frankfurt am Main 1967

Schube, Inke: *a different kind of war reporting / Eine andere Art Kriegsberichterstattung*, in: Inke Schube (Hg.): *martha rosler. Passionate signals*, Sprengel Museum Hannover, Osterfildern-Ruit 2005

Schulz, Martin: *Ordnungen der Bilder. Eine Einführung in die Bildwissenschaft*, München 2005

Schwarz, Richard (Hg.): *Internationales Jahrbuch für interdisziplinäre Forschung*, 2 Bände, Berlin 1974/1975

Schwendter, Rolf: *Zur Zeitgeschichte der Zukunft*, 2 Bände, Frankfurt am Main 1982/1984

Sedakowa, Olga: *Reise nach Brjansk*, Wien-Bozen 2000

Seel, Martin: *Ästhetik des Erscheinens*, München-Wien 2000

Seitter, Walter: *Der grosse Durchblick. Unternehmensanalysen*, Berlin 1983

Sellars, Peter: *extrakte. Amerikanisches Welttheater*, Berlin 2004

Semotan, Elfie: © *Elfie Semotan*, Katalog Landesmuseum Joanneum Graz, 2005

Semotan, Elfie: *Sahara. Text- und Bildessays* (mit Christian Reder, Hg.), *Edition Transfer*, Wien-New York 2004

Sen, Amartya: *Ökonomie für den Menschen. Wege zu Gerechtigkeit und Solidarität in der Marktwirtschaft* (*Development as Freedom*, New York 1999), München 2000

Sennett, Richard: *Die Kultur des Neuen Kapitalismus*, Berlin 2005

Sennett, Richard: *Respekt im Zeitalter der Ungleichheit* (New York 2002), Berlin 2002

Sennett, Richard: *Der flexible Mensch. Die Kultur des neuen Kapitalismus* (*The Corrosion of Character*, New York 1998), Berlin 1998

Serres, Michel: *Der Parasit* (Paris 1980), Frankfurt am Main 1987

Siebel, Ulf R.: *Handbuch Projekte und Projektfinanzierung*, München 2001

Simons, Katja: *Politische Steuerung großer Projekte. Berlin Adlershof, Neue Mitte Oberhausen und Euralille im Vergleich*, Opladen 2003

Sloterdijk, Peter: *Im Weltinnenraum des Kapitals*, Frankfurt am Main 2005

Sloterdijk, Peter (Hg.): *Vor der Jahrtausendwende. Berichte zur Lage der Zukunft.* 2 Bände, Frankfurt am Main 1990

Sombart, Werner: *Der Bourgeois. Zur Geistesgeschichte des modernen Wirtschaftsmenschen* (1913), Reinbek bei Hamburg 1988

Sombart, Werner: *Der moderne Kapitalismus*, Band II (1902), Berlin 1969

Sommer, Manfred: *Suchen und Finden. Lebensweltliche Formen*, Frankfurt am Main 2002

Splett, Oskar: *Wissenstransfer – Dialog und Fortbildung in einer gemeinsamen Zukunft*, Baden-Baden 1982

Stauffer, Serge (Hg.): *Marcel Duchamp Ready Made!*, Zürich 1973

Stegbauer, Christian: *Grenzen virtueller Gemeinschaft*, Wiesbaden 2001

Stehr, Nico: *Wissenspolitik. Die Überwachung des Wissens*, Frankfurt am Main 2003

Stiglitz, Joseph: *Die Schatten der Globalisierung* (*Globalization and its Discontents*, New York 2002), München 2004

Stirner, Max: *Der Einzige und sein Eigentum*, Ditzingen 1972

Strouhal, Ernst / Brigitte Felderer: *Wolfgang von Kempelen – Zwei Maschinen*, Wien 2004

Strouhal, Ernst: *acht x acht. Zur Kunst des Schachspiels*, Wien-New York 1996

Strouhal, Ernst: *Technische Utopien. Zu den Baukosten von Luftschlössern*, Wien 1992

Türk, Klaus: *„Die Organisation der Welt". Herrschaft durch Organisation in der modernen Gesellschaft*, Opladen 1995

Turley, Hans: *Protestant evangelicalism, British imperialism, and Crusonian identity*, in: Kathleen Wilson (Hg.): *A New Imperial History. Culture, Identity and Modernity in Britain and the Empire 1660–1840*, Cambridge, UK 2004

Uexküll, Jakob von / Bernd Dost: *Projekte der Hoffnung. Der Alternative Nobelpreis*, München 1990

Ullstein. *50 Jahre Ullstein 1987–1927*, Berlin 1927

Um 1968. Konkrete Utopien in Kunst und Gesellschaft, Ostfildern 1990

Vallaeys, Anne: *Médecins Sans Frontières. La biographie*, Paris 2004

Virilio, Paul: *Der negative Horizont. Bewegung, Geschwindigkeit, Beschleunigung* (Paris 1984), Frankfurt am Main 1995

Waldert, Helmut: *Gründungen. Starke Projekte in schwachen Regionen*, Wien 1992

Wallerstein, Immanuel: *Die große Expansion. Das moderne Weltsystem III. Die Konsolidierung der Weltwirtschaft im langen 18. Jahrhundert*, Wien 2004

Warnecke, Hans-Jürgen: *Aufbruch zum fraktalen Unternehmen. Praxisbeispiele für neues Denken und Handeln*, Wien-New York 1995

Weber, Winfried W.: *Innovation durch Injunktion. Warum man Innovation nicht planen (lassen) kann*, Göttingen 2005

Weil, Simone: *Im Banne der Wahrheit*, Oberpframmern 2000

Weingart, Peter: *Die Stunde der Wahrheit. Zum Verhältnis der Wissenschaft zu Politik, Wirtschaft und Medien in der Wissensgesellschaft*, Göttingen 2001

Weingart, Peter: *Wissensproduktion und soziale Kultur*, Frankfurt am Main 1976

Wickler, Wolfgang / Uta Seibt: *Das Prinzip Eigennutz. Zur Evolution sozialen Verhaltens*, München 1991

Windhager, Günther: *Leopold Weiss alias Muhammad Asad. Von Galizien nach Arabien 1900–1927*, Wien 2002

Wittgenstein, Ludwig: *Philosophische Untersuchungen Bd. 1*, Frankfurt am Main 2001

Wittgenstein, Ludwig: *Über Gewissheit*, Frankfurt am Main 1970

Wittgenstein, Ludwig: *Tractatus Logico-philosophicus*, Frankfurt am Main 1963

Yunus, Muhammad / Alan Jolis: *GRAMEEN – Eine Bank für die Armen der Welt* (Paris 1997), Bergisch Gladbach 1998

Ziegler, Jean: *Das Imperium der Schande. Der Kampf gegen Armut und Unterdrückung* (Paris 2005), München 2005

Zizek, Slavoj: *Die Revolution steht bevor*, Frankfurt am Main 2002

Zwimpfer, Hans: *Peter Merian Haus Basel*, Basel 2002

Namensregister
Personen | Institutionen
Unternehmen | Marken

Lynn, Greg 60
Lyotard, Jean-François 150
Maalouf, Amin 42, 43, 44, 398, 399, 400,
	401, 416, 495
MAB-Immobilienmanagement 85
MacBride, Sean 234
Mach, Ernst 367
Macy's, Kaufhaus 339
Madou, Jean-Baptist 335
Maecenatas Datenbank 369
Magnum, Fotozeitschrift 194
Maier, Corinne 381
Maihofer, Werner 70
Majakowski, Wladimir 419
MAK-Österr. Museum für angewandte
	Kunst 461
Malewitsch, Kasimir 417
Malinowski, Bronislaw 293
Man Ray 335
Mandela, Nelson 39
Mandelstam, Nadeschda 421
Mandelstam, Ossip 419
Manegold, K. H. 10
Manner, Boris 67–83
Mannitz, Sabine 276
Manthey, Axel 180
Marcus, Greil 388
Margalit, Avishai 426
Marley, Bob 437
Marshall, George 487
Marthaler, Christoph 175
Marx, Karl 175
Mathis, Angelika 463
Matthiesen, Ulf 156
Mattioli, Aram 399
McCarthy, Paul 181
McKinsey 480
McLuhan, Marshall 302
McPhee, Anderson 437, 438
Meddeb, Abdelwahab 402, 403
Médecins du Monde 234
Mendelsohn, Erich 419
Mercedes 117
Mercedes Benz Museum Stuttgart 116
Merian, Peter 101
Merkel, Angela 129
Mertin, Anne 176
Messerschmidt, Ernst 127, 136
Messner, Reinhold 15
Metzger, Rainer 399
Michelangelo Buonarotti 269
Microsoft 355
Mies van der Rohe, Ludwig 52, 63, 356
Misik, Robert 280, 384, 385–393, 460
Mitchell, W. J. T. 264

Mittelstraß, Jürgen 157
Mobile Akademie Berlin 466
Modeschule der Stadt Wien 463
Mondlandung / Raumfahrt 14, 17, 94, 127,
	478
Montesquieu, Ch.-L. de Secondat 70
Moore, John Robert 467
Moser, Manfred 302
Moskowitz, Robert 336
Mozart, Wolfgang Amadeus 26, 39–43
MSF – Médecins Sans Frontières 124, 222,
	223–237, 486
Müller, Heiner 206, 207, 476
Museum moderner Kunst Damaskus 110
Museum moderner Kunst Nizza 334
Museum of Modern Art New York 386
Museumsquartier Wien 88
Muslim Affairs Public Council 39
Muslim Society of Southern California 39
Mussolini, Benito 479
Mutius, Bernhard von 143
Nabokov, Wladimir 421
Nachtwey, James 195
NAFTA 474
Napoleon Bonaparte 22, 24, 217, 307
Napoleoni, Loretta 402, 403
Nature 352
Negri, Antonio (Toni) 393, 472
Nekes, Werner 134
Neues Deutschland 443
Neurath, Otto 114, 286
New Crowned Hope Festival Wien 40, 46
Newman, Barnett 269
Nike 333, 386
Nitsch, Hermann 138
Nordström, Kjell A. 149
Noretranders, Tor 145, 153
Nouvel, Jean 87, 94, 120, 313
Oldfield, Trenton 322, 329
Opernhaus Zürich 177
ORF 123, 140, 490
ORWO-Filme 421
osa – office für subversive architecture
	322, 327–331, 459
Osten, Marion von 381
Ostermaier, Albert 176
Österreichische
	Entwicklungszusammenarbeit 232, 235
Österreichisches Hilfskomitee für
	Afghanistan 223, 224, 397
Österreichisches Patentamt 355
Ottke, Sven 389
Otto, Frei 245
Ovid 310, 321
Oxfam International 234

Schikaneder, Emanuel 26
Schiller, Friedrich 172, 263
Schily, Konrad 218
Schindler, Angelika 358, 359-372
Schindler, Susanne 330
Schivelbusch, Wolfgang 20, 479
Schlaich, Frieder 132
Schleef, Einar 182, 183
Schlegel, Eva 343
Schlingensief, Christoph 125–140, 174,
    207, 376, 458, 481
Schmid, Daniel 177
Schmid, Günther 452
Schmidt, Alfred 294
Schmidt, Burghart 114, 163, 279–309, 399,
    459, 491
Schmidt, Helmut 308
Schmitt, Carl 70
Schmitz, Rudolf / Menachem Rudyn 462
Schrettle, Johannes 372
Schröder, Gerhard 131, 139
Schubert & Salzer 319
Schulz, Martin 266, 268
Schumacher, Patrick 54
Schumpeter, Joseph 147
Schwanzer, Karl 89
Schwarz, Galerie, Mailand 341
Schwarzenegger, Arnold 48
Schweighofer, Anton 331
Secession Wien 463
Sedakova, Olga 419, 420
Seel, Martin 271
Seiler, Leopold 466
Sellars, Peter 30, 31–50, 96, 193, 213, 452,
    457, 476, 486, 491, 492
Semotan, Elfie 121, 185–197, 399, 458
Sen, Amartya 482, 491
Sennett, Richard 150, 453
Shakespeare, William 18, 37, 172, 469
Sherman, Cindy 192
Siemens 362
Sirlinger, Martin 463
Sloterdijk, Peter 21, 139, 359
Smith, Patti 138, 384
Snow, Charles 166
Sokol, Erich 123
Sokrates 303
Solschenizyn, Alexander 422, 427
Sombart, Werner 468, 470
Sommer, Ariane 389
Somoza Debayle, Anastasio 229
Sontag, Susan 276
Sophokles 37
Sorokin, Wladimir 421
Soros, George 369

Sottsass, Ettore 311, 409
Southern California Institute of
    Architecture 97
Spaemann, Robert 344
Spiluttini, Margherita 195
Spitzer, Gottfried 358, 359–372
Spitzweg, Carl 77
Springer Verlag 119
Springer/Springerin, Wien 188
Staatsoper Wien 128, 129, 137
Stacher, Alois 225
Stadt Theater Wien 176, 331
Stalin, Josef W. 417, 419, 442, 478
Stam, Mart 356
Standard-Möbel Lengyel & Co 356
Stegbauer, Christian 146
Stehr, Nico 157
Steichen, Edward 196
Stein, Gertrude 336
Stein, Peter 175, 211
Steinbrener, Christoph 463
Steinem, Gloria 402, 403
Stiglitz, Joseph 482
Stirner, Max 280
Stoermer, Jan 100
Stöger, Günter 461
Stoiber, Edmund 129
Straub, Jean-Marie 181
Strauss, Franz Josef 70
Stromeyer, J. 10
Strouhal, Ernst 399, 429–448, 460, 479
Strouhal, Lena 65
Stüttgen, Gerhard 356
Süddeutsche Zeitung 124
Suhrkamp Verlag 118
Swissair 485
Sykes, Mark 408
Syring, Marie Luise 335
Taguba, Antonio 275
Tange, Kenzo 58
Taut, Bruno 419
Technische Universität Darmstadt 324,
    327, 328
Teller, Juergen 121, 193
Temel, Robert 462
The Globe Theatre London 37
Theater am Halle'schen Ufer, Berlin 175
Tiepolo, Giovanni Battista 78
Tinguely, Jean 104
Tjutschew, Fjodor 428
Tobin, James 480
Toffler, Alvin 152
Tolstoi, Leo 217
Touma, Issa 409
Tschechow, Anton 172, 175

Kurzbiografien

DIRK BAECKER geb. 1955 in Karlsruhe, Studium der Soziologie und Nationalökonomie in Köln und Paris, Promotion und Habilitation im Fach Soziologie an der Universität Bielefeld, Studienaufenthalte an der Stanford University, Johns Hopkins University, London School of Economics and Political Sciences, Heisenberg-Stipendium der Deutschen Forschungsgemeinschaft. Seit 1996 zunächst Reinhard-Mohn-Professor für Unternehmensführung, Wirtschaftsethik und sozialen Wandel, dann Professor für Soziologie an der Universität Witten/Herdecke. Schwerpunkte: Allgemeine Soziologie, soziologische Theorie, Wirtschafts-, Organisations- und Kultursoziologie, Managementlehre. Publikationen (Auswahl): *Form und Formen der Kommunikation*, Frankfurt am Main 2005; *Wozu Soziologie?*, Berlin 2004; *Vom Nutzen ungelöster Probleme* (mit Alexander Kluge), Berlin 2003; *Postheroisches Management*, Berlin 1994; Poker im Osten, Berlin 1997; *Die Form des Unternehmens*, Frankfurt am Main 1993.

GERALD BAST geb. 1955, Studium der Rechtswissenschaften und Wirtschaftswissenschaften an der Universität Linz (Dr. jur.). Leiter der Abteilung für Organisationsrecht, Grundsatzfragen der Reform der Universitäten und Kunsthochschulen im Bundesministerium für Wissenschaft und Forschung, Wien (bis 1999), Vortragender und Prüfer an der Verwaltungsakademie des Bundes (bis 1999), Konsulententätigkeit bei der Ludwig Boltzmann Gesellschaft für wissenschaftliche Forschung (bis 1998), gewerberechtliche Befähigung zur Ausübung der Tätigkeit als Unternehmensberater für Wissenschafts- und Bildungseinrichtungen. Rektor der Universität für angewandte Kunst Wien (seit 2000), Sprecher der Rektoren der österreichischen Kunstuniversitäten (seit 2004), Mitglied des Präsidiums der Österreichischen Rektorenkonferenz (seit 2004). Publikationen: *Universitätsgesetz 2002, Kommentar*, Wien 2002; *Universitäts-Studiengesetz, Kommentar*, gemeinsam mit E. Langeder und B. Klemmer, Wien 2001; *Auf dem Weg zu den unbekannten Orten*, in: *Vom Reisen, Weggehen und Sitzenbleiben*, Kulturpolitisches Symposium Ossiach, Klagenfurt 2001; *Standpunkte – Ausgangspunkte, Inaugurationsbotschaft des Rektors der Universität für angewandte Kunst Wien*, 2000; *Drittmittelmanagement an Universitäten – Akquirierung, Verwaltung, Gebarung*, gemeinsam mit K. Vodrazka, Österreichische Rektorenkonferenz, Wien 2000; *Country Report Austria*, in: *Democracy and Governance in Higher Education*, Council of Europe and Kluwer Law International, The Hague, Netherlands 1998; *Universitäts-Organisa-*

tionsgesetz (UOG '93), Kommentar, Wien 1998; *Universitäts-Studiengesetz*, gemeinsam mit E. Langeder, Wien 1997, 2001; *Das Rollenbild des Universitätsassistenten nach der Universitätsreform 1993*, in: Beiträge zum Universitätsrecht, Wien 1996; *Autonomy by Decentralization*, in: *IMHE*-Journal *Higher Education Policy*, London-Paris 1995; *Universitäts-Organisationsgesetz 1993 (UOG '93), Kommentar*, Wien 1994; *Materialien zur Hochschulreform*, Bände 1, 2, 3, 5 (Hg.), BMWF, Wien 1991–93; *Universitäts-Organisationsgesetz*, Wien 1990 / *Universität und Drittmittel*, gemeinsam mit K. Vodrazka, BMWF/ÖRK, Wien 1990; *Universitäts-Management, Internat. Symposium* (Hg.), BMWF, Wien 1990.

ULRICH BECKEFELD geb. 1966 bei Bremen, Studium an der TU Darmstadt, Architekt, lebt in Wien. Beschäftigt sich theoretisch und praktisch mit Architektur, Stadt und Raum. Daneben ist er Mitglied von *osa*, zusammen mit Sebastian Appl, Britta Eiermann, Karsten Huneck, Oliver Langbein, Anja Ohliger, Anke Strittmatter und Bernd Trümpler. *osa – office for subversive architecture* beschäftigt sich seit 1995 mit der experimentellen Gestaltung und Transformation von Raum unabhängig von dessen Maßstab und Definition. www.osa-online.net

EVA BLIMLINGER Mag., Historikerin und Beamtin, seit 1984 Tätigkeit in Bildungs- und Forschungsprojekten, 1991–1992 Gleichbehandlungsbeauftragte der Österr. Rektorenkonferenz, 1992–1999 Leiterin des Büros für Öffentlichkeitsarbeit der Universität für angewandte Kunst Wien, 1999–2004 Forschungskoordinatorin der Historikerkommission der Republik Österreich, seit März 2004 Leitung der Stabsstelle für Projektkoordination Kunst- und Forschungsförderung an der Universität für angewandte Kunst Wien. Lehrtätigkeit an den Universitäten Wien, Salzburg und an der Universität für angewandte Kunst Wien. Gemeinsam mit Kolleginnen und Kollegen Konzeption und Durchführung des viersemestrigen Lehrgangs der Geisteswissenschaftlichen Fakultät der Universität Wien „Projektorientiertes Arbeiten im Bildungs- und Kulturbereich" (1993–1999), Obfrau des Vereins *Depot – Kunst und Diskussion*, Mitgründerin der „Interessengemeinschaft Externe LektorInnen und freie WissenschafterInnen". Zahlreiche Publikationen zur Frauen-, Alltags- und Zeitgeschichte. Autorin und Mitherausgeberin der 49-bändigen Veröffentlichung der Österreichischen Historikerkommission, zuletzt erschienen: *Und wenn sie nicht gestorben sind … Die Republik Österreich, die Rückstellung und die Entschädigung*, in: Verena Pawlowsky / Harald Wendelin (Hg.): *Die Republik und* *das NS-Erbe (= Raub und Rückgabe. Österreich von 1938 bis heute)*, Bd. 1, Wien 2005; *Kein Stolpern auf der Mariahilfer Straße*, in: Verena Pawlowsky / Harald Wendelin (Hg.): *Arisierte Wirtschaft (= Raub und Rückgabe. Österreich von 1938 bis heute)*, Bd. 2, Wien 2005; gemeinsam mit Brigitte Bailer: *Vermögensentzug – Rückstellung – Entschädigung, Österreich 1938/1945–2005*, Innsbruck-Wien-Bozen 2005.

REINHARD DÖRFLINGER geb. 1953 in Klagenfurt, Ausbildung in Wien, Dr. med., arbeitet als niedergelassener Arzt für Allgemeinmedizin in der Praxisgemeinschaft Wilhelmstraße in Wien. Seit 1999 Vorstandsmitglied von *Ärzte ohne Grenzen Österreich*. Sprecher der *Grünen Ärzte und Ärztinnen*, Trainer für Kommunikation in der Medizin. Zahlreiche medizinische und humanitäre Auslandseinsätze in Honduras, Uruguay, Rumänien, Pakistan, Ruanda, Burkina Faso, Mauretanien, Bosnien, Bolivien, Mosambik, Niger.

EOOS | MARTIN BERGMANN (geb. 1963), **GERNOT BOHMANN** (geb. 1968), **HARALD GRÜNDL** (geb. 1967) studierten 1988–1994 gemeinsam an der Universität (damals Hochschule) für angewandte Kunst Wien. Erste Zusammenarbeit 1990, Gründung von *EOOS* ® 1995. *EOOS*-Projekte im *furniture/product design* u. a. für Walter Knoll, Zumtobel Staff, Red Bull, Matteo Grassi, Duravit. *EOOS*-Projekte im *flagship store/brand zone design* u. a. für A1/Vodafone, Adidas, Giorgio Armani. Einzelausstellungen in Mailand, London, Wien, Lienz, Sarajevo, Frankfurt am Main. Zahlreiche internationale Auszeichnungen u.a. 2004 die italienische Designauszeichnung *Compasso D'Oro*. www.eoos.com

MANFRED FASSLER geb. 1949 in Bonn, Professor für Kommunikationstheorie am Institut für Kulturanthropologie und Europäische Ethnologie der Universität Frankfurt und derzeit dessen geschäftsführender Direktor. Arbeitsschwerpunkte: Kommunikations- und Medienwissenschaften, Netzwerkforschung, Wahrnehmungstheorien, Interaktionsforschung, digitale Entwurfs- und Gestaltungsprozesse, Bildwissenschaft, Global Digital Culture und Wissenskulturen, Medienevolution / Medienkulturen. Jüngste Publikationen: *Erdachte Welten. Die mediale Evolution globaler Kulturen, Edition Transfer*, Wien-New York 2005; *Bildlichkeit*, Wien-Köln-Weimar 2002; *Netzwerke*, München 2001; *Mediale Interaktion. Speicher. Individualität. Öffentlichkeit*, München 2000; *Cyber-Moderne, Medienevolution, globale Netzwerke und die Künste der Kommunikation*, Wien-New York 1999, *Was ist Kommunikation?*, München 1997.

BRIGITTE FELDERER Kuratorin und Kulturwissenschaftlerin in Wien, lehrt an der Universität für angewandte Kunst Wien. Ausstellungen/Publikationen u.a.: *Phonorama. Eine Kulturgeschichte der Stimme als Medium*, ZKM Karlsruhe, Berlin 2004/2005; *Höflichkeit. Aktualität und Genese von Umgangsformen*, München 2002 (Hg., mit Thomas Macho); *Rudi Gernreich. Fashion will go out of Fashion*, steirischer herbst 2000, ICA Philadelphia 2001; *Alles Schmuck*, Museum für Gestaltung Zürich 2000 (Ausstellungsdesign: Zaha Hadid, Patrik Schumacher); *Wunschmaschine Welterfindung. Eine Geschichte der Technikvisionen seit dem 18. Jahrhundert*, Kunsthalle Wien 1996 (Ausstellungsdesign: Zaha Hadid, Patrik Schumacher).

ZAHA HADID geb. 1950 in Bagdad, lebt heute in London. 1972 begann sie an der Architectural Association (AA) mit dem Architekturstudium, das sie mit dem Diploma Prize 1978 abschloss. Anschließend war sie Partnerin im Office of Metropolitan Architecture (OMA), das 1975 von Rem Koolhaas und Elia Zenghelis gegründet worden war. Bald eröffnete sie ihr eigenes Studio an der AA, das dort bis 1987 bestand. Ihren Durchbruch erzielte sie mit Wettbewerben, die experimentell und *research-based* die Grenzen architektonischen Entwerfens sprengen sollten. Für das Projekt *The Peak*, einen mehrstöckigen Sportclub in Hongkong, entwickelte sie 1983 den Entwurf eines horizontalen Wolkenkratzers, der über den abschüssigen Bauplatz gleichsam zischen sollte. 1993 wurde das Vitra Feuerwehrhaus in Weil am Rhein eröffnet, das heute längst ein exemplarisches Bauwerk der Architekturgeschichte des späten 20. Jahrhunderts darstellt. Im selben Jahr wurde auch ein Wohnbau für die IBA in Berlin realisiert. Andere große Projekte sind u. a. die Installation der *Mind Zone* im Londoner Millenium Dome 1999, die Berg Isel Schanze in Innsbruck 2002, das Contemporary Arts Center in Cincinnati 2003. Im Jahr 2005 wurde der Bau für das BMW Werk in Leipzig finalisiert und in Wolfsburg das größte Science Center Deutschland eröffnet. Ein Zentrum für Gegenwartskunst in Rom steht vor der Fertigstellung. Zaha Hadid ist seit 2000 Professorin an der Universität für angewandte Kunst Wien (studio-hadid-vienna). Zu den Projekten und Wettbewerben siehe auch www.zaha-hadid.com

FONS HICKMANN geb. 1966 in Hamm, Westfalen, Kindheit auf den Fußballplätzen zwischen Dortmund und Schalke. Studien in Philosophie, Fotografie und Kommunikationsdesign. Leitet mit Gesine Grotrian-Steinweg das Studio *Fons Hickmann m23* in Berlin, Schwerpunke sind die Entwicklung komplexer Kommunikationssysteme, Corporate Design, Buch-,

Plakat-, Magazin- und Webdesign (www.fonshickmann.com). Fons Hickmann zählt seit Jahren zu den am häufigsten ausgezeichneten Designern weltweit und seine Arbeiten waren auf allen internationalen Designbiennalen vertreten. Er ist Professor für Grafik Design und Neue Medien an der Universität für angewandte Kunst Wien und Mitglied im TDC New York, ADC Deutschland und AGI (Alliance Graphique Internationale). Jüngste Publikation: *Fons Hickmann – Touch Me There,* Berlin 2005.

WALTER HOLZER geb. 1939 in Wien, Studium an der TU Wien (Dipl. Ing.). Seit 1974 österreichischer und europäischer Patent-, Marken- und Designanwalt in Wien. Allgemein beeideter und gerichtlich zertifizierter Sachverständiger aus dem Patentfach, Mitglied des ständigen beratenden Ausschusses des Europäischen Patentamts; Präsident der Österreichischen Patentanwaltskammer (1985–2000); Präsident des Institutes der beim Europäischen Patentamt zugelassenen Vertreter (1999–2005); Fachkundiger Laienrichter beim Oberlandesgericht Wien (1984–1996); Fachkundiger Laienrichter in Arbeits- und Sozialrechtssachen beim Obersten Gerichtshof; Gastprofessor für gewerblichen Rechtsschutz an der Universität für angewandte Kunst Wien, Mitbegründer eines Diplomlehrganges für „Patentstreitverfahren in Europa" an der Universität Robert Schuman, Strasbourg; Mitglied des Advisory Board der Europäischen Patentakademie; Mitglied der Redaktion der *Österreichischen Blätter für gewerblichen Rechtsschutz und Urheberrecht.* Umfangreiche Lehr- und Vortragstätigkeit im In- und Ausland. Jüngere Fachpublikationen: *Die österreichischen Feststellungsverfahren – Fragen der Rechtssicherheit,* in: *Materielles Patentrecht, Festschrift für Reimar König,* Köln 2003; *Die Grenzen der Patentsprache, Festschrift für Gert Kolle und Dieter Stauder,* Köln 2005; *Wie effizient ist der Patentschutz in der Praxis?,* in: *innovation+rechtsschutz,* Hg. Guido Kucsko, Wien 2004. Mitarbeit an „Strategic Dimensions of Intellectual Property Rights in the Context of S&T Policy" und „International Research Collaboration", ETAN Reports, Europäische Kommission.

MICHAEL KERBLER geb. 1954 in Wien, studierte Publizistik und Psychologie. Seit dem Jahr 1976 gehört er in unterschiedlichsten Funktionen dem ORF an, etwa als ORF-Auslandskorrespondent in Bonn, ab 1986 als stellvertretender Ressortleiter der Redaktion Außenpolitik Hörfunk, oder als Reporter in den Krisengebieten Ost- und Südafrikas, in den arabischen Staaten und im Iran. 1994 bis 1998 leitete Michael Kerbler als Chefredakteur des aktuellen Dienstes die österreichweite aktuelle Berichterstattung des gesamten ORF-Hörfunks. Im Dezember 1998 wurde er zum stellvertretenden Intendanten und Chefredakteur von Radio Österreich International, dem Auslandsradio des ORF, bestellt. Ab Jahresbeginn 2002 war er mit der Führung von Radio Österreich International betraut. Seit Juli 2003 leitet Michael Kerbler die Ö1-Sendereihe „Im Gespräch".

ANSELM KIEFER geb. 1945 in Donaueschingen. 1965 Abitur, danach Jura- und Romanistikstudium in Freiburg im Breisgau, 1966–70 Kunststudium bei Peter Dreher (Freiburg) und Horst Antes (Karlsruhe). 1969 Beginn der künstlerischen Selbstbefragung mit der Serie *Besetzungen.* Diese sind Auftakt einer Beschäftigung mit Geschichtsmythen, die den Künstler bis Mitte der 80er Jahre beschäftigen wird. In dieser Zeit entstehen die ersten Künstlerbücher *Heroische Sinnbilder* und *Für Genet.* Das Thema und die Gestaltung von Büchern zieht sich seither durch sein gesamtes Œuvre. Bekannt wurde vor allem das Werk *Zweistromland,* eine Bleibibliothek die aus mehr als 200 Büchern in Stahlregalen besteht. 1969 erste Einzelausstellung in der Galerie am Kaiserplatz, Karlsruhe. 1971 Übersiedlung in den Odenwald. 1973 *Notung* Galerie Werner, Köln. 1978 *Bilder und Bücher,* Kunsthalle Bern. 1980 vertritt er die Bundesrepublik Deutschland bei der 39. Biennale di Venezia. 1984 *Anselm Kiefer*, Städtische Kunsthalle, Düsseldorf; weitere Stationen dieser Ausstellung: Musée d´Art moderne de la Ville de Paris und Israel Museum, Jerusalem; erste Reise des Künstlers nach Israel. 1987 *Anselm Kiefer*, Art Institute of Chicago, die Ausstellung reist weiter nach Philadelphia, Los Angeles und New York; dies begründet seinen Ruhm in den USA. Anselm Kiefer lebt mittlerweile in einer aufgelassenen Ziegelei in Buchen im Odenwald, um dort sein Projekt *Zweistromland* zu verwirklichen. Ende der 80er Jahre beginnt er sich intensiver mit der Kabbala zu beschäftigen. Ein besonders beeindruckendes Ergebnis davon, die über 8 Meter hohe Arbeit *Chevirat Ha – Kelim* zeigt er im Jahr 2000 in der Chapelle de la Salpétrière, Paris. 1993 Übersiedlung nach Barjac/Frankreich. Auf einem mittlerweile über 80 ha großen Grundstück „La Ribaute" arbeitet er an einem „Gesamtkunstwerk", das bereits aus über 40 Gebäuden besteht. Arbeiten von Anselm Kiefer befinden sich in allen großen Museen der Welt. In Bilbao ist ihm ein eigener Raum gewidmet.

BERNHARD KLEBER geb. 1962 in Aachen; lebt in Wien und Riparbella, Italien. Studium an der Akademie der bildenden Künste in Wien bei Erich Wonder. Seit 1990 freischaffender Ausstatter für Bühne und Film, u.a. in

Wien (Burgtheater, Volksoper, Festwochen, Josefstadt, Odeon, Volkstheater, Theater an der Wien), Berlin (Freie Volksbühne, Schillertheater, Schaubühne), München (Staatsoper, Residenztheater, Kammerspiele), Frankfurt am Main (Schauspiel Frankfurt, TAT), Hamburg (Thalia Theater, Schauspielhaus), Bremen, Bochum, Zürich, Genf, Amsterdam, Tel Aviv, Dijon, Bonn, Mannheim, Darmstadt, Graz (steirischer herbst, Schauspielhaus), Berliner Festwochen, Salzburger Festspiele, Theatertage Moskau, Theatertreffen Berlin. Oskar Schlemmer Preis 1989, Nachwuchsbühnenbildner des Jahres von *Theater Heute* 1993. Seit 1997 Professor für Bühnen- und Filmgestaltung an der Universität für angewandte Kunst Wien.

ERICH KLEIN geb. 1961, Übersetzer und Publizist, lebt in Wien. Studium der Philosophie und Germanistik an der Universität Wien. 1990–1999 Moskau-Aufenthalt. 2006/07 Gastprofessor für das Projekt *Schwarzes Meer* an der Universität für angewandte Kunst Wien. Organisation von Literaturveranstaltungen und Kuratorentätigkeit. *Wien-Moskau-Wien* (1998); *Lagerwiese* im Rahmen der Kulturtage Laana (2001); *Russische Saison* auf Schloß Grafenegg (2002); Autorenprojekt im Rahmen von *Freud in St. Petersburg* (2003); *Islam, Ursprung des Abendlandes* im Rahmen von *Literatur im März*; *Die Russen kommen!* im Rahmen des Festival 21; *Bulgarien* im Rahmen von *Literatur im Herbst* (alle 2005). Ausstellungen: *Befreiung Österreichs* im Russischen Kulturinstitut Wien; *Eine Menge tapfrer Soldaten* in der Arbeiterkammer-Wien (2005). Bücher: *Die Russen in Wien – die Befreiung Österreichs* (1995); *Denkwürdiges Wien: Denkmäler der 1. und 2. Republik* (2004); *Freuds Wien* (2006). Herausgeber: *Europa erlesen: Moskau* (1998); *Europa erlesen: St. Petersburg* (1999); Sondernummern *Wespennest*: *Aus Moskau* (1998); *Nach Russland* (2003); *Baltikum* (2002). Übersetzungen: Alexander Pjatigorskij: *Philosophie einer Gasse* (1997); *Gennadij Ajgi – Werk* Band 2 (u.a. 2000), *Kaukasus – Verteidigung der Zukunft* (u.a. 2001); Olga Sedakova: *Reise nach Brjansk* (2002); Alexander Pjatigorskij: *Erinnerung an einen fremden Mann* (2001); Dmitrij Prigow: *Lebt in Moskau* (2003); *Sergej Gandlewski – Fünf Gedichte* (2003); *Michail Eisenberg – Sieben Gedichte* (2003); Dmitrij Prigow: *Mein Japan* (erscheint 2006). Übersetzungen in diversen Zeitschriften u.a. von G. Ajgij, M. Aisenberg, A. Pristawkin, L. Rubinstein, W.Schalamow u.a.

ALEXANDER KLUGE geb. 1932 in Halberstadt, literarischer Autor und Filmemacher. Jüngste Veröffentlichungen: *Die Lücke, die der Teufel läßt*; *Die Kunst, Unterschiede zu machen*; *Vom Nutzen ungelöster Probleme* (mit

Dirk Baecker), 2003; *Verdeckte Ermittlung*, ein Gespräch mit Christian Schulte und Rainer Stollmann (2001); *Chronik der Gefühle*, 2 Bände, 2000. Filme: u. a. *Die Artisten in der Zirkuskuppel: ratlos* (1968); *Deutschland im Herbst* (1978; mit anderen); *Vermischte Nachrichten* (1986). Mit Dentsu Inc. (Tokyo) und Spiegel Verlag gründete er, im Zweitberuf Rechtsanwalt, 1987 die *dctp* (Development Company for TV Program mbH). Die Düsseldorfer Firma zeigt in eigener Lizenz u.a. Programme von Stern TV, Süddeutsche TV, BBC Exklusiv, Format, NZZ, sowie Kulturmagazine. Neu hinzugekommen ist seit Mai 2001 *XXP – Das Informationsprogramm* in Berlin (eine gemeinsame Unternehmung von Spiegel TV und *dctp*). Die von ihm konzipierten Magazine befassen sich mit Buch, Film und Musiktheater und versuchen für ein „Fernsehen der Autoren" beispielgebend zu sein.

WERNER KORN geb. 1951 in Wien. Lebt und arbeitet in Wien. Architekturstudium 1971–1982; 1979–1981 Organisation mehrerer Straßentheaterfestivals in Wien. Mitgesellschafter & Mitarbeiter der Programmzeitschrift *Falter* von 1982 bis 1986. Seit 1988 Leitung des *echoraum*, gemeinsam mit Joseph Hartmann; seit 1992 Musikveranstaltungstätigkeit ebendort. 1990 bis 1995 Mitarbeiter und Vorstandsmitglied im Institut für Kulturstudien (IKUS), von 1993 bis 1995 Mitglied der ARGE Millennium / Büro 95/96 am IKUS. Kurator der Grabenfesttage von 2000 bis 2002. 1997 Initiator der Projekts *Tagebuch* im *echoraum*; seither Betreuung des und Mitarbeit an diesem Projekt, in dem eine 10- bis 15-köpfige Gruppe in wechselnder Besetzung individuelle Eintragungen zu Themen nach freier Wahl und in je eigener Form verfaßt, die via E-Mail und einem automatischen Verteiler untereinander kommuniziert. Ausgedruckte Exemplare werden von den Beteiligten gesammelt und ein gebundenes Exemplar wird am Institut für Zeitgeschichte zur späteren wissenschaftlichen Nutzung eingelagert.

BRIGITTE KOWANZ geb. 1957 in Wien. Künstlerin. 1975–1980 Studium an der Universität (damals Hochschule) für angewandte Kunst Wien. Einzelausstellungen u. a. in Wien, Zürich, Basel, Lausanne, Bologna, Rom, Brüssel, München, Frankfurt, Düsseldorf, Köln, Berlin, Gent, Los Angeles. 1984 *Aperto 84* Biennale Venedig. 1987 Biennale São Paulo. 1990 Sidney Biennale. Zahlreiche Interventionen im architektonischen Bereich und im öffentlichen Raum, u. a. in Wien, Basel, Luzern, Vaduz, München, Berlin. Seit 1997 Professorin für transmediale Kunst an der Universität für angewandte Kunst Wien. Literatur: Christian Reder: *Zu Brigitte Kowanz und einem Arbeiten mit Codes*, in: Ch. Reder: *Forschende Denkweisen. Essays zu künstlerischem Arbeiten*, 2004 / Brigitte Kowanz: *L_D_M – Light Darkness Movement*, Jena 2004 / Brigitte Kowanz: *another time another place*. München 2002 / Brigitte Kowanz: *Zeitlicht – Lichtraum*. Ostfildern-Ruit 2001 / Brigitte Kowanz: *Die Zwischenzeit vom Schattensprung belichten*. Hochschule für angewandte Kunst Wien, 1998 / *Brigitte Kowanz*. Wiener Secession 1993.

BORIS MANNER lebt in Wien. Arbeitet als Universitätslehrer, Kulturmanager und Autor. Lektor für Kunst- und Wissenstransfer an der Universität für angewandte Kunst Wien. Publikationen: *Homerische Landschaften*, in: *Homerische Landschaften*, Hg. gemeinsam mit Beatrix Sunkovsky, edition selene, Wien 2005; *Adieu Elite*, in: *tag8*, Universität für angewandte Kunst Wien, 2004; *Pfade*, in: *Virtual Frame*, Kunsthalle Wien, 2003; *Im Auge des Basilisken*, in: *Oder die Erfindung der Oper*, Universität für angewandte Kunst Wien, 2003; *Der Ort des Anwesens*, in: *Über Antonin Artaud*, Hg. Cathrin Pichler / Bernd Mattheus, München 2002; *Laokoon oder die Grenze des Schmerzes*, in: *Sprache und Pathos*, Hg. Rolf Kühn, Freiburg im Breisgau 2001.

ROBERT MISIK geb. 1966, ist ständiger Autor der *tageszeitung* (Berlin), von *profil* und *Falter* (Wien), veröffentlicht Essays, Kommentare und Reportagen. Jüngste Buchpublikationen: *Genial dagegen. Kritisches Denken von Marx bis Michael Moore*, Berlin 2005; *Marx für Eilige. Was Kapitalisten über das „Kapital" wissen sollten*, Berlin 2003; *Marx für Manager*, Frankfurt am Main 2002; *Republik der Courage. Wider die Verhaiderung*, (Hg. gemeinsam mit Doron Rabinovici), Berlin 2000; *Die Suche nach dem Blair-Effekt, Schröder, Klima und Genossen zwischen Tradition und Pragmatismus*, Berlin 1998; *Mythos Weltmarkt. Vom Elend des Neoliberalismus*, Berlin 1997. 1999 und 2000 erhielt Robert Misik den „Bruno-Kreisky-Preis für das politische Buch".

CLAUS PHILIPP geb. 1966 in Wels, lebt in Wien. Seit 1989 Film- und Literaturkritiker. Seit 2000 Leiter des Kulturressorts der österreichischen Tageszeitung *Der Standard*. Gemeinsam mit dem Dramaturgen Mathias Lilienthal publizierte er 2000 bei Suhrkamp die Dokumentation *Schlingensief's Ausländer raus*; 2005 gemeinsam mit Christiane Zintzen Herausgeber einer Sammlung von Texten Richard Reichenspergers in der *Edition Transfer* bei Springer Wien New York: *rire. Litraturkritik. Kulturkritik.*

WOLF D. PRIX geb. 1942 in Wien, 1968 Gründung von Coop Himmel-b(l)au (Wolf D. Prix / Helmut Swiczinsky) in Wien, seit 1988 mit Büro in Los Angeles. Ausstellung *Deconstructive Architecture*, Museum of Modern Art New York (1988), Deutscher Architekturpreis 1999, Großer Österreichischer Staatspreis 1999. Wolf D. Prix ist seit 1993 Professor an der Universität für angewandte Kunst Wien, seit 2003 Vize-Rektor. Lehr-tätigkeit u. a. am Southern California Institute of Architecture (SCI-Arc) in Los Angeles, an der Harvard University, an der Architectural Associa-tion in London, am MIT in Boston. Jüngste Bauten von Coop Himmel-b(l)au: Europäische Zentralbank Frankfurt (2005–2008), Gebäude für die expo Schweiz (2002), Musée des Confluences Lyon (2001–2007), BMW Welt München (2001–2006), Akron Art Museum Ohio, USA (2001–2006), Wohnbebauung Gasometer B in Wien (2001), UFA-Kinopalast Dresden (1998), Wohnhochhaus in Wien (1998), JVC New Urban Entertainment Center Guadalajara, Mexiko (1998/2003–2006), Akademie der bildenden Künste München (1992/2002–2005), Groningen Museum (1994). Lite-ratur: *Get off of my cloud*. Wolf D. Prix/Coop Himmelb(l)au. Texte 1968–2005, Ostfildern-Ruit 2005. Gerald Zugmann: *Blue Universe. Architec-tural Projects by Coop Himmelb(l)au*, Wien-Ostfildern-Ruit 2002. Frank Werner: *Covering + Exposing. Die Architektur von Coop Himmelb(l)au | the architecture of Coop Himmelb(l)au*, Basel 2000. Wolf D. Prix / Helmut Swiczinsky: *Coop Himmelb(l)au Austria*, Biennale die Venezia 1996. Coop Himmelb(l)au: *Architecture is now*, Stuttgart-New York-London 1983.

CHRISTIAN REDER geb. 1944 in Budapest, Studium an der Universität Wien (Dr. rer.pol.). Projektberater, Analytiker, Autor, Essayist. Professor an der Universität für angewandte Kunst Wien, Leiter des Zentrums für Kunst- und Wissenstransfer. Herausgeber von *Architektur aktuell* und der *Edition Transfer* bei Springer Wien-New York. 1970–1979 Politik- und Managementberater bei Knight-Wegenstein, Zürich-Düsseldorf-London, insbesondere für die öffentliche Verwaltung, das Gesundheitswesen, den Medienbereich und Wirtschaftsunternehmen. Seither Projektarbeiten im Sozial- und Kulturbereich (Nicaragua, Afghanistan, Pakistan, Nepal, Auf-bau des Falter-Verlages, Konzepte für die Universitätsreform, für Kultur-institutionen, Reform des MAK – Österreichisches Museum für angewandte Kunst) und zu transkulturellen Themen (Syrien, Libyen, Ukraine). Jüngste Publikationen: *Daniel Defoe: Ein Essay über Projekte*, 2006 (Hg.). *Sahara. Text- und Bildessays*, 2004 (Hg. mit Elfie Semotan). *Forschende Denkweisen. Essays zu künstlerischem Arbeiten*, 2004. *Afghanistan, fragmentarisch*, 2004.

Transferprojekt Damaskus, deutsch/arabisch, 2003 (Hg. mit Simonetta Ferfoglia). *Wörter und Zahlen. Das Alphabet als Code*, 2000. (Alle genannten Publikationen bei Springer Wien-New York) www.christianreder.net

BARBARA RHODE geb.1949, deutsche Sozialwissenschaftlerin mit niederländischem Ph.D. (kath. Universität Nimwegen). 1975–1982 am Max-Planck Institut für ausländisches und internationales Privatrecht, Projektforschung zum Konkursrecht und zum arbeitsrechtlichen Kündigungsschutz. Lehraufträge an der juristischen Fakultät Hamburg, im Masterprogramm für Europäische Studien an der Universität Lüttich und später an der Business und Management Schule in Antwerpen. Während des Kalten Krieges bundesdeutsche Vertreterin am *Vienna Centre*, einem kleinen Ost-West-Institut in Wien: Projekte zur Umweltpolitik in Ost und West, wie auch zur Umweltökonomie unter verschiedenen Wirtschaftssystemen und erste Studien zu einem internationalen Umweltstrafrecht mit der UNO in Wien. Nach dem Fall der Berliner Mauer Beraterin bei der Europäischen Kommission zur Frage der Einführung der Sozialwissenschaften in das Programm der Generaldirektion Forschung. Seit 1994 als Mitarbeitern betraut mit den Beitrittsverhandlungen von Ungarn, der Tschechischen Republik und der Slowakei im Bereich Forschung. 2001–2004 Abteilungsleiterin für „Ethik in der Forschung". Heute als Abteilungsleiterin für „multilaterale Kooperationsaktivitäten" in der Generaldirektion Forschung zuständig für bilaterale Beziehungen zu Russland, zur Ukraine und zu den anderen GUS-Staaten, insbesondere für Non-proliferations-Projekte für die Waffenexperten der früheren Sowjetunion.

ANGELIKA SCHINDLER geb. 1950 in Wien, Mag., ist seit 1983 als Steuerberaterin bei der Deloitte-Auditor Treuhand GmbH Wien tätig.

CHRISTOPH SCHLINGENSIEF geb. 1960 in Oberhausen; lebt und arbeitet in Berlin. Studium an der Hochschule für Gestaltung in Offenbach; in den 1980er Jahren unabhängiger Filmemacher mit obsessiven Underground-Filmen zur deutschen Geschichte; seit den 1990er Jahren Arbeit im Bereich Theater, vor allem an der Volksbühne Berlin, sowie mediale politische Aktionen.

BURGHART SCHMIDT geb. 1942 in Wildeshausen/Oldenburg. Professor für Sprache und Ästhetik an der Hochschule für Gestaltung, Offenbach am Main und deren Vizepräsident. Gastprofessor für Kunst- und Wissenstransfer an der Universität für angewandte Kunst Wien. Buchpublikationen: *Vom Parergon zum Labyrinth. Untersuchungen zur kritischen Theorie des Ornaments* (Hg., mit Gérard Raulet), Wien 2001; *Gezeitenalphabet* (mit Peter Daniel), Wien 1999; *Teddybär & Gartenzwerg*, Wien 1999; *Bild im Abwesen*, Wien 1998; *Postmoderne – Strategien des Vergessens*, Frankfurt am Main 1994; *Kitsch und Klatsch*, Wien 1994; *Am Jenseits zu Heimat*, Wien-Darmstadt 1994.

PETER SELLARS geb. 1957 in Pittsburgh, Pennsylvania. Theater-, Opern-, Film- und Fernsehregisseur. Professor für *World Arts and Cultures* an der University of California (UCLA) in Los Angeles. „Renowned worldwide for his innovative treatments of classical material from western and non-western traditions, and for his commitment to exploring the role of the performing arts in contemporary society". Schon als Jugendlicher Mitarbeit in einem Marionettentheater in Pittsburgh. Aufsehen erregende Regiearbeiten als Student in Harvard. Weitere Studien in Japan, China und Indien. Danach künstlerischer Leiter der Boston Shakespeare Company, im Alter von 26 Jahren des American National Theatres im Kennedy Center, Washington D. C., später mehrfach des Los Angeles Festivals, ferner des Elitch Theatre for Children in Denver. Filme u. a.: *The Cabinet of Dr. Ramirez* (1991), *It Is Now Our Time, Destination Mozart – A Night at the Opera With Peter Sellars*. Häufige Mitwirkung am Glyndebourne Festival und den Salzburger Festspielen. Viele Projekte zu Mozart und zur zeitgenössischen Oper. Auszeichnungen u. a.: MacArthur Prize Fellowship, Emmy Award, Erasmus Preis für Beiträge zur europäischen Kultur (1998). Zahllose Projekte mit Künstlern und Künstlerinnen aus aller Welt. Künstlerischer Leiter der Projektreihe *New Crowned Hope / Zur neu gekrönten Hoffnung* im Rahmen des Wiener Mozartjahres 2006.

ELFIE SEMOTAN (Elfie Kippenberger-Kocherscheidt), geb. 1941 in Wels. Lebt in Wien und New York. Arbeit als Fotomodell in Paris, danach Mode-, Werbe- und Porträtfotografie für internationale Agenturen und Magazine (*Vogue, Elle, Esquire, Marie Claire, Harpers Bazaar, ID, Jane Magazine, Allure Bazaar, Interview, New Yorker, New York Magazine*). Reisedokumentationen. Werbekampagnen für Helmut Lang. Gemeinschaftsarbeiten mit Künstlern, insbesondere mit Kurt Kocherscheidt, Martin Kippenberger, Hans Weigand, Franz West. Ausstellungen u. a. in Wien, Washington D. C., New York; 2005 im Landesmuseum Joanneum Graz. Jüngste Publikationen: © *Elfie Semotan*, Katalog Landesmuseum Joanneum

Graz, 2005. *Sahara. Text- und Bildessays*, Wien-New York 2004 (Hg., mit Christian Reder). 2003–2005 Gastprofessorin an der Universität für angewandte Kunst Wien für das Projekt *Sahara*.

GOTTFRIED SPITZER geb. 1965 in Graz, Dr. rer.soc.oec., ist seit 2001 bei der Deloitte-Auditor Treuhand GmbH Wien tätig. Davor war er Partner und Geschäftsführer einer großen international tätigen Wirtschaftsprüfungs- und Steuerberatungsgesellschaft sowie geschäftsführender Gesellschafter einer mittelgroßen Steuerberatungsgesellschaft in Graz.

ERNST STROUHAL geb. 1957 in Wien, a.o. Professor am Institut für Kunst- und Kulturwissenschaften – Kunstpädagogik an der Universität für angewandte Kunst Wien. Buchpublikationen: *Kempelen – Zwei Maschinen* (mit Brigitte Felderer), Wien 2004; *Der Zettelkatalog. Ein historisches System geistiger Ordnung* (mit Hans Petschar und Heimo Zobernig), Wien-New York 1999; *Luftmenschen* (mit Michael Ehn), Wien 1998; *acht x acht. Zur Kunst des Schachspiels*, Wien-New York 1996; *Duchamps Spiel*, Wien 1994; *Technische Utopien. Zu den Baukosten von Luftschlössern.* Wien 1991; im Erscheinen: *Fortgesetzte Magie. Zur Medien- und Kulturgeschichte der Zauberkunst* (mit Brigitte Felderer), Wien-New York 2006.

GABRIELE WERNER geb. 1958 in Bassum, Kunsthistorikerin, seit 2003 Professur für Kunstgeschichte an der Universität für angewandte Kunst Wien, Institut für Kunst- und Kulturwissenschaften – Kunstpädagogik, Abteilung Kunstgeschichte. 2000–2003 wissenschaftliche Mitarbeiterin am Hermann von Helmholtz-Zentrum für Kulturtechnik, Humboldt-Universität zu Berlin, Abt. Das technische Bild. Publikationen (Auswahl): gemeinsam mit Horst Bredekamp seit 2003 Herausgeberin des Periodikums: *Bildwelten des Wissens. Kunsthistorisches Jahrbuch für Bildkritik. Mathematik im Surrealismus. Man Ray, Max Ernst, Dorothea Tanning*, Marburg 2002; *Das technische Bild – aus ästhetischer Sicht betrachtet*, in: Bettina Heintz, Jörg Huber (Hg.): *Mit den Augen denken. Strategien der Sichtbarmachung in wissenschaftlichen und virtuellen Welten* (Institut für Theorie der Gestaltung und Kunst, Hochschule für Gestaltung und Kunst, Zürich), Wien-New York 2001; *„When differences are transformed into sameness" – Synthetische und andere Schönheiten im 20. und 21. Jahrhundert*, in: *1926–2001 – GeSoLei. Kunst, Sport und Körper*, Hans Körner / Angela Stercken (Hg.), Ostfildern-Ruit 2002; *Sabines Lippen. Image processing und die Verarbeitung semantischer Überschüsse*, in: *Future Bodies. Zur Visualisierung* *von Körpern in Science und Fiction*, Marie-Luise Angerer / Kathrin Peters (Hg.), Wien-New York 2002; *Heemskerck, Röntgen und der Beweischarakter von Reproduktionstechniken*, in: *Techniken der Reproduktion. Medien – Leben – Diskurse*, hrsg. von Ulrike Bergermann, Claudia Breger und Tanja Nusser, Königstein/Ts. 2002; *Mythos Mathematizität in der Kunst*, in: Barbara Könchen / Peter Weibel (Hg.): *unSICHTBARes. kunst_wissenschaft*, Bern 2005; *Madonna und die Kabbala – Zwischen Zivilreligion und Identitätspolitik*, in: Peter Schäfer / Irina Wandrey: *Reuchlin und seine Erben*. Pforzheimer Reuchlinschrift 11, Ostfildern 2005.

ZENTRUM FÜR KUNST- UND WISSENSTRANSFER Universität für angewandte Kunst Wien. Gegründet 1985 als Lehrkanzel, seit 2005 ein eigenes Zentrum für transdisziplinäres Arbeiten und für Transferprojekte. Leitung: Christian Reder (seit 1985). Gastprofessuren z. Z. Burghart Schmidt, Walter Holzer, Dieter Kindl, Erich Klein (davor: u. a. Elfie Semotan, Simonetta Ferfoglia, Cathrin Pichler). Wissenschaftlich-künstlerische Mitarbeit: Boris Manner, Beatrix Sunkovsky, Alexandra Goldbacher. Studienassistent: Günter Seyfried. Sekretariat: Rosemarie Patsch. Wechselnde Gastreferenten zur Erweiterung der gedanklichen Infrastruktur, zuletzt etwa Otto E. Rössler, Klaus Bachler, Oswald Wiener, Peter Kubelka, Jaques LeRider. Zahlreiche Beratungsprojekte für kulturelle Institutionen und freischaffende Gruppen.
Studienangebot: Transdisziplinäre Kooperationen / Projekte durchdenken / Projektarbeit trainieren / Projekte mitmachen. Methodik der Projektarbeit und Selbstorganisation (Projektkonzeption, Projektmanagement, Finanzierung, Drittmittelakquisition, Rechtsberatung, Rechtsschutz, Patentrechtsfragen). Studierende werden darin bestärkt, außerhalb traditioneller Fachgebiete konzeptives Denken in Projekten einzuüben, Projekterfahrungen zu sammeln, in experimenteller Weise Neues anzufangen, sich in ungewohnten Konstellationen – und mit Blick auf vielfältige Berufsfelder und neuartige Fachkombinationen – zu positionieren. Doktoratsstudium zum Dr. phil.
Herausgabe der *Edition Transfer* bei Springer Wien-New York. Jüngste Auslandsunternehmungen: *Transferprojekt Schwarzes Meer* (2005/07), *Transferprojekt Sahara* (2003/04), *Transferprojekt Damaskus* (2001/03).

Edition Transfer bei SpringerWienNewYork

Herausgegeben von Christian Reder

Die Edition Transfer ist auf forschende Zugänge ausgerichtet, in denen textliche, essayistische und visuelle Ebenen miteinander korrespondieren, um verschiedene Aspekte von Transfers – zwischen Kunst und Wissenschaft, zwischen Disziplinen, Denkzonen, Kulturen – in analytisch-fragender Weise zu behandeln und mit praktischer Projektarbeit zu verbinden.

Christian Reder (Hg.)

Lesebuch Projekte

Vorgriffe, Ausbrüche in die Ferne

Grafische Konzeption: Werner Korn
2006. 529 Seiten. Zahlr. Abb.
Format: 13,5 x 21 cm
Broschiert **EUR 29,90,** sFr 51,–
ISBN 3-211-28587-3. Edition Transfer

Daniel Defoe

Ein Essay über Projekte

London 1697
Herausgegeben und kommentiert
von Christian Reder

Grafische Konzeption: Werner Korn
Überarbeitete Übersetzung
aus dem Englischen: Werner Rappl.
2006. 251 Seiten. Format: 13,5 x 21 cm
Broschiert **EUR 24,95,** sFr 42,50
ISBN 3-211-29564-X. Edition Transfer

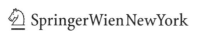

Edition Transfer

Projektdenken der Moderne 2006: Die Welt des Handelns und die Wissens-produktion verlagern sich derzeit zunehmend in „communities of projects", in eine „projektbasierte Polis". Die programmatische Sprache der digitalen Kulturen ist die der Projekte. In dieser Krise der strukturellen Kopplung zwischen Sozial-system und Individuum werden befristete Klein-Föderationen – also Projekte – zu dominierenden Mustern. Andererseits sind für den sich selbst organisierenden Kapitalismus Projekte nur eine interessante Alternative unter vielen anderen möglichen Organisationsformen.

Dazu wird vom Künstlerischen, Gestalterischen, Analytischen her Position be-zogen, durch Auskünfte zu Denk- und Arbeitsprozessen.

Projektdenken der Moderne 1697: Der dafür grundlegende Essay Daniel Defoes erhellt angloamerikanische Traditionen. Gegengelesen mit heutigen Auffassungen bekommen Problemsichten Kontur, die Aspekte stattfindender Transformationen deutlich werden lassen. Seine Reformvorschläge machen Anfangs- und Akutphasen „liberaler" – und „anti-liberaler"– Kommerzialisierung vergleichbar. Gerade weil überall angeblich pragmatische Praxis das Thema ist, wirken sie in vielem aktuell – und uneingelöst.

In solchen langfristigen Betrachtungen werden Defizite sich auf Effizienz und bes-sere Organisation berufender Politik offensichtlich. Administrativ eingeengte Projektvorstellungen erweitern sich zu Möglichkeitsräumen.

Edition Transfer bei SpringerWienNewYork

Herausgegeben von Christian Reder

Manfred Faßler

Erdachte Welten

Die mediale Evolution globaler Kulturen

2005. VI, 386 Seiten. 83 Abbildungen.
Format: 16,5 x 24,2 cm
Broschiert etwa **EUR 29,–**, sFr 49,50
ISBN 3-211-23826-3. Edition Transfer

Richard Reichensperger

(rire)

Literaturkritik | Kulturkritik
Herausgegeben v. Claus Philipp u. Christiane Zintzen.

Beiträge: Christoph Leitgeb, Elfriede Jelinek, Hermes Phettberg
Grafische Konzeption: Werner Korn
2005. 239 Seiten. Format: 12 x 19,3 cm
Broschiert **EUR 15,–**, sFr 25,50
ISBN 3-211-22260-X. Edition Transfer

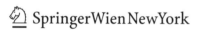

Edition Transfer

Medien sind aus unserer Welt nicht wegzudenken. Der Autor vertritt die These, dass Kultur erst durch die mediale Selbstbefähigung des Homo sapiens sapiens möglich wurde. Über viele zehntausend Jahre lernte er, Sinnlichkeit, Interaktivität, Abstraktion, Entwurf aufeinander zu beziehen, Zeichen und Fiktionen, Sprachen und Erzählungen zu erfinden und Materialien ihrer Speicherung und ihres Transportes zu testen. Hierdurch entstand der evolutionär junge Mediensinn.

Ihn in seinem Aufbau zu beschreiben und wissenschaftlich fassen zu können wird es ermöglichen, gegenwärtige und zukünftige mediale Vernetzungs- und Globalisierungsprozesse zu verstehen und mit zu gestalten.

„2004 ist Richard Reichensperger, der österreichische Literaturkritiker, nach einem tragischen Unglück verstorben. Dass es jetzt einen Sammelband mit seinen Texten gibt, ist ein Glück und zugleich eine gebündelte Mahnung an alle, die selbstbewusst und nebenhin über die Dinge des Denkens schreiben. Richard Reichenspergers Kritiken und Aufsätze waren voller Wissen. Das hat ihnen ermöglicht, selbst in der Kürze weite gedankliche Strecken zurückzulegen, erhellende Analogien zu finden oder apodiktisch einfach auch Recht zu haben".

Neue Zürcher Zeitung, Zürich

„Es war gut zu wissen, dass es in meinem Beruf auch Richard Reichensperger gab. Er war einer der Menschen, die nichts geringeres beherrschten als die Quadratur des Kreises: dem Journalismus geben, was des Journalismus ist, ohne der Literatur zu nehmen, was wir von ihr nötig haben. Sein Tod macht mutlos – gegen die Entmutigung hilft die Erinnerung an seine Arbeit."

Franz Schuh

Edition Transfer bei SpringerWienNewYork

Herausgegeben von Christian Reder

Christian Reder

Forschende Denkweisen

Essays zu künstlerischem Arbeiten

Grafische Konzeption: Walter Pichler
2004. 203 Seiten. 20 großteils farbige Abbildungen.
Format: 16 x 22 cm
Broschiert **EUR 25,–,** sFr 42,50
ISBN 3-211-20523-3. Edition Transfer

Christian Reder,
Elfie Semotan (Hg.)

Sahara. Text- und Bildessays

Grafische Konzeption: St. Fuhrer u. T. van Duyne
2004. 407 Seiten. Zahlr., großt. farb. Abbildungen.
Format: 20 x 24 cm
Gebunden **EUR 39,–,** sFr 66,50
ISBN 3-211-21078-4. Edition Transfer

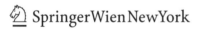

Edition Transfer

„Der Band enthält 13 Essays, die einen exzellenten Einblick in die künstlerische Produktionswelt zweier Jahrzehnte geben, sie entsiegeln und entschlüsseln eine ganze Generation. Man findet in ihm wunderbar präzise Beobachtungen und Sager von verblüffender Eleganz – etwa wenn Kurt Kocherscheidt während einer Autofahrt auf „Ausbesserungsflächen auf Asphalt" hinweist, dann vermittelt dieses kräftige und bekräftigende Bild mehr als tausend Worte. Reders Texte verschieben unauffällig die Aufmerksamkeint: hier ein fallen gelassenes Wort, dort eine Fußnote, und schon entsteht ein unerwartetes Bild von der Lage der Dinge."

Falter, Wien

„Ein wahrer Prachtband … nicht für Teetischchen sondern ein handfestes Lesebuch. Einmal mehr, wie schon in früheren Projekten Reders, folgt man dabei Fragestellungen des Kultur- und Wissenstransfers. Einmal mehr testet man aus, wie sehr man als Intellektueller oder als Künstler gerade in der Fremde, abseits abgesicherter Strukturen besonders findig und befragungsfreudig wird. Die Sahara, sie steht hier für allgemeinere Unübersichtlichkeiten, die freilich oft einen großen Vorteil haben: Setzt man sich ihnen aus, erweitert sich der Horizont."

Der Standard, Wien

„Die Wüste lebt in diesem erstaunlichen Buch: Nicht nur als Inspirationsgeberin für eine intensive geistige Landvermessung, sondern auch als Phänomen eigenen Rechts, ein Phänomen, das gleichwohl immer wieder im Stande ist, die Fantasie der Menschen in Bewegung zu versetzen. Ob der Leser es nun als Anregung für eine Reise im Kopf benützt oder als Führer für wirkliche Wüstenfahrten: Das Essaybuch von Reder und Semotan ist so oder so ein Projekt, das mit seinem Reichtum an Perspektiven das Staunen lehrt."

Wespennest, Wien

Edition Transfer bei SpringerWienNewYork

Herausgegeben von Christian Reder

Christian Reder

Afghanistan, fragmentarisch

Grafische Konzeption: Lo Breier
2004. 204 Seiten. Zahlreiche Abbildungen.
Format: 13,5 x 21 cm
Broschiert **EUR 25,–,** sFr 42,50
ISBN 3-211-20428-8
Edition Transfer

Christian Reder,
Simonetta Ferfoglia (Hg.)

Transfer Projekt Damaskus

urban orient-ation

2003. 401 Seiten. Zahlr., z. T. farb. Abbildungen.
Format: 20 x 24 cm. Text: deutsch/arabisch
Broschiert **EUR 34,–,** sFr 58,–
ISBN 3-211-00460-2. Edition Transfer

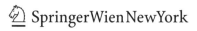

Edition Transfer

„Reders Buch steht für Aufklärung über eine weithin unbekannte und lange Zeit in sich verschlossene Weltgegend, die erst mit dem Begriff ‚Taliban' traurige Berühmtheit erlangte. Mit den Verhältnissen seit den Achtzigerjahren vertraut, in praktischer Flüchtlingshilfe tätig und mit Wiederaufbauprogrammen betraut, zeichnet der Autor ein penibles Bild, das er zwar für fragmentarisch erklärt, das aber schrittweise all jene hermeneutischen Zirkel der Fremdwahrnehmung durchbricht, um schließlich tatsächlich nach Afghanistan zu führen."

Falter, Wien

„… Vorstellungen von Orient und Moderne, Urbanität und Migration … Interviews mit Dichtern, Sängern, Philosophen … köstliche Begegnungen …"

Die Zeit, Hamburg

„This project and its outcome have a significant importance at this point in time because they are a concrete proof that it is always possible to have a fruitful dialogue between cultures, to the contrary of what is commonly discussed these days about cultural clashes and confrontation."

Syria Times, Damaskus

SpringerKunst

Christian Reder

Wörter und Zahlen.
Das Alphabet als Code

Grafische Konzeption: Ecke Bonk
2000. VII, 438 Seiten.
Format: 19,1 x 21,1 cm
Broschiert **EUR 38,–,** sFr 65,–
ISBN 3-211-83406-0

Auszeichnung als eines der 12 schönsten Bücher Österreichs 2000!

Als Kriminalroman über Buchstaben lesbar, als Parabel über ein Berechnen ebenso. Oder schlicht und einfach als codiertes Wörterbuch, kombiniert mit Essays zur Kulturgeschichte der Schrift.

„Wörter und Zahlen" behandelt – analog zur Physik – Buchstaben als Elementarteilchen. Schrift wird statistisch betrachtet, ihr Zeichencharakter gewinnt an Kontur. Zahlen können zum Sprechen gebracht, Wortbeziehungen anders gesehen werden. Bei Spinoza, Poe, Freud, Duchamp, Luhmann oder anderen Welterklärungsansätzen aufgespürte de-codierbare Bedeutungsebenen machen, unabhängig von nachweisbaren Absichten, deutlich, was das Alphabetsystem von sich aus durch Impulse, paradoxe Fragen und ironische Kommentare leisten kann.

„Entspannendes Weiterdenken: Das wäre vielleicht ein Schlüsselbegriff für die Denk-Initiative von Christian Reder. Auf die Fakten und Fiktionen, die dieser als Systematiker getarnte Literat im Gefolge der *Wörter und Zahlen* weiterspinnen wird, darf man gespannt sein ... ein ‚Independent Hit' ..."

Der Standard, Wien

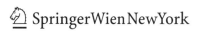

Springer und Umwelt